Medikal Medyum

Medikal Medyum
Anthony William

Kitabın Özgün Adı: Medical Medium: Secrets Behind Chronic and Mystery Illness and How to Finally Heal
Nemesis Kitap / Sağlık
No: 350
Yazan: Anthony William
Çeviren: Tolga Toprak
Yayına Hazırlayan: Hasret Parlak Torun
Düzelti: Başak Kıran
Kapak Tasarım ve Uygulama: Başak Yaman Eroğlu
Dizgi: Hazel Çelik

ISBN: 978-605-9545-06-8

Sertifika No: 26707

1. Baskı / Aralık 2016

Baskı ve Cilt:
Vizyon Basımevi Kağıtçılık Matbaacılık Ve Yayıncılık San. Tic. Ltd. Şti.
İkitelli Org.San. Bölg. Deposite İş Merk.
A6 Blok Kat:3 No:309 Başakşehir / İstanbul
Tel: 0212 671 61 51 Fax: 0212 671 61 52

Yayımlayan:
NEMESİS KİTAP
Gümüşsuyu Mah. Osmanlı Sok. Osmanlı İş Merkezi 18/9
Beyoğlu/İstanbul
Tel: 0212 222 10 66 - 243 30 73 Faks: 0212 222 46 16

MEDİKAL MEDYUM

KRONİK VE ÇÖZÜMSÜZ GÖRÜNEN HASTALIKLARIN GİZLİ NEDENLERİ VE İYİLEŞME YÖNTEMLERİ

ANTHONY WILLIAM

Çeviren: Tolga Toprak

Indigo, Ruby ve Great Blue için...

İÇİNDEKİLER

ÖNSÖZ

Neyi bildiğinizi nasıl biliyorsunuz?

Bildiğiniz birçok şeyi sizi büyütenlerden, arkadaşlarınızdan, okulda, kitaplardan ya da sokaklardan öğrendiniz. Bunlar bildiğinizi bildiğiniz şeyler.

Ancak içinizde başka bilme modelleri de var. Örneğin; varlığınızın, var olduğunuzun bilinci. Sizin siz olduğunuz bilinci. Bu bilgi ile doğdunuz.

Anlatmanın daha da zor olduğu başka bir bilme modeli daha var, çünkü birçok insan bunun böyle olmuş olduğunu farz eder. Siz bir kardiyolog olmadığınız halde kalbiniz kanı nasıl pompalayacağını bilir. Siz bir gastroenteroloji uzmanı olmadığınız halde bağırsağınız yiyecekleri nasıl sindireceğini ve emilimi nasıl gerçekleştireceğini bilir.

Bir de bir his gibi gelen bilme vardır, tıpkı içgüdüleriniz, sezgileriniz gibi. Bu bilme gayet akıllıdır, bir çeşit sihir gibi. Bu sayede olanları görmeden ya da duymadan bilebilirsiniz -ve bu hayatınızı kurtarabilir. Bu, insanların güvenmenizi, inanmanızı tavsiye ettikleri bir bilme türüdür. İyi de nereden gelmektedir bu bilgi? Ve nasıl bazı şeyleri bilmenizi sağlar? Bu bilginin sizinle ne zaman iletişime geçeceğine kim karar verir?

Bir bilim adamı olarak, bugüne kadar sadece gözlemleyebildiğim, ölçebildiğim, sınayabildiğim ve üretebildiğim şeylere güvenmem konusunda telkin edilip durdum. Ancak kalp sahibi bir adam olarak, eşim ve çocuklarıma karşı duyduğum aşkı ölçemiyorum -mikroskop altında incelediğim bir hücreden daha gerçek ve çok daha önemli olduğu halde.

Çok eski zamanlardan beri -neredeyse mucize niteliğinde çeşitli bilme biçimlerine sahip- sıra dışı yetenekleri olan birçok insan gelmiştir dünyaya. Bilgisayarların zar zor ulaşabileceği şeyleri bilen âlimler. İnsanlık âleminin her çağında müzik, sanat, spor gibi pek çok alanda yetişen dehaların sadece birkaçı anılmaktadır.

Son zamanlarda diğer tarafa göçen kişilerle iletişim kuran bireylerin farkına vardım. Bu medyumlar, insanların ancak çok sevdikleri ölmüş insanlardan geleceğine yemin edebilecekleri büyüleyici mesajlarla ülkeye baştan başa yayılmaktalar. Tüm zamanların en sevdiğim kitaplarından olan Brian Weiss'ın *Many Lives Many Masters* adlı kitabında Dr. Weiss hastalarını hipnotize ediyor ve geçmiş yaşamlarına, hatta yaşamlar arası uzay boşluklarına giderek ruhani ustaların yaydıkları sıra dışı mesajları getiriyordu. Bu seansların bunu deneyimleyen insanlar üzerinde derin iyileştirici etkileri oluyordu.

Ayrıca, bir de şifacılar var. Kimisi ünlü bu adam ya da kadınların körleri görür, kötürümleri yürür hale getirecek yetenekleri var, hatta hastaları tamamen iyileştirdikleri de oluyor. En çok bu şifacılar etkiliyor beni. Belki de biraz imreniyorum onlara. Bir dokunuşumla hasta birisini tamamen iyileştirecek yeteneğin bana da verilmesini çok isterdim. Çocuk hastanesinden başlayarak bir dizi iyileştirme turuna imza atardım.

Ne zaman böyle özel iyileştirici yeteneği olan birini duysam hemen onunla buluşmak isterim, onları sosyal ağıma eklerim, bu yeteneklerini kendi üzerimde deneyimler, hastalara onları tavsiye eder ve bu hüneri öğrenmeyi umarım. Anthony William ile tanışmam işte böyle oldu.

Birkaç yıl önce karın ağrısı şikâyetiyle doktora gittim, sonografi çekildi ve sonuçta karaciğerimde bir tümör olduğunu gördük. Daha sonra çektirdiğim bir MR ile bunu doğrulamış olduk ve bir de kasıklarımdaki lenf düğümlerinin şişkin olduğu çıktı ortaya; ameliyat gününü beklerken Anthony'nin numarasına ulaştım. Hızlıca randevu alındı, muayenenin ilk dakikası içinde karaciğerimden söz etti -biyopsi raporlarının sonucuna kadar doğru bildi. Daha da önemlisi bir gıda rejimi önerdi ve yiyecekler karaciğerimdeki tümörle hiç de ilgisi olmayan karın ağrılarıma bir son verdi (önceden farkına varılmamış, iyi huylu bir kist yüzündendi).

Daha sonra eşim ve çocuklarımla ilgili şikâyetler için Anthony'ye başvurduk ve her seferinde de olumlu sonuç aldık. Ayrıca meraklı ve açık görüşlü birçok hastamı ona yönlendirdim. Her birinden de harika geri dönüşler aldık. Onun bu bilgisinin nereden geldiğini yorumlamak size kalmış. Bana kalırsa sezileriyle aynı frekanstan kaynaklanıyor, sadece biraz daha güçlü. Aslına bakarsanız Anthony bunu kulağına bir şeyler fısıldayan bir ses olarak tanımlıyor.

Anthony bana bir kitap yazdığını söylediğinde heyecandan zıplıyordum. Sonunda anlaşılmaz bir şifa verme yeteneği olan birinden bunun nasıl çalıştığını, kişisel hikâyesini ve deneyimlerini duyabilecektim. Ve kitabı okuduğumda sevinçten havalara uçtum. İyi yazılmış, içten, ilginç, alçak gönüllü ve büyüleyici bir kitaptı. Kitabı elimden bırakamamıştım ve şimdi sizin de aynı deneyimi yaşayacağınızı düşündüğüm için çok mutluyum. Gerçek bir şifacının zihnine ve ruhuna giden bir yolculuk, uzaya yapılandan daha iyidir.

Umarım siz de bu kitaptan benim kadar zevk alırsınız.

Sevgiyle,
Alejandro Junger, Tıp Doktoru.
New York Times satış rekorları kıran
Clean, Clean Eats ve *Clean Gut*
kitaplarının yazarı

GİRİŞ

Ortalarda dolaşan ve birbiriyle çelişen sağlık bilgileri sizin de kafanızı karıştırmıyor mu? Siz de sağlam, temiz bir kaynağa ihtiyaç duymuyor musunuz?

Siz de kanser gibi durmadan artan hastalıklar karşısında dehşete kapılıp korunmanın bir yolunu bulmaya çalışmıyor musunuz?

Kilo vermek ister misiniz? Daha genç görünmek ve öyle hissetmek? Daha fazla enerjiye sahip olmak? Rahatsızlıkları olan bir sevdiğinize yardım etmek istemez misiniz? Ailenizin esenliğini korumak istemez misiniz?

Her şeyi denediniz, her yere gittiniz ve sağlığınız hâlâ olmasını istediğiniz durumda değil mi? Çektiğiniz rahatsızlığı sizin yaratmadığınızdan veya buna sebep olanın siz olmadığınızdan emin olmak istemez misiniz?

Yeniden kendiniz gibi hissetmek istemez misiniz? Zihinsel berraklık ve dengeye yeniden kavuşmak ister misiniz? Manevi destek almak ve ruhunuzun potansiyelinden faydalanmak?

Yeniden ayağa kalkmak ve 21. yüzyılın zorluklarıyla başa çıkmak istiyor musunuz?

O zaman bu kitap tam size göre. Bu cevapları başka bir yerde bulamayacaksınız.

Bu kitap okuduğunuz diğer kitaplara benzemez. Bir sürü alıntı, durmadan araştırmalara verilen referanslar yok bu kitapta, çünkü bunlar ışıl ışıl, zamanının ötesinden, göklerden gelen bilgiler. Rakamlar verdiğimde ya da diğer istatistiksel bilgilerden söz ettiğimde -örneğin; o konuda kaç insanın şikâyeti olduğu gibi- buradaki olgusal gerçekler Ruh'tan gelmektedir, bunu Bölüm 1: Medikal Medyum'un Kökeni başlığı altında açıklayacağım. Az sayıda örnekte olduğu gibi, Ruh'un beni belirli detaylar için dünyevi kaynaklara sevk ettiği yerlerde dipnotlar bulacaksınız. Bilim, burada yazdığım şeylerin bazılarını keşfetmiş durumda, pek çoğunu ise henüz değil. Burada paylaştığım her şey daha büyük bir merciden geliyor, merhametin özünden, herkesin şifa bulmasını ve potansiyeline göre yaşamasını isteyen bir makamdan.

Bu kitap, Ruh'un en değerli medikal gizemlerinin birçoğunun üstündeki perdeyi kaldırıyor. Doktorların üstesinden gelmeyi başaramadıkları gizemli bir hastalık ya da kronik bir durumdan şikâyet edenler için bir cevap bu kitap.

Bununla birlikte, bu kitap sadece hastalar için de değil. Bu dünyadaki herkes için.

Sağlıktaki moda ve çılgınlıklar gelir geçer. Biri popüler olduğunda insanların bilincinde en inandırıcısı o olur. Sonra başka bir akım gelir, eskisi yok olur gider, yenisinin albenili paketi aklımızı öylesine başımızdan alır ki aslında hepsinin de içinde aynı yanlışların var olduğunu göremeyiz. Birbirini izleyen her on yılda, bir önceki dönemin medikal yanlışlarını unuturuz; böylece tarih kendini tekrarlar durur.

Sağlık endüstrisinin aynı eski teorileri yeniden paketleyip sunduğu diğer kitapların aksine, takip eden sayfalar Ruh'un ilk kez ortaya koyduğu sağlık rehberliğini içerir.

Hızlanma *(The Quickening)*

Ruh şu anda yaşamakta olduğumuz dönemi *hızlanma* olarak adlandırıyor. Medeniyet daha önce hiç bu kadar hızla değişmemişti.

Teknoloji adeta hayatımız hakkında her şeyi kökten değiştirdi. Nefes kesici bir merak ve olanaklar çağındayız.

Bir yandan da bir tehlike çağı bu. Henüz gerçekleşen bir şeyi zihinsel anlamda kavrayıp, işlemeye başladığımızda zaten o artık eski bir bilgi oluyor. Öyle bir telaş içerisindeyiz ki, hep bir adım önde olmamız gerektiğini düşünüyoruz. Parmaklarımızın ucunda her dakika güncellenen bilgilerle talepler artıyor, sorumluluklar artıyor ve sağlığımız açısından gizli tehlikelerle karşı karşıya kalıyoruz. Yıldırım hızında gerçekleşen gelişmeler kimi zaman üzerinde hiç düşünülmemiş hassas noktalar değerinde oluyor.

Değişiklikler insanlığı özellikle de bunu en yoğun biçimde yaşayan kadınları etkilemekte. Günümüzde kadınlar çok büyük beklentilerle karşı karşıya, vücutlarının sınırlarını zorlarcasına çalışmaları bekleniyor. Bu arada kronik hastalıklar son derece yaygınlaşmış durumda, hem kadınlar hem de erkekler için.

Bu yanlış bilgi akışını durdurmazsak, atalarımızın yaptıklarını göz ardı edip yolumuzu başka yönlere çevirirsek, bizden sonra gelecek olan kuşaklar gereksiz ıstırap yaşamak zorunda kalacaklar. Değişen zamana ayak uydurmak için -hayatta kalmak için- uyum sağlamayı öğrenmeliyiz. Bunun tek yolu sağlığımızı korumaktır.

Günümüzde kronik hastalıklarla ilgili kitaplardaki genel yaklaşım hastalara diyetlerinden iltihap yapan yiyecekleri çıkarmalarını tavsiye etmek yönünde -ve bu böyle gidiyor. Bu bilgiler bağışıklık sistemi bozukluklarını ya da kronik durumlara aslında neyin sebep olduğunu açıklamıyor veya temel sorunlarımızdan nasıl kurtulacağımızı söylemiyor. Bu yüzden de insanlar hasta kalıyor.

Ama doktorları şaşkınlık içinde bırakan durumlar için yapılmış muhteşem, orijinal açıklamalar ve modern çağda karşımıza çıkan zorluklarla mücadele edebilmemiz için çok güçlü metotlar var.

Bu kitap kendinizi gerçekten özgürleştirmeniz adına size rehberlik edecektir. Bu kitabı, gerçekten şifa bulasınız, kendinizi sağlık ve esenlikle ilgili akımlardan, modalardan, yanlışlardan, yarı doğrulardan, kafa karışıklıklarından ve kandırmacalardan uzak tutasınız diye yazdım. Bugünün çocuklarına, yarının sağlıklı yetişkinleri olmaları yolunda yardımcı olabilelim diye yazdım.

Bilim karşıtı bir insan değilim. Atomlardan meydana gelip gelmediğimizi sorgulamıyorum ya da dünyanın milyarlarca yıllık olup olmadığını veya bilimsel yöntemlerin değerini sorgulamıyorum. Benim bildiklerim ve bu kitapta yer alan sırlar, önünde sonunda bilimsel camia tarafından dikkate *alınacaktır*.

Siz ya da bir sevdiğiniz hastalansa bile yanıtları alabilmek için 20, 30 hatta 50 yıl bekleyebilecek gibi mi hissediyorsunuz? Kızınızın ya da oğlunuzun büyürken sizinle aynı hastalıklarla uğraşmasına ve tıbbın aynı sınırlı imkânlara sahip olmasına katlanabilir misiniz?

İşte bu kitabın halka ulaşmasının zamanı, tam da bu yüzden şimdi -artık onu *okuyabilirsiniz*.

Bu kitabı nasıl kullanacaksınız?

Bu kitabı herhangi bir sebepten ötürü okuyor olabilirsiniz. Belki doktorun biri elinize bir teşhis tutuşturdu ve siz bunun arkasında ne olduğunu araştırmaya koyuldunuz. Belki adını koyamadığınız, cevaplarını aradığınız belirtiler görüyorsunuz kendinizde. Belki profesyonel bir hasta bakıcısınız ya da sevdiğiniz biriyle ilgileniyorsunuz ve sorumlu olduğunuz insana en iyi şekilde özen göstermek istiyorsunuz. Belki genel olarak sağlıkla, esenlikle ilgili bir insansınız ve özünüze, hayattaki amacınıza ulaşabilmenin yolunu arıyorsunuz.

Bu kitap herkese göre, hangi diyeti yaptığınıza, nasıl beslendiğinize bağlı olmaksızın. Mümkün olan en iyi şifa bulma yoluna ulaşmak isteyen herkes için bu kitap.

Bölümleri okurken nelerle karşılaşacağınıza gelirsek:

Kısım 1: Her Şeyin Başlangıcı'nda kim olduğumu, ne yaptığımı anlatacağım. Ruh'la olan bağlantımdan, kendilerini hasta tutan faktörleri ortadan kaldırıp iyileştirdiğim ve gelecekte onları bekleyen sağlık sorunlarından koruduğum insanlardan, hayatımın işinden söz edeceğim. Ayrıca *gizemli hastalığın* ne olduğunu ve neden farkına vardığımızdan daha yaygın olduğunu tartışacağım.

Onaylama ve bilme iyileşmenin en güçlü iki aracıdır, bu sebeple iki bölüm düzinelerce hastalığın arkasında yatan gerçek hikâyeleri açıklamaya ayrılmıştır.

Kısım 2: Gizli Salgın ise Epstein-Barr virüsü ile ilgili; kronik yorgunluk sendromu, fibromiyalji, multipl skleroz, romatoid artrit, hipotiroidi ve Hashimoto hastalığı gibi elden ayaktan düşüren birçok hastalığın arkasında gizlenen, gözden kaçırılmış patojen. Epstein-Barr virüsü şikâyetleri ve aşamaları insandan insana, özellikle de kadınlar arasında, çok farklı şekillerde yayılıyor -gizemli hastalıkların gizemli hastalığıdır o.

Kısım 3: Diğer Gizemli Hastalıkların Arkasındaki Sırlar, yaygın şekilde yanlış anlaşılan sağlık koşulları, onların çeşitli ve şaşırtıcı sebepleriyle ilgili. Bu bilgilerin hiçbiri insanların ellerine ulaşmak için daha fazla bekleyemezdi.

Kısım 2 ve Kısım 3'teki başlıkların her birinin sonunda hedeflenmiş sağlık önerileri ve belli hastalıklar için tavsiye edilen besin ve takviye gıdaları bulacaksınız. Takviye gıdaların dozajı için doktorunuza başvurunuz.

Kısım 4: Sonuçta Nasıl İyileşeceğiz? bölümünde sağlıkla ilgili gerçek sırları açığa çıkaracağım. Bunlar yapbozun bugünün tıp dünyasında eksik olan büyük parçaları. Kısım 4 tedavi, korunma ve öz-farkındalıkla ilgili -odak noktanız bir hastalıktan kurtulmak da olsa, iyi sıhhatten daha da iyisine ulaşmak da olsa ya da kendi özünüzle bağlantı kurmak da olsa hepsinin kaynağını burada bulacaksınız. Bu kaynaklar en iyi beslenme, şifalı bir arınma, sağlığınıza engel olan saklı içerikler için birer ipucu niteliğindedir; yeryüzündeki en şifalı besin kaynaklarını, zehirden arınmayı (detoksifikasyon), özgün meditasyon teknikleri veya meleklerle iletişime geçerek destek almak gibi yollarla ruhsal şifa bulma tekniklerini açıklar.

Kitapta ayrıca, beden ve ruh sağlığı sorunlarının ardından yeniden ayağa kalkan hastalarımın -kimi zaman kelimesi kelimesine- hikâyelerini okuyacaksınız. Tüm isimleri ve kişilik özelliklerini değiştirmeme rağmen hastanın deneyiminin özünü oluşturan hikâyeleri olduğu gibi bıraktım. Umarım her hikâye size yalnız olmadığınızı hissettirir, sizi bekleyen parlak geleceğiniz için yeni umutlar yeşertmenize yardımcı olur.

"*Quicken*" kelimesi yalnızca "hızlanmak" anlamına gelmez. Ayrıca "dirilmek, hayata gelmek" gibi anlamları da barındırır. Tarihsel olarak ana rahminde, ceninin sergilediği hareketliliğin ilk işaretlerine kadar gidebilir.

Yani bu şu demek: Bu seferki "*quicken*" sadece hızlanmak değil. Ayrıca bir yeniden doğuş.

Yeni bir dünya beliriyor. Ayakta kalmak istiyorsak -bu hızlı değişime eşlik eden tehlikelere yenik düşmek istemiyorsak- uyum sağlamalıyız.

Bu kitabın her kelimesi size bu konuda yardımcı olmak için yazılmıştır.

İnsanları iyileştirmekle meşgulüm. Rahatsızlıklarından tamamen kurtulmak isteyen on binlerce insana yardım ettim, daha ileri seviye hastalıkları def ettik, canlı hayatlarına geri döndüler, bu başarıyı daha geniş bir kitleyle paylaşmak istiyorum.

Bu kitapta kimi zaman "tıp camiası" terimini kullandığımı göreceksiniz. Bununla geleneksel ve alternatif tıp camiasını kastediyorum, bütünleyici ve fonksiyonel tıbbın daha yeni alanlarını da elbet. Hiçbirinin tarafını tutmuyorum; kimseyi de suçlamıyorum. Buradaki bilgiler tarafsızdır, bağımsızdır. Bu bilgiye ulaşmaya çalışan doktorlar ve şifa arayanlar içindir, daha fazla insana yardım edebilmek için bunları öğrenen insanlar içindir. Bu bilgilerle tanışmak ve şifaya kavuşmak isteyen *sizler* içindir. Bu bilgiler gerçektir.

Hepimiz gerçekleri aramıyor muyuz? Dünyamız ve içinde yaşadığımız evren hakkındaki gerçekleri? Kendimiz hakkındaki gerçekleri? Hayat hakkındakileri? Neden burada olduğumuzu? Ve amaçlarımızı?

Hasta olduğumuzda kendimize sorular sorarız. Hayattan kopuk gibiyizdir, ne yapmak için bu dünyaya geldiğimizi bilemez bir halde oluruz. Temel doğrulardan şüphe etmeye başlarız. Mesela; vücudumuzun kendini iyileştirme yeteneğine sahip olduğu gibi, çünkü hastalığımızın ardında aslında ne olduğunu bilmiyoruzdur. Bir cevap bulabilmek için o doktordan diğerine, o camiadan öbürüne koşar dururuz. Hayatın kendisine olan inancımızı yitiririz.

İyileştiğimiz zaman, kuşkular yitip gider. Yeniden amacımıza adanmak için gerekli olan enerjiye sahip oluruz. Kendimizdeki değişimi izler, yeniden hayatın güzel olduğuna inanmaya başlarız. Evrenin kanunlarına bağlanırız.

Dünyayla, kendimizle, yaşantımızla, amaçlarımızla ilgili gerçekler şifa bulma temeline oturur.

Ve şifa bulmakla ilgili gerçekler ise şu anda elinizde bulunmaktadır.

KISIM 1:

HER ŞEYİN BAŞLANGICI

BÖLÜM 1

MEDİKAL MEDYUM'UN KÖKENİ

Bu kitapta, başka hiçbir yerde öğrenemeyeceğiniz gerçekleri su yüzüne çıkarıyorum. Bunları doktorunuzdan duyamaz, kitaplarda ya da internette okuyamazsınız.

Bunlar henüz açığa çıkmamış sırlar, ilk kez ben gün yüzüne çıkarıyorum.

Bir hekim değilim. Tıp eğitimi almadım. Ancak yine de sağlığınızla ilgili kimsenin söyleyemeyeceği şeyleri söyleyebilirim size. Doktorların yanlış teşhis koyduğu, hatalı tedavi ettiği veya belirtilerine neyin sebep olduğunu kendilerinin bile bilmediği bir hastalık ismiyle adlandırdıkları kronik ve gizemli hastalıklarınıza açıklık getirebilirim.

Çocukluğumdan beri, paylaşmayı sürdürdüğüm sezilerimle insanları iyileştiriyorum. Şimdi sırları öğrenme sırası sizde.

İşte Ruh'un bana söyledikleri bu şekilde anlam ifade ediyor.

Beklenmedik Misafir

Hikâyem ben dört yaşımdayken başlıyor.

Bir pazar günü sabah vakti uyanırken, yaşlı bir adamın konuştuğunu duydum.

Sesi tam sağ kulağımın yanından geliyordu. Ve çok netti.

Şöyle dedi: "Ben Yüce Ruh'um. Benden daha büyük bir tek Tanrı vardır."

Şaşkın ve tedirgindim. Odamda biri mi vardı? Gözlerimi açtım ve çevreme bakındım, kimseyi göremedim. *Belki dışarıda birileri konuşuyordur veya bir radyo açıktır,* diye düşündüm.

Ayağa kalkıp pencereye gittim. Kimse yoktu -sabahın çok erken vaktiydi. Ne olduğuna dair hiçbir fikrim yoktu, olmasını istediğimden de emin değildim zaten.

Anne-babamla birlikte kendimi güvende hissedebilmek için aşağı kata indim. Ses hakkında hiçbir şey söylemedim. Ancak gün içerisinde içimde bir his uyanmaya başladı -izleniyordum.

Akşam olunca yemek masasında bir sandalyeye oturdum. Anne-babam, büyükanne ve büyükbabalar, diğer akrabalar hep birlikteydik.

Biz yemek yerken, aniden büyükannemin arkasında duran garip bir adam gördüm. Saçları ve sakalları gri renkteydi, üzerinde kahverengi bir giysi vardı. Akşam bizimle yemeğe katılması için davet edilmiş bir aile dostu olduğuna inanmak istedim. Masaya oturup bizimle yemek yemek yerine büyükannemin arkasında öylece ayakta duruyordu… Ve sadece bana bakıyordu.

Ailedekilerden hiçbiri onun varlığıyla ilgili bir tepki vermeyince, onu sadece benim gördüğümü anladım. Yok olup olmayacağını anlamak için yüzümü başka tarafa çevirdim. Tekrar baktığımda hâlâ orada duruyor ve bana bakmaya devam ediyordu. Ağzı oynamıyordu ancak sesini sağ kulağımda duyabiliyordum. Sabah uyanırken duyduğum sesin aynısıydı bu. Bu kez sakin bir tonla şöyle diyordu: "Buraya senin için geldim."

Yemeyi bıraktım.

"Ne oldu?" diye sordu annem. "Aç değil misin?"

Cevap vermedim, adama bakmaya devam ediyordum; o ise sağ kolunu kaldırmış, büyükannemin üstünden ona doğru gitmem için işaret ediyordu.

Komutuna uymak için inkâr edilemez bir güdü duyuyordum, sandalyemden kalkıp büyükanneme doğru ilerledim.

Elimi aldı ve yemek yemekte olan büyükannemin göğsüne bıraktı.

Büyükannem arkasına yaslandı. "Ne yapıyorsun?" diye sordu.

Gri adam bana bakıyordu. "'Akciğer kanseri' de," dedi adam.

Ne yapacağımı bilemiyordum, elim ayağıma dolaşmıştı. *Akciğer kanserinin* ne demek olduğunu bile bilmiyordum.

Söylemeye çalıştım, ama dilim dolanmıştı.

"Tekrar et," dedi. "Akciğer."

"Akciğer," dedim.

"Kanseri."

"Kanseri," dedim.

Tüm aile bana bakıyordu o an.

Bense hâlâ gri adama odaklıydım.

"Şimdi de 'Büyükannemde akciğer kanseri var,' de."

"Büyükannemde akciğer kanseri var," dedim.

Bir çatalın masaya düştüğünü duydum.

Gri adam elimi büyükannemin göğsünden alıp nazik bir biçimde yanıma bıraktı. Sonra da daha önce orada olmayan bir merdiveni tırmanmaya başladı.

Geri dönüp bana baktı ve şöyle dedi: "Bundan sonra her zaman sesimi duyacaksın, ancak beni görmeyeceksin. Endişelenme." Tavana kadar olan basamakları tırmandı ve *yok olup* gitti.

Büyükannem bana bakıyordu. "Sen dediğini sandığım şeyi mi dedin?"

Masada bir telaş oldu. Olan şeyin, birçok açıdan hiçbir anlamı yoktu -örneğin; büyükannemin bir şeyi olmadığı gerçeğini biliyorduk. Hiçbir şikâyeti yoktu ya da doktora gitmemişti.

Ertesi sabah uyandım... Ve aynı sesi yine duydum: "Ben Yüce Ruh'um. Benden daha büyük bir tek Tanrı vardır."

Tıpkı bir önceki sabah gibi etrafıma bakındım, kimse yoktu.

O günden beri, aralıksız her sabah aynı şey oluyor.

Bu arada büyükannem söylediklerim sonucunda sarsılmıştı. Kendini iyi hissettiği halde genel bir kontrol için randevu almıştı.

Birkaç hafta sonra doktoruyla görüştü ve göğüs röntgeni sonucunda akciğer kanseri olduğu ortaya çıktı.

Ses

Gizemli konuğum beni her sabah ziyaret ederken, ben de sesinin neye benzediğini bulmaya çalışıyordum.

Kristal berraklığındaki sesi bariton-tenor arasında bir yerlerde; daha çok kalın tarafa yakın, ancak *çok* da kalın değil. Bir derinliği ve titreşimi var. Adam sağ kulağımın yakınlarında olmasına rağmen sesinde stereo-surround efekti var gibi.

Yaşını tahmin etmek güç. Kimi zaman, tıpkı yemek masasındayken gördüğüm gri adam gibi, eşine az rastlanır derecede güçlü ve sağlığı yerinde 80 yaşında biri gibi ama kimi zaman ise binlerce yıl yaşındaymış gibi geliyor sesi.

Huzur veren, rahatlatıcı bir sesi olduğu söylenebilir. Yine de varlığına alışabilmiş değilim.

Diğer medyumlar da bazen içlerinden gelen sesleri duyduklarını söylerler ancak benimki içten gelmiyor. Doğrudan sağ kulağımın dışından gelen bir ses bu, sanki biri hemen yanımda duruyormuş gibi. Ona gitmesini söyleyemiyorum.

Fiziksel olarak engelleyebilirim. Elimi kulağıma kapattığımda ses çok zayıflıyor, tekrar açtığımda ses yine eski seviyesine kavuşuyor.

Benimle konuşmayı bırakmasını söyledim ona. İlk başlarda kibardım ama sonra değildim.

Gerçi benim ne dediğimin pek önemi yok gibi. Canı ne zaman isterse konuşuyor.

Yüce Ruh

Sese Yüce Ruh adını verdim, bazen kısa olsun diye Ruh dediğim de oluyor veya Yüce.

Sekiz yaşımdayken gün boyu durmadan kulağıma konuştuğunu duyuyordum, karşılaştığım herkesin sağlık durumunu bildiriyordu.

Nerede olduğumun ya da ne yaptığımın hiçbir önemi yoktu. Ağrılar, sızılar, hastalıklar ve onları çeken insanların daha iyi olmaları için neler yapabileceklerini duydum. Bunun aralıksız devam etmesi ve kişisel bilgilendirmeler işin stresli bir hal almasına sebep oluyordu.

Ruh'a bilmek istemediğim şeylerden söz etmeyi bırakmasını söyledim.

Bana olabildiğince fazla şey öğretmeye çalıştığını söyledi, bir dakikayı bile boş geçiremezdik. Çok talepkâr olduğunu söylediğimde ise beni duymazdan geliyordu.

Buna rağmen yine de onunla karşılıklı konuşabileceğimi gördüm. Kimi temel soruları soracak kadar büyüdüğümde, "Sen kimsin? Sen *nesin*? Nereden geldin? Niçin buradasın?" gibi sorular sordum.

Ruh yanıtladı: "Öncelikle ne olmadığımı anlatayım.

"Bir melek değilim. İnsan da değilim. Asla insan olmadım. Bir 'ruh rehberi' de değilim ayrıca."

"Ben bir *kelimeyim.*"

Gözlerimi kırpıştırıyor, olan biteni anlamaya çalışıyordum. Tek sorabildiğim, "Hangi kelime?" oldu.

Ruh cevapladı: "Merhamet."

Nasıl cevap vereceğimden emin değildim. Bir cevap vermem de gerekmiyordu zaten. Ruh konuşmaya devam etti. "Gerçekten de *merhamet* kelimesinin yaşayan özüyüm. Tanrı'nın parmak ucunda oturuyorum."

"Ruh, anlamıyorum. *Sen* Tanrı mısın?"

"Hayır," diye yanıtladı ses. "Tanrı'nın parmak ucunda

bir kelime oturur, bu kelime merhamettir. Ben o kelimeyim. Yaşayan bir kelime. Tanrı'ya en yakın kelime."

Başımı salladım. "Nasıl sadece bir kelime olabiliyorsun?"

"Bir kelime, enerji kaynağıdır. Bazı kelimelerin gücü büyüktür. Tanrı, tıpkı bende olduğu gibi, bazı kelimeleri ışıkla doldurur ve bize hayatın nefesini üfler. Ben bir kelimeden *fazlayım.*"

"Senin gibi başkaları da var mı?" diye sordum.

"Evet. İnanç. Umut. Neşe. Huzur. Ve diğerleri. Hepsi de yaşayan kelimeler ancak ben hepsinin üstündeyim, çünkü Tanrı'ya en yakın olan benim."

"O kelimeler de insanlarla konuşur mu?"

"Benim seninle konuştuğum gibi değil. O kelimeler kulakla duyulmazlar. Her insanın kalbinde ve ruhunda yaşarlar. Benim gibi. Neşe ve huzur gibi kelimeler insan kalbinde yalnız değildirler. Tamamlanmak için merhamete ihtiyaç duyarlar."

"Neden huzur kendi başına yeterli olamıyor?" diye sordum. Ruh hayatıma girdiğinden beri çoğu kez huzur ve sakinlik dilemiştim.

"Merhamet acının anlaşılmasıdır," diye yanıtladı Ruh. "Acı çekenler anlaşılmadıkça neşe, huzur ya da umut olmaz. Merhamet bu kelimelerin kalbidir, o olmadan diğer kelimeler boş kalırlar. Merhamet onları doğruluk, onur ve amaçla doldurur.

"*Ben* merhametim. Benden daha yukarıda oturan yalnızca Tanrı vardır."

Bunu anlayabilmek için sordum: "O zaman Tanrı nedir?"

"Tanrı bir kelimedir. Tanrı *aşk*tır, tüm kelimelerin en üstünde yer alır. Tanrı ayrıca bir kelimeden de *ötedir*. Çünkü Tanrı herkesi, her şeyi sever. Tanrı varlığın en güçlü kaynağıdır.

"İnsanlar aşkla sevebilir. Ancak insanlar kendileri dışındaki her şeyi koşulsuz sevemezler. Ama Tanrı bunu yapar."

Bu benim için fazla ileriydi. Konuşmayı kişisel bir soruyla sonlandırdım. "Başkalarıyla da konuşuyor musun?" *Çünkü eğer öyleyse,* diye düşünüyordum, *gidip onları bulurum ve böylece yalnız hissetmem.*

"Melekler ve diğer varlıklar benden rehberlik etmemi bekliyorlar. Tanrı'nın bilgeliğini ve derslerini can kulağıyla dinleyen tüm varlıklara bunu anlatmaya çalışıyorum," dedi Ruh. "Ancak dünyada, yalnız seninle doğrudan konuşuyorum."

Ben ve Gölgem

Tahmin edeceğiniz gibi, bu sekiz yaş için biraz fazlaydı.

Genç yaşta başlarına şoke edici şeyler gelen başka medyumlar da var. Hiçbirinin hikâyesiyle benimki örtüşmüyor.

Her an bir ruhun sesini berrak bir şekilde duyabilmek, onunla serbestçe konuşabilmek, bunlar medyumlar arasında bile oldukça sıra dışı şeyler. Daha ilginç olanı sesin kulağımın dışından konuşuyor olması, yani düşüncelerimden bağımsız, ayrı bir şey. İşin aslı, beni her yerde takip eden ve çevremdeki herkesin sağlığıyla ilgili, duymak istemediğim şeyler söyleyip duran bir ses duyuyorum.

İyi yanı ise şöyle; inanılmaz derecede doğru ve kesin olan sağlık haberleri alıyorum -yaşayan medyumların herhangi birinden çok daha fazla. Bir de üstüne *kendi* sağlığımla ilgili bilgilendiriliyorum, bu da büyük bir ayrıcalık. Tarihteki en ünlü medyumlar bile normalde kendi durumlarını göremiyorlardı.

Ayrıca tıp camiasının onlarca yıl sonra ulaşabileceği bilgiler şu an benim için birer sezi durumundalar.

İşin kötü yanının büyük bir parçası da mahremiyet diye bir şeyin kalmamış olması. Sekiz yaşımdayken bir hafta boyunca evin yakınlarındaki bir nehre küçük bir baraj inşa etmeye çalıştım. Ruh bana, bunun kötü bir fikir olduğunu, komşunun bahçesinin sel sularıyla dolacağını söyledi.

"İyi olacak," dedim.

Sonra bir sağanak geldi, nehir kabardı ve komşunun bahçesini su bastı. Adam evden bana bağırırken, ben kulağımda, "Ben sana dedim, beni dinlemedin," diyen sesi duyuyordum. Ve elbette ki bu, durumu daha da kötü hale getiriyordu.

Ruh, her an her hareketimi izliyor ve bana ne yapıp ne yapmayacağımı söylüyordu. Bu normal bir çocukluk yaşamayı neredeyse imkânsız kılıyordu. Barajı inşa ettiğim yıl en iyi arkadaşımın ruhsal ve fiziksel sağlığıyla ilgili en ufak detayları dahi biliyordum, hoşlandığım kızın da öyle, hatta öğretmenimin bile -erkek arkadaşıyla mutsuz bir ilişkisi vardı. Her detayını biliyordum ve bu da acı vericiydi.

Bunlar yetmezmiş gibi Ruh daha kötüsüne hazırlanmamı söylüyordu. "En büyük zorlukların yaklaşıyor."

"Ne demek istiyorsun?" diye sordum.

"Her yüz yılda sadece bir ya da iki insana bu armağan verilir," dedi. "İster doğuştan olsun ister sonradan kazanılmış olsun; bu sıradan bir yetenek değil. Bu, çoğunun hayatta kalmayı başaramayacağı bir durum. Normal bir insan gibi yaşayamamak dayanılmaz gelmeye başlayacak, normal bir ergen olmayı düşünme bile.

"Eninde sonunda diğerlerinin şikâyetlerinden başka bir şey duyamayacaksın. Bununla rahat etmenin bir yolunu bulman gerek. Aksi halde, muhtemelen hayatına son vereceksin."

Bedenleri Okumak

Ruh hem en iyi arkadaşım hem de yüküm olmuştu. Büyük güçlerin benim için seçmiş oldukları bir mesleğe beni alıştırmasına saygı duyuyordum. Yine de beni maruz bıraktığı baskı hâlâ sıra dışıdır.

Bir gün evin yakınlarındaki büyük, güzel mezarlığa gitmemi söyledi. "Şu mezarın başında durmanı istiyorum," dedi. "Ve bu insanın niçin öldüğünü tahmin etmeni."

Tam da sekiz yaşındaki bir çocuktan istenecek şey.

Gerçi o sıralar arkadaşların ve yabancıların sağlık bilgileriyle ilgili öyle yoğun bir bombardıman altındaydım ki, bunu da onlardan biri sandım.

Ruh'un da yardımıyla benden istediği şeyi yapabildim.

Bu da yeteneğime başka bir boyut katıyordu: Ruh, sadece birinin sağlığıyla ilgili sözlü bilgilendirme yapmakla kalmıyor, insan bedenine bakarak fiziksel tarama yapabilmeyi de öğretiyordu bana.

Yıllar boyunca, yüzlerce mezarlıkta bunu denedim. Hatta öyle ilerledim ki, eğer biri kalp krizi, inme, kanser, karaciğer hastalığı, trafik kazası, intihar ya da cinayet sonucu ölürse bunu anında hissedebiliyorum.

Bununla birlikte, Ruh bana insanların bedenlerine derinlemesine bakabilmeyi öğretti. Bu eğitim tamamlandığında, *herhangi birini* kusursuzca tarayıp okumayı başarabileceğime söz verdi.

Ben sıkılıp, daha eğlenceli bir şeyler yapmak istediğim zaman şöyle dedi: "Bir gün gelecek, insanlar üstünde ölümle yaşam arasındaki fark kadar büyük bir anlama sahip taramalar gerçekleştireceksin. Birinin akciğerleri iflas etmek üzereyse ya da bir arter tıkanıp kalbi durdurmak üzereyse bunu ona söyleyebileceksin."

Bir keresinde karşı geldim. "Kimin umurunda? Ne fark eder ki? Neden *benim* umurumda olsun ki?"

"Umurunda *olmalı*," diye yanıtladı Ruh. "Burada, dünyada hepimizin yaptığı şeyler önemlidir. Yaptığın iyi işler ruhun için büyük önem taşır. Bu sorumluluğu ciddiyetle almalısın."

Kendini Tedavi

Dokuz yaşımda, diğer çocuklar bisiklete binip basketbol oynarken ben etrafımdaki insanların hastalıklarına şahit oluyordum ve Ruh onlara neyin iyi geleceğini anlatıyordu bana. Yetişkinlerin sağlıkları açısından neyi yanlış yaptıklarını, iyileşmeleri için tam olarak ne yapmaları gerektiğini ama nadiren yaptıklarını biliyordum.

Bu noktada sağlıkla ilgili bilgilerle ve eğitimle öylesine doluydum ki uygulamaya geçmemem imkânsızdı.

Kendimi hasta ettiğimde bir fırsat çıkmış oldu karşıma. Bir gece ailece dışarıda yemek yerken, Ruh'un günlük beslenme tavsiyelerini göz ardı edip balık yedim ve zehirlendim. İki hafta boyunca yataktan çıkamadım. Annemler beni doktora, hatta bir gece iyice fena olduğumda acil servise götürdüler ancak ateş ve karın ağrısı şikâyetlerim devam ediyordu.

Sonunda Ruh o hezeyan içinde anlamamı kolaylaştırdı ve bunun *E. Coli* olduğunu söyledi. Büyük büyükbabamın evine gidip ağaçtan bir kasa armut toplamamı söyledi. Bu armutlardan başka bir şey yemeyecek ve iyileşecektim.

Dediğini yaptım ve hızlıca kendime geldim.

Tanrım, Onu Kov

On yaşıma geldiğimde Ruh'u aradan çıkarmak ve doğrudan Tanrı ile konuşmak istedim.

Tanrı'dan istediklerimi dua aracılığıyla söyleyemezdim, çünkü Ruh bunu duyardı.

Bu sebepten ötürü, Tanrı'ya olabildiğince yakın olmak adına en yüksek ağaçların tepelerine çıktım ve gövdelerine mesajlarımı kazımaya başladım.

İlk mesajlarımdan biri şöyleydi: "Tanrım, Ruh'u seviyorum ama onu aradan çıkarmamızın zamanı geldi."

Bunu, birkaç açık soru izliyordu:

"Tanrım, insanlar neden hasta olmak zorundalar?"

"Neden *sen* iyileştirmiyorsun herkesi?"

"Neden *ben* insanlara yardım etmek zorundayım?"

Bu sorular bana gayet mantıklı geliyordu ancak hiçbir yanıt alamadım.

Bu yüzden tehlikeli olabilecek uzunlukta başka ağaçlar buldum, en üst dallarına tırmandım, atılganlığımın

Tanrı'nın dikkatini çekeceğini umuyordum. Bu kez mesajlarımı soru şeklinde değil, doğrudan yazıyordum:

"Tanrım lütfen beni tekrar sessizliğe kavuştur."

"Tanrım, artık Ruh'u duymak istemiyorum. Lütfen gitmesini sağla."

Tam, "Tanrım, beni özgürleştir," yazarken ayağım kaydı. Neredeyse düşüyordum. *Bu tip bir özgürlük değildi istediğim*, diye düşündüm. Çok küçük hareketlerle geri döndüm, yenilmiştim.

Bu mesajların hiçbiri bir değişikliğe yol açmadı. Ruh benimle konuşmaya devam etti.

Onun otoritesini bozmaya çalıştığımı fark etmiş olsaydı bile, merhameti ve bağışlayıcılığından ötürü bunu söz konusu etmezdi. Çok daha önemli başka işler vardı.

İlk Müşteriler

11 yaşıma geldiğimde bir nebze olsun kulağıma gelen seslerden kurtulmak ve biraz eğlenmek amacıyla golf kulübünde sopa taşımaya başladım.

Oysa yeteneğim, öyle kolay kurtulabileceğim bir şey değildi. Sopalarını taşırken golf oyuncularıyla sağlık koşulları hakkında konuşmadan edemiyordum. Sertleşmiş eklemler, kötü durumdaki dizler, yaralı kalçalar, incinmiş bilekler, tendoinitler ve önceden başlarına gelmiş onca şey.

Şöyle diyordum: "Sopayı biraz kötü sallıyorsun ancak karpal tünelinin durumu göz önüne alındığında bu hiç de şaşırtıcı değil," veya, "İltihaplı kalçanla başa çıkabilseydin daha iyisini yapabilirdin."

Bana şaşkınlıkla bakıyor ve soruyorlardı: "Bunu nereden biliyorsun?" Sonra nasıl iyileşeceklerine dair tavsiyelerde bulunmamı istiyorlardı, onlara ne yemeleri gerektiğini anlatıyordum, hareketlerinde neleri değiştirmeleri gerektiğini, hangi terapileri denemeleri gerektiğini.

Yıllarca golf sopası taşıdıktan sonra bir değişiklik yapmak istedim. Eğer iyileşmeleri için insanlara ne yemeleri gerektiğini söylüyorsam, o zaman bu yiyeceklerin satıldığı bir markette çalışabilirdim. Yerel bir süpermarkette depocu olarak işe başladım.

Müşterilerim istedikleri zaman uğruyorlardı, onlar gelince rafları yerleştirme işini bırakıp yardımcı oluyordum. Patronum rafları yerleştirme işime ara verdiğim için rahatsız olmuyordu, çünkü yeni müşteriler getiriyordum.

Bununla birlikte, o da müşterimdi.

Bir süpermarkette sağlıkla ilgili tavsiyelerde bulunmak biraz tuhaftı. Ayrıca zordu da çünkü bu gıdalara erişim henüz zordu ve gıda çeşitliliği de çok azdı. Ruh, on ya da yirmi yıl içinde süpermarketlerin insanlara daha fazla seçenek sunacaklarını söylüyordu. Bu arada iyileştirme planlarımda daha yaratıcı olmama yardım ediyordu -ve bir müşterinin ihtiyacı olan şeyi alarak iyileşmesini sağlamak için sadece ona doğru yürümenin yetmesini seviyordum.

Daha fazla güç daha fazla suç getirir

14 yaşıma geldiğimde, bazen otobüste veya trende giderken, önümde oturan kişinin sağlık durumunu gözden geçiriyor, omzuna vuruyor ve ona bildiklerimi söylüyordum. Kimi zaman şükranla karşılık veriyorlardı. Kimi zaman ise özel hayatlarına müdahale etmek ya da sağlık

raporlarını çalmak gibi şeylerle suçlanıyordum. Başa çıkmam gereken çok fazla güvensizlik ve düşmanlık vardı -özellikle de ergenlik dönemindeki bir erkek olarak.

Büyüdükçe, istenmeden yardımcı olmak konusunda daha dikkatli olmam gerektiğini öğrendim. Eğer birini düzenli olarak görüyorsam bildiğim şeyleri paylaşmak konusunda hâlâ bir istek duyuyordum. Bu yüzden önce ruhsal vaziyetine bakıp ona göre konuşup konuşmamaya karar verdim. Bu yolla istenmeyen durumların sayısı oldukça azaldı.

Eğer bir yabancıyla karşı karşıyaysam, bildiklerimi genellikle kendime saklıyordum. Gerçi bu da bir yüke dönüşebiliyordu. Yaşım ilerledikçe hareketlerimden daha fazla sorumluluk duymaya başladım. Eğer biri böbrek hastalığı ya da kanser yüzünden tehlikeli bir durumdaysa ve ben onu uyarmıyorsam, bir yanım bu insanların daha da hastalanmalarında ya da belki ölüp gitmelerinde benim de bir payım olduğunu söylüyordu. Bunu her gün yüzlerce kez yaşadığımı göz önüne alırsak, sorumluluk ve suçluluk duygusunun gitgide daha dayanılmaz bir hal aldığını söyleyebiliriz.

Kurtulma girişimleri

Yirmili yaşlarıma doğru gelirken hayat daha da zorlaştı. Mesela birçok insan rahatlamak ve bir şeylerden kaçmak için televizyon izler. Ama ben televizyon izlemeye başladığımda ekrandaki herkesin sağlık durumunu okuyordum. Onlar bunun farkında olsun ya da olmasınlar, ben otomatik olarak yardıma ihtiyacı olan insanların sağlık durumlarını tarıyordum. Bu sürekli olduğundan televizyon izlemek tüketici oluyordu, eğlenceli değil.

Bir sinema veya tiyatroya gittiğimde daha da kötü oluyordu. Aynı sırada oturduğum insanların, ön sıradakilerin, arka sıradakilerin ve böyle giderek, gördüğüm herkesin sağlık durumunu kontrol edilemez bir biçimde okuyordum.

Bununla da kalmıyor. *Perdede* gördüğüm aktörlerin de sağlıklarını okuyabiliyordum. Her aktörün, hem film çekildiği sırada hem de şu andaki sağlık durumlarını biliyordum. Bir düşünsenize, sinema daveti alıyorsunuz ve koltuklarda olsun ekranda olsun, gördüğünüz herkesin sağlık durumuyla ilgili bombardımana maruz kalıyorsunuz.

Ergenlerin son istedikleri şeyin başkalarından farklı olmak olduğunu göz önüne alırsak, bu dönem benim için bir hayli zorlu geçti. Yabancılaşma ve sorumluluk altında ezilme gibi duygularım bir takım ergen isyanlarına yol açtı. "Yeteneğimden" kurtulabilmek için çeşitli yollara başvurdum.

Ormanda çok vakit geçirmeye başladım. Ormanı rahatlatıcı buluyordum, özellikle de insanların olmaması sebebiyle. Ruh'un yardımıyla, gün içerisinde değişik kuş çeşitlerini tanımaya başladım. Geceleri bana yıldızların isimlerini öğretiyordu -hem bilim adamlarının verdiği isimleri hem de Tanrı'nın verdiklerini. Bu tam bir kaçış sayılmazdı gerçi, çünkü Ruh etrafımda yetişen bitki ve yiyecekleri de öğretiyordu bana -kızıl yonca, sinirotu, karahindiba, dulavratotu kökü, yaban güllerinin filizleri ve taç yaprakları, yaban elmaları ve daha çeşitli meyveler-ayrıca bunların şifa için nasıl kullanılacakları da.

Ayrıca araba tamiri konusunda da merak uyandı bende. Mekanik şeyleri tamir etmeyi sevdim, çünkü bu duygusal bir uğraş gerektirmiyordu. Eski bir Chevy'yi tamir etmeyi başaramazsam, ilerlemiş hastalıklarına rağmen yardım edemediğim insanlara karşı hissettiğim utancı hissetmiyordum.

Ancak bu hobi de tasarlandığı gibi gitmedi. İnsanlar ne yaptığıma dikkat etmeye başladılar ve gelip: "Vay canına, bu müthiş! *Benim* arabamı da onarır mısın?" demeye başladılar. Hayır diyemeyen birisiyim, özellikle en zor kısmı Ruh üstlenirken. Bu da neyin yanlış gittiğini gösteriyor herhalde.

Bir gün 15 yaşımdayken, annemle benzin almak için bir yerde durduk. Arka tarafa geçtiğimde, karmaşık bir bulmacayı çözer gibi önlerindeki arabaya bakıp duran bir grup tamirci gördüm.

"Ne oluyor?" diye sordum.

Adamlardan biri, "Bu araba üzerinde haftalarca çalıştık. Kusursuzca çalışması lazım ama marş basmıyor," dedi.

Ruh anında çözümü söyledi. "Şuradaki kablolara bakın," diye bilgilerimi aktardım onlara. "Düzinelerce kablonun arasından, kopmuş olan beyaz bir tanesini bulacaksınız. Kabloyu bağlayın, araba çalışır."

"Bu çok saçma," dedi başka biri.

"Bir baksak ne zararı olur ki?" dedi ilk konuşan. Gidip baktılar ve tabii ki ortadan kopmuş beyaz bir kablo buldular.

Ağızları bir karış açık bana bakıyorlardı.

"Sen bu arabanın sahibi misin?" diye sordu şüpheci olanı. "Ya da sahibinin bir arkadaşı falan?"

"Hayır," diye cevapladım. "Sadece bu işlerde biraz marifetliyimdir."

Bir dakika içinde kabloyu onardılar ve araba çalıştı. Tamircilerden biri arabanın etrafında hoplayıp zıplamaya başladı. Bir başkası bunun bir "mucize" olduğunu söyledi.

Olanlar kulaktan kulağa yayıldı tabii; bizim kasaba, hatta komşu kasabalarda yer alan birçok tamirhane beni tamir edilmesi imkânsız görülen işlere göndermeye başladılar. İşi almaya gittiğimde beni çağıran tamircilerin çoğu huylanıyordu. "15 yaşında bir çocuğun burada ne işi var?" diye soruyorlardı. İşi halledip döndüğümde fikirleri değişiyordu elbette.

Böylece sorumluluktan kaçmak yerine çok şey kazandım. İnsanları iyileştirmenin üstüne bir de araba doktoru oldum.

Son olarak şunu söylemeliyim ki insanların arabaları söz konusu olduğunda çok duygusallaştıklarını gördüm. Genellikle kendi sağlıklarından daha çok arabalarının iyi durumda olmasına özen gösteriyorlar. Bu noktada arabalar benim için eğlence kaynağı olmaktan çıkıyor.

Daha farklı isyan yolları denedim. Örneğin; bir rock grubuna katıldım, yüksek sesli müzik Ruh'un sesini bastırıyordu. Ruh bundan hoşlanmadı. Ben curcunamı bitirene kadar sabırla bekler, sonra da etrafımdakilerin sağlığı hakkında konuşmasına başlardı.

Yeteneğimin yok olması için ne yaptıysam işe yaramadı. Ruh ve yeteneğimle baş başa kaldığım gittikçe daha da netlik kazandı ve benim için çizilen yoldan çıkamayacağım da.

İşe koyulmak

Genç bir adam olduğumda, Ruh'la yaptığın antrenmanlar sayesinde dolaylı yollardan binlerce insanı okuyup taramış ve bu yolda yüzlercesine yardımcı olmuştum.

Bir gün şunu düşündüm: *Pekâlâ, elimde olan bu. Özel bir amacım var. Sadece bunu kabullenmem gerekiyor -şimdilik.*

Ayrıca şunu da düşündüm: *Bu muhtemelen hayatımın sonuna dek sürmeyecek. Bir noktada sorumluluklarımı yerine getirmiş biri olarak artık normal bir hayat sürmeye başlayabileceğim.* Ruh bana böyle bir şey söylememişti, yola devam edebilmek için benim buna inanmam gerekiyordu.

20'li yaşlarımın başında, içimden gelerek Ruh'un bana defalarca kaderim olduğunu söylediği şeyi yapmaya başladım. Yardım için gelen hasta insanlara kapımı açtım, hastalıklarının gerçek sebeplerini buldum ve iyileşmek için ne yapmaları gerektiğini anlattım onlara.

Göğüs gerdiğim onca strese rağmen bunun tatmin edici bir iş olduğunu söylemeliyim. İnsanlara yardımcı olmak iyi hissettiriyor.

Aslında yapabildiğim şey öylesine güçlüydü ki her şeyi bilen adam olma fikrini kafama kimi zaman bilerek soktum.

Bunun iyi bir örneği, yürüyemeyen ve bacaklarını kullanamayan karısının durumunu görüşmek için komşum bana geldiğinde gerçekleşti. Onlarca doktor tarafından muayene edilmiş, hiçbiri yardımcı olamamıştı. Komşum karısına: "Bak, Anthony bu tip konularda çok şey biliyor gibi görünüyor. Bir şansımızı deneyelim," demişti.

Benim sorumluluğumda, bir yıl içinde yürüyebilmeye başladı.

Bahçemde soğanları toplarken komşum geldi. "Sana tekrar teşekkür etmek isterim Anthony," dedi. "En iyi uzmanlara görünebilmek için tüm ülkeyi dolaştık ve hiçbiri bir şey yapamadı. Hiç mantıklı değil ama sen her nasılsa neyin yanlış gittiğini ve onun neye ihtiyacı olduğunu bildin. Bu nasıl oluyor bilmiyorum. Sen bir doktor bile değilsin."

Elimde soğanlarla ona baktım ve şöyle dedim: "Çünkü ben her zaman doğruyumdur. Her türlü problemi çözebilirim, çünkü yanlış yaptığım hiçbir şey yoktur. Şunu aklından çıkarma: Ben her zaman doğrusunu yaptım ve yapmaya da devam edeceğim."

Arkamı döndüm ve birkaç adım attıktan sonra tırmığa bastım. Tırmığın sapı suratıma öyle kuvvetli çarptı ki yere serildim.

Ben yerde yatarken komşum kendi bahçesinden benimkine atladı, yanıma geldi. Sersem halimle onu değişmez yoldaşım sandım ve, "Ruh?" dedim.

Yüce Ruh şöyle cevapladı: "*Ben* her zaman doğruyumdur. *Sen* her zaman yanlış. Bunu unutma. Ben her zaman *doğruyumdur*. Sen ise *yanlış*."

Ne zaman kibirlensem o anı düşünürüm. Bana hep şunu hatırlatır; Ruh'un yardımıyla yaptığım şeylerin bazıları mucizevi görünebilir, ancak ben hâlâ yalnız uçarken berbat kararlar alabilen, sıradan bir insanım.

Dönüm Noktası

Genç bir yetişkin olduğumda, Ruh benim gibi Tanrı vergisi yeteneklere sahip insanların yüz yıllardır yaşadığı hayatına son verme krizimi atlattığımı düşünüyordu. Hayatımın geri kalan kısmında insanları iyileştirmek için bana verilmiş olan yetenekleri kabul etmiş olduğumu var sayıyordu.

Bu da Yüce Ruh'un bile, söz konusu özgür irade olduğunda, bazı şeyleri öngöremediğini gösterir.

Bir gün, sonbaharın sonlarına doğru, kız arkadaşım -daha sonra eşim olacak olan kişi- köpeğim August (Augustine'in kısaltılmışı) ve ben, nehir kenarında yalnızdık.

August bir yıldır benimleydi ve ona çok yakındım. Ailemin köpeğinin yerini almıştı, o da 15 yıldır benimle birlikte kalmıştı. Tıpkı o köpek gibi August da benim için çok önemliydi.

Geniş, derin bir koyda oturuyorduk. Su buz gibi soğuktu ve güçlü bir akıntı vardı.

Son günümüzdü. Gönülsüzce buranın huzurlu izolasyonundan ayrılmanın hazırlıklarını yapıyorduk.

Birden, hiçbir uyarı vermeden köpeğim suya atladı. Hislerimi anladığını sanıyorum. Bu da onun kendini ifade etme biçimiydi. "Gitmek zorunda değiliz. Haydi ama, kalıp biraz daha oyun oynayalım."

Ne yazık ki hem akıntı hem de soğuk su onu etkisi altına almıştı. Hızlıca bizden uzaklaşmaya başladı.

Kıyıda durup geri dönmesi için bağırmaya başladık. Köpeğimi tekrar kıyıya döndürebilmek için suya taşlar atmaya başladım. Bu bizim özel işaretimizdi -sığ sularda oynarken ne zaman suya taş atsam kıyıya geri gelirdi. Ancak bugün akıntı onu uzaklaştırdıkça uzaklaştırıyordu.

August yaklaşık 15 metre uzaklaşmıştı. Geri dönmek için çabaladığını ve mücadeleyi kaybettiğini görebiliyordum. Sonra soğuk onu öyle etkiledi ki ayaklarını oynatmayı kesti ve akıp gitmeye başladı.

Ayakkabılarımı ve üstümdekileri hemen çıkarıp dondurucu soğukluktaki suya atladım.

5 metre kadar yüzmüştüm ki Ruh şunları söyledi: "Eğer devam edersen başaramayacaksın."

"Ne önemi var!" diye bağırdım. "August'u bırakmayacağım. Köpeğimi kurtarmalıyım."

Bir 5 metre daha yüzmüştüm ki soğuk iyice hissettirdi kendini. Vücudum uyuşuyordu.

"İşte yapacağını yaptın. Şimdi geri dönemezsin, ilerleyemiyorsun da. Buraya kadar."

"Sahiden mi? Beni normal, sakin bir hayattan mahrum bıraktın, tüm varlığımı şu şifa işine adadım ve sen karşılığında bunu mu reva görüyorsun bana? 'Buraya kadar,' deyip bizi ölüme mi terk ediyorsun?"

Dört yaşımdan beri bastırdığım bütün sinir ve stres birden su üstüne çıkmıştı. Yıllardır bana verilmiş bu özelliği "hediye" olarak kabul etmem gerektiği konusunda süregelen işkence karşısında bastırılmış hüsranıma Ruh da şahit olmuştu işte: herkesten ayrı olmak, oldukça erken yaşta herkesle ilgili çok şey bilmek, en ufak bir seçme şansı bile tanınmadan hayatım boyunca ne yapacağıma karar verilmiş olması...

Ruh'a şunları söyledim: "Çok şeye katlandım, çocukluğumu feda ettim, herkesin acısını, şikâyetini deneyimledim, binlerce yabancıyı iyileştirmenin sorumluluğunu üstlendim, her gün fiziksel ve zihinsel olarak güçsüzleştim. Ve şimdi sen bana ailemi bile kurtaramayacağımı mı söylüyorsun?

"Hayır, lanet olsun!" diye bağırdım, soğuk su beni yutmaya çalışırken. "Eğer sonumun bu şekilde olmasını istiyorsan izin ver gitsin Ruh. Ya köpeğimi kurtarırım ya da ben de onunla birlikte sürüklenir giderim."

Çok uzun bir saniye geçti. Uyuşmuş ve tükenmiş bir halde, sonunda bazı şeylerin çok üstüne gitmiş olabileceğimi düşündüm. Birkaç saniye daha yardım gelmezse ben de köpeğimle birlikte soğuk suların derinliklerini boylayacaktım.

Hayatımın geri kalanını birlikte geçirmeyi planladığım kızı son kez görebilmek umuduyla kafamı kıyıya çevirdim.

"Yaklaşık 6 metre daha yüzmen gerekiyor," dedi Ruh.

Şok içinde bağırdım: "Nasıl?"

İlginç bir biçimde yenilendim gibi oldu. Tekrar yüzmeye koyuldum. İçimden hâlâ Ruh'a bağırıp çağırıyordum, ya köpeğimle *birlikte* kurtulacaktım ya da birlikte ölecektik.

Ruh şöyle dedi: "Seni köpeğine götüreceğim. Karşılığında senin de bir söz vermen lazım. Bu hayata bizden beklendiği şekilde devam edeceğiz. Hayatının geri kalan kısmında bu işi yapmak Tanrı tarafından senin kaderine yazılmış, bunu kabul etmelisin."

"Tamam!" diye bağırdım. "Anlaştık. August'u bulmama izin ver, bundan sonra tek kelime şikâyet etmeden dediğini yapacağım."

6 metre daha yüzdüm. Ruh, "Nefesini tut ve 2,5 metre kadar dal, sonra gözlerini aç," dedi.

Nefesimi tuttuğumda vücudumdan bir güç dalgası geçti. Aniden ayaklarımı hissetmeye başladım.

Yaklaşık 2,5 metre daldım, gözlerimi açtım ve bir melekle karşı karşıya kaldım.

Daha önce hiç melekle karşılaşmamıştım. Bir kadına benziyordu ancak su altında nefes sorunu yaşamıyor gibiydi. Arkasında harika bir ışık kaynağı vardı, gözlerinden ışıklar saçıyordu, sırtında ışıktan yapılma dev kanatlar görünüyordu. Kesinlikle kutsal bir varlıktı.

Kollarında da August, huzurlu, güzel bir ışıkla çevrelenmişti. Bir an zaman durmuş gibi oldu. Su altında görüşüm gayet netti ve oksijensizlikle ilgili en ufak bir problem yaşamıyordum.

Köpeğimin boynuna sarıldım. Sonra *bir şey* beni yukarı doğru ittirdi.

İkimiz de suyun yüzüne çıkmıştık.

Kıyı hâlâ oldukça soğuktu, akıntı hâlâ vahşice bizi karadan ve hayattan uzaklaştıracak kadar kuvvetliydi. Rüzgâr hızla esiyordu.

Gözlerimi tekrar açtığımda, bir anlığına Ruh'u suyun üzerinde gördüm. Dört yaşımda, bana göründüğü günden beri ilk kez görüyordum onu.

"Fazla zamanımız yok," dedi. "Melek gidiyor."

Bir kez daha tamamen yok olabileceğimi idrak ettiğimde vücudumdan bir güç dalgası daha geçti. Buz gibi suda -yaşamıyormuş gibi görünen August'a tutunarak- yüzmeye başladığımda, sanki kıyıya doğru çekiliyormuşum gibi hissediyordum.

Köpeğim ve ben karaya ve -rahatladığı için ağlamaya başlayan- kız arkadaşıma geri dönmüştük.

Köpeğimi ve kendimi karaya çekerken ben de acıdan ağlıyordum -hipoterminin ilk aşamalarını yaşadığım için değil, köpeğim öldü sandığım için. Tek düşünebildiğim şuydu: *Lütfen hâlâ yaşıyor olsun.*

Gözlerini açtı, nefes aldı ve yeniden hayata döndü. Güneş bulutların arkasından kendini gösterdi, bir ışık hüzmesi suyun üstünden August'a yansıdı. Işığa baktım ve şöyle dedim: "Teşekkürler Ruh."

Ve şunu fark ettim: Ruh hayatıma girdiğinden beri ilk kez ona teşekkür ediyordum. Dört yaşımdan bu yana Yüce Ruh'la giriştiğim bu çatışma artık burada bir son bulmalıydı. Elimde olanı kabul etmemin zamanı gelmişti.

Bu noktadan önce de insanlar yoğun bir şekilde yardım almak için bana geliyorlardı.

Bu sözle birlikte, hayatımın sonuna kadar kimseyi ayırmaksızın insanlara yardım etmeye adadım kendimi.

Bana verilen yeteneği problemsiz bir nimetmiş gibi görmeyecektim. Ancak şikâyet etmeye bir son verecek ve kim olduğumu kabul edecektim.

İşte o an gerçekten Medikal Medyum olduğumu kabul ettim.

İşleyiş

Çağrıma cevap verdiğimde, olabildiğince etkili bir biçimde uygulayabilmek için bir yöntem geliştirdim.

İnsanların bedenleri üzerinde bir sağlık okuması yapabilmek için onlarla aynı odada bulunmama gerek yoktu, böylece müşterilerimle telefonda konuşmaya başladım. Bu, dünyanın neresinde olurlarsa olsunlar herkese yardımcı olabilmeme olanak sağlıyordu, ayrıca bir müşteriden diğerine zaman kaybetmeden geçiş yapabiliyordum. Bu yolla on binlerce müşteriye hizmet verdim.

Sağlık okuması yaparken Ruh, hastanın içini görebilmeme imkân sunan, çok parlak bir ışık yaratıyordu. Bir Medikal Medyum olarak ihtiyacım olan şeyi elde etmem konusunda oldukça kritik bir durum olmasının yanında, parlak ışığın yoğunluğu, gerçek dünyayı görmeme engel olan, bir çeşit "kar körlüğü" yaratıyordu ve bu ertesi gün dahi devam edebiliyordu. Çalışmam bittikten sonra, görüşümün normale dönmesi yaklaşık 30 ila 60 dakika sürüyordu.

(Ek olarak şunu söylemeliyim, çok sayıda insan ya da gürültünün olduğu bir yere giderken yanımda asistanımı da götürüyordum, çünkü gerçekleştirdiğim "otomatik" okuma nedeniyle genel olarak görüşümün kayda değer bir kısmını yitiriyordum. Örneğin, ne zaman bir yere uçmak zorunda kalsam, istemeden de olsa uçaktaki herkesi okuyordum. Uçaktan indiğimiz zaman neredeyse tamamen körleşmiş buluyordum kendimi, bu yüzden bana yardımcı olması için asistanıma ihtiyacım vardı.)

Bir hastanın durumu hakkında derinlemesine bir okuma yapmak yaklaşık üç dakikamı alıyordu. Bununla birlikte ne gördüğümü anlatmam, özellikle de yeni hastalarda, ne yapmaları gerektiğini belirtmem 10 ila 30 dakika kadar sürüyordu.

Bazen bir müşteriye tam bir tanımlama yapmak ya da onu desteklemek için zaman harcamam gerekiyordu. Bu sebeple insanların yalnızca fiziksel hastalıklarından daha fazlasıyla ilgileniyordum.

Ruh, Kalp ve Can

Bir okuma gerçekleştirdiğimde, bir insanın fiziksel sağlığının ötesine geçer, ayrıca ruh, kalp ve can sağlığıyla da ilgilenirim. Bunlar bir arada gruplanmış, birbirlerinden tamamen bağımsız üç önemli bileşendir.

İlk bileşen *ruhtur*. Bu bir insanın bilincidir veya başkalarının deyişiyle "makinedeki hayalet."

Ruhunuz, beyninizde ikamet eder, *anılar* ve *deneyimler* burada depolanır. Bu ölümlü dünyadan göçüp gittiğinizde, ruhunuz bu anıları da taşır oralara. Birinin, bazı şeyleri hatırlamasına engel olan bir beyin hasarı ya da beyin hastalığı olsa bile, o insan ölüp gittiğinde ruhu anılarını taşır.

Ruhunuz ayrıca umut ve inanç depolar, bunların ikisi de doğru yoldan ayrılmamanızı sağlayan şeylerdir.

İdeal olanı tam anlamıyla bozulmamış bir ruha sahip olmaktır. Yine de hayatın zor yollarından geçerken, ruhunuz zarar görmüş, hatta bir parçasını yitirmiş olabilir. Bunlar travmatik olaylar sonucunda gerçekleşen şeylerdir, sevilen birinin ölümü, bir ihanet hatta kendi kendine ihanet gibi sebepleri olabilir.

Bir müşteriyi tararken, ruhundaki kırık ya da çatlaklar bana her zaman bir katedralin camındaki çatlakları anımsatır. Kırıkların, çatlakların nerede olduklarını söyleyebilirim çünkü ışık buralardan geçerek gelir.

Bir parçasını yitirmiş bir ruha gelince, o tıpkı geceleyin tüm lambaları yanan bir ev gibidir... Sadece bazı odalar karanlığa gömülüdür.

Ruhun zedelenmesi, enerji kaybına, hatta yaşam gücünün yitirilmesine sebep olabilir. Bu yüzden onun farkında olmak önemlidir. Kimi zaman bir müşterinin problemi fiziksel değildir, daha çok ruhunda meydana gelen bir ızdıraptır.

Ruhu zedelenmiş bir insan güçsüzdür, savunmasızdır. Eğer bir arkadaşınız şöyle diyorsa, "Henüz yeni bir ilişkiye açık değilim, hâlâ ayrılığın acısını çekiyorum," o kişi ruhunun zedelendiğini ve kendini yeni risklerin kucağına atmadan önce ruhunun şifa bulması için biraz zamana ihtiyacı olduğunu anlatıyordur.

Aynı şekilde, büyük bir iştahla ruhsal gelişimin herhangi bir biçimini takip eden birini gördüğünüzde -bu bir din, ruhani bir lider, kişisel gelişim kitabı ya da meditasyon uygulaması olabilir- bu da o kişinin ruhunun zedelenmiş olduğuna ve yeniden eski sağlığına kavuşabilmek için bir yol aradığına işaret edebilir. Bu, her birimiz için hassas bir iş -buradaki zamanınız tükendiğinde ruhunuz, Tanrı'nın onu kabul edeceği yer olan, yıldızların ötesindeki yolculuğunu sürdürebilmek için yeterince sağlam, bozulmamış olmalı.

Birinin varlığının ikinci bileşeni ise *kalbidir*. Burada *aşkınız, merhametiniz* ve *neşeniz* ikamet etmektedir. Sağlıklı bir ruha sahip olmak, bütün bir insan olmak için yeterli değildir. Saf bir ruhun yanında kırılmış, yaralı bir kalbe sahip olabilirsiniz.

Kalbiniz hareketlerinizin pusulasıdır, ruhunuz kaybolduğunda size rehberlik eder.

Ayrıca, kalbiniz ruhunuzdaki bir yarayı telafi eden bir güvenlik ağı gibidir. Ruhunuz kırılmalardan veya kayıplardan muzdarip olduğunda, o tekrar şifa bulana kadar güçlü kalbinizle bu zor durumu atlatabilirsiniz.

Kalbiniz ayrıca iyi niyetlerinizin de bir kaydını tutar. Bu şu demektir; yıpranmış bir ruhunuz varken, sıcak ve sevecen bir kalbe sahip olabilirsiniz. Aslında, inişli-çıkışlı ruh hallerinden geçen insanlarda kalbin genişlemesi yaygın görülen bir şeydir. Büyük kayıplar daha derin anlayışlara sebep olabilir; daha büyük aşklara, daha güçlü şefkat duygusuna.

Bir hastayı tararken baktığım üçüncü bileşen ise onun *canıdır* -can burada *niyet, fiziksel güçlülük* anlamlarındadır. Ruhunuz canınız değildir. İki farklı parçanız var. Tırmanmanıza, koşmanıza, savaşmanıza yardım eden şey canınızdır. Ruhunuz yıpranmış, kalbiniz güçsüz düşmüş olsa bile, canınız sayesinde şifa bulmak için yeni arayışlara girişebilirsiniz. Örneğin, kimi zaman, çok hasta bir kişiye yürüyüşe çıkmasını, kuşları izlemesini, güneşin batışını seyretmesini öneririm. Bu, o kişinin canını yeniden kazanmasına yardımcı olur, bu yolla kalbini ve ruhunu onarmaya yeniden başlayabilir.

Her insan farklıdır, kişisel deneyimler, hisler ve ruh durumlarıyla. Merhametli bir şifacı olmak için, kendine has her duruma uyum sağlamalı ve o kişinin acılarını dindirebilmelisiniz. Ruh bana, bu merhametin şifa vermedeki en önemli şey olduğunu söylüyor.

Hakiki Medikal Medyum

Durmadan kulağıma konuşan bir sesin dezavantajları olduğu kadar çok büyük avantajları da var tabii.

Ruh benden ayrı olduğundan, benim üzgün ya da sıkılmış olduğum zamanların hiçbir önemi kalmıyor. Ruh benim duygularımdan etkilenmiyor ve her bir kişinin sağlığıyla ilgili kesin, doğru okumalar sağlıyor.

Bir üst hale geçmemi gerektiren sezgisel şeylerle uğraşmıyorum, işimi icra ederken iyi ya da kötü günler geçirmiyorum. Bazı müşterilerim, daha iyi bir okuma yapabilmem için mücevherlerini çıkarmaları gerekip gerekmediğini soruyorlar. İsterlerse kendilerini alüminyum folyo ile kaplasınlar, bir şey değişmez, ihtiyaçları olan cevapları bulur ve neyin yanlış gittiğini anlarım.

Diğer medyumlardan farklı olarak ailemin, arkadaşlarımın hatta kendimin sağlık durumu ile ilgili de bilgiler alabiliyorum. Tekrar söylüyorum, Ruh benden ayrı olduğu için tek yapmam gereken ona sormak, böylece bilmek istediğim şeyleri bana söylüyor.

Bu beni özel kılan şeylerden biri.

Bir gün şüpheci bir muhabir, hemen oracıkta kendisine teşhis koymamı istedi: "Neremin ağrıdığını söylemenizi istiyorum. Ayak parmağım mı? Bacağım mı? Midem mi? Kolum mu? Kalçam mı? Her yerim mi? Hadi sesin söylediklerini anlatın."

Ruh hemen gerekeni söyledi, "Ağrısı *var*. Başının sol tarafı ağrıyor. Kronik migren onu mahvediyor." Uzanıp başının sol yanına dokundum ve şöyle dedim: "Ruh bana burada ağrınız olduğunu söylüyor." Ağlamaya başladı.

İşte Ruh'un anında sağladığı kesinliğin kalibresi.

Eğer gece saat 2'de bir telefon gelir ve bir müşterim kızının acilen ameliyata alındığını ve bunun doğru karar olup olmadığını öğrenmek isterse, bir dakika içinde doktoruna olayın bir gıda zehirlenmesi mi olduğunu yoksa kızcağızın apandistinin patlamak üzere mi olduğunu söyleyebilirim.

Birinin iyileşmekte mi olduğunu yoksa iç kanaması mı olduğunu, bir çocuğun ateşinin gripten mi yoksa menenjitten mi kaynaklandığını, birinin ateşinin mi olduğunu yoksa felç geçirmek üzere mi olduğunu söyleyebilmeliyim. Ruh her seferinde bana bilgiyi verir.

Padre Pio ve Edgar Cayce, 20. yüzyılın bu iki önemli mistik şifacısı, tarih boyunca, Ruh'un benden talep ettiği merhamet seviyesine ulaşabilen iki insan olmuşlardır. Şefkatli birer şifacı olarak yaptıkları işin benimkine benzer tarafları vardır. Ancak her birimizin gücü ve yetenekleri kendine hastır.

Benim yaptıklarımı başka bir medyum yapmaz. Şu hayatta başka kimse kristal berraklığında, kesin ve doğru, hedefe yönelik sağlık bilgileri almıyor.

Hayatımı bu işe adadım. İşte olduğum kişi bu. Bu yeteneğimi kullanarak, sonraki bölümlerde size sağlık bilgileri aktaracağım.

BÖLÜM 2

GİZEMLİ HASTALIKLAR HAKKINDAKİ GERÇEK

Sağlıkla ilgili sorularınızın cevaplarını çok uzun zamandır arıyorsanız yalnız değilsiniz.

Bir hasta bana gelmeden önce ortalama olarak 10 yıl boyunca 20 doktora gitmiş oluyor. Bu sayı bazen aynı süre zarfında 50 ya da 100'ü buluyor. Bir kadın yedi yıl içinde yaklaşık *400* doktoru ziyaret ettikten sonra bana geldi.

Bu insanların sağlık sorunlarına teşhis konuluyor -lupus, fibromiyalji, Lyme hastalığı, MS, kronik yorgunluk sendromu, migren, tiroit, romatoid artrit, kolit, hassas (huzursuz) bağırsak sendromu, çölyak hastalığı, insomnia (uykusuzluk hastalığı), depresyon ve daha birçoğu- ancak iyileşemiyorlar.

Ya da belki doktorlar, hastadaki belirtiler üzerinden bir teşhis koyamıyor ve, "Her şey kafanızda, gerçek olmayan, sizin hayal ettiğiniz şeyler," gibi cümleler kuruyorlar.

Bu hastaların gerçekten uğraştıkları şey gizemli hastalık oluyor.

Gizemli hastalık tanımlanamayan bir hastalık değildir veya Midwest'te, açıklanamayan belirtiler yüzünden aniden hastaneye kaldırılan sekiz çocuğun hikâyesiyle ilgisi yoktur. Açıklanamayan belirtilerine cevap bulmak için bana gelen birçok hastam var ama her gün gördüklerimin arasında sadece bir parçayı oluşturuyorlar ve daha geniş bir küme olan gizemli hastalıkların alt kümesini oluşturuyorlar.

Gizemli hastalığın tanımını "akut bir hastalık" ya da "az rastlanan türden" gibi açıklamalara indirgemenin bir yararı yok. Bu halkı kandırmak olur. Bu, insanların şöyle düşünmesine yol açıyor: Doktorların çaresini bulamadığı bu hastalık toplumun sadece ufacık bir kesimini etkiliyor.

Gerçek şu ki; milyonlarca insan gizemli hastalıktan muzdarip. Gizemli hastalık, herhangi bir rahatsızlıktan ötürü birini herhangi bir nedenle zihni karışmış bırakır. Bu bir gizem olabilir çünkü bu belirtilerin tümüne birden bir isim verilmiş değil -ve bu bir çeşit akli dengesizlik olarak not edilip geçiliyor. Gizemli hastalık ayrıca (doktorlar topluluğu henüz anlayamadığı için) asıl nedenine karşı hiçbir etkili tedavinin bulunmadığı kronik bir durum için tanımlanabilir ya da sıklıkla yanlış tanı koyulmuş bir durumdur.

Yalnızca yukarıda saydığım durumlardan söz etmiyoruz, ayrıca tip 2 diyabet, hipoglisemi, TME sendromu, *Candida*, menopoz, dikkat eksikliği/hiperaktivite bozukluğu, travma sonrası stres bozukluğu, Bell paralizisi, zona, sızıntılı bağırsak sendromu ve diğerleri de var. Bunlar sadece isimler, kafa karışıklığı ve acı dışında başka hiçbir anlamları yok. Bunları gizemli hastalık yapan da bu.

Peki ya otoimmün (doğuştan gelen bağışıklıkla ilgili) hastalıklar -vücudun, belirli koşullar altında kendine saldırması? Gerçek değil. (Sonraki bölümlerde bu konuya değinilecek.) Bu, tıp biliminin, insanların ne sebepten ötürü kronik ağrılar çektiklerini anlayamamasından başka bir şey değil, gerçeği çarpıtmanın faydası yok. Otoimmün hastalık gizemli hastalıktır.

Bir doktora gidip dirsek ağrısı çektiğinizi söyler ve hastalığınızın adının romatoid artrit (RA) olduğunu öğrenirseniz, bu sadece bir isim koymadır ama çare değildir. Çeşitli ilaçların yazılı olduğu reçeteler ve fizik tedavi alabilirsiniz ancak bunun *neden* olduğuna ya da nasıl iyileşeceğinize dair bir açıklama yoktur. Doktor, RA için, vücudun kendi kendine saldırması şeklinde açıklama yapabilir; bağışıklık sisteminiz vücudunuzun belli kısımlarını istilacı zannederek saldırıya geçmiş ve onlara zarar vermeye çalışıyordur.

Bu yanlış yönlendirmedir. *Vücut kendi kendine saldırmaz.*

Gerçek nedir? RA sadece gizemli bir hastalığın adıdır. *Eklem ağrısı hastalığı* daha açık bir tanı olacaktır -bu tıp dünyasının henüz bu hastalık hakkındaki gerçekleri ortaya çıkaracak kadar araştırma yapmamış olduğunu gösteriyor.

Ama yine de RA'nın bir açıklaması vardır. Yanıtı bu kitapta bulacaksınız.

Gizemli hastalık tüm zamanların en üst seviyesinde. Her on yılda bir otoimmün hastalık ya da kronik gizemli hastalık şikâyeti yaşayan insan sayısı iki ya da üçe katlanıyor. Bu yüzden gizemli hastalığın tanımını genişletmenin zamanı gelmiştir, milyonlarca insanın bir cevaba ihtiyacı olduğu gerçeğini fark etmek zamanıdır.

Kitabın devamındaki bölümlerde bu gibi düzinelerce

hastalığın gerçek doğasını ortaya çıkaracağım, iyileşmek ya da onlardan korunmak için ne yapmanız gerektiğini anlatacağım.

Gizem dağılıyor.

İyileşmenin Atlıkarıncası

İnsanlar hiçbir iyileşme kaydetmeden, doktor doktor gezip şikâyetlerini anlattıklarında ben buna *iyileşmenin atlıkarıncası* diyorum. Kurtulmak için ne kadar çaba harcasanız da çemberi dolanmaya devam ediyorsunuz.

Birçok meslekte iş sade ve yalındır. Tesisatçı, tamirci, muhasebeci, avukat gibi insanların işlerinin kolay işleri olduğunu söylemek değil niyetim. Öyle değil. Onlar da bir takım kurallara bağlı çalışmaktalar. Hesapları tutturamayan muhasebeci ana defterde sorunu görecek ve günlük deftere yeni bir giriş yaparak düzeltecektir. Çalışmayan bir bulaşık makinesini tamir etmek için gelen bir tamirci önünde sonunda değişmesi gereken parçayı bulacaktır -öyle olmasa bile yeni bir makine ile mesele çözülecektir.

Tıp alanında bile bazı durumlar oldukça açık ve nettir. Birisi kayak yaparken bir kaza geçirdiğinde, kırılan bacağın sebebi gizemli kalmayacaktır -ve onun nasıl iyileşeceği de aynı şekilde gizemli olmayacaktır. Bir kemik kırığında -sebebi, etkileri ve tedavisi gayet iyi tanımlanmıştır- olay bir feribot seferine benzer: Başladığı yer ile bittiği yer birbirinden farklıdır. Belki yolculuğu zorlaştıran bir sisle karşılaşılabilir -kemik parçalara bölünmüş olabilir ya da alçıya alındıktan sonra bazı problemler yaşanabilir- ancak A ve B noktaları bellidir ve sağlık personeli hastayı bir noktadan diğerine ilerletmek konusunda eğitim almıştır.

Tıp bilimi fiziksel iyileştirme konusunda akıl almaz derecede ilerlemiş durumda. Trafik kazaları, kırılan kemikler, kalp nakli ve daha birçok konuda hayat kurtaran teknolojiler geliştirilmiş durumda. Her gün rutin işleyişi yerine getiren ve devrim niteliğinde ameliyatlara imza atan bu adanmış insanlar olmasaydı şimdi nerede olurduk? 20. yüzyılda tıp bilimi viroloji (virüs bilimi) alanında da büyük yenilikler içerisinde... Ancak hepsi örtbas edilmiş durumda. Çünkü buluşlarını bir sonraki aşamaya taşımak için gerekli olan kaynaklardan yoksunlar ve virüsler konusundaki buluşları büyük oranda göz ardı edilen bu inanılmaz doktorlar yüzüstü bırakılmış haldeler.

Gizemli hastalık konusunda, belirtilerin sebepleri genellikle açık değildir. Belli bir nedeni yoktur, insanların çektiği sorunların net bir açıklaması yoktur. Doktorların eğitimi A ve B noktalarını belirleyemez. Şüpheci bir tıp adamı, hastanın şikâyetiyle ilgili açık bir bulguyu göremeyebilir -ve hastanın durumu ortada bile olsa araştırmaya devam edebilir.

Kronik hastaların çoğu iyileşmiyor. Çoğu zaman bu bir *atlıkarınca* çemberi olmaktan çıkıp, *somurtma* çemberi halini alıyor.

Değişimin zamanı gelmiştir.

Sizlere gizemli hastalıkların bir kural kitabı olmamasının kötü bir şey olmadığını anlatmak için buradayım. Hukuk işini ele alalım örneğin. Sayısız insan avukat oluyor, çünkü adalet onları çekiyor. Okula kaydını yaptırıyor ve avukat oluyorlar... Sonra müşterilerine sunabilecekleri adaletin sınırlı olduğu gerçeğiyle yüzleşiyorlar. Hepsi de insan tarafından planlanmış ve kimi zaman adaletsiz yasalarla sınırlılar. Bir kurallar kitabına sahip olmak her zaman iyi bir şey değil.

Gizemli hastalıklar için bir kurallar kitabı olmadığından iyileşmenin de sınırı yok -gelecek sayfalarda açıklayacağım sırları okursanız göreceksiniz. İyileşme ya da şifa Tanrı'nın bize sunduğu en büyük özgürlüklerden biri. İyileşme evrenin, ışığın ya da büyük güce her ne ad veriyorsanız onun kanunudur -insanların değil- dolayısıyla gerçek adaleti bağışlar bizlere. Kanunlara bağlı kalmaksızın, gizemli hastalıklar karşısında şifa bulmak hayal dünyasının sınırlarını aşabilir.

Yanıtlara Bağımlı

Tıp kurumu bir çeşit bağımlılık gibidir - bunun bir nedeni de sağlık konusunda otorite olmasından kaynaklanır. Peki ne alternatif tıbbın ne de geleneksel tıbbın çare bulamadığı hastalıklar söz konusu olduğunda ne olur? İnkâr.

Bu inkâr, "Bilmiyorum," demek yerine yanlış teşhis koymak şeklinde gerçekleşebilir. Bu, iyileştirmek yerine engel olan ilaçlar veya diyetler yazmak şeklinde olabilir. Ya da bu inkâr bir çeşit başından savma (gönderme) şeklinde yaşanabilir -doktor hastalığın sebebinin psikosomatik olduğunu iddia ederek hastayı bir psikiyatra yönlendirir.

Herhangi bir bağımlılıkta olduğu gibi, tıp camiası için ilk adım bu işte bir sorun olduğunu kabul etmektir.

İster geleneksel olsun ister alternatif, eğer tıp camiası yorgunluk ve kas ağrılarıyla kadınların tadını kaçıran salgının gerçek olduğunu ve kimsenin bunun arkasındaki asıl sebebi bilemediğini kabul etmezse araştırmacılar fibromiyaljinin gerçek sebebini bulmak için gerekli olan fonu nasıl bulacaklar? Aynısı diğer hastalıklar için de geçerli.

Eğer hastaysanız tıp camiası çözüm bulana kadar on yıllarca beklemek ister misiniz?

Birçok anne 20 yıl önce gizemli bir hastalığa yakalandıklarını ve kendilerine tiroid, migren, hormon dengesizliği ya da MS gibi teşhisler konulduğunu söylüyor. Şimdi kızlarının da aynı yoldan gittiğini görüyorlar. Teşhis konduğu zaman, 20 yıl sonra tıp dünyasının bu gibi hastalıklara karşı hâlâ çaresiz kalacağını ve bu durumdaki hastalar için hiçbir çözüm önerisinde bulunamayacağını akıllarına bile getirmediklerini belirtiyorlar. Kronik durumlarla ilgili tıbbi gelişmelerin olduğu yerde sayacağını tahmin edememişler. Kızlarının da kendileri gibi aynı hastalıklar karşısında çaresiz kalacaklarını hayal bile etmediklerini söylüyorlar.

Birinin çektiği ağrıların asıl sebebini bulmak ya da bunların altında yatan asıl soruna karşı tatmin edici bir tedavi yöntemi bulmak on yıllar sürmemeli. İnsanlar dertlerine çare bulmak için karanlıkta el yordamıyla ilerliyor gibi hissetmemeliler.

Tıp camiası için açık ve dürüst olma zamanıdır şimdi, tıbbi modelin uyum sağlayarak ilerlemesi gerektiğini kabul etmeliler, hayat kurtarma ameliyatlarında olduğu gibi kronik hastalıklar ve diğer alanlarda da aynı hızda gelişme kaydetmeliler. Eğer hastalıklara saçma sapan isimler vererek bir on ya da yirmi yıl daha geçireceksek, o zaman tıp, tanı testlerinin yetersiz ya da yanıltıcı olduğunu ve doktorların kimi zaman tahmini ameliyatlar gerçekleştirdiklerini itiraf etmeli.

Tıp kurumu için, bu kitapta açıklanan yanıtları araştırmanın zamanı gelmiştir.

Gizemli Hastalık Çeşitleri

Gizemli hastalıklar üç kategoride incelenebilir.

İlki *adlandırılamayan hastalıktır*. Bir kişi belirtileri

sayarak doktor doktor gezebilir, test ardına test yaptırabilir ve hiçbir şeyin yanlış gitmediğini duyabilir. Kan tahlili, MR, ultrason ve bunlar gibi başka araştırmaların hiçbiri bir şey göstermemiştir. Hastanın şikâyetleri karşısında aldığı tek açıklama her şeyin kafasında olduğudur -kuruntulu olduğu, sinirli olduğu, depresyonda olduğu, çok çalıştığı ya da çok sıkıldığı söylenir kendisine. Akli dengesi yerinde olmayan biri için bu çıldırtıcı olabilir. Doktor hastanın acılarının gerçek olduğuna ancak hâlâ tıp bilimi tarafından açıklanamadığına inanırsa bu kez ona "bilinmeyen" kelimesinin süslü karşılığı olan *"idyopatik"* terimini kullanır.

Etkisiz tedavi gizemli hastalığın ikinci kategorisidir. Bu senaryoda ise tıp kurumu belirtilerin adını koymuştur ancak tedavi etmek için bir yöntem geliştirmemiştir. Reçetede yazan tedavi hastanın sağlık durumunda hiçbir şeyi değiştirmez ya da onu daha kötü eder veya hasta bu hastalıkla yaşaması gerektiğine inandırılır. En iyi ihtimalle hasta belirtilerin üstesinden gelebilmek için ilaç alır -MS'te olduğu gibi- ancak durumunu iyileştirecek bir şey yoktur.

Üçüncü tipte -*yanlış teşhis*- hasta, hastalığının adını öğrenir ancak bu yanlış isimdir. Kimi zaman tanı trendleridir sorumlu olan. Örneğin; menopoz, perimenopoz, hatta hormonal dengesizlikle hiç ilgisi olmayan hormonlar suçlanır. Doktorlar hastalarına yardımcı olmak isterler elbet, ancak aynı belirtilere aynı teşhisi koyan diğerlerini takip ederler. Aslında alternatif doktorlar, geçen on yılın geleneksel tıbbın hormon anlayışından yola çıkarak ilerler. Bu, trendlerin, akımların nasıl birbiri üzerinden geçerek birbirini lekelediğinin bir örneğidir.

Cevapları arama yolunda insanlar kendilerini bu üç

aşamanın herhangi birinde bulabilirler. İlk doktordan belirtilerin psikosomatik olduğunu, yeni bir odak noktası bulabilmek ve ruhsal durumuna yardımcı olabilmek için yeni bir uğraş/hobi edinmesi gerektiğini duyabilirler. Bir sonraki doktor gerçek bir sorun olduğunu onaylar, hastalığa lupus gibi bir isim verir ve daha sonra etkisiz bir tedavi önerir. Hâlâ kendini iyi hissetmeyen hasta yeni bir teşhis için -ancak bu kez yanlış- üçüncü bir doktora gider, yanlış yöne doğru ilerlemesine sebep olacak olan "çarelerle" oraya buraya savrulur.

Trend Gelecek Değildir

Sağlıktaki trendler işe yaradıkları için popüler olmazlar.

Belki bir araba, telefon ya da bir giysi kaliteli, kullanışlı ya da eğlenceli olduğu için moda olmuş olabilir ancak teşhisler ve tedaviler sağlığa yardımcı oldukları için moda olmazlar. Medikal bir trendin arkasındaki teori, düşünce süreci veya slogan, sonuçları ya da faydalarından ziyade insanların bilincinde edindiği yer üzerinden meşhur olur.

Sağlık trendleri vitrinde insanları cezbetmek için teşhir edilen ancak dükkânda bulunmayan ürünler gibidir. İnsanları hayat dolu, enerjik sağlığın büyüsüyle etkiler ve bu arada sadece zaman kaybına neden olan teknikler sunar, insanların kendi bağlılık ve yeteneklerini sorgulamasına sebep olur. Bu rejime biraz daha dayanabilselerdi -ya da protein tozu programına veya meyvelerin yasak olduğu diyete- kendilerine vaat edilen düzeye gelmiş olacaklardı.

Medikal trendlerin nasıl çalıştığını anlamak için Şükran Günü haftasında akşam yemeği olarak daima hindi servis eden bir restoran düşünün. Yemek yıllar içinde öylesine sükse yaratıyor ki hakkında söylenenler yemeğin kendisinin önüne geçiyor. Kimse, restoranın aslında asla hindi pişirmediğinin -bunun yerine gizlice kaz pişirip, servis ettiklerinin- farkında değil. Yemeğin tadı birine farklı gelecek olsa, hiçbir şey söylemeyecek, kendi ağız tadının yerinde olmadığını düşünecektir. Bu klasik bir satış taktiğidir ve pek çok medikal trend de böyle işler.

Sağlık akımları çıplak krala benzerler. Eksik taraflarını sahte bir güvenle, bir şeyleri inkâr etme yoluyla örtmeye çalışırlar. Bu yüzden gücünü kendisinden alır bu akımlar. Eğer bir inanç sistemi kendini yoğun ve hileli bir biçimde pazarlayan büyük bir kalabalığa sahipse, kamuoyu üzerinde bir boz ayı kadar güce de sahip olacaktır. Karbonhidrat diyetinin *Candida*'yı iyileştireceğine, Hashimoto hastalığının vücudun kendi bağışıklık sisteminin tiroitler üzerine saldırmasıyla ilgili bir durum olduğuna dair yanlış inanış ve Lyme hastalığını antibiyotiklerle geçeceğini savunan yanlış inançların arkasında da işte bu yöntem bulunur.

Kimi akımlar fena sayılmaz. Hipotiroidide neler olduğuna bir bakalım. Pek çok kadın, testler bunu gösterse de göstermese de bu durumdan yakınmakta. Duyarlı ve tamamlayıcı tıp doktorları arasında şöyle bir akım yaygın; bu kadınların belirtilerini gerçek görüyor ve bu kadınların ne hipokondriyak ne de sıkılan ev kadınları olmadıklarını onaylıyorlar. Bu gibi doktorlar genellikle şunu söylüyor: "Testlerde bir şey gözükmüyor, ancak sanırım tiroidiniz çalışmıyor." Ve hastalığa bir dizi ilaç ve diyetle müdahale ediyorlar.

Sürekli göz ardı edilen kadınlar için bu bir ilerleme. Aynı zamanda hipotiroidi hastalığı gizemini korumaya devam ediyor -çünkü doktorlar bu hastalığın altında yatan ana sebebi saptayabilmiş değiller. Almış oldukları ilaçlara rağmen insanların hipotiroidi iyileşmiyor. Pek çok insan alınan ilaçların tiroide bir etkisi olmadığını bilmiyor, zaten o ilaçların tiroit için yazılmadıklarını da bilmiyorlar. Bunlar hastalığı yok etmez. Tiroit bezi yetersiz kalmaya devam eder ve ilaçlar sadece belirtilere gem vurulmasına yardımcı olur.

Aynısı pek çok farklı durum için de geçerlidir. Bu bölümün başında saydığım hastalıkları ele alalım: fibromiyalji, lupus (deri veremi), Lyme hastalığı, MS, kronik yorgunluk sendromu, migren, kolit, romatoid artrit, hassas (huzursuz) bağırsak sendromu, çölyak hastalığı, insomnia (uykusuzluk hastalığı), depresyon... Tıp camiasının bu hastalıkları konuşuyor olmasının sebebi birer isim vermiş olmaları ya da bunlara dair inandırıcı teorilerin ortaya atılmış olması ya da popüler tedavi yöntemlerinin geliştirilmiş olması olabilir. Yine de iş ağrı, acı ya da gizemli hastalıklara gelince tıp dünyasının karanlık çağlarda kaldığına dikkat etmek lazım. Ayrıca yanlış teşhisin de yaygın olduğunu bilmelisiniz. Tıp dünyasında, neyin neye sebep olduğu konusunda hâlâ çok fazla karışıklık var.

Demek istediğim şu ki, trendler cevap değildirler.

Bu Kafanızda Kurduğunuz Bir Şey Değil

Bu, özellikle de kadınlar arasında çok yaygın bir fenomen: Gerçek bir hastalık, cevapları barındırması gereken kurum tarafından yanlış bilgilendirmeyle, umursanmama ya da ilgisizlikle karşılaşıyor. Bu zayıf düşüren gizemli belirtilerin sebebini bulamamak ya da belirli hastalıklar için suçluyu yanlış saptamak doktorların elinde değil. Bazı durumlarda gerekli araştırmanın yapılmamasından sorumlu olan kurumun kendisi oluyor ya da yanlış yöne giden trendler. Başka durumlardaysa, kimi zaman bu on yılları bulsa da, doğru teşhis yöntemini bulmak uzun zaman alıyor.

Doktorlar, açıklama getiremedikleri bir durum karşısında hastalığın psikosomatik sebeplerden kaynaklandığını söylemek yönünde eğitiliyorlar. Sağlık hizmetleri kurumu, bunun insanlar için bir çeşit acil uyarı olduğuna inanıyor ki bu doğru olurdu... Eğer gerçekten hastalık insanların kafasında yarattıkları bir şey olsaydı tabii.

Çoğu zaman, kronik gizemli durumlar gerçek ve fiziksel kökenlere dayanıyor ama tıp camiası bunu henüz isimlendirmemiş ya da buna neyin iyi geleceğini bulamamış oluyor. Bu gizemli hastalıklarla boğuşan insanların beni bulması bazen yıllar ve on binlerce dolar harcadıktan sonra oluyor. Arkadaşları ve aileleri, artık bununla uğraşmaktan vazgeçmesi, sağlık durumunu ve elindekileri kabullenmesi için hastaya yalvarır hale geliyorlar. Yine de onları harekete geçiren bir şey var: Yaşama içgüdüsü, hayatı en dolu haliyle yaşama kararlılığı, sağlıklı olmayı hak ettiklerine dair inançları.

Şikâyetlerinin ardında yatanın ne olduğunu öğrendiklerinde nasıl güçlendiklerini ve nasıl rahatladıklarını kelimelerle anlatmak imkânsız.

Şimdi bunu öğrenme sırası sizde: Hastalığınızdan dolayı suçlanacak olan siz değilsiniz. Bu sizin dışa vurduğunuz ya da çağırdığınız bir şey değil. Bu sizin suçunuz değil. Sağlıksız olmayı gerçekten hak etmiyorsunuz. Şifa bulmak size Tanrı'nın verdiği bir hak.

Eğer kronik bir rahatsızlık yaşadıysanız şunu söyleyen insanları mutlaka duymuşsunuzdur: "Ama son derece sağlıklı görünüyorsun." "Nasılsın?" sorusuna samimi bir şekilde karşılık veremezsiniz, çünkü "*Hâlâ* mı kötüsün?" yanıtını almaktan bıkmışsınızdır. İyi olduğunuzu söylemek, -bir cevap bulabilmek için dünyanın öbür ucuna kadar gitmiş olmanıza rağmen- size bir tür tedavi öneren insanları dinlemekten daha az inciticidir. Sayısız insan, ailesinde aynı hastalığı yaşayan birinin çektiği zorlukları anlatır -siz ise bunları kendiniz de yaşamışsınızdır zaten.

Sağlıklı biriyseniz, bu tip hastalıklardan şikâyetçi olan insanların kafalarını değiştirmeleri gerektiği konusunda atıp tutmak kolaydır. Hastalığın gerçek nedenini anlayamadığınızda, bunun sebebinin, iyileşmek istemeyen bir insan ya da hastalığıyla ilgi çekmeye çalışan bir hastalık hastası olduğunu düşünmek kolaydır.

Hastalığınızın sebebinin bu gibi şeyler olduğunu söyler insanlar. Gizemli hastalıktan şikâyeti olan biri için, bu gibi fikirler işi daha da zorlaştırır. Bu tip insanlar, şikâyeti olanların kendilerini suçlu hissetmelerine ve yardım istemekten çekinmelerine sebep olurlar -hastalar numaracı gözükmemek için şikâyetlerini anlatmaktan vazgeçerler.

Şunu açıklığa kavuşturalım: Kimse hasta olmak ya da şu veya bu şekilde etiketlenmek istemez. Kimse iyileşmekten, şifa bulmaktan korkmaz.

İnsanlar hasta olmaktan korkarlar, iyi durumda olan insanlar bu yüzden bu duygusuz yorumları yaparlar. Aslında söyledikleri şey şudur: "Senin yaşadıklarını ben yaşamak zorunda kalmayacağım, değil mi?"

Hasta olanlara söylenmesi gereken ise şudur: "Seni duyuyorum, seni görüyorum ve sana inanıyorum. Yaşadıkların gerçek *ve* bunun üstesinden gelmenin bir yolu olmalı. Ben seninle birlikte sonuna kadar dayanacağım."

İyileşme aşamasında, hastalığın sebebinin ne olduğunu (ya da *ne olmadığını*) bilmek yolun yarısıdır. Sonraki aşama nasıl iyileştirileceğini bilmektir. Girişte, bu kitabın nasıl kullanılacağına dair anlattıklarımı sonraki bölümlerde rehber olarak kullanırsanız, bu kitap ikisini de bilmenize yardımcı olacaktır.

Cevaplar Ruh'tadır. Gizemli hastalıkların arkasında nelerin yattığını bilmenizi istiyor. Sizin ve sevdiklerinizin iyileşmenizi, hayatınızın geri kalanına parlak gözlerle bakmanızı ve hayatınızı kontrol edebilmenizi istiyor.

Ruh, en üst düzey şefkat duygusuyla, bu dünyadaki insanların neden şikâyetçi olduklarını anlıyor.

Tanrı, bu geniş ve ileri düzey şifa bilgilerine ulaşma yeteneğini Ruh aracılığıyla bana ihsan etti. Bu yüzden bana gelen sayısız, erkek, kadın ve çocuk kronik gizemli hastalıklarına çare buldular ve sağlıklarının kontrolünü ellerine aldılar, tam olarak iyileşip şifa buldular. Takip eden bölümlerde siz de çareleri bulacaksınız.

Hasta Dosyası:

Gerçek Şifa

Lila*, zihinsel belirsizlik, güçsüzlük, yorgunluk, kulaklarda basınç, el ve ayaklarda uyuşma gibi rahatsızlıklar yaşamaya başladığında 34 yaşında bir emlakçıydı. Bu şikâyetler bir süre sonra işini yapmasına da engel olmaya başladı. Kimi iş arkadaşlarının onun bazı müşterilerle çuvalladığını -randevuları unutmak, kiralık ya da satılık evlerin ne zaman müşterilere gezdirileceklerini karıştırmak gibi şeyler- fark ettiklerini belirtiyor. Lila adresleri ve isimleri çok sık karıştırıyordu, ayrıca iş günü onun için oldukça yorucu geçiyor, ertesi sabah uyanması için çalan alarmı duyamıyordu. Daireleri satarken gerginliği zirve yapıyordu, detayları karıştırıyor ve bir zamanlar en güçlü silahı olan hesap işlerinde beceriksizlikler yapıyordu.

Lila sonunda kendine ve patronuna hasta olduğunu itiraf etmek zorunda kaldı. İdari amiri ona bir doktora gitmesini önerdi. İlk randevusunda Lila belirtileri saydı ancak tahlillerin sonucunda doktor hiçbir fiziksel bulguya rastlamadıklarını belirtti ve son derece sağlıklı olduğunu ekledi. "Depresyon," dedi doktor, "muhtemelen şikâyetinizin sebebi bu."

Lila bununla yaşamaya çalıştı. Yorgunluğu, bilinç bulanıklığını ve diğer şikâyetlerini neşeli yaradılışıyla savuşturmak istedi, işine geri döndü. En ufak bir belirtide bunun, beyninin kendisine oynadığı bir oyun olduğunu düşündü. Belki de ilgi çekmeye çalışıyordu.

Ancak, yataktan kalkamadığı için, elleri araba süremeyecek kadar uyuşuk olduğundan ya da üşendiğinden dolayı duş alamadığı için utanarak birçok iş kaçırdı. Bir süre sonra işyerindekiler, Lila'nın işini yapamadığına ve bir müddet izne çıkması gerektiğine karar verdiler. Bir kez daha doktora gitti, tekrar şikâyetini anlattı. Doktor onu bir kere daha muayene etti ve yine son derece sağlıklı olduğu kanısına vardı. "Size iş göremez raporu verecek olan doktor ben değilim," dedi adam bir de.

Yıkılmış bir halde, ikinci bir seçenek düşündü Lila. Sadece yeni idari amirine karşı kendini güvenceye almak için bir dizi test yaptırdı, ilk doktorun kararına uyacaktı. Ancak o da, maluliyet maaşı alabilmesi için gerekli olan evrakı düzenleyemeyeceğini söyledi.

Bu Lila'nın gizemli hastalığına bir açıklama getirmek için geleneksel ve alternatif tıp dünyasında çıktığı ve yıllar süren uzun yolculuğunun sadece başlangıcıydı.

Yol boyunca kimi zaman umutlandı, ancak hastalığına bir isim ya da iyileşmenin bir yolunu bulduğunu düşündüğü her seferinde kendini yeniden başladığı yerde -ya da daha kötü bir halde- buldu.

Bana gelene kadar bu hikâye böyle devam etti. Ruh, Lila'nın uzun zamandır beklediği ve var olduğuna inandığı iç görüyü sağladı, ondaki bu düşüşün sebebini ve nasıl iyileşeceğinin yollarını buldu. Yenilenen enerjisi özgüvenini tazeledi ve hayattan zevk almaya başladı, kendini bir kez daha işine adamaya hazırdı -yıllardır ihmal ettiği tutkusuyla birlikte.

Bu kitapta Lila'nınki gibi birçok hikâye okuyacaksınız. Bir kalıp olduğuna dikkat edebilir, kendi durumunuzla benzerlik bulabilirsiniz: Yıllardır kabul bile görmeyen bir hastalıkla uğraşmak, doktor doktor gezme hikâyesi, dışlanma hissi, kafa karışıklığı ve hüsran.

Hikâyelerin hiçbiri burada bitmiyor. Varsayım döngüsünün içinde yitip gitmek zorunda değilsiniz. Tıpkı Lila gibi, siz de gizemi çözebilirsiniz -gerçek şifayı bulabilirsiniz.

(*) İsim ve diğer kişisel detaylar hastaların özel hayatlarını korumak amacıyla değiştirilmiştir.

KISIM 2:

GİZLİ SALGIN

BÖLÜM 3

EPSTEİN-BARR VİRÜSÜ, KRONİK YORGUNLUK SENDROMU VE FİBROMİYALJİ

Epstein-Barr virüsü (EBV) gizemli bir salgın yarattı. Tahminen Birleşik Devletler'deki 320 milyon kişinin 225 milyondan fazlası EBV'nin bir türünü taşıyor.

Epstein-Barr her türden gizemli hastalığın sorumlusudur. Kimi insanlarda adı konulamayan yorgunluk ve ağrılara yol açmaktadır. Kimilerindeyse EBV belirtileri doktorları, hormon verilmesi gibi, yanlış tedavi biçimlerine yönelmeye zorlamaktadır. EBV'li pek çok insan için ise yanlış teşhisten söz etmek mümkün.

EBV'nin bu yayılışının sebeplerinin arasında: onun hakkında çok az şeyin anlaşılmış olması var. Tıp camiası EBV'nin sadece bir türünün farkında, ancak aslında 60'tan fazla türü mevcut. Doktorlara meydan okuyan ve hastaları güçsüz düşüren pek çok hastalığın arkasında EBV var. Giriş bölümünde dediğim gibi EBV gizemli hastalıkların gizemli hastalığıdır.

Doktorlar, virüsün uzun vadede nelere yol açabileceğini ve nasıl sorunlar yaratacağını bilemiyorlar. Gerçek şu ki EBV, fibromiyalji, kronik yorgunluk sendromu gibi şu an için gizemli hastalık olarak adlandırılan birçok hastalığın kaynağı. Aynı virüs ayrıca tiroit, vertigo, tinnitus (kulak çınlaması) gibi tıp camiasının anladığını sandığı ama aslında anlamadığı başka büyük hastalıkların da sebebi.

Bu bölümde EBV'nin nasıl ortaya çıktığı, nasıl aktarıldığı, çeşitli evrelerde kimsenin bilmediği, anlatılmaz yıkımlara nasıl yol açabildiği ve (daha önce asla açıklanmamış olan) virüsü yok edip hastanın tekrar sağlığına kavuşmasını sağlayacak adımlar anlatılmaktadır.

Epstein-Barr'ın Kökeni ve Yayılması

EBV, iki parlak doktor tarafından 1964 yılında keşfedilmesine rağmen -bu keşiften yarım yüz yıldan da fazla bir süre önce- 1900'lerde etki etmeye başlamıştı. EBV'nin ilk türleri -ki bunlar hâlâ bizimleler- görece daha yavaştırlar, biri iyice yaşlanana kadar onu fark etmeden yaşayabilir. Hatta o zaman bile aşırı zarar vermezler. Pek çok insanda bu zararsız tür mevcuttur.

Ne yazık ki, on yıllar içinde EBV evrim geçirdi ve her kuşak virüs, bir öncekinden daha zor mücadele edilir bir hal aldı.

Bu kitabın basımına kadar, EBV'si olanlar, alışılageldik şekliyle bu virüsü hayatlarının sonuna kadar taşımış olacaklar. Doktorlar, nadiren EBV'yi, sebep olduğu pek çok büyük hastalığın kökeni olarak saptayabiliyorlar. Ancak saptadıkları zaman da ona nasıl müdahale edeceklerine dair hiçbir fikirleri yok.

EBV kapmanın birçok yolu var. Örneğin; annenizde bu virüs varsa eğer, bir bebek olarak siz de onu taşımaya başlayabilirsiniz. Ayrıca virüslü kan yoluyla da alabilirsiniz hastalığı. Hastaneler kan incelemelerinde bu virüsü aramıyorlar, dolayısıyla herhangi bir kan nakli olası riskleri de beraberinde getiriyor. Hatta dışarıda yemek yediğinizde bile bulaşabilir bu virüs! Şefler ellerindeki tabakları bir an önce hazırlamaları için o kadar yoğun bir baskı altındalar ki parmaklarını ya da ellerini kestiklerinde bunu hemen bir yara bandıyla sarıp işlerine devam ediyorlar. Kanları yediklerinize bulaşmış olabilir...Ve eğer bulaşıcı evrede EBV'ye sahiplerse, bu sizi hasta etmek için yeterli olacaktır.

Bulaşması kanın dışında başka vücut sıvılarıyla da mümkündür, seks sırasında salgıladıklarımız gibi. Bazı koşullarda bir öpücük bile EBV'nin taşınması için yeterli olabilir.

Virüsü taşıyan biri her zaman bulaştırma evresinde değildir. Genellikle İkinci Evre'de bulaşır. Bu da şimdiye kadar açıklanmayan bir konuyu açar: EBV dört evreden oluşur.

Epstein-Barr Birinci Evre

EBV kaptığınızda, virüs kan dolaşımınızda yavaşça kendini çoğaltarak ve doğrudan bir enfeksiyonu başlatmak için fırsat kollayarak dolaşır.

Örneğin; haftalarca yorulup, tam anlamıyla dinlenmek için fırsat bulamadığınızda ya da vücudunuzda çinko veya B_{12} vitamini eksikliği söz konusuysa ya da bir ayrılık veya sevdiğiniz birini kaybetmek gibi duygusal bir travma yaşıyorsanız virüs strese bağlı hormonal değişiklikleri algılayacak ve atağa geçecektir.

EBV ayrıca ergenlik, hamilelik, menopoz gibi büyük hormonal değişiklikler yaşadığınız zamanlarda da aktif olur. Genelde senaryo bir kadının doğum yapmasıyla başlar. Sonrasında yorgunluk, ağrı ve acılar, depresyon gibi bazı belirtiler görülür. Bu durumda EBV yorgunluğunuzdan faydalanmaz, aslında hormonlarınız onun için bulunmaz bir besin kaynağıdır -hormonlarınızın bolluğu onu tetikler. Ispanak Temel Reis için neyse, kan dolaşımınızda yoğun biçimde yer alan hormonlarınız da EBV için odur.

EBV zalim bir hastalıktır. Kanınızda kuvvetlenerek, uygun bir fırsat kolladığı Birinci Evre haftalar, aylar, hatta kimi etkenlerin çeşitliliğine bağlı olarak yıllar ya da on yıllar sürebilir.

Birinci Evre boyunca virüs genelde güçsüzdür. Bununla birlikte, test sonuçlarında görünmez, belirtilere sebep olmaz, siz de bu yüzden onunla savaşamazsınız çünkü varlığından haberdar değilsinizdir.

Epstein-Barr İkinci Evre

Birinci Evre'nin sonunda virüs vücudunuzla savaşmaya hazırdır. EBV ilk kez o zaman varlığını gösterir; *mononükleoza* dönüşerek. Bu, ergenlik dönemi boyunca adını duyduğumuz, 'öpücük hastalığı'na sebep olduğu söylenen kötü şöhretli bir 'mono'dur. Binlerce ergen, her yıl parti yapıp ders çalıştıkları gecelerde bu virüsle temas ederler.

Tıp camiası, her mononükleoz vakasının sadece EBV İkinci Evre olduğunun farkında değil.

Bu evre, virüsün en bulaşıcı olduğu zaman dilimidir. Bu yüzden, bu dönemde monosu olan biriyle kan, salya ya da diğer vücut sıvılarınızın temas etmemesi önerilir... Ya da *sizde* mono varsa başkalarına kanınızı, salyanızı veya diğer vücut sıvılarınızı temas ettirmemeniz tavsiye edilir.

İkinci Evre'de vücudunuzun bağışıklık sistemi virüsle savaşa başlar. Virüs hücrelerini "etiketlemek" için belirleyici hücreler gönderir; başka bir deyişle o hücrelerin üzerine, onların istilacı olduklarını belli eden hormonlar yapıştırır. Daha sonra etiketli hücreleri bulup öldürmeleri için savaşçı hücreleri gönderir. Savunmanızla ilgili olan bağışıklık sisteminizin gücü budur işte.

Bu savaşın ne şiddette geçeceği kişiden kişiye değişir, herkes aynı değildir. Ayrıca kaptığınız EBV virüsünün çeşidine göre de değişiklik gösterir bu savaşın şiddeti. Bir ya da iki hafta boyunca bir mono sahibi olarak boğaz ağrısı ve yorgunluk çekersiniz, bu durumda ne olduğunu anlayamazsınız. Büyük ihtimalle bir doktora gitmez, kan tahlili de yaptırmazsınız.

Daha sonra şiddetli yorgunluk, boğaz ağrısı, ateş, baş ağrısı, kaşıntı, döküntüler ve daha fazlası aylarca sürer. Bu gerçekleşirse, muhtemelen bir doktora gidersiniz ve o da sonucunda EBV virüsünün mono formunda görüleceği bir kan tahlili yaptırmanızı ister... Yani çoğu zaman bu böyle olur.

Bu evre boyunca EBV bir ya da daha fazla organa giderek kendine uzun vadeli bir yuva aramaya başlar -genellikle karaciğeriniz ve/veya dalağınız olur bu organ. EBV bu organlarda bulunmaya bayılır, çünkü cıva, diyoksinler (zehirli aromatikler) ve diğer toksinler (zehirler) buralarda birikir. Virüs bu zehirlerle gelişir.

EBV hakkında bir sır daha vardır: En iyi arkadaşı *Streptokok* adında bir bakteridir. Bu gibi bir durumda vücudunuz sadece bir virüsle değil, aynı zamanda bir de bağışıklık sisteminizi karıştırıp kendi belirtilerini üreten bir bakteriyle de muhataptır. Bu EBV'nin bir numaralı kofaktörüdür (eşetkenidir).

EBV'nin İkinci Evresi boyunca *Streptokok* yukarılara yolculuk ederek boğaz ağrısına sebep olur ve/veya sinüsleri, burnu, ağzı doldurur. Ayrıca aşağılara doğru gidip idrar yolunda, vajinada, böbreklerde ya da sidik torbasında enfeksiyon yaratabilir... Bu da genellikle sistitle sonuçlanır.

Epstein-Barr Üçüncü Evre

Virüs bir kez karaciğer, dalak ve/veya diğer organlara girdikten sonra oraya yerleşir.

Bu noktadan sonra, doktor EBV için test yaptığında antikorlar bulur ama bunları EBV mono evresindeyken yaşanan *geçmiş* bir enfeksiyonun belirtileri olarak ele alır. Kanınızda aktif bir şekilde dolaşan EBV'ye rastlamaz doktor. Buradaki karışıklık, tıp tarihinin en büyük hatalarından biridir -işte virüs burada unutulmuş, gözden kaçmış oluyor. Bu kitapta EBV'yi yok etmek için söylenenleri takip etmediğiniz sürece, virüs hep canlı olacak ve belirtiler üretmeye devam edip testlerde görünmeyecek. Çünkü virüs karaciğer dalak ya da diğer organlarda yaşıyor ve onu saptayabilecek bir test henüz geliştirilmedi.

Virüs organlarınızda fark edilmeden saklanırken vücudunuz savaşı kazanmış olduğunu sanacak ve istilacıların yok edildiğini düşünecek. Bağışıklık sisteminiz normale dönecek, mononükleozunuz sonlanacak ve doktorunuz size artık sağlıklı olduğunuzu söyleyecek.

Ama ne yazık ki EBV vücudunuzdaki yolculuğuna daha yeni başladı.

Tipik, sıkça görülen bir çeşidine yakalanmışsanız, EBV organlarınızda yıllarca -hatta on yıllarca uykuda kalabilir- siz onu fark edemeden. Özellikle saldırgan bir çeşidine yakalanmışsanız, EBV organa yerleşirken bile ciddi sorunlar çıkarabilir.

Örneğin; virüs karaciğer ve dalağa birer tünel kazıp bu organların iltihaplanmasına ya da genişlemesine yol açabilir. Ve bir kez daha, şunu unutmayın ki doktorunuz *geçmiş* EBV ile organlarınızdaki *şimdiki* aktiviteleri arasında bir bağlantı kurmayı bilmez.

Virüs ayrıca üç çeşit zehir üretir:

- EBV zehirli atık madde ya da viral *yan ürün* salgılar. Virüs çok sayıda hücre ürettikçe bu daha belirgin hale gelir, büyüyen bu ordu zehirli yan ürünü yiyerek ve yeniden üreterek miktarı artırır. Bu atık madde genelde spiroket olarak adlandırılır ki bu da Lyme hastalığı tarama testinde yanlış pozitifleri tetikler.
- Bir hücre ya da virüs öldüğünde -ki bu sık sık olur, hücrelerin yaşam döngüsü altı haftadır- geride kalan *ceset* zehirlidir ve daha da önemlisi vücudunuzu zehirler. EBV ordusu büyüdükçe ve viral yan ürünle birlikte bu sorun daha da ciddi bir boyut kazanır, yorgunluk baş gösterir.
- EBV'nin bu iki süreç boyunca ürettiği zehir *nörotoksin* yaratma yeteneğine sahiptir, başka bir deyişle sinirsel faaliyetlerinizi alt üst eden ve bağışıklık sisteminizin kafasını karıştıran bir zehir üretir. Bağışıklık sisteminizin üzerine çöküp onu alt etmesini engellemek için virüs Üçüncü Evre boyunca stratejik periyotlarda bu özel zehri salgılar.

Organlarınızda yuvalanan, saldırgan türdeki EBV'nin sebep olduğu sorunlar arasında şunlar vardır:

- Karaciğeriniz o kadar yavaş çalışır ki, vücudunuzdaki zehri atma işini gerçekleştiremez hale gelir.

- *Hepatit C.* (EBV aslında Hepatit C'nin ana nedenidir.)
- Karaciğerinizin yavaş çalışması midenizdeki hidroklorik asit seviyesini düşürür ve bağırsak yolunuz zehirli bir hale gelir. Bu sırayla bazı besinlerin tam olarak sindirilememesine ve şişkinlik, kabızlık gibi sorunlara sebep olur.
- Daha önce size sorun çıkarmayan bazı yiyeceklere karşı hassasiyet geliştirirsiniz. Bu, virüs peynir gibi sevdiği bir yiyeceğe saldırdığında ve artık o besini vücudunuzun tanıyamadığı bir hale dönüştürdüğünde gerçekleşir.

Virüs, özellikle korunmasız olduğunuzu belli eden strese bağlı hormonlarınızı hisseder -örneğin; bir çözümsüzlüğün içinde kalmak, duygusal bir düşüş yaşamak ya da trafik kazası gibi, ciddi bir yaralanma gibi -ya da hormonal bir yükselişi hisseder, tıpkı hamilelik ya da menopozda olduğu gibi.

Virüs ortaya çıkmaya karar verdiğinde nörotoksinini salmaya başlar. Bu EBV'nin yan ürünleri ve cesetleri yüzünden sisteminizin üzerinde bulunan yüke bir yenisini eklemek demektir. Sisteminizdeki tüm bu olanlar bağışıklık sisteminizi tetikler ama kafası da karışmıştır, çünkü bu zehrin nereden geldiğini kestirememektedir.

Lupus (Deri Veremi)

Bağışıklık sisteminin yukarıda tarif ettiğim tepkiyi vermesi doktorların *lupus* olarak teşhis koydukları belirtileri tetiklemektedir. Tıp camiası lupusun, vücudun Epstein-Barr yan ürünleri ve nörotoksinlerine verdiği tepki olduğunu anlayamamaktadır. Vücut bu nörotoksinlere alerjik bir reaksiyon gösterir ve doktorların tanıyıp lupus tanısını koydukları iltihap göstergeleri oluşur. Aslına bakarsanız lupus sadece Epstein-Barr'ın viral bir enfeksiyonudur.

Hipotiroidi ve Diğer Tiroit Bozukluklar

Bağışıklık sisteminizde bir karmaşa baş gösterdiği zaman EBV bunu avantajına kullanır ve yerleşmiş olduğu organı terk ederek daha farklı, büyük bir organ ya da salgı bezine doğru yola çıkar -bu da tiroidinizdir!

Tıp camiası EBV'nin, -Hashimoto hastalığı, Graves hastalığı, tiroit kanseri ve diğer tiroit rahatsızlıkları gibi- pek çok hastalığın asıl sebebi olduğunun henüz farkında değil. (Tiroit rahatsızlığı kimi zaman radyasyondan da kaynaklanmaktadır ancak vakaların %95'inde suçlu Epstein-Barr'dır.) Tıp camiası tiroit rahatsızlıklarının asıl sebebini henüz keşfedemedi ve EBV'nin bunlara sebep olduğunu anlamaktan on yıllarca uzaktalar. Eğer bir doktor size Hashimoto hastalığı teşhisi koyduysa bu onun neyin yanlış gittiği konusunda bir fikri olmadığını gösterir. Genel yaklaşım vücudunuzun tiroidinize saldırdığıdır -yanlış bilgilenmeden kaynaklanan bir bakış açısı. Gerçek şu ki, tiroidinize saldıran vücudunuz değil EBV'dir.

Tiroidinize geldikten sonra EBV küçük parçacıklara ayrılmaya başlar. Virüs hücreleri kelimenin tam anlamıyla tiroit içinde delik açmaya başlar, bu hücreler ilerledikçe tiroit hücrelerini öldürür ve organı yaralarlar. Birçok kadında gizli hipotiroidi ortaya çıkmasına sebep olan şey budur. Bağışıklık sisteminiz bunu algılar ve müdahale etmek ister, iltihap yaratır; ancak EBV'nin nörotoksinleri, viral yan ürünler ve olayları karmaşık hale getiren zehirli hücre cesetlerinin arasında ve tiroidinizde gizlenen EBV ile birlikte bağışıklık sisteminiz tam olarak virüsü etiketleyemez.

Yukarıda anlattıklarım asabınızı bozuyor olsa da panik yapmanıza gerek yok. Çünkü tiroidiniz, ihtiyacı olan şeyler kendisine sunulduğunda kendini yenileme ve onarma yetisine sahiptir. Ayrıca bağışıklık sisteminizin gücünü asla hafife almayın, ki sadece bu bölümün sonunda, gerçekleri öğrendiğiniz zaman etkinleşecektir.

Son seçenek olarak bağışıklık sisteminiz tiroidinizde nodüller yaratıp virüsü kalsiyum duvarıyla hapsetmeye çalışır. Ancak bunun EBV'ye bir zararı olmaz. Birincisi, birçok hücre bu duvardan etkilenmez ve özgürlüklerini yaşamaya devam eder; ikincisi, bağışıklık sisteminizin kalsiyum duvarıyla çevirmiş olduğu bir virüs hücresi hâlâ canlıdır ve hapishaneyi, huzurlu bir yuvaya dönüştürebilir. Tiroidinizle beslenir ve onun enerjisini alır. Bu virüs hücresi sonunda hapishanesini, *kist* adı verilen yaşayan bir tümöre dönüştürebilir ve bu da tiroidinizde daha fazla zorlanmaya sebep olacaktır.

Bu arada EBV'ye karşı sürdürülen bu saldırı *size* de zarar verebilir, tabii yeterince kalsiyum almıyorsanız. Çünkü bağışıklık sisteminiz hücreyi hapsetmek için kanınızda yeterli kalsiyum bulamazsa bu ihtiyacını kemiklerinizden karşılamaya başlar. Bu da osteoporoz (kemik erimesi) demektir.

Eş zamanlı olarak, nodüllere *hapsedilmemiş* olan yüzlerce virüs hücresi tiroidinizi zayıflatacaktır, vücudunuzun işlevini yerine getirmesi için ihtiyacı olan hormonları üretmesine engel olacaktır. Gerekli olan tiroit hormonlarının eksikliği, EBV'nin zehriyle birleşince, kilo artışı, yorgunluk, bilinç bulanıklığı, hafıza problemleri, depresyon, saç dökülmesi, insomnia (uykusuzluk hastalığı), kırılgan tırnaklar, kaslarda güçsüzlük ve/veya daha farklı düzinelerce belirtiye sebep olacaktır.

Özellikle nadir görülen saldırgan bir EBV türünde işler daha da ileri gidebilir. Tiroidinizde *kansere* sebep olurlar. Birleşik Devletler'deki tiroit kanseri oranı hızla artmakta. Tıp camiası bunun sebebinin saldırgan türdeki EBV'de yaşanan artış olduğunu bilmiyor.

EBV stratejik bir sebepten ötürü tiroidinizi istila eder: Endokrin (iç salgı bezleri) sistemi üzerinde baskı kurarak, karışıklığa sebep olmak ister. Böbrek üstü bezleri üzerindeki bu gerginlik, onların daha fazla adrenalin üretmesine sebep olur. Bu ise EBV'nin en sevdiği besindir ve bu sayede nihai hedefi olan sinir sisteminize ulaşmak için daha güçlü hale gelir.

Epstein-Barr Dördüncü Evre

Epstein-Barr'ın nihai hedefi tiroidinizi terk ettikten sonra merkezi sinir sisteminize yerleşmektir.

Bağışıklık sisteminiz normalde buna izin vermez. Ancak EBV tiroidinize girerek Üçüncü Evre'de sizi alt etmişse ve bir de bunun üstüne kimi fiziksel yaralanmalar ya da duygusal çöküntülere maruz kalmışsanız, virüs bu kırılgan durumunuzdan faydalanacak ve kalp çarpıntısından, genel ve sinir ağrılarına kadar pek çok farklı belirtiye neden olacaktır.

Genelde bir kazadan, ameliyattan ya da fiziksel olarak zarar gördükten sonra hiç ummadığımız kadar berbat hissederiz. Öyle ki bundan, "sanki üstümden kamyon geçti," diye bahsederiz.

Kan tahlilleri, röntgen filmleri ve MR'lar hiçbir şeyi açığa çıkarmaz, dolayısıyla da doktorlar sinirlere zarar vermekte olan virüsü fark etmezler. Epstein-Barr Dördüncü Evre bu yüzden pek çok gizemli hastalığın asıl sebebidir ve bu da doktorların topluca şaşkınlık içinde kalmalarına yol açar.

Aslında olan şey şudur: Zarar görmüş olan sinirleriniz, vücudunuz onları fark etsin ve onarsın diye bir hormon salgılarlar. Dördüncü Evre'de EBV bunu algılar ve doğrudan o hasarlı sinire saldırır.

Sinir, kenarlarından minik tüycüklerin sarktığı bir ip parçasına benzer. Bir sinir zarar gördüğünde bu minik tüycükler kopar. EBV bu açıklıktan sinire yerleşmeye çalışır. Eğer başarırsa, o bölgeyi yıllarca iltihaplı halde tutabilir. Sonuç olarak ufak bir yaralanma sonunda birden büyüyen, devamlı ağrı ve acılara sebep olan bir durumla karşı karşıya kalabilirsiniz.

Bu viral iltihaplanmanın sonucunda kas ağrıları, eklem ağrıları, kimi noktalarda özel hassasiyet, sırt ağrıları, el ve ayaklarda karıncalanma ve/veya uyuşma, migren, süre giden yorgunluk, sersemlik, baş dönmesi, insomnia (uykusuzluk hastalığı), huzursuz uyku ve uykuyu alamamak ve gece terlemeleri gibi şikâyetler ortaya çıkar. Bu belirtileri gösteren hastalara kimi zaman fibromiyalji, kronik yorgunluk sendromu veya romatoid artrit gibi teşhisler konur. Tüm bunlar tıp camiasının bilmediğini ve tedavisinin olmadığını kabul ettiği hastalıklardır. Kimi vakalarda hastalara uygun olmayan tedaviler öneriliyor, bunlar da asıl suçluyu meydana çıkaramıyor çünkü gizemli hastalık aslında Epstein-Barr Dördüncü Evre.

Tüm zamanların en büyük yanlış adımlarından biri de EBV belirtileri taşıyan kadınlara premenopoz veya menopoz teşhisi konulmasıdır. Ani ateş basması, gece terlemeleri, kalp çarpıntısı, sersemlik ve baş dönmesi, depresyon, saç dökülmesi ve kaygı-endişe gibi belirtiler çoğu zaman yanlış yorumlanır ve hormonal değişiklik olarak görülür -bu da talihsiz HRT hareketini başlatır. (Daha fazla bilgi için Bölüm 15: Premenstrüel Sendromu ve Menopoz adlı bölüme bakabilirsiniz.)

Hadi gelin, on yıllardır doktorların kafasını karıştıran ve Epstein-Barr Dördüncü Evre'nin bir sonucu olan gizemli hastalıklara daha yakından bir göz atalım.

Kronik Yorgunluk Sendromu

Şikâyetlerinin fiziksel bir sebebi olduğunu inkâr eden kadınların çok uzun bir tarihi vardır. Fibromiyalji olanlar gibi (bir sonraki başlığa bakın) kronik yorgunluk sendromu (KYS) olanlar da -hastalığın *miyaljik ansefalomiyelit/kronik yorgunluk sendromu* (MA/KYS), *kronik yorgunluk bağışıklık işlev bozukluğu sendromu/chronic fatigue immune dysfunction syndrome* (CFIDS), *sistemik eksersiyon intolerans bozukluk/systemic exertion intolerance disease* (SEID) gibi farklı isimleri var- sıklıkla birer yalancı, tembel, kuruntulu ve/veya çıldırmış olduklarını duymuşlardır birilerinden. Bu hastalık, çok sayıda kadını etkilemektedir.

Ve kronik yorgunluk sendromu yükselişte.

Üniversitede okuyan kızlarımızın çoğu yarıyıl tatili için evlerine döndüklerinde hiçbir şey yapmadan, bütün günü yatakta geçirecek kadar yorgun oluyorlar. 20'li yaşlarının başında KYS'li olmak bir hayli yıkıcı bir etkiye sahiptir, arkadaşlarınız işe girerler, ilişkiler yaşarlar, siz onları seyredersiniz ve kendinizi yaşayabilecek potansiyelden mahrum kalmış hissedersiniz.

30, 40 ya da 50'li yaşlarında KYS yaşayan kadınların durumu başka bir engel yaratır: O yaşa geldiğinizde elbette bir hayat kurmuş, ilişkilerinizi yoluna koymuş olursunuz ancak bunlardan öte artık sorumluluklarınız da vardır. Herkesin her şeyi siz olursunuz, elinizden gelenin daha fazlasını yapmaya çalışırsınız ve bir de KYS'ye yakalandığınızda normal davranma baskısını hissedersiniz.

Her iki yaş grubu için de izolasyon, suçluluk, korku ve utanma duygularıyla birleşir, bir de bunlara yanlış teşhis eşlik eder. Eminim, eğer KYS'liyseniz çektiğiniz fiziksel acıya rağmen, "Ama oldukça sağlıklı görünüyorsun," diyen birileri mutlaka vardır. Kendini iyi hissetmemek ve doktorundan, arkadaşından ve ailenden hiçbir şeyin olmadığını duymak o kadar üzücü ve moral bozucudur ki.

Kronik yorgunluk sendromu gerçektir. Bu Epstein-Barr virüsüdür.

Gördüğümüz gibi KYS'si olanlar ilerlemiş EBV'ye sahip olanlardır ve bu virüsler merkezi sinir sistemini etkileyen nörotoksinler üreterek vücudun başına bela olur. Bu da zamanla böbrek üstü bezleri ile sindirim sisteminin zayıflamasına ve kendinizi düşük pildeymiş gibi hissetmenize yol açar.

Fibromiyalji

Altmış yılı aşkın bir süredir tıp dünyasının, *fibromiyaljinin* meşru bir problem olduğu yolundaki inkârıyla karşı karşıya kaldık. Şimdi artık, tıp camiası bunun gerçek bir durum olduğunu kabullendi.

Yine de bu durum hakkında doktorların yapabildiği en iyi açıklama, fibromiyaljinin aşırı faal sinirler olduğudur. Bu ise şu anlama gelir... Kimsenin bir fikri yok. Bu doktorların suçu değil. Onlara, fibromiyalji hastalarına yardım edebilmeleri ya da ağrılarına neyin sebep olduğunu bulabilmeleri için sihirli bir kitap sunulmadı.

Sağlık sistemi hastalığın asıl sebebini bulmaktan hâlâ yıllarca uzak -çünkü o bir viral hastalık ve tıbbi araçların saptayamadıkları bir biçimde sinirlere yerleşiyor.

Fibromiyaljiden yakınan insanlar fazlasıyla gerçek ve güçsüz düşüren saldırılarla karşı karşıyadır. Rahatsızlığa sebep olan Epstein-Barr'dır, hem merkezi sinir sistemini hem de baştan aşağı vücuttaki bütün sinirleri iltihaplandırır, geçmeyen ağrılar yaratır. Dokunmaya karşı hassasiyet oluşturur, ciddi yorgunluk ve daha bir sürü sorun meydana getirir.

Tinnitus (Kulak Çınlaması)

Tinnitus ya da kulak çınlaması, genellikle EBV'nin, labirent diye adlandırılan iç kulak sinir kanalına girmesiyle oluşur. Çınlama, virüsün labirent ile vestibülokohlear siniri iltihaplandırması ve titreştirmesi sonucu oluşur.

Vertigo ve Menier Hastalığı

Vertigo ve *Menier hastalığı* doktorlar tarafından genellikle iç kulaktaki kalsiyum kristalleri, ya da *taşların* bozulmasına yorulur. Ancak, çoğu kronik vaka aslında EBV'nin nörotoksinlerinin vagus sinirini (onuncu kafa siniri, akciğer-mide siniri olarak da bilinir) iltihaplandırması sonucu gerçekleşir.

Diğer Belirtiler

Endişe, sersemlik ve baş dönmesi, göğüs sıkışması, göğüs ağrıları, yemek borusunda kas krampı ve astım gibi rahatsızlıklar da EBV'nin vagus sinirini iltihaplandırmasından kaynaklanıyor olabilir.

İnsomnia (uykusuzluk) ve el ve ayaklarda karıncalanma ve uyuşma da frenik sinirlerin EBV tarafından sürekli iltihaplandırılması sonucu olabilir.

Ve kalp çarpıntısı EBV'nin zehirli cesetlerinin ve yan ürünlerinin kalbin mitral kapakçığında birikmesi sebebiyle gerçekleşiyor olabilir.

Eğer EBV'li iseniz ya da öyle olduğunuzdan şüpheleniyorsanız, Dördüncü Evre'de bir şeyleri engellemeden virüsü bulabilirsiniz. İçinizi rahat tutun. Eğer -doktorların bilmedikleri ancak bu bölümün sonunda anlatılan- doğru adımları atarsanız kurtulabilir, bağışıklık sisteminizi onarabilir, normale dönebilir ve hayatınızın kontrolünü tekrar kazanabilirsiniz.

Epstein-Barr'ın Türleri

Daha önce de belirttiğim gibi Epstein-Barr virüsünün 60'tan fazla çeşidi vardır. Sayı çok büyük çünkü EBV 100 yılı aşkın bir süredir varlığını koruyor. Bu süre zarfında nesillerce insana bulaştı, mutasyona uğradı, melezlerini ve belirtilerini geliştirdi. Belirtiler, ciddiyet seviyelerine göre altı grupta toplanabilir, her bir grupta on tür bulunmaktadır.

EBV 1. Grup: En eski ve en hafif olanıdır. Bu tip hücrelerin bir evreden diğerine geçmesi yıllar hatta on yıllar sürer. Etkileri 70'li, 80'li yaşlara kadar belli olmaz, o zaman da sırt ağrısından biraz daha fazlası olarak karşımıza çıkar. Hatta organlarınıza yerleşip, Üçüncü Evre ya da Dördüncü Evre'ye geçmeden, öylece kalabilir.

EBV 2. Grup: İlk gruba göre biraz daha hızlı geçer evreleri; belirtileri 50'li, 60'lı yaşlarda görülmeye başlanır. Bu tür kısmen tiroitlerinizde kalır ve sadece birkaç virüs hücresini sinirleri iltihaplandırması için gönderir. Vaka hafif sinir iltihaplanmasıyla sonuçlanır. Tıp dünyasının farkına varabildiği tek EBV çeşidi bu gruptadır.

EBV 3. Grup: Evreler arasını 2. Grup'tan biraz daha hızlı geçer, dolayısıyla belirtileri yaklaşık 40 yaş civarında görülür. Ayrıca bu virüsler tiroitleri tamamen terk edip sinirlere yapıştıkları evre olan Dördüncü Evre'yi tamamlamış durumdadırlar. Bu gruptaki virüsler eklem ağrısı, yorgunluk, kalp çarpıntısı, kulak çınlaması ve vertigo gibi pek çok hastalığa yol açabilir.

EBV 4. Grup: 30 yaş civarında belirtilerini göstermeye başlar. Saldırgan davranışları fibromiyalji, kronik yorgunluk sendromu, bilinç bulanıklığı, kafa karışıklığı, endişe, karamsarlık gibi 1. ve 3. Grup virüslerin sebep olduğu birçok hastalığa yol açar. Bu grup ayrıca, bir insan hiç travma yaşamamış olsa bile travma sonrası stres bozukluğu belirtilerinin ortaya çıkmasına neden olabilir.

EBV 5. Grup: 20'li başlarında belirtilerini göstermeye başlar. Bu çok tehlikeli bir türdür, çünkü bir insan daha 20'li yaşlarının başındayken, tam da kendine bir hayat kurmak üzereyken ortaya çıkar. 4. Grup sorunlarının tümünü yaratır, korku ve endişe gibi olumsuz duygulardan beslenir. Yanlış giden bir şey bulamayan doktorlar genellikle, "Bu sizin kafanızda uydurduğunuz bir şey," diyerek hastayı vücudunda olan şeylerin gerçekten olmadığına inanması için bir psikologa yönlendirir. Bu böyle gider, ta ki hasta Lyme hastalığı trendine kapılmış bir doktorla karşılaşıncaya kadar ve bu durumda da hasta yanlış teşhis ile başka tarafa yönlendirilmiş olur.

EBV 6. Grup: En kötüsüdür, çocuklarda bile görülebilir. 5. Grup'un yaptığı her şeyin yanında 6. Grup öyle ciddi belirtiler gösterir ki hastalar yanlış teşhis sonucu lösemi, viral menenjit, lupus (deri veremi) ve daha başka hastalıklara sahip olduklarını zannederler. Buna ek olarak bağışıklık sistemini baskılar; bu da ciltte kaşıntı ve döküntüler, kol ve bacaklarda güçsüzlük ve ciddi sinir ağrıları gibi sorunlara neden olur.

Epstein-Barr Virüsten Kurtulmak

Yakalanmak çok kolay, tespit etmek çok zor olduğu için ve bir dizi gizemli belirtiye sebep olduğu için Epstein-Barr'ın çok büyük ve iç karartıcı bir hastalık olduğunu düşünebilirsiniz.

İyi haber şu; eğer bu ve Kısım 4'teki adımları dikkatlice ve sabırla takip ederseniz iyileşmeniz mümkündür. Bağışıklık sisteminizi düzeltebilir, EBV'den kurtulabilir, vücudunuzu canlandırabilir, sağlığınızın kontrolünü ele alabilir ve hayatınıza devam edebilirsiniz.

Bu sürecin ne kadar süreceği kişiden kişiye değişir ve çok sayıda faktöre bağlıdır. Kimileri üç ay gibi kısa bir sürede virüsü alt edebiliyor. Yine de genel olarak bir yıl gibi bir süre düşünülebilir. Bununla birlikte kimilerinin EBV'yi ortadan kaldırmak için 18 ay ya da daha fazlasına ihtiyacı olabilir.

İyileştirici Gıdalar

Bazı meyve ve sebzelerin, vücudunuzun EBV ve onun etkilerinden temizlenmesinde yardımı olacaktır. Aşağıdaki yiyecekler diyetinize ekleneceklerin en iyisidir (önemlerine göre sıralanmışlardır). Her gün bu yiyeceklerden en az üç tanesini tüketmeye çalışın -daha fazlası daha iyi olur elbet- tüketiminize bağlı olarak bir ya da iki hafta içerisinde bu yiyeceklerin hepsi sisteminize girmiş olacak.

- **Yaban Mersini:** Merkezi sinir sisteminin yenilenmesine ve EBV nörotoksinlerinin vücuttan atılmasına yardımcı olur.
- **Kereviz:** Mide/bağırsaktaki hidroklorik asidi güçlendirir ve merkezi sinir sistemi için madensel tuzlar sağlar.
- **Brüksel Lahanası:** Çinko ve selenyum açısından zengindir, bu yolla bağışıklık sistemini EBV'ye karşı güçlendirir.
- **Kuşkonmaz:** Karaciğer ve dalağı temizler; pankreası güçlendirir.
- **Ispanak:** Vücutta alkalin bir ortam yaratır ve merkezi sinir sistemine yüksek emilimli mikro besinler sağlar.
- **Kişniş:** EBV'nin en sevdiği besinler olan cıva ve kurşun gibi ağır metalleri uzaklaştırır.
- **Maydanoz:** EBV'yi besleyen yüksek seviyedeki bakır ve alüminyumu uzaklaştırır.
- **Hindistancevizi Yağı:** Antiviraldir, iltihap sökücü bir etkisi vardır.
- **Sarımsak:** Antiviral ve antibakteriyeldir, EBV'ye karşı savunmada etkilidir.
- **Zencefil:** Besinlerin sindirilmesinde yardımcıdır, EBV'den kaynaklanan spazmları rahatlatır.
- **Ahududu:** Organlardaki ve kan dolaşımındaki serbest radikalleri uzaklaştıran antioksidanlar açısından zengindir.
- **Marul:** Bağırsak yolundaki peristaltik hareketi uyarır ve karaciğerden EBV'nin temizlenmesinde yardımcı olur.
- **Papaya:** Merkezi sinir sistemini iyileştirir, mide/bağırsaktaki hidroklorik asidi güçlendirir ve yeniler.
- **Kayısı:** Bağışıklık sistemini onarır, kanı kuvvetlendirir.

- **Nar:** Detoksa (toksinlerden yani zehirden arınmak) yardım eder, lenf sistemi ve kanı temizler.
- **Greyfurt:** Zengin bir biyoflavonoid ve kalsiyum kaynağıdır, bu yolla bağışıklık sistemini ve zehirlerin vücuttan atılmasını destekler.
- **Karalahana:** Belli alkaloitler açısından zengindir ve EBV gibi virüslere karşı koruyucu özelliği vardır.
- **Tatlı Patates:** Karaciğerin EBV yan ürünleri ve zehirlerinden temizlenmesine yardım eder.
- **Salatalık:** Böbrek ve böbrek üstü bezlerini güçlendirir, nörotoksinlerin kandan atılmasını sağlar.
- **Rezene:** EBV ile mücadele etmek için güçlü antiviral bileşiklere sahiptir.

Şifalı Bitkiler ve Destekleyiciler

Aşağıda (önemlerine göre sıralanmışlardır) sayılan ot ve tamamlayıcı/destekleyici gıdalar bağışıklık isteminizi güçlendirir ve virüsün etkilerinden kurtulması için vücudunuzun yardımcısı olur.

- **Kedi Pençesi:** EBV ile strep A ve strep B gibi eşetkenlerini azaltır.
- **Gümüş Hidrosol:** EBV'nin vücuttaki miktarını düşürür.
- **Çinko:** Bağışıklık sistemini güçlendirir ve tiroidi EBV iltihaplanmasından korur.
- **B_{12} Vitamini (metilkobalamin ve/veya adenosilkobalamin olarak):** Merkezi sinir sistemini güçlendirir.
- **Meyan Kökü:** EBV üretimini azaltır, böbrek ve böbrek üstü bezlerini güçlendirir.
- **Limon Otu/Oğul Otu/Kovan Otu/Melissa/Acem Otu:** Antiviral ve antibakteriyeldir. EBV hücrelerini öldürür ve merkezi sinir sistemini güçlendirir.

- **5-MHF (5-metilen tetrahidrofolat):** Endokrin sistemi (iç salgı bezleri sistemi) ve merkezi sinir sistemini güçlendirir.
- **Selenyum:** Merkezi sinir sistemini korur ve güçlendirir.
- **Kırmızı Deniz Yosunları:** Cıva gibi ağır metalleri uzaklaştıran güçlü bir antiviraldir, virüs miktarını düşürür.
- **L-lisin:** EBV yükünü azaltır ve merkezi sinir sistemi iltihaplanmasını önler.
- **Spirulina Yosunu/Mavi-Yeşil Alg (tercihen Hawaii'den):** Merkezi sinir sistemini yeniden inşa eder ve ağır metalleri ortadan kaldırır.
- **Ester-C:** Bağışıklık sistemini güçlendirir ve EBV toksinlerini (zehirlerini) karaciğerden atar.
- **Isırgan Otu:** Beyin, kan ve merkezi sinir sistemi için yaşamsal mikro besinler sağlar.
- **Monolorin:** Antiviraldir, EBV'yi parçalar ve eşetkenlerini azaltır.
- **Mürver:** Antiviraldir, bağışıklık sistemini güçlendirir.
- **Kızılyonca:** Karaciğeri, lenf sistemini ve dalağı EBV'nin nörotoksinlerinden temizler.
- **Yıldız Anason:** Karaciğer ve tiroitteki EBV'yi yok etmeye yardımcı olur.
- **Zerdeçal Sarısı/Kurkumin:** Endokrin ve merkezi sinir sistemini güçlendiren zerdeçal bileşenidir.

Hasta Dosyaları:

Neredeyse Epstein-Barr'a Kurban Giden Bir Kariyer

Michelle ve eşi Matthew iyi şirketlerde, yüksek ücretlerle çalışıyorlardı. Michelle şirketin yıldızıydı, hamiliği boyunca işe gitmeyi ihmal etmemişti, sadece doğum yapmak üzere işine ara vermişti.

Doğumdan sonra Michelle oğlu Jordan'a âşık oldu. Bundan daha mutlu olamazdı. *İşte şimdi her şeye sahibim*, diye düşündü, *sevdiğim bir kariyerim ve ondan bile daha çok sevdiğim bir ailem oldu.*

Ancak Michelle'in üstündeki bu parlak ışık, baş edemediği yorgunlukla karşılaşınca sönmeye başladı. Ne kadar vitamin alırsa alsın, ne kadar spor yaparsa yapsın olmuyordu, daima kendini bitkin hissediyordu. Michelle doktoruna gitti. Doktoru, kaygılarını savuşturdu: "Bence iyisin. Yeni bir bebeğin böylesine yorucu olması normal. Daha fazla uyumaya çalış ve bunu kafana takma."

Michelle daha fazla uyumaya dikkat etti. Bir hafta sonra daha da beter olmuştu. Hamilelik sonrası bir sorundan şüphelenerek kadın hastalıkları ve doğum uzmanının yolunu tuttu. Bir dizi kan testi yapıldı, bu testlerin çoğu tiroitle ilgiliydi. Test sonuçları geldiğinde doktoru yanlış bir teşhis koyarak Hashimoto hastalığına yakalanmış olduğunu söyledi -diğer bir deyişle tiroidi artık ihtiyacı olan seviyede hormon üretmiyordu.

Michelle hormon seviyesini yeniden normale döndürmek için tiroit ilaçlarını almaya başladı. Bu biraz iyi hissetmesine sebep olmuştu... Ancak yine de hamilelik öncesi kadar değildi. Doğumdan bir ay sonra işe geri dönmeyi planlıyordu fakat şimdi planlarını ertelemek zorunda kalmıştı.

Altı ay kadar sonra Michelle'in yorgunluğu geri dönmüştü -hem de daha ciddi seviyede. Michelle için asıl sorun burada başladı: Jordan'la yeterince ilgilenemiyordu artık. Matthew, karısı kendini daha iyi hissedene kadar ona yardımcı olmaya karar verdi.

Ancak Michelle daha da kötüye gitti. Yorgun olmanın yanı sıra bir de ağrıları başlamıştı, özellikle de eklemlerinde. Michelle tekrar kadın hastalıkları ve doğum uzmanına gitti, yine testler yapıldı. Sonuçlar her şeyin yolunda olduğunu gösteriyordu. Almış olduğu tiroit ilaçları sayesinde tiroit seviyesi gayet iyiydi. Bütün vitamin ve mineral seviyeleri de öyle. Kadın hastalıkları ve doğum uzmanı afallamıştı.

Michelle'in şikâyetlerinin tiroit durumundan kaynaklandığından şüphelenen kadın hastalıkları ve doğum uzmanı onu bir endokrinoloji uzmanına yönlendirdi. Uzman ayrıntılı incelemeler ve diğer hormon seviyelerini farklı açılardan değerlendirdikten sonra Michelle'e "hafif böbrek üstü bezi yorgunluğu" yaşadığını anlattı.

Az da olsa haklılık payı vardı. Michelle'in böbrek üstü bezleri hamilelik yüzünden tetiklenen ve şimdi de tiroitlerini iltihaplandıran EBV tarafından zorlanıyordu.

Endokrinoloji uzmanı, Michelle'e sakin olmasını ve stresten uzak durmasını söyledi. Bu öneriye uyarak Michelle evden yürüttüğü serbest işi de bıraktı.

Aslına bakarsanız, mesleğinin Michelle'in durumuyla bir ilgisi yoktu. Stresinin kaynağı işi değildi, hastalığı ömrünü yiyip bitiriyordu ve bu aciziyeti ya kabul etmeli ya da bir şeyler yapmalıydı.

Michelle kötüye gitmekteydi. Dizleri yanıyordu ve yürümesini zorlaştıracak kadar şişmiştiler. Diz destekleri satın aldı. Ama daha etkin bir biçimde yardım alması gerektiğini kafasına koymuştu. Michelle'in içgüdüleri vücudunda bir istilacının olduğunu söylüyordu ona, bu sebeple bir enfeksiyon hastalıkları uzmanına görünmeye karar verdi. Bu, yapılabilecek en doğru hareketti -tabii eğer enfeksiyon hastalıkları uzmanları geçmiş EBV enfeksiyonunu nasıl belirleyeceklerini ve ona nasıl müdahale edeceklerini biliyor olsalardı.

Maalesef bilmiyorlar. Bir dizi test yaptırdıktan ve Michelle'de geçmiş bir EBV enfeksiyonundan kalma hücre cesetleri olduğunu saptadıktan sonra doktor, bunun o an için artık bir önemi kalmadığını düşünüp bir sorun olmadığına karar verdi. Fiziksel olarak sağlığının yerinde olduğunu söyledi. Depresyona girmiş olabileceğini ekledi ve bir psikiyatriste görünmesini tavsiye etti. Fiziksel bir sorunu olduğunu derinden hissettiği için bunu saptamaya çalışmasının bir çılgınlık/kaçıklık olarak görülmesine çok kızan Michelle (acı içinde) odayı terk etti.

Gittikçe büyüyen çaresizliğiyle Michelle çeşitli doktorlara başvurdu. Ultrasonlara girdi, röntgenler çekildi, MR'a girdi, tomografi çekildi, kan testleri yapıldı. *Candida*, fibromiyalji, MS, lupus (deri veremi), Lyme hastalığı ve romatoid artrit olduğun söylediler. Hiçbiri de doğru değildi. Bağışıklık baskılayıcı ilaçlar, antibiyotikler ve daha farklı birçok takviye aldı. Bunların hiçbirinin faydası olmadı.

Bir insomnia (uykusuzluk hastalığı) hastası oldu, kalp çarpıntılarından şikâyet etmeye başladı, sersemlik, baş dönmesi ve bulantıya sebep olan kronik vertigo geliştirdi. 63 kilodan 52'ye düştü.

Artık Michelle günlerinin çoğunu yatakta geçiriyordu. Eriyip gidiyordu, eşi Matthew dehşete düşmüştü.

Diğer bütün seçenekleri tarayarak geçen dört yılın ardından, Michelle'in görüştüğü bir natüropatın (doğal tedavi uzmanı) tavsiyesine de uyarak Matthew son çare olarak ofisimi aradı. Asistanım telefona cevap verdiğinde Matthew gözyaşlarına boğulmuş. "Ters giden nedir?" diye sorulunca da, "Eşim ölüyor," diye cevaplamış.

İlk randevumuzda Matthew, yatmakta olan Michelle'in yanında oturup konuşmanın büyük kısmını kendisinin yapacağını planlamış. Bana Michelle'in hikâyesini anlatmaya başlamasından bir dakikadan daha az bir süre geçtikten sonra sözünü kestim. "Tamam," dedim. "Ruh bana bunun saldırgan tür bir Epstein-Barr virüsü olduğunu söylüyor."

Virüsün nörotoksini Michelle'in bütün eklemlerini iltihaplandırıyordu. İnsomnia ve ayak ağrılarının sebebi iltihaplanmış olan frenik sinirlerdi. Vertigo'su, vagus sinirini iltihaplandıran EBV nörotoksinlerinden kaynaklanmaktaydı. Kalp çarpıntılarının sebebi de mitral kapakçığında biriken ölü EBV hücreleri ve yan ürünlerdi.

"Endişelenmeyin," dedim onlara. "Virüsü nasıl yeneceğimizi biliyorum."

Michelle elinden gelen tüm enerjisini kullanarak haykırdı: "Onun bir virüs olduğunu biliyordum."

Bu, tedavisindeki ilk kritik aşamaydı.

Onlara bir kereviz suyu ve papaya karışımı önerdim. Bu, Michelle'in durumunda olan biri için en iyisiydi (düşük kilo, yemek yiyecek durumda değil, çok yüksek sayıda hücre mevcut). Bu bölümde ve Kısım 4: Sonuçta Nasıl İyileşeceğiz?'de yer alan beslenme önerileriyle devam ettim.

Arınma diyeti anında Michelle'in EBV'sini beslenmesini durdurdu. Bir hafta içinde dizlerinin durumunda fark edilir bir gelişme olmuştu. L-lizin Vertigo'sunu durdurdu. Diğer takviyeler ise virüs hücrelerini öldürmeye ve/veya yenilerinin üretimine engel olmaya başladılar.

Üç ay içinde Michelle ayağa kalkmıştı, artık yürüyebiliyordu. Dokuz ay içinde zorlu işinde yarı-zamanlı çalışmaya başlamıştı.

18 ay sonra Michelle'in ağrı ve şikâyetleri artık birer

anı olarak kalmışlardı -EBV üzerinde kontrol sağlamıştı. Bugün Michelle tamamen sağlıklı durumda. İşine ve enerji dolu mutlu hayatına geri döndü.

Hasta Dosyaları:

KYS Esaretine Son

Cynthia iki çocuk annesiydi. Küçük çocuğu, Sophie, doğduktan kısa bir süre sonra Cynthia'da yorgunluk baş göstermeye başladı. Tüm gün yapmaya alışkın olduğu her şeye engel oluyordu bu, o da daha fazla kahve içerek sorunu çözebileceğini sandı. Birkaç yıl içerisinde bir giysi dükkânındaki yarı zamanlı işini bırakmak zorunda kaldı, çünkü öğleden sonraları uyuklayarak geçiyordu. Çocukları okul otobüsünden almak, akşam yemeğini hazırlamak, ev işleriyle uğraşmak için dinlenmesi gerekiyordu.

Cynthia aynı zamanda çabuk sinirlenen biri olmuştu. Mark, karısının neden sürekli yorgun olduğuna bir anlam veremiyordu ve aralarında tartışmalar yaşanmaya başladı. Tüm bunların arkasından, Cynthia'nın doktoru yaptığı testler sonucunda yanlış giden hiçbir şeyin olmadığını açıklamıştı. Doktor ona sağlıklı olduğunu belki mutsuz ya da depresyonda olabileceğini belirtti.

Cynthia tek kelime etmeden doktorun yanından ayrıldı. Her zaman keyifsiz olmalarının sebebi onun hep yorgun olması ve işlerini tam olarak yerine getirememesiydi -aksi iddia edilemezdi. Sonunda kocası da doktordan yana oldu ve ona karşı kırıcı olmaya başladı.

Artan stres Cynthia'yı daha da baskı altında tutuyordu; hayat dayanılmaz bir hal almıştı. Saçlarını tarayacak, hatta elektrikli süpürgeyi çalıştıracak ya da bulaşıkları yıkayacak gücü bulamıyordu kendinde. Dışarıdan bakıldığında hayattan vazgeçmiş biri gibiydi. Mark daha da sinirlenmişti -artık ayrılmaktan söz ediyordu. "Tüm gün ofiste deli gibi çalışıyorum ama ev işleri için endişe ediyorum," diyordu. "Bunlar senin görevin."

Cynthia iyileşmek için daha fazla baskı hissetmeye başlamıştı. Evliliği ve çocuklarının geleceği hakkında düşündükleri yorgunluğunu en üst seviyeye çıkarıyordu. Markete gidip bir şeyler almak ve akşam yemeğini hazırlamak bile bir eziyete dönüşmüştü. Tek yapabildiği yatakta ya da kanepede uzanmak oluyordu.

Bu, teşhis edilmemiş kronik yorgunluk sendromuna benziyordu. Cynthia beni aradığında hayatı paramparça olmuştu. Eşi onu terk etmiş, şimdi yedi yaşında olan kızı Sophie ve dokuz yaşında olan oğlu Ryan aile bütünlüğünü kaybetmişlerdi. Doktorun psikiyatrik bir durum olarak yanlış teşhis ettiği şey aslında fiziksel bir sorundu: Epstein-Barr virüs. Birçok kadında hemen hemen aynı ilerleyen hastalık.

Önce Cynthia'yı EBV hakkında bilgilendirdim, doktorun yanlış teşhis koyduğunu anlattım ona. Virüs miktarını kontrol altına almaya önem vererek, eksik beslenmeye dikkat çekerek, bu bölümde anlatmış olduğum kronik yorgunluk sendromunun (KYS) sebebini izah ettim, burada ve Kısım 4'te anlattıklarımı açıkladım. Hayatı ona bağlıymış gibi -çünkü öyleydi- Cynthia Ruh'un dediklerini birebir yerine getirdi.

Yavaş yavaş iyileşmeye başlamıştı. Böbrek üstü bezleri normal faaliyetlerine dönmüş, gücü-kuvveti yerine gelmişti. Bir kez daha çocuklarıyla ilgilenmeye, ev işlerini yapmaya ve saçlarıyla ilgilenmeye başladı -bütün bunları o çok güvendiği kahveyi içmeden başarıyordu. Cynthia sonunda işe geri dönecek enerjiyi bile buldu.

Eşindeki bu değişime tanıklık eden Mark, Cynthia'yı aradı ve akşam yemeğine davet etti -annesi çocuklara bakacaktı. Öğrenciyken takıldıkları ama şimdi lüks bir restoran olan mekâna geldiklerinde, Mark öncesinde telefon ederek Cynthia için şifalı yiyecekler hazırlamalarını istediğini söyledi -ve dayanışma için kendisine de aynısını sipariş etti. Güneşte kurutulmuş domates humusu üzerinde sebzeli nori yosunu dürümleri geldikten sonra Mark tam olarak ağlamadı (bazı şeyler hep aynı kalıyordu) ama daha önceki davranışları için Cynthia'dan özür diledi.

Cynthia sakindi, gülümseyerek yanıt verdi. "Bunu telafi edebilirsin."

Birkaç hafta süren bir nabız yoklamasının ardından -Cynthia, Mark'ın kendisini bir can yeleği ve ev işleri sorumlusu olarak görüp görmediğini anlamak istiyordu- tekrar aynı evde bir aile gibi yaşamaya başladılar. Mark şimdi, pazar sabahları erkenden kalkıyor ve ürünler tükenmeden pazara gidip taze yeşillik satın alıyor.

Hasta Dosyası:

Unutulmuş Fibro Ağrısı

41 yaşındaki Stacy bir doktorun yanında, danışma görevlisi olarak çalışıyordu. Bir oto galerisinde çalışmakta olan eşi Rob ile 15 yıldır evliydiler. Stacy, Rob'un kızlarıyla birlikte ayarladığı gezilere katılabilecek enerjiyi hiçbir zaman bulamamıştı. Aslında kendini iyi hissettiği bir zamanı da hatırlayamıyordu. Her zaman arkadaşlarından daha yorgun görünürdü, sürekli hafif ağrıları olurdu. Şimdi 11 yaşında olan ikinci çocuklarının doğumundan sonra yorgunluk ve kas ağrıları daha sık konuşulmaya başlanmıştı.

Bir hafta sonu Rob ve kızlar müze gezisindeyken her zamankinden daha uzun bir yürüyüşe çıktı -son birkaç yılda almış olduğu fazla kilolardan kurtulmak için kendini biraz zorlaması gerektiğini düşünüyordu. Sonradan sol dizinde tuhaf bir ağrı hissetti. Kolej takımındaki basketbol koçunun söylediklerini anımsadı: "Yürüyerek erirler." Böylece ağrıyı yok saydı.

Ağrı geçmedi. İki hafta sonra yanında çalıştığı doktordan bir randevu ayarladı. Randevu MR talebiyle sonuçlandı ama bunun sonunda dizinde bir sorun olmadığı anlaşıldı.

"Sağlam" bacağa yüklendiği için Stacy'nin dengesi biraz şaşıyordu, her an sendeliyor gibiydi -basamaklar, bordür taşları, halıların köşeleri birer engel halini almışlardı. Daha sonra, düşüşlerinden herhangi birinde yaralanmadığı halde sağ dizi ağrımaya başladı. Test sonuçlarına göre ters giden bir şey yoktu. İşyerindeki doktorlar romatoid artriti göz ardı ettiler, çünkü 15 kilo fazlası vardı ve ağrıdan onu sorumlu tuttular.

Daha sonra Stacy'nin başka yerlerinde de ağrıları olmaya başladı. Artık kolları ve boynu ağrımadan elini kafasının üstüne kaldıramıyordu. İş yapamaz hale gelmişti, evde kanepede saatler geçirmekten kaynaklı bir depresyon baş göstermeye başlamıştı. Akşamları, Rob yemeği hazırlar ve Stacy'nin tabağını kızlarıyla kanepeye gönderirdi.

Bir uzman Stacy'ye fibromiyalji olduğunu söyledi. Stacy buna neyin sebep olduğunu sorduğunda doktor şöyle dedi: "Bilmiyoruz. Aşırı hassas sinirler olduğunu düşünüyoruz. Yine de bu işe yarayabilir." Depresyon ve fibromiyalji ağrısı tedavisinde kullanılan ünlü bir ilacın yazılı olduğu reçeteyi uzattı. Bir dahaki randevuda Stacy'de hiçbir gelişme olmadığını gördüğündeyse beni önermiş.

Ona aslında neyi olduğunu açıkladım. Asıl neden EBV'ydi ve çocukluğundan beri bu virüs vücudundaydı, Stacy 14 yaşında mononükleoz geçirdiğini hatırladı. Şimdi anlamıştı ki, kötü beslenme, besin eksikliği ve aşırı stres, uyumakta olan EBV hücrelerini fibromiyalji olarak tetiklemişti. Neyi olduğunu bilememek -güçsüzlük ve çaresizlik- gerçek nedeni bilmekten daha korkunçtu; gizemli hastalığın gizemi işin en zor tarafıydı. Şimdi artık yönünü belirlemişti ve iyileşme yeteneğine olan güveni tazelenmişti.

İlk görüşmemizden altı ay sonra, bu bölüm ve Kısım 4: Sonuçta Nasıl İyileşeceğiz?'de anlattığım önerileri uygulayarak, fibromiyalji hastalığından kurtuldu. İşine geri döndü, hayatına kaldığı yerden devam ediyor. Şimdi kendini daha mutlu ve sağlıklı hissettiğini söylüyor, ayrıca sonraki hafta sonu için aile -organik bir bahçede elma toplama- aktivitesini o ayarlamış.

Bilgi Güçtür

İyileşmenin ilk aşaması şikâyetlerinizin sebebinin Epstein-Barr olduğunu bilmek ve bunun sizin hatanız olmadığını fark etmektir.

EBV'ye bağlı rahatsızlıklarınızın hiçbiri sizin yanlış yaptığınız bir şey ya da ahlaki bir kusurunuzun sonucu değildir. Bunu siz yapmadınız, dolayısıyla da suçlanamazsınız. Belirtileri siz yaratmadınız, bu hastalığı kendinize çekmediniz. Siz, canlı, enerjik, harika bir varlıksınız ve Tanrı vergisi tüm şifa yollarını hak ediyorsunuz. Siz iyi olmaya *layıksınız*.

EBV'nin birçok kök hücresi gizlenerek yaşamlarına devam eder, bu yüzden siz ya da bağışıklık sisteminiz onları fark edemezsiniz. Bu ona denetimsiz bir şekilde kargaşa yaratma olanağı sunmanın yanı sıra suçluluk, korku, çaresizlik gibi olumsuz duyguları su yüzüne çıkarma izni verir.

Artık sizin için bir şeyler değişti. Eğer EBV'li iseniz zihinsel-fiziksel anlamda sağlık sorunlarınıza neyin sebep olduğunu biliyorsunuz. Artık bağışıklık sisteminiz güçlenecek ve virüs de bu arada doğal olarak zayıflayacak. Konu EBV ile savaşmaksa, kelimenin tam anlamıyla *bilgi güçtür*.

BÖLÜM 4

MULTİPL SKLEROZ

Tıp bilimi *multipl skleroz* (MS) hastalığını ilk tanımladığından beri, bu duruma büyük bir karışıklık eşlik etmektedir. Her yıl çok sayıda insana yanlış MS teşhisi konmakta.

1950'ler, 60'lar ve 70'li yılların başlarında kadınlardaki gizemli sinirsel hastalıklar yaygın bir biçimde artış gösterdi. Doktorlar bunu menopoz, hormonal dengesizlik ya da sadece bir psikoz olarak gördüler. Kadınların bu ağrıları, titremeleri, yorgunluk ve baş dönmesini gerçek birer belirti olarak görecek tıbbi bir profesyonel bulamadıkları zamanlardı. Yalnızca varlıklı olanlar ve ilerlemiş yaştakiler bu konuyu ciddiye alan doktorlara ulaşabildiler.

60 ve 70'li yıllarda erkekler de aynı sorunlarla baş başa kalınca tıp dünyası bu belirtileri ciddiye almaya karar verdi. Tıpkı diğer hastalıklarda olduğu gibi erkek dünyası kadınınkine egemen olmuştu.

Doktorlar tanı koymaya çalışmaktan bunalmışlardı ve MS yaftası yapıştırmaya bel bağladılar.

MS merkezi sinir sisteminin *miyelin kılıfı* olarak adlandırılan koruyucu tabakasını ve iletim merkezini iltihaplandırıp zarar vermesiyle bilinen bir hastalıktır. Sinirleriniz vücudunuzun tüm birimlerini yöneten elektrik sinyalleri taşır; miyelin kılıfınızın bir bölümü zarar gördüğünde altındaki sinirden geçen mesajlar karışır ve (zararın hangi bölgede meydana geldiğine bağlı olarak) çeşitli hasarlara yol açar.

MS kas ağrıları ve spazmlarına, zayıflık, güçsüzlük ve yorgunluğa, zihinsel arazlara, görme ve işitme sorunlarına, baş dönmesi ve sersemliğe, sindirim sorunlarına, idrar torbası ve bağırsak problemlerine yol açabilir. Ayrıca baston, koltuk değnekleri ve hatta tekerlekli sandalye kullanımına yol açacak kadar bacaklarda kısmi ya da genel sorunlara sebep olabilir.

Günümüzde 150.000 civarında Amerikalı -bunların %85'ini kadınlar oluşturuyor- MS mağdurudur.

Aynı zamanda bir başka 150.000'lik insan grubu da aslında başka bir sorunu olmasına rağmen *yanlış teşhisle* MS olduğunu zannetmektedir. (Daha fazlası birazdan.)

MS teşhisi dünyanızı altüst edebilir ama teşhisin yanlış olduğunu öğrenmek ise başka bir durum.

Bu bölüm MS hakkındaki gerçekleri ve onunla nasıl başa çıkacağınızı, hayatınıza nasıl geri döneceğinizi anlatıyor.

Multipl Sklerozu Tanımlamak

MS olduysanız merkezi sinir sisteminizin miyelin kılıfında meydana gelen hasar -ve bunun sonucunda gerçekleşen iltihaplanma ve diğer hasarlar- genelde aşağıdaki belirtilerle sonuçlanır. Yine de şunu unutmayın ki bu belirtilerin çoğuna sahip olsanız bile bu MS olduğunuz anlamına gelmez. Ancak sadece bunların en kötülerine yakalanmışsanız durumunuz MS olabilir.

- İlk başlarda bulanık görme, çift görme, renk algısını kaybetme, göz ağrısı ve/veya görme kaybı -genelde bir gözde olur
- Kronik güçsüzlük ve yorgunluk
- Kronik ağrılar, özellikle tüm vücutta ve kaslarda
- Titremeler
- Kollarda ve/veya bacaklarda uyuşma -önce bir tarafınızda daha sonra diğer tarafta
- Bacaklarda yürüme sorunlarına yol açacak denli inme ya da güçsüzlük ve ciddi durumlarda tekerlekli sandalyeye bağlı kalmak
- Zihinsel anlamda belirsizlik içinde olmak, örneğin; konsantrasyon sorunu yaşamak
- Hafıza sorunları
- Konuşma bozuklukları

Bu belirtiler listesinin ötesinde, henüz MS'i tespit edecek tanımlayıcı bir test yok. Bu, bir bakıma, neden bu hastalıkla ilgili bu kadar çok yanlış teşhis olduğunu açıklamaya yetiyor.

Yukarıdaki belirtilerden en az altı tanesini ciddi biçimde kendinizde gözlemliyorsanız -ve doktorunuzu bunların sebebi olabilecek diğer şeyleri göz ardı etmişse- bir sinir hastalıkları uzmanına giderek beyin ve omurilik civarında lezyonlar olup olmadığını görmek için MR çektirebilirsiniz. İki ya da daha fazla lezyon çıkarsa, bu muhtemelen MS olduğunuzun işareti sayılabilir.

Bununla birlikte, tıp biliminin şu anki üç boyutlu görüntüleme sistemleri ile bir lezyonu tespit etmek bile oldukça güçtür (2030 yılına kadar da bu böyle sürecek gibi görünüyor). Yani doktorunuz lezyon bulamayabilir ancak bu sizde lezyon olmadığı anlamına gelmez.

Dikkat edilmesi gereken başka bir konu ise, daha önce kulak enfeksiyonu, boğaz enfeksiyonu, sinüs enfeksiyonu geçirip geçirmediğiniz ve/veya bir kadınsanız vajinal bir enfeksiyon geçirip geçirmediğinizdir. Bunlar genelde çocuklukta ya da erken yetişkinlik dönemlerinde, MS'in gelişmesinden önce gerçekleşmiş şeyler olur.

Sizi neyin rahatsız ettiğini anlamanın diğer bir yolu ise MS'in aslında ne olduğunu öğrenmektir.

MS *Aslında* Nedir?

Tıp camiası, MS'in, bağışıklık sisteminizin her nasılsa istilacılarla kimi sinir kılıfı bölgelerini birbirine karıştırması ve onlara saldırmasıyla sonuçlanan bir bağışıklık sistemi hastalığı olduğuna inanıyor.

Bu, daha önceki bölümlerde de söylediğim gibi, tıbbi araştırmalarla ortaya koyacak gerçekleri on yıllarca daha saklayacak olan bir düşünce biçimidir. İnsan vücudu kendine *saldırmaz*. Suçlu olan patojenlerdir.

Tıp dünyası ayrıca MS'in bir çözümünün olmadığına da inanıyor. Burada da yanılıyorlar. Gerçek şudur ki MS iyileştirilebilir - ve MS denen bu hastalık aslında Epstein-Barr virüsün bir çeşididir.

Bölüm 3'te açıklandığı gibi, EBV sinirlerde kronik iltihaplanmaya sebep olan bir virüstür. EBV'nin pek çok türü daha az saldırgandır ancak MS çeşidi miyelin kılıfını yavaş yavaş yok eder ve bu da hastalığa eşlik eden farklı belirtilerin meydana çıkmasına sebep olur. (Bağışıklık sisteminiz, yanlış giden bir şeylerden sorumlu olmadığı gibi, MS'e karşı ilk savunucunuz da odur. Bağışıklık sisteminiz ihtiyacı olan şeyi elde ettiğinde, iyileşme mümkün ve ulaşılabilirdir.)

MS'i diğer EBV çeşitlerinden ayıran başka bir şey ise ona bir takım bakteri, mantar ve ağır metallerin eşlik etmesidir. Özellikle, eğer sizde MS varsa, sisteminizde aşağıda yer alan EBV kofaktörleri/eşetkenleri de mevcut olacaktır:

- *Streptokokus* A ve *Streptokokus* B bakterileri
- *H. Pylori (Helikobakter Pilori)* bakterisi (ya da en azından geçmiş bir *H. Pylori* vakası)
- *Candida* mantarı
- Sitomegalovirüs
- Bakır, cıva, alüminyum gibi ağır metaller - bu metaller bağışıklık sisteminin viral sinir hasarına karşı vücudu koruma yeteneğini zayıflatır

Bu eşetkenler MS'e kendi karakteristiğini verirken, özünde MS bir EBV türevidir - ve bunu biliyor olmak hastalığın etrafındaki karanlığın aydınlanmasında önemli bir rol oynar. EBV kimi durumlarda tehlikeli *olabiliyorken*, Bölüm 3 onu anlamak için neye ihtiyacınız olduğunu detaylarıyla anlatıyor - virüsün sebep olduğu zararları sona erdirmek ve hemen hemen tüm virüs ve eşetkenlerini yok etmek de bunun içinde.

MS'ten Kurtulmak ve İyileşmek

Doktorlar, sorun olan şeyin bağışıklık sisteminiz olduğu inancıyla MS'i bağışıklık sistemini baskılayıcı ilaçlarla yenmeye çalışıyorlar. Aslında size saldıran bağışıklık sisteminiz *değil* -o bir *virüs*. Bu virüsü yok etmek için tek umudunuz güçlü ve zinde bir bağışıklık sistemi -ama o ilaçlar onu zayıflatmakta. Yani bu ilaçlar EBV'nin üstesinden gelmenizde size yardımcı olmadıkları gibi, açık bir biçimde virüse yardımcı oluyorlar.

Bölüm 3'ü okumak, EBV'yi tam olarak anlayabilmek için en iyi yaklaşımdır. Çünkü MS'e sebep olan EBV türleri özellikle miyelin kılıfınıza saldırır, aşağıdaki destekleyiciler özellikle MS için yazılmıştır. Siz EBV'den kurtulurken onlar ağrıyı azaltacak ve miyelin kılıfınızı koruyacaklardır.

- **EPA & DHA (eikosapentaeonik asit ve dokosaheksaenoik asit):** Miyelin sinir kılıfınızın korunmasına yardım edecek ve güçlendirecek omega-3 yağları. Bitkisel olanını almalısınız (balık bazlı olanı değil).
- **L-glutamin:** Beyinden, MSG (monosodyum glutamat) gibi toksinlerden temizleyen ve nöronları koruyan bir amino asit.
- **Aslan yelesi mantarı:** Miyelin kılıfının korunmasına yardımcı olan ve nöron faaliyetini destekleyen medikal bir mantar.
- **ALA (alfa lipoik asit):** Zarar görmüş nöron ve nörotransmitterlerin onarılmasına yardım eder. Ayrıca miyelin kılıfının onarılmasında da yardımcı olur.
- **Monolorin:** Beyindeki virüs hücrelerini, bakteri hücreleri ve diğer kötü mikropları (örneğin; küf) öldüren bir yağ asidi.
- **Kürkümin:** Bir zerdeçal/hintsafranı bileşeni; merkezi sinir sistemi iltihaplanmasını azaltır ve ağrıyı dindirir.
- **Taşkesen Otu/Duvar Arpası Suyu Özü Tozu:** Merkezi sinir sistemini besleyen mikrobesinler içerir. Ayrıca beyin dokusu, nöronlar ve miyelin sinir kılıfının beslenmesine de yardımcı olur.

MS'in ömür boyu hapis cezası olmadığını anlayın. Doktor sizdeki bu rahatsızlığı kesin olarak MS diye teşhis etmiş olsa da bundan korkmak için bir neden yok. (Büyük ihtimalle MS teşhisi yapıldıysa, siz de yanlış teşhis konan birçok insandan birisiniz. Semptomlarınızın ardındaki temel sorun EBV olabilir.)

Merkezi sinir sisteminiz ve bağışıklık sisteminizi yenilemek adına bu bölüm, Bölüm 3 ve Kısım 4'teki ilgili tavsiyelere uyarsanız (geçerli sağlık durumunuz ve bunun gibi pek çok faktöre bağlı olarak) 3 ila 18 ay arasında, sinirlerinize zarar veren virüslerin hemen hemen hepsinden kurtulacak ve normal, hastalıklı belirtilerden uzak bir hayat sürmeye başlayacaksınız.

Hasta Dosyası:

Gerçek Tarafından Sağlığına Kavuşturulmak

41 yaşındaki Rebecca, bir hastanenin acil servisinde hemşirelik yapıyordu. Bir öğleden sonra, uzun bir vardiyanın ardından, kendisinden sonra gelecek olan hemşirenin gelemeyeceğini öğrendi. Dolayısıyla Rebecca bir 12 saat daha çalışmak zorundaydı.

O gün işini bitirip on yaşındaki oğlu Nicholas'a bakmakta olan annesinin yanına arabayla giderken Rebecca'nın yüzünün sağ tarafı uyuşmaya başladı. Uyuşukluk aşağı tarafa, koluna doğru iniyordu. Böyle bir şeyi daha önce hiç yaşamamıştı, oysa yıllar içinde birçok hastada bunu görmüştü. Rebecca bunun çok çalışmaktan kaynaklandığını düşünerek geçiştirmek istedi, eve vardığında ertesi sabaha geçmiş olacağını umarak yatağa uzandı.

Uyandığında uyuşukluk hâlâ oradaydı -yüzünün sağ tarafı, burnu, ağzının bir kısmı, kolu ve eli. Bunun bir felç olabileceğini düşünen annesi onu hastaneye götürdü. Tanıdığı bir doktor hemen onu muayene etti ve MR, EKG gibi testler yaptırdı. Testlerde bir sorun gözükmüyordu, doktor bunun felç olmadığını düşündü. Sorunun gerginlikten kaynaklandığından şüphe ediyordu. "Biraz zaman tanıyıp belirtilerin geçmesini bekleyelim," dedi ve ona benzodiazepin yazdı.

Sonraki haftalarda Rebecca kendinde çok az bir değişiklik gözlemledi. Uyuşukluğa alışmaya çalıştı ama bu onu deli ediyordu. Sağ kolu güçsüzleşiyordu. Sonunda, insanları sedyeden kaldırmak, kimi tıbbi cihazları taşımak gibi normal hemşirelik görevlerini yerine getiremediğini fark etti. İzin kullanarak hastanenin en önde gelen sinir hastalıkları uzmanına görünmeye karar verdi.

Çok sayıda kapsamlı test sonucunda, MS'in başlangıç aşamasında olduğu söylendi kendisine. Oysa Rebecca'nın çektirmiş olduğu MR ve beyin taraması bunu bulamamıştı. Doktor ona düzenli şekilde MR çektirmesi gerektiğini söyledi. Eğer MS ilerliyorsa zaman içerisinde çekilen MR'larda görünmeye başlayacaktı. O zamana kadar, MS'i tedavi etmek için kullanılan bir takım bağışıklık sistemini baskılayıcı ilaç ve steroid yazdı. Rebecca, bekleme odasında bulunan annesinin yanına gidene kadar hıçkırıklarını güçlükle bastırdı. Nicolas'a nasıl bakacaktı?

Altı ay içerisinde belirtileri ilerledi. Artık uyuşukluğun yanı sıra ani baş dönmeleri, yorgunluk ve -son çekilen MR'la birlikte- bilinç bulanıklığı da baş göstermeye başladı. Bir gün, benim hastalarımdan biri olan ve Rebecca'nın da arkadaşı olan bir hemşire beni arayıp randevu almasını tavsiye etmiş.

İlk görüşmemizde, Ruh bana Rebecca'da bir tür virüs olduğunu söyledi -EBV'nin özel bir türü. "İyi de EBV testi yaptırdım ben," dedi Rebecca. "Kanımda mevcut bir enfeksiyon olmadığı sonucu çıktı, sadece on yıllar önce bir enfeksiyon geçirdiğimi biliyorum. Şimdiki sorunlarımın sebebi bu değil."

Kandaki EBV cesetlerinin hastalığın geçtiğini göstermediğini anlattım ona -aksine daha da derinlere yerleştiğini belirttim. Rebecca'da EBV derinlere inmişti ve merkezi sinir sistemine zarar veriyordu. Rebecca'ya MS olmadığına dair garanti verdim.

"Buna inanmak için her şeyimi verirdim," dedi.

"Gerçek bu," dedim ona ve EBV'nin nasıl frenik ve üçlü (trigeminal) sinirlerini etkilediğini, uyuşukluğa sebep olduğunu anlattım. Ayrıca virüs, baş dönmesi, sersemlik, yorgunluk ve bilinç bulanıklığına yol açan bir nörotoksin salgılıyordu.

Sonunda Rebecca ikna olmuştu. "Üstümden bir yük kalktı," dedi.

Bu bölüm ve Kısım 4'te açıklanan bilgileri uygulayarak, altı ay içinde iyileşti Rebecca. Kullandığı ilaçlardan kurtulmuş, hastanedeki işine geri dönmüştü. Artık fazla mesaiye kalmıyor, çünkü bunun üzerinde yarattığı stresin kendisini tükettiğine ve EBV için uygun ortam yarattığına inanıyor.

Sadece durumunun ne olduğunu anlamak -ve bunun ömür boyu sürecek bir ceza olmadığını keşfetmek- Rebecca'nın iyileşmesinde çok şeyi değiştirdi. Eğer gizemli hastalığının arkasında neyin olduğunu bilmeseydi bu yanlış teşhisi ömrünün sonuna kadar taşıyacağından emin olduğunu belirtti bana.

BÖLÜM 5

ROMATOİD ARTRİT

Tıp dünyası, *romatoid artrit*'i (RA) sanki kronik ve ağrılı eklem iltihaplanması durumunda teşhis için bir terim gibi kullanıyor. Hâlbuki *şişkin eklem hastalığı* ya da *eklem ağrıtan bela* veya *açıklanamayan ağrı ve acı bozukluğu* gibi terimler daha iyi olacaktır. Burada dürüst olalım. Eğer tıbbi araştırmalar bir takım belirtilere bir açıklama getirebilmiş değilse -RA için de durum aynı- o zaman onu doktorların bildiği şekliyle adlandırmak daha doğru olacaktır. Süslü isimlerin arkasına saklanmanın kimseye faydası olmaz, özellikle de hastalar için.

En tipik şekliyle, RA el ve ayaklardaki küçük eklemleri etkiler. Ayrıca diz, dirsek ve diğer büyük eklemleri de etkileyebilir. RA, ayrıca sinirler, deri, ağız, gözler, akciğerler ve/veya kalp gibi, vücudun diğer bölgelerinde de etkili olabilir. Eklem ağrısı ve şişlik hastalığın en sık görülen sonuçlarındandır - zamanla eklem ve kemik hasarı ve/veya deformasyonu da gerçekleşebilir. Tıp camiası RA'dan etkilenen Amerikalıların sayısının raporlarda belirtilenden daha fazla olduğunu bilmiyor, bu sayı günümüzde 2,5 milyon civarındadır. 15 ila 60 yaş arasında görülebilir. RA kadınları erkeklerden beş kat daha fazla etkiliyor.

Tıp camiası RA'nın bir bağışıklık sistemi hastalığı olduğuna inanıyor -kafası karışmış bir bağışıklık sistemi vücudunuzun bazı bölgelerini istilacı olarak algılıyor ve onlara doğru saldırıya geçiyor. Bu da tek kelime etmeden vücudunuzun size karşı döndüğünü ima ediyor.

Tıp doktorları herkesi kapsayan bu gizemli hastalıkla ilgili bu tür açıklamalar yapmaları konusunda eğitiyor. Hastaların kendilerini güvende hissetmeleri bir tuzak, doktorların ne olup bittiğini anladıklarını, yanlış giden şeyler üzerinde kontrolü elde tuttuklarını hissettirmek bir tuzak. Bu bağışıklık sistemi hastalığı açıklamasının sanıldığı gibi bir yardımı olmuyor. Hastanın zihninde hücrelerin birbirine aniden saldırdığını canlandırması yanlış mesaj göndermesine neden oluyor - hastanın vücudu, bu hastalıktan kurtulmanın mümkün olmadığı yolundaki bilgi ile kendine ihanet ediyor.

Vücudumuzun kendi kendine saldırmadığı bilgisini taşımak çok kritik. İşte gerçek: Ekleminizde meydana gelen o iltihaplanma sizi özellikle yaygın bir virüsten *korumak* için meydana gelmekte. Vücudunuz, patojenlerin eklemler ve etrafındaki dokularda daha derinlere ilerlemesini durdurmak için çok sıkı bir çalışma içerisinde. Bu iltihaplanma uzun sürdüğünde ve kronikleştiğinde RA olmuş oluyorsunuz - ancak vücudunuz hâlâ viral zararı def etmek için çalışıyor.

Doktorlar ayrıca RA'nın çaresi olmayan bir hastalık olduğuna inanıyorlar. Bu konuda da yanılıyorlar.

Bu bölüm, RA'nın aslında ne olduğunu anlatıyor ve bu hastalığı nasıl yeneceğinizi.

Romatoid Artriti Tanımlamak

Eğer romatoid artrit olmuşsanız, muhtemelen -ve haklı olarak- aşağıdaki belirtileri gösteriyorsunuzdur. Bu belirtiler, vücudunuzun yaygın viral patojenleri def etmek için savunmalarını kullanmasının sonucudur:

- Eklem ağrısı - özellikle bilek ve parmaklarda, dizlerde, ve/veya ayak parmaklarında, ancak yine de *herhangi* bir eklem de etkilenebilir
- Eklem iltihaplanması
- Eklemlerde sertlik, özellikle sabahları saatlerce sürebilir
- Özellikle el ve/veya ayaklarda karıncalanma ve uyuşma
- Özellikle ayak bilekleri veya diz arkasında sıvı birikimi
- Yorgunluk, ateş ve grip benzeri başka belirtiler
- Kalp çarpıntısı
- Deride yanma ve kaşıntı
- Gezen, şiddetli ağrı
- Sinir ağrıları

Doktorlar RA'yı tanımlamaya çalışmak için çeşitli metotlar deniyorlar fakat bunların hiçbiri net değil. Aşağıda uyguladıkları testlerin bir listesi var. Bu testlerin yanılabileceklerini unutmayın, çünkü onlar RA'nın gerçek sebebini bulmak için tasarlanmamışlardır. Bu testler RA'yı tetikleyen viral patojeni bulamazlar. Daha çok vücutta ne kadar iltihaplanma olduğunun ölçerler.

- **Romatoid Faktör kan testi:** Doktorları RA'yla ilgili olduğunu düşündükleri antikorları kontrol eder. Ama yine de sağlıklı insanlarda ya da lupus gibi farklı hastalıkları olan insanlarda bu test olumlu sonuçlar verebilir. Aynı zamanda, RA'sı olan hastalarda da olumsuz sonuçlar verir. Bu yüzden pek kullanışlı değildir.

- **Anti-CCP Antikoru kan testi:** Bu daha yeni antikor testi RA iltihaplanmalarını tanımlamada Romatoid Faktör kan testinden daha iyidir ancak yine de kesinlikten bir hayli uzaktır.
- **Eritrosit Sedimentasyon Hızı (alyuvar çöküm hızı) kan testi:** İltihaplanmanın ileri düzeyleri için yapılan bir kontroldür. İltihaplanmanın birçok sebebi olabilir, bu yüzden RA'yı tanımlamada belirleyici değildir. Bununla birlikte, iltihaplanmanın ne düzeye geldiğini öğrenmek için kullanılabilir; eğer RA iseniz, saldırganlığını ölçmek adına size yardımı olacaktır.
- **C-Reaktif Protein kan testi:** Yüksek düzeyde protein bağlantılı aktif iltihaplanmayı ölçmek için kullanılır. Diğer faktörler de protein üretimine neden olurlar, obezite gibi. Ve bir kez daha; yalnızca iltihaplanma RA olduğunuz anlamına gelmez.
- **Ultrason ve MR:** Bu, zaman içinde kemik hasarına yol açmış olan iltihaplanmanın izini sürmek için kullanılabilir.

RA olup olmadığınızı öğrenmenin bir yolu da bu durumla ilgili gerçeğin ne olduğunu bilmektir.

Romatoid Artrit *Aslında* Nedir?

Tıp camiası, RA'nın, bağışıklık sisteminizin her nasılsa istilacılarla eklemlerinizi ve vücudunuzun başka bölgelerini birbirine karıştırması ve onlara saldırmasıyla sonuçlanan bir bağışıklık sistemi hastalığı olduğuna inanıyor. Daha önce de dediğim gibi, *vücudumuz kendisine saldırmaz*. Vücutlarımız yalnızca *patojenler* tarafından saldırıya uğradıklarında atağa geçerler.

RA, Epstein-Barr virüsün bir çeşididir.

EBV kronik bir şekilde vücudun çeşitli bölgelerini etkiler. Bunlar eklemler, kemikler, sinirler olabilir. Eklemlerinizdeki iltihaplanma ve ağrılara sebep olan şey bu virüstür. (Bağışıklık sisteminizin yanlış gidişatla hiçbir ilgisi olmadığı gibi, EBV'ye karşı ilk savunmanızdır.)

Daha önce de belirtildiği gibi, EBV'nin 60'tan fazla türü vardır. Tıp dünyasının RA'ya sebep olan EBV'ye ışık tutması on yıllar alacaktır. Sonunda zaman, enerji ve kaynaklar sebebe yöneltildiğinde -umarım 20-30 yıl içerisinde olur bu- araştırmacılar yüz yıldır insanların eklem ve sinirlerinde zarara yol açan bu EBV türünü rahatlıkla keşfedecekler. Doktorlar biraz daha derine indiklerinde bu virüsün gerçek çözümüne dair ipuçlarını bulacaklar.

RA'nın, EBV'nin bir türevi olduğunu bilmek hastalığın üstündeki karanlığı kaldırıyor. EBV tedavi edilebilir ve bu Bölüm 3'te tüm detaylarıyla anlatıldı - virüsün zararlarını yok etmek için atılacak adımlar da dâhil olmak üzere sisteminizdeki EBV'yi neredeyse tamamen yok edebilirsiniz.

Romatoid Artritten Kurtulmak

Doktorlar, RA'nın tedavisi için iltihabı dağıtan ve bağışıklık sistemini baskılayan ilaçlardan oluşan bir reçete kullanmaktadırlar, çünkü ellerinden sadece bu gelir. Ağrı ve acıların derecesi ve iltihaplanma göz önüne alındığında, bu anlaşılır bir şey gibi gözüküyor. Ancak yine de burada iki sorunla karşı karşıya kalıyoruz.

Birincisi; ilaçlar RA'nın ana nedenine - EBV'ye karşı etkili değil. Çünkü ilaçlar EBV'yi yenmek için bir şey yapmıyor, hastalığın içinizde ilerlemesine yardımcı oluyorlar. Vücudunuzun virüse karşı tepki vermesine engel oluyorlar, sanki orada o virüs yokmuş gibi algılıyor vücudunuz.

İkincisi; EBV'ye karşı asıl savunmanız bağışıklık sisteminizdir ve aldığınız ilaçlar bağışıklık sisteminizi *zayıflatmaktadır*. Dolayısıyla bu ilaçlar sizi EBV'ye karşı korumadıkları gibi virüse de yardımcı olmaktadırlar.

EBV'yi tam olarak anlamak için yapılacak en iyi şey Bölüm 3'ün hepsini okumaktır. Umarım bunu özgürleştirici bulursunuz ve orada yazılanlardan yararlanırsınız.

RA'ya sebep olan EBV tatsız ve baş edilmesi zor bir tür olduğundan, aşağıda *doğal* iltihap sökücüler (bunlar bağışıklık sisteminizi zayıflatmazlar) ayrıca tavsiye edilir ve tercih sırasına göre sıralanmışlardır. Ağrıyı azaltmaya yardımcı olur EBV'den kurtulmanız/iyileşmeniz için katkıda bulunurlar.

- **Kürkümin:** Zerdeçal/hintsafranı bileşeni, iltihaplanmayı azaltır ve ağrıyı dindirir.
- **Isırgan Otu Yaprağı:** Alkaloitler içeren bir bitkidir, EBV'ye özel iltihaplanmayı azaltabilir.
- **Zerdeçal/Hintsafranı:** İltihaplanmayı azaltan, ağrıyı dindiren bir köktür.
- **N-asetilsistein:** İltihaplanmayı azaltan, ağrıyı dindiren bir amino asittir.
- **MSM (metilsülfonilmetan):** İltihaplanmayı azaltan ve eklem ağrılarını dindiren bir bileşendir.

Ayrıca soğuk ve sıcak su torbaları kullanın. Ağrıyan bölgeye, her gün yarım saat süreyle soğuk su torbası koyarak iltihaplanmayı azaltır, iyileşmeyi hızlandırırsınız; aynı bölgeye günde on dakika kadar sıcak su torbası koyarak da zarar görmüş eklemlerin etrafında oluşan kas gerginliğini azaltırsınız.

Bu tavsiyelere uyar ve en önemlisi Bölüm 3 ve Kısım 4: Sonuçta Nasıl İyileşeceğiz?'de yazanları uygularsanız (güncel sağlık durumunuza bağlı olmak üzere) birkaç aydan iki yıla kadar bir sürede hem EBV'den hem de RA'dan kurtularak sağlığınızın ve hayatınızın kontrolünü yeniden ele geçirebilirsiniz.

Hasta Dosyası:

Şişmiş Ellerle Meseleyi Ele Almak

Janet işine âşık bir estetisyendi. İnsanların evlerine giderek onlara kendilerini iyi hissettirecek spa ve makyaj uygulamaları yapıyordu. 48 yaşındaydı ve pek çok sorumluluğu vardı. Henüz yirmili yaşlarına gelmemiş iki çocuk annesi, dul bir kadındı ve oturdukları evin kirasını ödemek, gezici estetiysen takımının seyahatleri, büyük oğlunun kolej masrafları gibi bir takım yükleri vardı. Tüm bunların yanında bir de yaşlı annesi son bir yıldır kanserle savaşıyordu. Hafta sonları dâhil olmak üzere tüm boş saatlerini annesinin yanında geçiriyordu - doktor randevularını ayarlıyor, faturaları ödüyor, market alışverişini yapıyor, ev işlerine yardım ediyor ve annesinin bakımıyla ilgileniyordu.

Yıllardır süre gelen ağrıları vardı ama o bunların doğal olduğunu, herkesin başına geldiğini düşünüyordu. Bir gece annesinin kâğıt işleri ve tüm günü dolduran müşterilerinin belgeleriyle uğraştığı sırada, dirsekleri, bilekleri ve ellerinde daha büyük bir ağrı oldu. Sabaha geçeceğini sandı ancak kalktığında durum daha beterdi.

Mesleğiyle ilgili ellerini kullanmasını gerektiren işleri yapamayacağını fark edince hemen bir doktordan randevu aldı. Kan testi ve tam bir muayeneden sonra doktor ona, "Romatoid artrit olduğunuzu düşünüyorum," dedi. Janet'ı bir uzmana yönlendirdi. O da yaptırdığı kan testlerinin ardından, kimi protein ve antikorlardan kaynaklı bir iltihaplanmaya eklemlerindeki iltihaplanmanın da eşlik ettiğini belirtti.

Bu dolaylı açıklama Janet'ın aklına yatmadı. "İyi de, bu *ne demek* oluyor?" diye sordu.

"RA'lısınız demek," diye yanıt verdi doktor.

"İyi de, ilk olarak iltihaplanmaya sebep olan şey nedir?"

Uzman doktor, ona, bağışıklık sisteminin eklemlerine saldırdığını ve buralarda iltihaplanmaya sebep olduğunu söyledi. Ona içinde iltihabı dağıtacak ve bağışıklık sistemini baskılayacak ilaçların yazılı olduğu bir reçete uzattı.

Bu olan biten Janet'a bir şey ifade etmiyordu. Şu zamana kadar kendine güvenmesi gerektiğini öğrenmişti. Diğerlerine, tıpkı eski kocası ya da yüz masajı için asla ödeme yapmayan Bayan Ferguson gibilerine güvenmemeliydi. Ancak Janet her zaman vücudunun ondan yana olduğunu gözlemlemiş ve ona güvenmişti. Vücudunun neden kendisine saldırmaya başladığını anlayamıyordu. Bu bir ihanetti.

Zamanla durumun daha da kötüye gideceğinden endişe etti. Bu böyle birdenbire oluverdiyse, o zaman, vücudunun kendisine zarar vermeye devam etmesini engellemek için ne yapmalıydı? 82 yaşında kanserle mücadele eden annesine baktı, o yaşta kendisinin durumu kim bilir ne olacaktı. Annesi onun yaşındayken oldukça sağlıklıydı. Bu RA meselesiyle uğraşmak zorunda kalmamıştı. Janet 70'i görebilecek miydi bakalım?

Janet şişmiş elleriyle kendi durumunu ele almaya karar verdi ve başka bir doktorla randevu ayarladı. O da Janet'ın eski kan testlerinin sonuçlarına baktı, yeni testler yaptırdı ve aynı teşhisi koydu. Janet, Dr. Tanaka'ya RA'ya neyin sebep olduğunu sordu. Doktor bunun bağışıklık sistemiyle ilgili olduğunu, vücudunun kendisine saldırdığını anlattı. Janet daha detaylı bir açıklama için Dr. Tanaka'yı zorladı ancak bu da nafileydi. Bu arada doktor, Janet'a buğday glüteninden ve işlenmiş şekerden uzak durması gerektiğini söyledi ve içlerinde balık yağı, D vitamini, B vitaminin de bulunduğu bir yığın destek ürünü önerdi.

Janet bu rejimle birlikte kendini biraz daha iyi hissediyordu. Dirseğindeki ağrı eskisi kadar şiddetli değildi ancak bilekleri ve elleri normale dönmemişlerdi. Sadece kendini "iyi" hissettiği günlerde işini yapabiliyordu, o da ayda birkaç kez oluyordu. Kazancı gittikçe azalırken annesine yardımcı olması için birini de tutmuştu, bu da bankadaki hesabının hızlı bir şekilde erimesine yol açıyordu.

Bir gün Olivia isminde özel bir müşterisi -kendi işini kurması için zamanında Janet'ı yüreklendiren de o olmuştu- kızının düğünü için Janet'ı aradı ve makyaj yapmasını istedi. Janet, Olivia'ya ekibinden birini göndereceğini belirtti ve bunun nedenini anlattığında Olivia şöyle dedi: "Anthony'yi arıyorsun."

Gerçekleştirdiğim içsel tarama sonucunda Janet'ın sinirlerinde ve eklemlerinde iltihaplanma olduğu ortaya çıktı. Ancak bunun sebebi vücuduna saldıran bağışıklık sistemi değildi. Ruh, bu durumun Epstein-Barr virüsten kaynaklandığını anlamıştı. Janet'ın bağışıklık sistemi virüsle savaşıyor ve *elinden geleni* yapıyordu. Virüsün eklem bağ dokusuna girmesini engellemek için her şeyi yapıyordu. Ancak almış olduğu ilaçlar bağışıklık sistemini baskılıyor ve vücudunun virüse karşı korunmasını zorlaştırıyorlardı.

Janet'a EBV'nin ilk evrelerinden birinde mono şeklinde bulunduğunu anlattığımda, kolej yıllarında geçirmiş olduğu rahatsızlığı ve şimdiki gibi eklem ağrıları yaşadığını hatırladı. Sonunda, doktorlardan beklediği detaylı açıklama zihninde canlanmıştı; virüs mono halden çıkmış, vücudunun derinliklerine ulaşmış, geçen yıldan beri yaşıyor olduğu zorlu sürece gelene kadar uykuda beklemiş, stres ve yanlış beslenmeyle birlikte su yüzüne çıkmıştı.

Janet'ı tekrar sağlığına kavuşturmak için, Bölüm 3: Epstein-Barr Virüsü, Kronik Yorgunluk Sendromu ve Fibromiyalji'de saydığım özel meyve ve sebzelere odaklandık. Bölüm 21'de bahsettiğim 28 Günlük Tedavi Edici Arınma'dan sonra Janet neredeyse tam zamanlı çalışmaya başlamıştı.

Üç ay içinde normal işine ve sorumluluklarına geri dönmüştü.

Janet annesinin yanına yarı zamanlı gitmeye başlamış, ona da marketten sağlıklı meyve ve sebzeler alıp meyve püresi, mango salsa, ıspanak çorbası gibi annesinin bağışıklık sistemini de güçlendirecek tarifleri uygulamaya koyulmuştu.

İlk görüşmemizin üzerinden bir yıl geçtiğinde Janet EBV protokollerine uyuyor ve tetikleyici gıdalardan uzak duruyordu - ve bir kez bile ağrı ya da acı yaşamamıştı. Yıllardır olduğundan çok daha iyi hissediyordu kendini.

Artık RA olmadığını biliyor ve kolej yıllarında kapmış olduğu minik mono virüsünü alt etmenin tadını çıkarıyordu.

Tatil zamanı gelip, her seferinde olduğu gibi işleri ikiye katlanınca, korkup kaçmadı ve onun yerine, “Hodri meydan!” dedi.

BÖLÜM 6

HİPOTİROİDİZM VE HASHİMOTO HASTALIĞI

Tiroit hastalıklarını anlamak için geçmişe gitmemiz lazım. Hikâye kuşaklar boyunca gerilere uzanıyor, insanoğlu günlük karmaşa içerisinde olayların nasıl başladığını unutuveriyor. Eğer bunları burada anlatmazsam tiroit sorunlarının kökenleri hakkındaki gerçekler su yüzüne çıkamaz.

Tiroit hastalığı aslında yeni bir bela. 19. yüzyılın başlarında, Endüstri Devrimi çalışma koşullarımızı değiştirdiği zaman, insanlar gerçekten tiroitle ilgili sorunlar yaşamaya başladılar. Bu zamana kadar guatr yaygın bir hastalık değildi. Rahatsızlıklar iyot ve çinko açısından beslenme eksikliklerinden veya cıva gibi ağır metal zehirlenmelerinden kaynaklanıyordu.

Daha sonra yeni kurulan işletmeler nehirlere, göllere zehirli ağır metalleri bırakmaya başladılar, fabrikalar bacalarından o güne kadar hiç karşılaşmadığımız yeni kimyasal gazları saldılar, bütün bunların ceremesini insanların tiroitleri çekti. Daha önce hiç olmadığı kadar zehirli gaza maruz bırakıldılar, böylece giderek artan sayıda guatr rahatsızlıkları görülmeye başlandı.

Sonra, 20. yüzyılın başında işletmeler hububatımızdan, meyve ve sebzelerimizden besleyici öğeleri çıkarmaya başladılar -hepsi gelişmişlik adınaydı- ve yiyeceklerimizi kurşundan yapılma konservelere tıktılar. Kurşun bir insanı guatr hastası yapmak için mükemmel bir ağır metaldir. Yiyeceklerinden besleyici öğelerin çıkarıldığı insanlar iki kat daha fazla korunmasız hale getirildiler.

Aynı tarihte tıp bilimi büyük bir ilerleme gibi görünen bir buluşa imza attı. Ortaçağda popüler bir inanışa dayanıyordu bu: Bir insanın neresinde sorun varsa, bir hayvanın o bölgesini yemeliydi. O günlerde, eğer birinin kalbiyle ilgili bir sorunu varsa kalp yemesi önerilirdi. Böbrek hastalıkları böbrek yiyerek iyileştirilmeye çalışılıyordu, sorun beyinle ilgiliyse beyin yenirdi, gözle ilgiliyse, kurutulmuş hayvan gözü yiyordu insanlar. Bu bir çeşit şarlatanlıktı ve hiçbir etkisi yoktu, ancak zamanın en akla yatan modasıydı ve saygı görüyordu.

Asırlar sonra, 1800'lerin sonunda, tıp araştırmacıları, insanlık tarihinde ilk kez bu teorinin işlediği bir örneğe rastladılar. Domuzların kurutulmuş tiroit bezlerinin insanlardaki tiroit hastalığının, özellikle de guatrın belirtilerini azaltmada etkili bir ilaç olduğunu keşfettiler.

Aslında bunun işe yaramasının sebeplerinden biri kurutulmuş domuz tiroidinin insanların eksikliğini çektikleri bir şeyi onlara sunmasıydı: İyot. Hastaları rahatlatmasının başka bir nedeni de tıp camiasının kazara ilk steroid bileşeni bulmasıydı - bu iltihaplanmayı ve bağışıklık sistemini baskılayan, konsantre bir hormon bileşimiydi. Tiroit rahatsızlığında vücut genelde aşırı tepki verir, tiroit bezi çevresinde sıvı birikir; guatra sebep olan şeylerden biri budur. Kurutulmuş tiroit içindeki hormon konsantresi bir bağışıklık baskılayıcı gibi görev yapıyor ve vücudun hastalanan tiroide tepki vermesini yavaşlatıyordu.

Görünüşe göre, ilk kez 'hastalıklı yerle aynı bölgeyi ye' felsefesi tutmuştu. Yoğunlukları değiştirilmiş de olsa büyükbaş hayvan ve domuz tiroidi hâlâ bugün tedavi için kullanılan tiroit ilaçlarının içinde mevcut - bu da onları en iyi ihtimalle antika yapmaya yeter. Hâlâ sağlık sorunlarının altındaki sebepleri çözemiyorlar. Dolayısıyla bu şans eseri tutan buluşa ödüllendirerek başlamayalım isterseniz.

Bunun yüksek tıp anlayışının bir ürünü olmadığını anlamalıyız. Bu şunun gibi bir şey: bir gün, bir doktor uyanır ve şöyle der: *Haydi şu bayat fıkrayı bir teoriye dönüştürelim.* Sonra bir kasaba uğrar, kurutulmuş hayvan parçalarını alır ve laboratuvarında işe koyulur. *Göz için göz, böbrek için böbrek, tiroit bezi için tiroit bezi. Vay, sonuncusu işe yaradı!* Domuzdan tiroit bezini alıp kuruttu ve guatrı olan hastalarına yedirdi - sonuçlarını hep birlikte gördüler. Bu, kuşkusuz sofistike bilimde büyük bir aydınlanma değildi.

20. yüzyılda viral dalgalanma başladı, kadınlarda ve erkeklerde o güne kadar görülmemiş tiroide bağlı guatr vakaları görülmeye başlandı. Günümüzde, yıllar sonra, bu durum *tiroidit* olarak adlandırılıyor, tiroit bezinin iltihaplanması anlamına geliyor. Bugünlerde bir de sıklıkla tiroidin önüne *Hashimoto* ve *hipotiroidi* gibi etiketler konmaya başlandı - şu gizemli hastalıklar.

Şimdi başka bir tiroit hastalığı dalgasıyla daha karşı karşıyayız. On milyonlarca insan, daha çok da kadınlar, tiroit rahatsızı olduklarını bilmeden sınırlarının çok altında hayatlar sürüyorlar. Tiroidine dikkat eden hastalar ise hâlâ içinde sentetik ya da kurutulmuş hayvan tiroidi olan ilaçlar alıyorlar, bu belirtileri yok etmiyor ve üstüne bir de radyoaktif iyot tedavisi alarak tiroit bezlerine zarar veriyorlar.

Bu ilerleme değildir. Tiroidin nasıl oluştuğuna dair cevaplar henüz su yüzüne çıkarılmış değil, dolayısıyla insanlar nasıl iyileşeceklerini bilemiyorlar.

Kitabın devamındaki bölümlerde, neden bu kadar çok insanın tiroitle alakalı belirtiler gösterdiğini ve bunun için ne yapılabileceğini açıklayacağım. Eğer bir şikâyetiniz varsa bunun bir sebebi vardır - elbette bir de çözümü.

Hipotiroidi ve Hashimoto Hastalığını Anlamak

Tiroit boynunuzda bulunan küçük bir salgı bezidir ve sağlığınız açısından önemli bir rolü vardır. Her an ne kadar enerji aldığınızı ne kadarını harcadığınızı düzenler. Bu, vücuttaki her hücreyi etkiler.

Tiroit pek çok hormonunu salgıladığında, hücrelere glikoz alma ve bunu onarma ve yeniden üretim gibi sebeplerle enerjiye dönüştürme sinyali gönderir. Daha az miktarda hormon ürettiğinde ise hücrelere beklemede kalmaları ve enerjiyi daha sonra harcanmak üzere depolamaları mesajı gönderilir. Bu, vücudunuzun sabit hızla çalışmasını garantiye almaya yardımcıdır. Ancak zamanla düşük tiroit seviyeleri vücudunuzda "enerji sıkıntısı"na sebep olur, çünkü hücreleriniz düzgün bir şekilde işleyebilmeleri için gerekli hormonal bilgileri alamazlar.

Tiroidiniz kusursuz çalışıyorsa siz de öylesinizdir. Tiroidiniz durduğunda vücudunuzdaki pek çok bölgede yıkım gerçekleşir.

Hipotiroidi, tiroit hormonlarının olması gerekenden

daha az üretilmesine verilen addır. Hafif bir hastalıktır, tiroit vakasının erken evresidir. Hipotiroidi ve Hashimoto hastalığı geçmişte görülen guatr türleri değildir, iyot eksikliği ve toksin (zahirli madde) birikimi sonucunda gerçekleşirler. Ve bu isimler insanların neden yorgun hissettiklerini, neden kalp çarpıntıları yaşadıklarını, ani ateş basmaları, bilinç bulanıklığı, kilo kaybı ve bağlı diğer pek çok rahatsızlığın neden kaynaklandığını anlatmaya yetmez.

Tıp camiası Hashimoto hastalığının bağışıklık sisteminin kafayı yemesi demek olduğuna inanıyor. Vücudumuz tiroit hücrelerini istilacılarla karıştırıyor ve onlara savaş açıyormuş.

Bu doğru değil. Daha önce de söyledim, yine söylüyorum: Vücut kendine saldırmaz. Bağışıklık sistemimizin kafası karışmaz, kendi organlarımıza saldırmaz. Bu diğer organlar için olduğu gibi tiroit için de geçerlidir ve doğrudur.

Bu hatalı bağışıklık sistemi teorisi sadece bir suçlama oyunudur. Tıp dünyasının henüz tiroide neyin sebep olduğunun altında yatan nedenleri bulamamasından dikkatleri uzaklaştırarak hastanın kendi bedenini suçluymuş gibi göstermektir.

Gerçek şu ki; Hashimoto hastalığı da dâhil olmak üzere, bugün tiroit rahatsızlığı bulunan hastaların %95'inden fazlasının şikâyeti viral bir enfeksiyondan kaynaklanmaktadır. (Geriye kalan %5 radyasyondan kaynaklanmaktadır.) Bu virüs de Epstein-Barr'dır (EBV).

Bölüm 3'te açıklandığı gibi, -genelde karaciğerde gerçekleşen- uzun bir kuluçka döneminin ardından, EBV tiroide doğru olan yolculuğuna başlar ve burada dokuya nüfuz eder. Zamanla virüs miktarı artarak tiroidi zayıflatır, vücudun işlevini yerine getirmesi için ihtiyacı olan hormonları üretmede etkisiz kalmaya başlar. Zaman ilerledikçe EBV ayrıca, Hashimoto hastalığı veya hipotiroidiye yol açacak şekilde, yavaşça tiroidi iltihaplandırmaya başlar. Size savaş açan vücudunuz değildir. Tersine, bağışıklık sisteminiz gerçek bir işgalcinin peşindedir ve sizi korumak için çok çalışmaktadır.

En büyük karışıklık ise hastaların, tiroit ilaçlarının hastalığı iyileştirdiğini düşünmeleridir. Aslında bu ilaçların hedefinde tiroit yoktur. Sadece vücut tiroidin üretemediği hormonların yerini doldurabilsin diye kana hormon takviye ederler. Tiroit ilaçlarının hafif steroidler olduğu bir sırdır ve bağışıklık sisteminizin belirtilere tepki vermesini yavaşlatırlar. Bu doktorların bile bilmediği bir sırdır; böyle bir şey öğretilmemiştir onlara. Doktorlar da böylece hastalara Hashimoto hastalığının ya da hipotiroidinin ne olduğunu anlamadıklarını ya da tek başına ilaçların durumu hafifletmeyeceğini söylemezler.

Eğer tiroit ilaçları kullanıyor ve olumlu bir değişiklik hissediyorsanız ne âlâ. Virüsten kaynaklanan bir durumda çoğunlukla zararsız bir yardımcı gibi davranabilir. Eğer tiroit ilaçlarını denemiş ve yine de bir rahatlama hissedememişseniz şimdi hayal kırıklığınızın neden olduğunu anlıyorsunuz demektir.

Yüzlerce kadından şu hikâyeleri duydum; tiroit rahatsızlığı sebebiyle ilaç almaya başlıyorlar ve 10-15 yıl sonra, hastalar 50-60 yaşlarına geldiklerinde tiroit testi yaptırıyorlar ve doktor veya hemşire sonuçlara bakıp şunu söylüyor: "Tiroidinize neler olmuş böyle? Çok fena görünüyor." Geçen onca yıl boyunca bu kadınlar sorumlu davrandıklarını, ileriye dönük etkili önlemler aldıklarını düşünmüşlerdi. İlaçların tiroide iyi geldiğini sanmışlardı.

Bu kaderle yaşamak zorunda değilsiniz. Bölüm 3'teki yönergelere uyarak EBV'den kurtulabilirsiniz. Bu bölümdeki tavsiyelere uyarak da zarar görmüş olan tiroidinizin onarılması ve iyileşmesine yardımcı olabilirsiniz. Sonunda, olmadığınız bir hastalığı hedef aldığınızı ve ona karşı savaştığınızı sanmaktansa, tiroit durumunuzu tersine çevirecek gücü bulacaksınız. Durumunuza neyin sebep olduğunu bilerek ve nasıl daha iyi olunacağını öğrenerek sağlığınız üzerinde kontrolü yeniden ele geçirebilirsiniz.

Tiroit Kan Testleri

Eğer bir tiroit sorununuz veya bozukluğunuz olduğundan şüpheleniyorsanız, tiroit hormonu seviyenizi ölçmesi için doktorunuza bir kan testi yaptırmalısınız.

Özellikle TSH, Serbest T4, Serbest T3 ve tiroit antikor testi yaptırın. Bunlar kusursuz olmaktan uzak ancak günümüzün altın standardındaki testleridir.

Tıp camiasında gelişen bir moda da rT3 testidir (Reverse T3). Savunucuları, bu testin, sorunların kesin bildiricisi olduğunu iddia ederken karşı çıkanlar bunun kuru gürültüden ibaret olduğunu düşünüyor.

Bir bakıma, iki taraf da haklı. rT3 seviyeniz gerçekten sorunların habercisidir - ancak tüm bu sorunların arasından hangi sonucun ne anlama geldiğini bilmek imkânsızdır. Onun için, rT3 gelişigüzel bir değer olmasa bile yine de doktorunuza bu testi yaptırmak iyidir.

Sonuçta bilinmelidir ki, bütün tiroit test sonuçlarınız normal aralıklarda çıksa bile hâlâ bir tiroit hastası olma ihtimaliniz mevcut. Birçok insan, özellikle de kadınlar, normal çıkan test sonuçlarına rağmen düşük dereceli viral hipotiroidi belirtileri göstermekte. Bazen tiroit sonuçlarının kan testlerince fark edilir seviyeye çıkması ayları, hatta yılları alabiliyor. (Bir de bunun üstüne kimi laboratuvarların sonuç aralıkları çok geniş, dolayısıyla gözden kaçabiliyor.)

Şimdi kimi doktorlar hastanın test sonuçları kabul edilebilir aralıkta çıksa bile tiroit ilaçları yazıyorlar. Bu, problemleri, daha en başından engellemek adına iyi bir farkındalık ve kadınlar adına bir gelişme; çünkü sonunda ciddiye alındılar ve biri seslerini duydu. Ancak ilaçların hafif steroid etkisiyle, hastalar düşük-dereceli viral enfeksiyonları karşısında kısmi bir rahatlama hissediyorlar. Araştırmalar hâlâ tiroit bozukluğunun altında yatan sebebi ve bu hastalara neyin iyi geleceğini bulmaktan çok uzakta.

Test sonuçlarınızın ne dediğine bakmaksızın, tiroit sorununuz olduğunu düşünüyorsanız Bölüm 3, Kısım 4 ve bir sonraki başlıkta yer alan programı uygulayın. Eğer tahminlerinizde haksızsanız, en kötüsü, tiroidinizi daha da güçlendirmiş olursunuz. Eğer haklıysanız yalnızca tiroit sorununuzu sonlandırmakla kalmayacak, ayrıca gelecekte karşı karşıya kalacağınız tiroit hastalıklarından da kurtulmuş olacaksınız.

Tiroit Koşullarını İrdelemek

Bu başlık altında zarar görmüş olan tiroidinizi iyileştirecek, iç salgı bezleri sisteminizde onunla birlikte yar alan bezleri güçlendirecek (böbrek üstü bezleri, hipofiz bezi, pankreas ve diğerleri) ve özellikle de tiroidinizin içindeki virüs yoğunluğunu hafifletecek olan besinler, otlar ve destekleyiciler önerilecektir.

"Guatrojenik" Gıdalar

Şimdi insanların karnabahar, lahana, brokoli, karalahana gibi yiyeceklerden korkmasına neden olan bir trend çıktı. Söylentiye göre bu besinler guatr sorunlarına yol açan guatrojenler içeriyormuş.

Bu laflara kulak asmayın! Bu "guatrojen" denilen sebzeler tiroit seviyenizi belli bir yerde tutacak kadar guatrojen içermezler. Değerlerinizin dikkate değer bir seviyede düşmesi için her gün 50 kilo brokoli yemeniz gerekir.

Dolayısıyla bu sebzeleri gönül rahatlığıyla tüketebilirsiniz. Tiroit sağlığınıza faydaları vardır.

İyileştirici Gıdalar

Tiroidi iyileştiren yiyecekler arasında Atlantik kırmızı deniz otu, yaban mersini, Brüksel lahanası, kişniş, sarımsak, kenevir tohumu, hindistancevizi yağı, Brezilya fındığı ve kızılcık sayılabilir. Farklı olarak EBV hücrelerini öldürebilir, mikro besinler sağlayabilir, tiroit bezini onarabilir, nodül büyümesini azaltabilir, zehirli ağır metalleri ve viral artıkları su yoluyla atabilir ve tiroit hormonu üretimini arttırabilirler.

Şifalı Bitkiler ve Destekleyiciler

- **Çinko:** EBV hücrelerini öldürür, tiroidi güçlendirir ve iç salgı bezleri sistemini korumaya yardımcı olur.
- **Spirulina Yosunu/Mavi-Yeşil Alg (tercihen Hawaii'den):** Tiroit için ciddi mikro besinler üretir.
- **Bladderwrack (bir tür deniz yosunu):** Tiroit için kolayca sindirilen/özümsenen iyot ve mikro mineraller bulundurur.

- **Krom:** İç salgı bezleri sistemini dengede tutmaya yardımcı olur.
- **L-tirosin:** Tiroit hormonu üretimini arttırır.
- **Kış Kirazı/Yalancı Güveyfeneri/Hint Ginsengi:** Tiroit ve böbrek üstü bezlerini destekler ve iç salgı bezleri sistemini dengede tutmaya yardımcı olur.
- **Meyan kökü:** Tiroit içindeki EBV hücrelerini öldürür ve böbrek üstü bezlerini destekler.
- **Eleuthero (Sibirya Ginsengi):** Böbrek üstü bezlerini destekler ve iç salgı bezleri sistemini dengede tutmaya yardımcı olur.
- **Kovan Otu/Melissa/Limon Otu:** Tiroit içindeki EBV hücrelerini öldürür ve nodül büyümesini azaltır.
- **Manganez:** Tiroit hormonu T3 üretiminde kritiktir.
- **Selenyum:** Tiroit hormonu T4 üretimini canlandırır.
- **D_3 Vitamini:** Bağışıklık sistemini ve verdiği yanıtları dengelemeye yardımcı olur.
- **B Vitaminleri:** İç salgı bezleri sistemi için temel vitaminler
- **Magnezyum:** Tiroit hormonu T3'ü dengelemeye yardımcı olur.
- **EPA & DHA (eikosapentaeonik asit ve dokosaheksaenoik asit):** İç salgı bezleri sistemi ve sinir sistemini güçlendirir. Bitkisel olanı almalısınız (balık bazlı olanı değil).
- **Bacopa Monnieri:** T4-T3 dönüşümünü ve tiroit hormonu üretimini destekler.
- **Ruvidyum:** Tiroit hormonu üretimini dengelemeye yardımcı olur.
- **Bakır:** EBV hücrelerini öldürür ve iyodun etkisini arttırır.

Hasta Dosyası:

Her Zamankinden Daha Güçlü

Sarah'ın arkadaşları, onun asla bitmek tükenmek bilmeyen enerjisiyle yaşamı benimsemesine -biraz kıskançlıkla karışık- hayranlık duyuyorlardı. Hafta sonları erkek arkadaşı Rob'la dağlara tırmanırlar, akşam eve döndüklerindeyse Sarah dışarı çıkıp arkadaşlarıyla buluşmak isterdi. Canı ne isterse yerdi ama asla kilo almazdı. Antrenör olarak çalışan Rob, çalıştığı salonda onunla hava atmaya bayılıyordu.

Sarah 36 yaşına geldiğinde, Şükran Günü ile yeni yıl arasında 3,5 kilo aldığını fark etti. Önce bunun adet döngüsüyle ilgili olabileceğini düşündü. Ancak adet dönemi bittikten sonra da pantolonun düğmesini iliklemek için güç kullanması gerekiyordu.

Tam gaz spor salonuna gidip fazla kiloları yakma kararı aldı. Ayrıca karbonhidrattan uzak beslenmeye başladı.

Sarah'ın arkadaşı Jessica, kilo almış olduğu için sevindiğini belirtti. "Artık daha da sağlıklı görünüyorsun," diyordu. Sarah yine de eski kilosuyla daha rahattı, ayrıca böyle aniden kilo almanın iyi bir şey olmadığını biliyordu. Ayrıca Jessica'nın, onun kilo almasından bu kadar memnun olmak için başka sebepleri de vardı - kıskançlık tarihi.

Spor salonunda aralıksız çalışma ve karbonhidrattan uzak bir beslenme ile geçen iki haftadan sonra Sarah kilo vermemiş olduğunu gözlemledi; ancak enerjisi düşüyordu. Hiçbir zaman kilo verme sorunu yaşamayan Rob, Sarah'a, kendini yeterince spora vermediğini söyledi. Ayrıca kaslarını güçlendirmesi ona protein tozları verdi.

Fakat Sarah iki haftada bir yarım kilo almaya devam

etti ve enerjisi de düşüyordu. 52 kiloya çıkmıştı. Tartı 59'u gösterdiğinde doktoru aradı.

Tam bir tetkikten sonra Dr. Kiernan Sarah'a şunları söyledi: Tiroit hormonu seviyesi testlerinin sonucuna göre tiroit değerleri yüksekti, bu da hipotiroidi belirtisiydi. Sarah, bunu neyin yaptığını sordu. Her zaman sağlıklı olmuştu, iyi ve sağlıklı beslenmişti, egzersizlerini hep yapıyordu. Dr. Kiernan belli bir yaşta bunun olabileceğini söyledi.

Bu Sarah'ın aklına yatmadı. "Yaşlanmak" onun sözlüğünde yoktu. Hâlâ 30'lu yaşlarındaydı, daha evli bile değildi, çocukları olmamıştı - ve şimdiden yaşlı insan hastalıklarıyla mı uğraşmaya başlayacaktı?

Yine de Dr. Kiernan'ın vermiş olduğu tiroit ilaçlarını alıyor, sporunu yapıyor, karbonhidrat almıyordu. Ancak her ay bir kilo alıyordu. 63 kiloya geldiğinde, Rob'un onun kilo almasından ne kadar utandığını anlatmak için annesini aradı. Salonda Sarah ile görünmek istemiyordu, çünkü bu bir antrenör olarak onun uyguladıklarının başarısız olduğunu gösterecekti. Akşamları arkadaşlarıyla dışarı çıkarken Sarah'ı davet etmiyordu artık. Geçen haftalardan birinde, arkadaşlarıyla birliktelerken, hemen savunmaya geçmiş ve daha gecenin başında, "Sarah için endişelenmeyin, bu aralar çok fazla karbonhidrat alıyor," demişti.

Annesi, Rob'un bu davranışına çıkıştıktan sonra şunu söyledi: "Sana daha önce Anthony'den söz etmiştim ve onu aramadın. Bence şimdi onu arama zamanıdır."

İçsel tarama sonucunda Ruh bana Sarah'ta başlangıç seviyesinde tiroidit olduğunu açıklattı. Henüz tiroidi tamamen iltihaplanmış vaziyette değildi ama durum oraya doğru gitmekteydi. Bu durumun yaşlanmakla bir ilgisi olmadığını anlattım hemen. Sarah'ın sorunu bir virüstü - EBV.

Bir an önce beslenmesini düzenledik. Yumurta ve süt ürünleri gibi hormonları bozan yiyecekleri çıkardık, hayvansal proteini günde bire düşürdük. Papaya, taneli küçük meyveler (çilek, dut, böğürtlen...vb), elma, *mâche*, mango, ıspanak, lahana, Brüksel lahanası, Atlantik kırmızı deniz otu, kişniş ve sarımsak gibi antiviral meyve sebzeler tüketmesini sağladık. Destekleyicilerden limon otu, krom, çinko ve (Bladderwrack) bir tür deniz yosununda yoğunlaştık. Bu protokol sayesinde Sarah'ın tiroidindeki virüs miktarını azaltabildik ve o da tekrar normal seviye hormonları üretmeye başladı.

Başlangıçta, Rob'un bu yeni diyetle ilgili şüpheleri vardı. Ona göre kahvaltıda (protein tozu olmadan) sıvı meyve püresi, öğle yemeği için ıspanak salatası, portakal ve avokado, akşam yemeğindeyse sebzenin yanında somon balığı ve atıştırma için de meyve çok fazla şeker ve az protein demekti.

Ancak ilk iki haftada Sarak iki kilo verdi. İlk ay bittiğinde dört kilo hafiflemişti.

İkinci ay kilo vermesi hızlanmıştı, ancak enerjisi de yükseliyordu. Metabolizması kendini toplamıştı. Öte yandan, daha önce hiç farkında olmadığı kaslarının geliştiğini hissedebiliyordu.

Üç buçuk ay sonra yeniden 52 kiloya indi - en son bu kilodayken sahip olduğundan daha fazla kasla.

Bu arada Sarah, Dr. Kiernan'a tiroit ilaçlarından uzak durmak istediğini belirtti. Ona öğretilmiş olana uymasa da tiroidi eski işlevine kavuştuğundan ve gözleri önünde Sarah yeniden hayata dönüyor olduğundan dolayı Dr.

Kiernan bunu kabul etti. Artık Sarah hiç ilaç kullanmıyordu.

Şimdi, Rob'un kilo vermek isteyen öğrencileri olduğunda, onlara kız arkadaşının nasıl kilo verdiğinin hikâyesini anlatıyor (kendisinin de ona yardımcı olduğunu ima ederek) ve bu insanları yüksek meyve-düşük yağ diyetine sokarak onlara yardımcı olmaya çalışıyor.

Rob, Sarah'tan geçmişteki davranışlarından ötürü özür diledi ve büyük soruyu patlatmak üzere olduğunun ipucunu verdi. Sarah bana, her ne kadar Rob göze hoş gelen biri olsa da zor zamanlarındaki davranışlarını gördükten sonra, ona bir söz vermek için acele etmediğini söyledi. Hâlâ evli değiller.

KISIM 3:

DİĞER GİZEMLİ HASTALIKLARIN ARKASINDAKİ SIRLAR

BÖLÜM 7

TİP 2 DİYABET VE HİPOGLİSEMİ

Vücudunuzun temel yakıtı *glikoz*, tüm hücrelerinize işlevlerini yerine getirmeleri, iyileşmeleri, büyümeleri ve gelişmeleri için gerekli olan enerjiyi sağlayan basit bir şekerdir.

Glikoz devam etmemizi sağlar -bizi hayatta tutar. Merkezi sinir sistemimiz onunla varlığını sürdürür, kalp de dâhil olmak üzere diğer tüm organlar için de durum böyledir. Kaslarımızı yapılandırmak ve sürdürmek için ihtiyacımız olan şey glikozdur ayrıca zarar görmüş doku ve hücrelerin tedavi edilmesinde de hayati önem taşır.

Besin aldığınızda vücudunuz onu glikoza kadar parçalar, ayırır ve tüm hücrelerinize ulaşabilmesi için kan dolaşımınıza salar. Buna rağmen hücreler glikoza doğrudan ulaşamaz, geniş bir iç salgı bezi olan ve midenizin hemen arkasında yer alan pankreasın yardımına ihtiyaç duyarlar.

Pankreasınız her an kan dolaşımınızı gözlemler. Glikoz seviyesinde bir yükselme tespit ettiğinde *insülin* adı verilen bir hormon üreterek karşılık verir. İnsülin hücrelerinize tutunur ve onlara açılarak kanınızdaki glikozu almaları için sinyal verir. Böylece insülin hem hücrelerin enerji almalarına izin vermiş olur hem de kanınızdaki glikoz seviyesini dengede tutar.

Eğer kanınızda hücrelerinizin tüketebileceğinden fazla miktarda insülin varsa -örneğin; ağır bir yemek yediyseniz (bu belki barbekü sosuna bulanmış domuz kaburgası; başka bir ifadeyle şekerle karışık aşırı miktarda yağ)- insülin fazla glikozu depolanması için karaciğerinize yönlendirir. Başka bir zaman glikoz seviyeniz düştüğünde -örneğin; öğünler arası ya da yoğun fiziksel aktivite sırasında- karaciğeriniz depolamış olduğu glikozu serbest bırakarak hücrelerinizin kullanımına sunar. Bu, tabii ki karaciğeriniz güçlü ve iyi işliyorsa olur.

Bu normalde glikoz kullanımı için etkili bir sistemdir. Ancak eğer pankreasınız, gerekli olduğu zamanda yeterli glikozu üretmekte sıkıntı çıkarıyorsa işler kötüye gitmeye başlar. Ayrıca bazı hücreleriniz, insülinin, kendilerine tutunmasını reddeder ve glikoz almaları için hücreleri açıyorsa da işler kötüye gidiyor demektir; bunun adı *insülin direncidir*.

Bu sorunlardan biri veya ikisi de meydana geldiğinde, kan dolaşımınızdaki yeteri kadar glikoz, hücreleriniz tarafından alınmamış olur. Vücudunuz fazla glikozu idrarınıza karıştırır, daha sık idrara çıkmanıza bu sebep olur ve böylece su kaybeder ve susamaya başlarsınız.

Vücudunuz ihtiyaç duyduğunda pankreasınız yeteri kadar insülin üretmiyorsa ve/veya insülin direnci yaşıyorsanız ve eğer bu sorunlar kanda yüksek glikoz seviyelerine yol açıyorsa *tip 2 diyabet* riskiniz var demektir.

Yalnızca Birleşik Devletler'de 35 milyon kişide bu rahatsızlık görülmektedir. 95 milyon kişinin ise kanındaki glikoz seviyesi normalin üstündedir ve onlar da *prediyabet* diye adlandırılır. Altı yıl içinde bu prediyabetlerin %35'i tip 2 diyabet olacaklardır.

Tıp dünyasının profesyonelleri tip 2 diyabetin neden kaynaklandığını bilmiyorlar. Bu, doktor ve diyetisyenlerin diyabetik hastalara önerdikleri diyetlerde açık bir şekilde bellidir; eğer bu hastaların vücutları içerisinde neler olup bittiğini bilselerdi tamamen farklı yiyecekler tavsiye ederlerdi. Doktorlar tedavinin kimi aşamalarını doğru gerçekleştiriyor olsalar da bir açıklama getirebilmeye veya bu hastalığın neden/nasıl başladığını anlatabilmeye muktedir değiller.

Bu bölüm size tam olarak bu hastalığa sebep olan şeyin ne olduğunu anlatacak. Ayrıca insülin direncinin gerçekten nasıl meydana geldiğini, hipogliseminin ne olduğunu ve vücudunuza tekrar iyileşebilme şansı vermek için sisteminizi nasıl dengeye kavuşturacağınızı açıklayacak.

Tip 2 Diyabet Belirtileri

Tip 2 diyabet hastasıysanız aşağıdaki belirtilerin bir ya da birden fazlasını gösteriyorsunuzdur. (Diyabetin erken döneminde olabileceğinizi ve bu belirtilerin görülemeyebileceğini de aklınızdan çıkarmayın.)

- **Olağandışı susuzluk, ağız kuruluğu, sık idrara çıkma:** Bu, vücudunuzun fazla glikozu idrara karıştırmak için suyu kullanmasından dolayı gerçekleşiyor.
- **Bulanık görme:** Siz susuz kaldıkça vücudunuz fazla glikozu bulunduğu yerden çıkarabilmek için gözlerinizden su çekiyor olabilir.

- **Sıra dışı açlık:** Hücreleriniz gerekli olan glikozu alamadıkları için olur.
- **Yorgunluk ve gerginlik:** Hücreleriniz glikozla dolu olduğu zaman aldığınız enerjiden yoksun olduğunuz için görülür.
- **Sindirim problemleri:** Pankreasınız yalnızca insülin üretmez; besinleri sindirmenize yardımcı olacak enzimleri de üretir. Eğer pankreasınız çalışmıyorsa bu sadece insülin yetersizliği değil enzim yetersizliğine de yol açar ve vücudunuzun yiyecekleri sindirememesine sebep olur.
- **Hipoglisemi:** Bu tür enerji seviyesi düşmeleri -kan şekeri her saat düşer- karaciğerin zayıflığından ve yetersiz böbrek üstü bezlerinden kaynaklanır.

Tip 2 Diyabet ve Hipoglisemiye *Aslında* Ne Sebep Olur?

Tıp dünyası bunun farkında olmasa da Tip 2 Diyabet ve Hipoglisemi böbrek üstü bezlerle başlar.

Siz sürekli stres altındayken, zor ve kaçınılmaz dertlerle boğuşuyorken, böbrek üstü bezleriniz *adrenalin* salgılar. Bu, acil enerji ihtiyacınızı karşılayan bir hormondur. İçinde olduğunuz dar boğaz için iyi bir tepki olsa da eğer sürekli kriz durumundaysanız ve organlarınıza, dokularınıza dolan bu adrenalini yakamıyorsanız, bu hormon sonunda ciddi zararlara yol açabilir.

Pankreasınız normalde bir bebeğin poposu kadar yumuşaktır. Ancak korku veya diğer olumsuz duygulanmalardan kaynaklanan kronik adrenalin salınımları pankreası aşındırır ve kalınlaşıp, sertleşmesine, hatta nasır tutmasına sebep olur.

Tıpkı şuna benzer: Doğduğunuzda pankreasınız yepyeni bir kredi kartı gibidir. Kimileri dünyaya iyi bir anlaşmayla gelir, harcama limitleri yüksektir, cömert bir kredi limiti vardır ve sadece imza atmış olduğu için biriken uçuş millerine sahiptir. Diğerleri daha düşük harcama limitleri, yüksek faiz oranları ve düşük bonuslara sahiptir. Her iki durumda da eğer dikkatli değilseniz harcamalarınız çok olur. Eğer insanlar hayatlarını, kendilerini tüketerek, stresle iç içe, kızarmış ve yağ oranı yüksek yiyecekler, dondurma ve pastalarla geçiriyorsa pankreasın dengesini bozarlar ve uçuş millerini fazlasıyla kullanmış olurlar.

Zamanla bunlar pankreasa zarar verir ve kan dolaşımında bulunan glikozu uzaklaştırmak için yeterli insülini üretememesine yol açar. Sadece bu eksiklik bile tip 2 diyabet olmanız için yeterlidir.

Bu kadarla da kalmıyor. Olumsuz-duygulanım temelli kronik adrenalin salınımı tüm vücudunuza zarar verir. Özellikle duygulandığında yiyenlerdenseniz, vücudunuzun insülin ile ona zarar veren korku-bazlı adrenalini ilişkilendirmesine yol açmış olursunuz. Zamanla, birçok hücreniz bu yüzden, adrenalin/insülin karışımına karşı "alerjik" konuma geçer ve iki hormonu da dışlar. Tıbbi araştırmalar henüz benim "Franken-sulin" adını verdiğim bu karışımı anlayabilmiş değil; aynı zamanda vücudun neden böyle tepki verdiğini de anlayamıyorlar. Bu, pankreas zayıflığının temel nedenlerinden biridir, düşük insülin üretimine ve hücrelerin glikoz kabul etmemesine sebep olur.

Ağır, zengin yemekler de aşırı adrenalin üretimini tetikleyebilir. Böbrek üstü bezleri bir itfaiye merkezine benzer ve yağ, alarm zillerinin çalmasına sebep olur. Böbrek üstü bezleri kan dolaşımında aşırı düzeyde yağ olduğu bilgisini aldığında -ve pankreas ve karaciğerin anında tehlikeye girme ihtimaliyle- itfaiye merkezi (böbrek üstü bezleri) kamyonları (adrenalin) yola çıkarır. Bu adrenalin salınımı yağların sisteminizden atılması ve sizin korumaya alınmanızda yardımcı olur ama bedelini ödersiniz, bu durum zamanla pankreasınızı zayıflatabilir.

Öte yandan böbrek üstü bezleriniz beklenenden düşük bir performans gösteriyor olabilir, çok *az* adrenalin üretmek gibi. Bu da pankreasınızın bunu telafi etmek için fazla mesai yapması demek. Bu böyle sürüp giderse pankreasınız iltihaplanacak ya da büyüyecektir ve sonunda performans düşüklüğü olacaktır elbet.

Ve bir kez daha belirteyim, *adrenal yorgunluk* olabilir. Bu durumda böbrek üstü bezleriniz dengesiz bir şekilde, kimi zaman çok az, kimi zaman ise çok fazla adrenalin üretir. Bu da adrenalin yokluğunda telafi etmeye çalışmaktan, bollukta ise adrenalinle yanıp kavrulmaktan iltihaplanmış pankreasınızı hırpalayabilir.

Bir kez pankreasınız işlevini yitirdi mi, artık *kendine* de zarar verebilir. Çünkü insüline ek olarak pankreasınız ayrıca sindirime yardımcı olan enzimler de salgılar. Bu güçlü enzimlerin kendisini de sindirilecek bir besin olarak görmemeleri için ayrıca bir de önleyiciler üretir. Ancak pankreasınız kötüye gidiyorsa bu önleyicileri de yeteri kadar üretemeyecektir ve kendi üretmiş olduğu enzimler kendine zarar verir hale geleceklerdir. (Tüm bunlara ek olarak bir de sindirim problemleri yaşayacaksınız...)

Tip 2 diyabetin habercilerinden biri de kararsız ama düşük seviyeli glikozdur -ki adı *hipoglisemi*dir- yani vücudunuzun glikozu tam olarak yönetebilme yetisiyle ilgili büyük bir sorun. Bu, karaciğerinizin glikoz depolaması ve kana salmasıyla ilgili bir sorunu varsa gerçekleşir. Bu durum bir de her iki saatte bir hafif, dengeli bir atıştırma yapmıyorsanız da olur -örneğin; bir meyve (şeker ve potasyum için) ve bir sebze (sodyum için). Düzenli bir biçimde öğün atlamak ya da düzensiz yemek vücudunuzu, karaciğerinizin daha evvel biriktirmiş olduğu glikozu tüketmeye zorlar, adrenalin salınımına sebep olur. Tüm bunlar da, daha önce de belirtildiği gibi, zaman içerisinde adrenal yorgunluk ve kilo almaya yol açar.

Bir büyük faktör de yediklerinizin *cinsidir*. Diyabetin, çok şekerli gıda almaktan kaynaklandığına dair yanlış bir inanış vardır. Aslında sorun şeker değildir. Şeker ve yağın karışımıdır -daha çok da sorun yağdır. Örneğin; her gün meyve yiyebilirsiniz ancak hayatınızın geri kalan kısmında asla şeker hastası olmayabilirsiniz. (Aslında bol bol meyve yemek hayatınıza yeni yıllar eklemenin en etkili yoludur, tıpkı Bölüm 20: Meyve Korkusu'nda açıklayacağım gibi.)

Sorun *yağdır*. İşlenmiş gıda ve kek, kurabiye, dondurma gibi abur cubur tüketen pek çok insan genellikle yağ ve şekeri karıştırarak yemiş olurlar. Besinlere bağlı olmayan şekerler (örneğin; meyve veya sebzeden gelmeyen şeker) kesinlikle sağlıksızdır, karaciğer ve pankreasınızı zorlayan yağdır.

İlk olacak şey şudur: hayvansal protein içeren bir yiyecekten -domuz, biftek, tavuk ya da yağda kızartılmış fast food tarzı yiyecekler- kaynaklanan kandaki yüksek yağ seviyesi ani insülin direncine yol açar ve vücudunuzun, pankreas tarafından, hücrelere şeker taşınması için salgılanan insüline izin verme yetisi durdurulur. Bu da şu demektir, kan dolaşımınızda hiçbir yere gidemeden dolanıp duran şekerler vardır. Güçlü bir karaciğer zorlu bir günde kullanmak üzere bunları depolayacaktır. Yine de zamanla, hayvansal yağ, protein ve işlenmiş yağ açısından zengin bir diyet karaciğere yük getirebilir. Karaciğeriniz sürekli kan dolaşımındaki fazla glikozu temizlemeye çalışmaktan ve öğünler arası çok fazla beklemek zorunda kalmaktan zayıf düşebilir. Karaciğerde bu şekilde bir aşırı yüklenme olunca, biriktirmiş olduğu tüm glikozu kan dolaşımına salar. Bu da hipoglisеminin doğuş evresini hatırlatır.

Karaciğeriniz yemiş olduğunuz yağları işlemekten yorgun düştüğü zaman hayvansal yağ açısından zengin bir yiyecek (ki bu insanların sağlıklı olarak gördükleri yağsız hayvansan proteinde bile gizli olabilir) karaciğerinizi yavaşlatabilir ve olması gerektiği gibi glikoz depolayıp salma işlevini yerine getiremeyebilir. Ağır, büyük yemekler ve aralarda hiçbir şey yemeden geçen uzun zaman dilimleri, önünde sonunda tip 2 diyabete varabilir.

Aynı zamanda pankreasınız da yemiş olduğunuz yağları sindirebilmeniz için gerekli olan enzimleri salgılar. Fazla yağ, pankreasınızın fazla çalışmasına neden olur; ve eğer şiddetli olumsuz duygulanmalar ve/veya üzerine adrenalin salgılayan böbrek üstü bezleri ya da yağ açısından aşırı yüklü bir diyet gibi pankreasınızı zorlayan başka etkenler de varsa pankreasınız çıldırma noktasına gelir ve tip 2 diyabet gelişir.

İyi haber şu ki, yukarıda anlatılan bütün bu yıkım onarılabilir. Şimdi pankreasınızı, karaciğerinizi ve insülin-travmasına maruz kalan hücrelerinizi nasıl iyileştireceğinizi öğreneceksiniz, böylelikle tip 2 diyabet ve hipoglisemiye bir son vermiş olacaksınız.

Tip 2 Diyabet ve Hipoglisemiyi Belirlemek

Tıp camiası tip 2 diyabet ve hipoglisemiye neden olan şeyin gerçek hikâyesini bilmediğinden doktorlar düzgün bir diyet öneremiyorlar. Genel olarak ya çok az ya da hiç şeker, topluca bütün meyvelerden kaçınmak ve hayvansal proteinle sebzelere odaklanmak gibi önerileri oluyor.

Bu tavsiyeye uymak sizi sonsuza dek diyabet hastası yapar -hem de işlevlerini yerine getirebilen bir diyabet hastası değil, rahatsızlıkları sürüp giden bir diyabet hastası- çünkü etteki yağ durumunuzu daha da kötüleştirecektir ve meyve yemek diyabeti iyileştiren bir şeydir. Bir kere şunu anlamak zorundayız, karaciğerimizi ve pankreasımızı zayıflatan şey hayvansal yağlardır.

Şeker sadece bir elçidir. Ve bu durumda sağlık profesyonelleri elçiyi vuruyorlar. Şeker, aşırı yağla yüklenmiş pankreastan beklenmedik biçimde ortaya çıkan insülin direncini göz önüne koyar yalnızca.

Bunun farkına varmadan hayvansal yağ açısından zengin bir diyeti sürdürmek kolaydır. Yağsız yerinden kesilmiş 100 gramdan az bir et parçası bile bir yemek kaşığı kadar yoğunlaşmış yağ içerir ve bu da pankreas ve karaciğeri yorabilir. Yani bir insanda insülin direnci olduğunda (geleneksel anlamda "sağlıklı" görünen bir yemekten bile kaynaklı olabilir) ve sistemine şeker alıyorsa, bu şeker insülin problemlerini ortaya çıkaracaktır - ve birdenbire tüm dikkatleri şeker çekecektir, oysa asıl elebaşı o değildir.

Bu şuna benzer, anne-babaları kasaba dışına çıktığında evde parti düzenleyen genç bir kız düşünün. Erkek kardeşi içinde alkol olduğunu bilmeden dolaptan bir şeyler içip hastalanmış olsun ve anne-babasını çağırsın. Sarhoş çocuklarla dolu, darmadağın bir eve döndüklerinde ablanın (yağ) tüm suçu küçük erkek kardeşine (şeker) attığını düşünün. Ancak o yanlış bir şey yapmamıştı!

Elbette sofra şekeri veya diğer tatlandırıcılar sizin için iyi değil - bunları tüketmenizi önermiyorum size. Tip 2 diyabet ve hipogliseminin üzerine gidebilmek için yağ tüketimini azaltıp sebze ve meyve tüketimini arttırmanın *kritik* olduğunu hatırlatırım. Karaciğer, pankreas ve böbrek üstü bezlerinizi iyileştirmek ve kan şekeri seviyenizi dengede tutmak için Bölüm 21: 28 Günlük Tedavi Edici Arınma bölümünü okumanızı tavsiye ederim.

Doktorunuz insülin yazabilir. İnsülin kan şekeri seviyenizi düşürürse de, zarar görmüş olan böbrek üstü bezlerine, pankreasa ve işlevini yitirmiş karaciğere, olumsuz duygulanımlara ve/veya insülin direncine karşı bir faydası olmaz.

Bu başlığın devamında yer alanlar tip 2 diyabet ve hipogliseminin sebebi gibi görünen her şeye odaklanan, daha hedefe yönelik, günlük bir yaklaşımdır. Ayrıca Kısım 4: Sonuçta Nasıl İyileşeceğiz?'de de yönergeler bulacaksınız. Bu programa ne kadar zaman uyacağınız ne kadar çok zarar görmüş olduğunuza bağlıdır. Birkaç ay içinde gelişmeler gözlemleyebilirsiniz, tedavinin tamamlanması ise altı ay ila iki sene arasında değişen bir zaman dilimini gerektirir.

Böbrek Üstü Bezlerinin Desteklenmesi

Tip 2 diyabet hastalığına sahip olmanız demek böbrek üstü bezlerinizle ilgili bir sorununuz olduğunu gösterir. Bu yüzden iyileşmek için atılacak adımlardan biri de Bölüm 8: Adrenal Yorgunluk'u okumaktır. Böbrek üstü bezlerinizi dengeli ve güçlü kılmak için oradaki tavsiyelere uymalısınız.

İyileştirici Gıdalar

Yaban mersini, ıspanak, kereviz, papaya, lahana, ahududu ve kuşkonmaz tip 2 diyabet veya hipoglisemi için tüketilebilecek en iyi gıdalardır. Bu sayede karaciğeriniz temizlenecek, glikoz seviyeniz güçlenecek, pankreasınız desteklenecek, böbrek üstü bezleriniz iyileşecek ve insülininiz dengelenecektir.

Bu arada şunlardan uzak durmaya çalışın: Özellikle peynir, süt, krema, tereyağı, yumurta, işlenmiş yağlar ile bal ve meyvede dışındaki tüm şekerler.

Şifalı Bitkiler ve Destekleyiciler

- **Çinko:** Pankreas ve böbrek üstü bezlerini destekler, kandaki glikoz seviyesini dengelemeye yardımcı olur.
- **Krom:** Pankreas ile böbrek üstü bezlerini ayakta tutar ve insülin seviyesini dengelemeye yardımcı olur.
- **Spirulina Yosunu/Mavi-Yeşil Alg (tercihen Hawaii'den):** Kandaki glikoz seviyesini dengelemeye yardımcı olur ve böbrek üstü bezlerine yardım eder.
- **Ester-C:** C vitamininin bu formu böbrek üstü bezlerinizi sakinleştirir ve destekler.
- **ALA (alpha lipoic acid):** Karaciğerin glikoz depolama ve salma yeteneğini destekler.
- **Silika:** Pankreasın insülin salınımını dengelemeye yardımcı olur.

- **Semizotu:** Pankreas ve onun sindirim için salgıladığı enzimleri güçlendirir.
- **Eleuthero (nam-ı diğer Sibirya Ginsengi):** Vücudun uyum sağlama ve tepki verme yeteneğini geliştirir; bu da korku, stres ve diğer yoğun duygu durumları karşısında böbrek üstü bezlerinin aşırı tepki vermesini engeller.
- **Panax Ginseng:** Bu da vücudun uyum sağlama ve tepki verme yeteneğini geliştirir; bu da korku, stres ve diğer yoğun duygu durumları karşısında böbrek üstü bezlerinin aşırı tepki vermesini engeller.
- **EPA & DHA (eikosapentaeonik asit ve dokosaheksaenoik asit):** İnsülin direncini iyileştirmede yardımcı olur. Bitkisel olanı almalısınız (balık bazlı olanı değil).
- **Biyotin:** Kandaki glikoz ve insülin seviyelerini dengelemeye yardımcı olur.
- **B Vitaminleri:** Merkezi sinir sistemini ayakta tutar.
- ***Gymnema sylvestre:*** Kandaki glikoz seviyesini düşürmeye yardımcı olur ve insülin seviyesini dengeler.
- **Magnezyum:** Performans kaybı yaşayan bir pankreasın sebep olduğu sindirim problemlerini azaltır. Ayrıca baskı altındaki böbrek üstü bezlerini sakinleştirir.
- **D_3 Vitamini:** Pankreas ve böbrek üstü bezlerini destekler ve iltihaplanmayı azaltır.

Hasta Dosyası:

Şekere Yeni Bir Bakış Açısı Getirmek

Onlu yaşlarının başında, Morgan, duygusal iniş ve çıkışlar adını verdiği şeyle savaşıyordu. Annesi Kim, onun uzun zaman bir şey yemediğinde çok fazla gerildiğini ya da sebepsiz yere gözyaşlarına boğulduğunu gördü.

Kim defalarca Morgan'ı aile hekimine götürdü ve kan şekeri değerlerini ölçtürdü; ancak Morgan'ın A1C ve diğer testleri normal değerleri gösteriyordu. Doktor, Morgan'ın tutarsız davranışlarını, duygusal bir kız -hatta belki de bipolar- oluşunun belirtisi olarak gördü ve geçiştirdi.

Morgan yirmili yaşlarının başındayken Kim onu alternatif bir doktora götürdü ve doktor Morgan'ın hipoglisemik olduğunu söyledi. Bu doktor da ona, kesinlikle şeker ve diğer karbonhidratlardan uzak durması gerektiğini söyledi. Tam bir protein ve sebze diyetine girmesi gerekiyordu, kan şekerini dengede tutabilmek için kısa aralıklarla, azar azar yemeliydi.

Morgan başlarda bir düzelme hissetti. Kim'le birlikte, bunun, uyguladığı diyetten kaynaklandığına inandılar ve yetişkinlik döneminin ilk yılları boyunca, Morgan birçok karbonhidrattan ve tüm işlenmiş şekerlerden uzak durdu. Doktorun tavsiye ettiği proteinlere yöneldi; yumurta, tavuk, hindi, peynir, balık, birkaç saatte bir fındık, domates ve salatalık içeren salatalar gibi. Tüm bunlar düşük karbonhidrat içerdikleri için seçilmişlerdi. Bu, Morgan'a kan şekerini düzeltme şansı ve enerji verdi.

Yirmili yaşlarının sonuna geldiğinde enerji seviyesi yine tutarsızlık göstermeye başladı. Sürekli gazı oluyordu, şişkinlik, kilo ve yorgunluk da hissediyordu. Egzersiz yaptıktan sonra büyük bir enerji kaybı yaşıyordu ve canı çok fazla şeker çekiyordu.

Morgan alternatif doktorun ofisinde kan verdi ve A1C testi sonuçlarına göre tip 2 diyabet hastasıydı. Bu bilgiyi bir anda kafasında bir yere oturtamadı. Son yedi yıldır neredeyse hiç şeker yemiyordu. Tüm paketleri, etiketleri okuyordu; protein ve kaçınılması gereken karbonhidratların avcısı olmuştu. Bunlar onu daha önce kurtarmıştı.

Kim olanları kuaförüne anlattı, ki o da benim hastalarımdan biriydi. Ona, Morgan'ın hastalığının temeline inebileceğimi söylemiş.

Morgan ve Kim'le yaptığımız telefon görüşmesinin ilk dakikasında Ruh bana Morgan'ın hipoglisemik olduğunu ve şimdi de teknik olarak tip 2 diyabet olduğunu söyledi.

"Bu nasıl olur?" diye sordu Morgan. "Kesinlikle şeker ve karbonhidrattan uzak duruyorum; her üç saatte bir protein alıyorum."

"Şeker sorun değildir," dedim. "Mesele yağ. Maalesef, Morgan, yüksek-protein diyeti kisvesi altında yüksek-yağ diyeti sürdürmüşsün."

"Bana yalnızca protein yediğim söylendi," dedi Morgan. "Yağ neredeydi?"

"Hayvansal proteinin *içinde,*" dedim ona. "Son yedi yıldır ana kalori kaynağın yağ, şeker ve karbonhidrat kalorilerinden uzak durmaya başladığından beri."

"Peki, doktorlar neden bunu bilmiyorlar?"

"Henüz öğrenmediler," dedim. "Yüksek-protein trendine kapılmış gidiyorlar."

Araya Kim girdi. "Neden bu besinler sadece yüksek-proteinli olarak adlandırılıyor. Yağdan niçin söz edilmiyor?"

"Çünkü 1930'larda bu şekilde pazarlandı. Yüksek-yağlı diye pazarlansalardı bu kadar yoğun ilgi görmezlerdi."

Morgan'ın karaciğeri ve pankreasını yoran hayvansal yağı açıkladım. "İlk başlarda iyi hissettin çünkü öğünlerinin arası açılmıyordu. Ayrıca yüksek-protein/yüksek-yağ karışımı böbrek üstü bezlerinin daha fazla çalışmasına sebep oluyor ve bu da enerji hormonlarını harekete geçiriyordu." Şimdi, yıllar ilerledikçe adrenal yorgunluğun tüm belirtilerini göstermeye başlamıştı, sindirim zorluğu çekiyordu çünkü pankreası ve karaciğeri tembelleşmişti. Bir de kilo almaya başladı tabii.

"Karaciğerin artık enerjiye dönüştürmek üzere glikoz depolayamıyor, böbrek üstü bezlerinde adrenalini azaltmış. Yeme alışkanlığını değiştirmeliyiz - hayvansal proteini akşam öğününe alarak düşürelim, süt ve yumurta yemek yok, meyvelerden de doğal şeker almaya başlamalısın. Ve şu içine sinmiş olan karbonhidrat korkusunu da sıyırıp at. Muz, elma, hurma, üzüm, kavun, karpuz, mango, armut ve tüm taneli küçük meyveler (çilek, dut, böğürtlen...vb) sağlığında her türlü değişikliği yapacaktır. Dönüşümlü olarak fındık ve bir takım tohumlar yiyebilirsin ama günde bir avuç ve günde bir ya da iki kez olmak şartıyla."

Kim tereddüt etti. "Bir diyabet hastasına hayatta ihtiyacı olan şeyin şeker olduğunu mu söylüyorsunuz?"

Bunu daha önce de defalarca duymuştum. "Sadece meyvelerde bulunan doğal şeker," dedim. Her ikisine de, eğer Morgan her iki saatte bir yemek yer ve (Bölüm 8: Adrenal Yorgunluk'ta anlattığım gibi) potasyum, sodyum ve şeker dengesini sağlayacak öğünlerle beslenirse harikalar yaratacağının garantisini verdim. Tüm meyve ve sebzelerin her biri de bu öğünlerin arasında harika atıştırmalık olacaklardı. Morgan'a önerdiğim iyileştirici besinler arasında kereviz, salatalık, hurma, elma, ceviz ve tohumlar sayılabilir.

İlk ay içerisinde, son on yıldır yaşamadığı bir enerjik hal ve duygusal denge yaşadı. Kilosu düşüyordu, ilk kez arkasından yığılıp kalmadan egzersiz yapabiliyordu. Hurma, muz ve kerevizle geçen atıştırmalıklar en sevdiği iş sonrası yemeğine dönüşmüştü. Daha önceki tüm diyabet tavsiyelerinin mantığına ter düşse de yeni diyetiyle harika hissettiğini gördü ve canı sadece haftada bir kez hayvansal protein istiyordu.

Dört ay içinde Morgan tip 2 diyabeti def etti. Doktoru A1C testi sonuçlarını gördüğünde afalladı, her şey normale dönmüştü. Takip eden aylarda Morgan pankreasını, karaciğerini, böbrek üstü bezlerini yeniledi ve hayatını rayına oturttu.

BÖLÜM 8

ADRENAL YORGUNLUK

İç salgı bezleri sisteminin ana öğeleri *böbrek üstü bezleridir*. Küçük birer beze olan bu parçalar tam olarak böbreklerimizin üstünde yer almaktadır. Böbrek üstü bezleriniz adrenalin ve kortizol gibi sağlığınız açısından da önemli hormonların yanında estrojen ve testosteron gibi cinsiyet hormonlarının üretiminden sorumludur.

Böbrek üstü bezlerini harekete geçiren şey strestir; bu, onların adrenalin gibi hormonları fazla fazla üretmesine sebep olur. Bu, kısa vadeli acil durumlar için hayat kurtarıcı bir mekanizmadır, çünkü ilave hormonlar kriz ne olursa olsun üstesinden gelmemize yardımcı olurlar.

Eğer stres uzun sürerse -iflasa sürüklenmek, boşanmak, sevilen birinin ölümü veya başka ciddi bir duygusal karışıklık söz konusuysa- böbrek üstü bezleriniz "aşırı çalışmaktan" zarar göreceklerdir. Kısa süreli ancak sağlam bir strese maruz kalmak da böbrek üstü bezlerinizi zorlar. Genel olarak doğum bu durum için örnek verilebilir; doğum çok fazla adrenalin hormonu gerektirir.

Aslında tıp camiası, doğum sonrası yorgunluk ve depresyonun, doğum sırasında doğru zamanda doğru hormonu üreterek anneyi güçlü, canlı ve mutlu tutmaya çabalayan böbrek üstü bezlerinin aşırı zorlanmasından kaynaklandığını bilmez.

Böbrek üstü bezleriniz aşırı yorulduğu zaman, sinirsel bir çöküşle eşdeğer bir şekilde, kararsız davranmaya başlarlar.

Kimi tıp doktorları, böbrek üstü bezleri kısmen zarar gördüğünde artık hormon üretmeyi bıraktıklarına inanıyor. Bu, böbrek üstü bezlerinin değişen duygu durumları ve çevre koşullarına anında tepki verebilme oyununda üstlendikleri rolü hafife almak olur. Aslında olan şey şudur: Her yeni karşılaşılan durum için doğru miktarda hormon üretmek işini son derece sakin bir şekilde yerine getirmek yerine, bitmiş-tükenmiş böbrek üstü bezleri ya çok az ya da çok fazla hormon üretmeye başlarlar - bu bipolar bozukluğu olan birinin ani duygu durumu değişikliklerine benzetilebilir.

Örneğin, kontrolden çıkmış böbrek üstü bezlerinizin herhangi bir durum karşısında *aşırı* adrenalin hormonu salgılaması sonucu depresyon görülebilir. Aşırı adrenalin, beyninizde bulunan ve mutlu hissedebilmeniz için hayati önem arz eden nörotransmitter (sinir hücereleri arasında iletişimi sağlayan kimyasal) bir hormon olan *dopamin* rezervlerini yakabilir. Hormon üretiminin çok fazlayla çok az arasında gidip-gelmesi *adrenal yorgunluk* olarak kendini gösterir.

Alternatif tıp doktorları, henüz kimi ayrıntılarını keşfedememiş olmalarına rağmen, adrenal yorgunluk hakkında böyle bir hastalığın *varlığını* kabul bile etmeyen ana akım doktorlara göre çok daha ileridedirler.

Gerçek şu ki, adrenal yorgunluk da ilk insandan beri bizlerle birlikteydi.

Değişen şey bu kadar yaygınlaşmış olması. Yaşadığımız bu hızlı zamanlar ve stres dolu anlar sayesinde *%80'imizden* fazlası, hayatlarımız boyunca defalarca adrenal yorgunluk geçireceğiz.

Adrenal Yorgunluk Belirtileri

Eğer sizde adrenal yorgunluk varsa şu belirtilerden bir ya da birkaçını yaşıyorsunuz demektir: halsizlik, enerji kaybı, yoğunlaşamama, çabuk kafa karışıklığı, bir zamanlar kolaylıkla yerine getirdiğiniz görevleri şimdi tamamlayamama, kısık/çatallı ses, yetersiz sindirim, kabızlık, depresyon, insomnia (uykusuzluk hastalığı), uyku sonrası dinlenmemişlik hissi, gün boyu şekerlemeler (kısa süreli uyku).

Adrenalin rüyalarda da önemli rol oynar (örneğin; rüya görürken böbrek üstü bezleriniz de uyarılır ve hormon salgılarlar), öyle ki adrenal yorgunluğun bazı uç örneklerinde hastalar akıl, ruh ve can sağlığı için ihtiyacı olan rüyaları bile göremezler. Çok aşırı örneklerde ise hastalar o kadar yorgun hissederler ki yatak dışında en fazla günde iki saat geçirebilirler.

Yorgun böbrek üstü bezleri başka bezler ve organlar üzerinde de etkili olur. Örneğin; pankreasınız yetersiz adrenalin seviyesini telafi edebilmek için durmadan çalışmaktan iltihaplanabilir ve/veya büyüyebilir. Kalbiniz sıra dışı kortizol ve kan şekeri seviyelerini dengede tutabilmek için daha sıkı çalışmak zorunda kalabilir. Eğer fazla kortizol beklenmedik bir anda hızla vücudunuza yayılarak karaciğerinizin glikoz, glikojen ve demir depolarına zarar verecek olursa, karaciğeriniz bunları yeniden üretebilmek için fazladan çabalamak zorunda kalacaktır. Ayrıca, ani kortizol baskınları karşısında merkezi sinir sisteminiz ve beyniniz dengesizleşebilir.

Aşırı az kortizol kendi yıkımına sebep olabilir. Kortizol tiroit depolama hormonu olan T4'ü kullanılabilir hormon olan T3'e dönüştürmek ve T3'ün hücrelerinize girip onları canlandırmasında hayati önem taşır. Böbrek üstü bezleriniz yetersiz çalıştığında hücresel bazda tiroit hormonu noksanlığı gerçekleşebilir. Bu durumda sağlıklı bir tiroidiniz olsa bile kilo almak, depresyon, saç dökülmesi, kolay kırılan tırnaklar, pütür pütür ya da ince deri, üşümek, dengesiz kan şekeri ve daha çok sayıda rahatsızlık yaşayabilirsiniz.

Ayrıca kusursuz çalışan böbrek üstü bezleri ancak işlevini yerine getiremeyen tiroit kombinasyonunda da aynı belirtiler görülebilir (Bölüm 6: Hipotiroidi ve Hashimoto Hastalığı'na bakınız). Ayrıca EBV veya zonanın sebep olduğu sinir kabarmaları/şişkinliklerinden kaynaklanan bir *nörolojik yorgunluk* da yaşayabilirsiniz. Enerji kaybının on binlerce sebebi olabileceği için sadece belirtiler listesine bakarak adrenal yorgunluk var mı yok mu bilemeyiz. Neyse ki aranacak başka ipuçları da var.

Adrenal Yorgunluğun Daha Başka İşaretleri

Eğer yukarıda geçen belirtilerin birçoğuna sahipseniz ve durumunuz aşağıdaki durumlardan iki ya da daha fazlasıyla uyuşuyorsa sizde adrenal yorgunluk olması ihtimali çok yüksek demektir.

- **Günün ilk yarısında ve/veya tüm gün bitik durumdasınız.** Normal bir uyku uyumuş olmanıza rağmen öğle yemeğine kadar uzanıp gözlerinizi kapatmak istiyorsunuz çünkü adrenal hormon yoksunluğu çekiyorsunuz.
- **Gündüz işyerinde yorgunsunuz ancak akşam eve geldiğinizde daha enerjik oluyorsunuz.** Böbrek üstü bezleriniz bütün gün işyerinde aniden stresli bir ortam oluşuverecek endişesiyle hormon depolarını tutar ve akşam eve, herhangi bir krizin yaşanmayacağı sakin ortama döndüğünüzde ise bu depoların kapakları açılır.
- **Alışılmadık şekilde gece boyunca bitkin oluyorsunuz fakat bir türlü uyku tutmuyor.** Uyuma eylemi, özellikle de REM evresine geçiş adrenal hormonlar sayesinde gerçekleşir. Eğer bu hormonların yoksunluğunu çekiyorsanız, insomnia (uykusuzluk hastalığı), tatmin etmeyen hafif uyku ve/veya rüyasız uykular yaşıyor olabilirsiniz.
- **Tüm gece uyuduktan sonra bile dinlenmemiş hissediyorsunuz.** Bir kez daha, REM evresi ve rüya görme için yeteri kadar adrenal hormonunuz yoksa geceniz tatmin edici geçmez. Bir de bunun üstüne, düşük hormonlar sizi o kadar enerjiden mahrum bırakacak ki uyandığınızda bile kendinizi dinlenmiş hissedemeyeceksiniz.
- **Çok sıradan işlerin ardından bile koltuk altlarınız durmadan terliyor.** Bu, tüm endokrin sisteminin, yetersiz adrenalini telafi edebilmek adına fazladan çalışmasının sonucunda gerçekleşir.
- **Sürekli susuzluk çekiyorsunuz ve susuzluğunuzu bir türlü dindiremiyorsunuz; sürekli ağzınız kuruyor; ya da tuza içiniz gidiyor.** Bu, kan dolaşımınızda

oldukça fazla elektrolit olmasının ve merkezi sinir sisteminizin ani kortizol baskınları karşısında zarar görmüş olmasının bir sonucudur. Su, soda, kahve, alkol ve daha bir sürü içecek bu sorunu çözemez. Ancak doğru dengelenmiş sodyum, potasyum ve glikoz içeren içeceklerle -örneğin; hindistancevizi suyu, taze sıkılmış elma suyu, taze sıkılmış kereviz suyu, kereviz-elma ya da kereviz-salatalık karışımı içeceklerle- elektrolitlerinizi tazelemeniz gerekmektedir.

- **Bulanık görüş veya odaklanmada zorlanma.** Bu, herhangi bir yeri susuz bırakma eğiliminde olan kortizol fazlalığının, gözlerin yakınında yer alan ve sabit hidrasyon (ıslaklık) ihtiyacı duyan bir ya da birkaç noktayı etkilemesi sonucu oluşur. Diğer belirtiler çökük göz ve/veya göz etrafında koyu renk halkalardır.
- **Uyarıcılara karşı sürekli istek.** Eğer devam ettiğiniz herhangi bir uyarıcıya sık sık ihtiyaç duyuyorsanız -örneğin; sigara, kahve, kafeinli soda, kek, kurabiye gibi şekerli atıştırmalıklar ya da hatta reçeteli ilaçların uyarıcı içerikleri, amfetamin gibi- içgüdüsel olarak eksik olan adrenal hormonlarınız yerine koyacak bir şey arıyorsunuz demektir. Bu uyarıcılar o an için sizi rahatlatmış gibi görünseler de etkileri geçtikten sonra daha büyük kayıplara yol açacaklardır. Ayrıca böbrek üstü bezlerinizi düzenli bir şekilde fazla çalışmaya ve tükenmeye zorlayarak bu uyarıcılar zaten işlevlerini yeterince yerine getiremeyen bu organları daha da beter bir duruma sokacaklardır.

Adrenal Yorgunluktan Kaçınmak

Böbrek üstü bezlerinizi güçlü ve sağlıklı tutmanın en basit yolu fazla miktarda adrenalin üretmelerine sebep olan aşırı ve/veya sürekli stres ve gerginlikten kaçınmaktır. Örneğin, birkaç işi birden idare etmeye çalışırken kendinizi zorladığınızda ve az uyuduğunuz zamanlarda, eğer mümkünse zorunluluklarınızı azaltın ve böbrek üstü bezlerinizin iyileşmelerine izin verin.

Eğer bu mümkün değilse, bu bölümde yer alan tavsiyelere uymak yine de iyileşmenize yardımcı olacaktır.

Ayrıca yapay uyarıcılardan uzak durun, örneğin; sizi adrenalin "akını"na tutacak olan ilaçlar, mega-doz kafeinler gibi. Bunlar sizi o an için iyi hissettirecektir, ancak uzun vadede böbrek üstü bezlerinizi yakıp küle çevirirsiniz.

Böbrek üstü bezlerinizde gerilim yaratan bir diğer şey de güçlü duygulardır. Tabii, bu, *her tür* güçlü duygudan uzak duracağınız anlamına gelmiyor. Örneğin, eğer fazlasıyla keyifliyseniz böbrek üstü bezleriniz vücudunuza *iyi* gelecek olan bir hormon üretecektir ve bu bezlerinizin fazla çalışmasına sebep olmayacaktır. Ancak yoğun korku ve endişe hissediyorsanız böbrek üstü bezleriniz zararlı bir çeşit adrenalin üretecektir, zamanla bu durum hem böbrek üstü bezlerinizin hem de diğer hayati organlarınızın yıkımına sebep olabilir.

Şöyle sorabilirsiniz: "Nasıl oluyor da bazı duygular vücudum için diğerlerinden daha iyi olabiliyor? Böbrek üstü bezleri *her* duygu durumu karşısında aynı adrenalini salgılamıyor mu?" Tıp dünyasının inandığı da bu - ve yanıldığı tabii ki. İşin gerçeği şu ki böbrek üstü bezleriniz, farklı duygu ve durumlar için, 56 farklı çeşitten oluşan bir salgı yelpazesine sahiptir. Genel olarak, gündelik, olağan durumlar için 36 ayrı salgı (örneğin; korkmak, canlı bir şekilde yürümek, bağırsakları hareketlendirmek, yıkanmak/yüzmek, rüya görmek gibi), 20 tane de daha az görülen durumlar için (örneğin; çocuk doğurmak, fiziksel bir saldırıya karışmak, matem tutmak gibi).

Genel olarak şöyle söyleyebiliriz, eğer bir şey sizi kötü hissettiriyorsa bu şey muhtemelen vücudunuza zarar veriyordur ve bu durum süre gidiyorsa ayrıca böbrek üstü bezleriniz de tükeniyor demektir. Bu yüzden, korku, endişe, sinir, nefret, suçluluk, utanma gibi duyguların belirmesine izin vermeyeceksiniz, takılıp onlarla uğraşmak yerine geçip gideceksiniz.

Acı dolu duygulardan neşeli olanlarına geçmek, söylemesi yapmasından kolay olan bir şeydir. Duygusal destek için Bölüm 22: Ruhsal İyileşme Meditasyonu ve Teknikleri ve Bölüm 23: Önemli Melekler'de tavsiyeler bulacaksınız. Bu bölümler ayrıca hayat her şeyiyle sizin üstünüze geliyor gibi yaptığında faydalanabileceğiniz bazı ruhsal denge egzersizini de içermekte.

Adrenal Yorgunluğu Ele Almak

Eğer bu bölümde sözü geçen belirtiler ve senaryoları göz önünde bulundurduğunuzda adrenal yorgunluğunuz olduğuna inanıyorsanız ümitsizliğe kapılmayın. Böbrek üstü bezlerinizi iyileştirmek ve olağan güçlerine kavuşturmak için aşağıdaki ve Kısım 4'te yer alan adımları uygulayabilirsiniz.

Eğer adrenal yorgunluğunuz hafifse bir ila üç ay arasında eski sağlığınıza kavuşursunuz. Eğer orta dereceli ise 6 ila 12 ay sürer. Ve eğer durum ciddiyse bir yıldan iki buçuk yıla kadar sürebilir iyileşme. Vücudunuzun genel sağlığı ya da hayatınızda kötü giden bir şey gibi etkenler bu süreyi etkiler - örneğin; böbrek üstü bezlerinizi sürekli geren bir kriz durumundaysanız bu süre daha da uzayacaktır.

Ne kadar sürerse sürsün, iyileşmek için yola çıktığınız an kendinizi daha iyi hissetmeye başladığınızı göreceksiniz, böbrek üstü bezleriniz normal durumlarına geri dönecekler.

Harici Kortizol: Yalnızca Acil Durumlarda

Eğer bir bunalım, bir kriz durumundaysanız, kortizol içeren bir ilaç almak çabuk bir iyileşme şansı gibi görünebilir. Bu ilaçlar, yetersiz adrenalin bezleriniz tarafından üretilemeyen hormonların yerine vücudunuza fazladan hormon takviyesi yapacaktır.

Bu, doktorların tedavi seçeneği olmasına rağmen ideal çözüm değildir, çünkü vücudunuz gün boyunca karşılaştığı onlarca farklı durum için böbrek üstü bezlerinizin ürettiği farklı hormonlara ihtiyaç duyacaktır. Sabahları bir ilaç yutmak, böbrek üstü bezlerinizin her an aktif bir şekilde vücudunuzun ihtiyaçlarına karşılık vermesiyle kıyaslanacak bir şey değildir.

Ayrıca, kortizol ilaçları bağışıklık sisteminizi zayıflatırlar ve siz de bu sebeple diğer pek çok hastalığa karşı daha korunmasız bir durumda kalırsınız.

Bu sebeple, ilaç almak sorununuzu o an için çözüyormuş gibi görünür ve böbrek üstü bezlerinizin aşağıdaki teknikleri izleyerek iyileşmesi için onlara zaman kazandırır.

Her Bir-Bir Buçuk Saatte Bir Atıştırın

Çoğumuz aralarında uzun boşluklar bulunan üç ana öğünle besleniriz. Bu da böbrek üstü bezlerinizi zorlar. Çünkü yemek yedikten bir buçuk-iki saat sonra kanınızdaki glikoz seviyesi düşer, bu da kullanmakta olduğunuz şekerin bittiği anlamına gelir. Kan şekeriniz bir kez düştü mü, böbrek üstü bezleriniz sizi "ayakta" tutabilmek için kortizol gibi hormonlar üretmeye başlarlar. Bu da şu demek oluyor: Eğer öğünlerin arasındaki uzun boşluklarda aç kalıyorsanız, böbrek üstü bezlerinizi zorluyorsunuz ve onlara iyileşmeleri için fırsat tanımıyorsunuz demektir.

Bu yüzden böbrek üstü bezlerinizi iyileştirmenin en iyi yolu her bir buçuk-iki saatte bir hafif, dengeli öğünler yemektir.

Başka bir deyişle, besinlere karşı *atıştırmacı* bir yaklaşım geliştirin. Bunu bilmek önemlidir, çünkü günümüz diyet trendleri insanları tam tersi istikamete yönlendiriyorlar. Bu modayı takip etmek sizi böbrek üstü bezlerinizi iyileştirme fırsatından alıkoyacaktır.

Atıştırma tekniği işe yarar, çünkü kısa aralıklı öğünler sayesinde kan şekeriniz istenen seviyede ve dengede kalacaktır, glikoz seviyeniz düşmediği sürece böbrek üstü bezleriniz araya girmek zorunda kalmayacaklardır. Böbrek üstü bezlerinize dinlenme fırsatı sunmak iyileşmeleri ve kendilerini yenilemeleri için gereken enerjiyi bu işe adamalarına yol açacaktır.

Tüm öğünleriniz ideal olarak belli bir potasyum, sodyum ve şeker dengesine sahip olmalı. Burada tekrar hatırlatmakta fayda görüyorum, sözü geçen şeker önemli mineral ve besinleri içeren, meyveden alınan doğal şekerdir. Sofra şekeri, laktoz ya da süt ürünlerinde bulunan şeker değil. Böbrek üstü bezlerinizi iyileştirecek kimi tarifler şöyle:

- Bir hurma (potasyum), iki kereviz sapı (sodyum) ve bir elma (şeker).
- Yarım avokado (potasyum), ıspanak (sodyum), ve bir portakal (şeker).

- Bir tatlı patates (potasyum), maydanoz (sodyum) ve üzerine limon sıkılmış lahana (şeker).

Açık olmak gerekirse daha geniş öğünler de yiyebilirsiniz. Yukarıda belirttiğim öğünler kahvaltı, öğle yemeği, akşam yemeği gibi ana öğünler değil, kan şekerinizin düşmemesi için ana öğünler arasında yediğiniz atıştırma öğünleri olabilirler.

Sık sık yiyeceğiniz hafif yemeklerin ötesinde böbrek üstü bezlerinizin onarımı için yiyebileceğiniz özel şeyler de vardır.

İyileştirici Gıdalar

Belli meyve ve sebzeler hem böbrek üstü bezlerinizi korur hem de merkezi sinir sistemini güçlendirerek, iltihabı azaltarak, stresi azaltarak ve adrenal faaliyet için önem arz eden besinleri sunarak iyileşmelerini hızlandırır. Adrenal yorgunluktan kurtulmak için aşağıda sayılanlar en iyiler arasındadır: Brüksel lahanası, kuşkonmaz, yaban mersini, muz, sarımsak, brokoli, lahana, ahududu, böğürtlen, marul ve kırmızı elma.

Ne *Yememeliyiz*

Eğer adrenal yorgunluğunuz hafif denebilecek bir düzeydeyse diğer önerilerle işinizi görebilirsiniz. Ancak orta düzey ya da ileri düzeydeyse hastalığınız, o zaman güçlenene kadar, böbrek üstü bezlerinizi geren ve onları iyileşmekten alıkoyan bir takım besinlerden uzak durmalısınız. Lütfen birçok diyet uzmanının çok fazla hayvansal protein yemenizi önerdiğini unutmayın. Bu hem yağsız ette bile ne kadar yağ olduğunu anlamamaktan hem de yağın içeriğinin iyi bir şey olduğunu düşünmelerinden kaynaklanıyor. Protein önerisi çok inandırıcı gelebilir ama gözünüzü dört açın, bu *herhangi* biri için bile iyi değildir, hele bir de adrenal yorgunluk yaşıyorsanız. Yüksek yağ oranı pankreasınızı ve karaciğerinizi zorlar ve sonunda insülin direnci oluşturur, bu da vücudunuzun bir glikoz seviyesi tutturmasını zorlaştırır. Özetle açığı kapatmak için hormon üretmeye çalışan böbrek üstü bezlerinizde büyük bir baskı oluşturur.

Diyet uzmanları ayrıca genellikle insanlara karbonhidrattan uzak durmalarını söylüyorlar. Bu da iyi bir şey değil, zorlanmayla sonuçlanabilir çünkü vücudunuzun enerji için karbonhidrata ihtiyacı vardır. Bu diyet trendlerini takip etmek sizi yavaşlatacak ve böbrek üstü bezlerinizin iyileşmesinden alıkoyacaktır. Bu tarz verimsiz diyetlerden kaçının, onun yerine bu bölümde böbrek üstü bezlerinizi yeniden güçlendirmek için önerilen tavsiyelere uyun.

Şifalı Bitkiler ve Destekleyiciler

- **Meyan Kökü:** Vücuttaki kortizol ve kortizon seviyelerini dengelemeye yardımcı olur.
- **Spirulina Yosunu/Mavi-Yeşil Alg (tercihen Hawaii'den):** Adrenal gücü yeniden kazanmak için yüksek seviyede süperoksid dismutaz (SOD) ve krom içerir.
- **Ester-C:** C vitamininin bu formu, aşırı çalışmaktan genişlemiş böbrek üstü bezinizi sakinleştirir ve iltihaplanmayı azaltır.
- **Krom:** İnsülin seviyesini dengelemeye yardımcı olur, böbrek üstü ile tiroit bezlerinin ve pankreasın gücünü arttırır.
- **Eleuthero (Sibirya Ginsengi):** Böbrek üstü bezleri-

ni strese karşı aşırı tepki vermekten koruyacak şekilde vücudun tepki verme ve uyum sağlama yetisini güçlendirir.

- **Şizandra:** Böbrek spazmlarını bastırmaya yardımcı olur, o da böbrek üstü bezindeki baskıyı azaltır.
- **Ashwagandha (Kış Kirazı/ Yalancı Güneyfeneri/ Hint Ginsengi):** Testosteron, dehidroepiandrosteron (DHEA) ve kortizol üretimini dengelemeye yardımcı olur.
- **Magnezyum:** Böbrek üstü bezindeki kasılmayı hafifleterek gerginliği azaltır, aşırı faal sinir sistemini sakinleştirir.
- **5-MTHF (Metiltetrahidrofolat):** Merkezi sinir sisteminin gücünü arttırır, o da böbrek üstü bezindeki gerginliği azaltır.
- **Kordisep Mantarı (Tırtıl Mantarı):** Bu organlar kan dolaşımındaki fazla kortizolü işleyebilsinler diye safra kesesi ve karaciğerin gücünü tazeler.
- **Panax Ginseng:** Böbrek üstü bezi strese karşı aşırı tepki vermekten koruyacak şekilde vücudun tepki verme ve uyum sağlama yetisini güçlendirir.
- **Kuşburnu:** Çok çalışmaktan genişlemiş böbrek üstü bezinizi sakinleştirir ve iltihaplanmayı azaltır.
- **Taşkesen Otu/Duvar Arpası Suyu Özü Tozu:** Merkezi sinir sistemini besleyen mikrobesinler içerir. Ayrıca beyin dokusu, nöronlar ve miyelin sinir kılıfının beslenmesine de yardımcı olur.
- **Geven:** Bağışıklık sistemi ve tüm iç salgı bezleri sistemini güçlendirir.
- **Kovan Otu/Melissa/Acem Otu:** Sinir sistemini tazeler ve insülin üretimini düzenlemeye yardımcı olur.
- **Altın Kök:** Adrenal işlevleri en iyi duruma getirir.

Hasta Dosyası:

Hayvansal Yağ Yordu, Meyve İyileştirdi

35 yaşındaki Mary, sürekli yorgun olduğu gerekçesiyle doktora gitti. Ne kadar dinlenirse dinlensin, yorgunluğunu atamıyordu. Çalıştığı nakliye şirketinde hiçbir zaman kendini dinç ve zinde hissedemiyordu. Doktoru birkaç test yapılmasını istedi ve sonuçlar geldikten sonra Mary'yi aradı. "Her şey yolunda," dedi. "Biraz fazla çalışmışsın. Tatile çıktıktan sonra kendini toparlarsın."

Ancak yorgunluğu geçmedi ve Yeni Yıl'da da artmaya devam etti. Mary bir bütünleyici tıp doktoruna başvurdu, o da adrenal yorgunluk teşhisi koydu. Haklıydı. Ancak yine de birçok takviye gıdanın bulunduğu bir beslenme listesi önerdi ve günde bir yeşil elma ile taneli küçük meyveler (çilek, dut, böğürtlen...vb) dışında tüm karbonhidratlardan uzak durmasını söyledi. Her birinde hayvansal protein ve çeşitli sebzelerin yer aldığı 3 öğünle beslenmekteydi.

İlk başta Mary bir enerji patlaması hissetti ve iyileştiğini sandı. Aslında olansa şöyleydi: Diyetindeki yetersiz şekerle kan dolaşımındaki düşük glikoz seviyesini telafi etmek için zaten yorgun olan böbrek üstü bezleri şimdi fazladan çalışarak adrenalin üretmek durumundaydı. Ayrıca -doğal olarak yağ içeren- hayvansal proteini günde üç kez yemek Mary'nin karaciğeri ve pankreasına yük bindiriyor ve her şeyi dengede tutmak için böbrek üstü bezlerini hormon salgılamaları konusunda zorluyordu. Bu, vücudun gerçekten neye ihtiyacı olduğunu ve nasıl çalıştığını bilemeyen moda bir diyetin neden olduğu riske bir örnektir.

30 gün böyle beslendikten sonra Mary enerjisinde

hissedilir bir azalma olduğunu fark etti. Yorgunluk eskisinden de beterdi, öyle ki çalışmak için adeta her gün sürükleniyor gibiydi. Bunun yanında dayanılmaz bir şeker açlığı hissediyordu, otomat makinelerinden işlenmiş karbonhidrat ve tatlılar satın almaya başladı. Kan dolaşımında yüksek oranda hayvansal yağ ile birleşen şeker insülin direncini tetikledi. Artık böbrek üstü bezleri daha fazla adrenalin salgılıyor ve neredeyse tamamen tükenme raddesine geliyorlardı.

Bu noktada, Mary'nin çalıştığı şirkette staj yapan biri annesine nasıl yardımcı olduğumu anlatmış ve Mary beni aradı. Derhal hayvansal proteini kestik ve günde üç öğün yemek terine iki saatte bir atıştırma stratejisini uygulamaya koyduk. Ayrıca sodyum bakımından zengin sebzeler ve protein bakımından zengin yeşilliklerle beslenmesine bir denge getirdik.

Çok kısa bir sürede Mary ilk doktora gittiği zamanki durumuna döndü. Bir ay içerisinde kendini yeniden işe yarar hissetmeye başlamıştı.

Ve bir yıl içinde tekrar enerji dolmuştu.

Son zamanlar onu gördüğümde, şirkette çalışan başka insanlarda da kan şekeriyle ilgili yorgunluk belirtileri gördüğünü anlattı. Bunun üzerine Mary ve stajyer, iş arkadaşlarına öğleden sonra atıştırmalıkları hazırlamaya başlamışlar ve gittikçe de tutulan bir şey olmuş bu. Hâlâ atıştırmayı çok sevdiğini ve Ruh'un önerdiği biçimde beslenmekten memnun olduğunu ve çok özel durumlar dışında iyileştirici diyetine devam ettiğini söylüyor.

BÖLÜM 9

CANDİDA

Candida teşhisi, geleneksel tıbbın tamamen inkârda olduğu bir zamanda ortaya çıkmıştır. 1980'lerin ortalarıydı -kronik hastalıkların Karanlık Çağı- ve medikal model, kadınların sağlıkla ilgili kaygılarını, hormon takviyesi tedavisi ve antidepresanlar dışında tasdik etmiyordu. On binlerce kadın seslerinin duyulmadığını hissediyorlardı, bıkkınlardı.

Bu arada alternatif tıp hareketi bir dönüm noktasına ulaştı. Artan sayıda alternatif doktor ve şifacı uygulamalarını duyuruyor veya bilinen kurumlara katılıyorlardı. İşte bu, alternatif ve geleneksel doktorların tamamen ayrıldıkları zamandı. Geleneksel uygulamayla çalışan bir natüropat (doğal tedavi uzmanı) ya da holistik (bütünleyici) bir doktor bulamazdınız. Alternatif doktorlar geleneksel tıbbı gölgede bırakmaya hazırlanıyorlardı - bilgilerini kanıtlamak için dişlerini geçirecekleri bir şeye ihtiyaçları vardı sadece.

Düzenli gittikleri doktorlardan hayal kırıklığına uğramış birçok kadın alternatif doktorların bekleme odalarını doldurmaya başladı. Sorun şuydu, doktorlar neyin yanlış gittiğini bilemiyorlardı - aslında kadınların *bir şeylerden* şikâyetçi olduklarına da inanmıyorlardı. Bu, 80'lerin ortasından 90'ların başına uzanan büyük uyanıştı. Kadınların sağlıkla ilgili kaygıları ciddiye alınıyordu. Önemli bir zaman dilimiydi ve takdir edilmesi gerekiyordu, tıpkı kadınların oy hakkı gibi. Ancak kadınların hayatındaki bu tarihsel değişiklik tarih kitaplarına geçmedi.

Bu açıdan, hormon hareketi büyük bir etki yarattı. Geleneksel tıp camiası için menopoz veya perimenopozla ilgili her şeyi ya da herhangi bir şeyi suçlamak iyi yapılandırılmış bir uygulamaydı. Alternatif doktorlar hastalara gizemli belirtilerle tanı koyarken henüz daha hormon treninde değillerdi. Başka bir şeyin oyun oynadığından şüpheleniyorlardı.

Alternatif tıp camiası *Candida* mantarına sarıldı. Onlarca yıldır geleneksel tıbbın çare bulamadığı kadınlar için bu taze bir nefes anlamına gelebilirdi. *Candida* demek, *sonunda neden herkesin kendini iyi hissetmediğini bulduk* demekti. Yanlıştı ancak yine de şaşırtıcı bir atılımdı.

Bir nöropatın ofisinde oturup *Candida* olduğunu öğrenen bir kadın onaylanmanın şükranıyla doluyordu. "Bir şeyler yüzünden *hastasınız.*" Doktor suçlu olanın yaşam tarzı olduğunu belirttiğinde yine de biraz utanıyorlardı ama ancak sonuçta durum harikaydı. Doktorun işlenmiş gıdalar ve zengin tatlılarla ilgili öğütlerini dinleyecek olursa hem belki biraz gelişme gösterebilirdi.

90'ların sonunda *Candida* teşhisi alternatif tıptan geleneksel tıbba sıçradı. Şimdi ana akım bu ve birine, "İşte siz bu yüzden hastasınız," demenin en kolay yollarından biri.

Peki kadınlar *Candida* olduktan sonra aslında iyileşiyorlar mı? Hayır. Hiç şekerin olmadığı, yüksek yağ ve protein içeren zorlu diyetler geçici bir rahatlama sağlıyordu ama uzun vadede istenmeyen sonuçlara yol açıyorlardı.

Aslında *Candida* çağımızın en olmadık yere iftira atılan mayası oldu. *Hepimizde Candida* var, bağırsak yolunda bulunuyor ve gıdaların sindirilip emilmesine yardımcı oluyor. *Candida* tarafından kurşun yağmuruna tutulup, yine de sağlıklı olabilmek mümkün. Seviyesi yüksek olan ve ne isterse onu yiyip içebilen birçok insan var; ne bir yorgunluk belirtisi gösteriyorlar ne de midelerinden bir şikâyetleri var. Genel anlamda *Candida* kendi başına zararsızdır.

Medikal çevreler tarafından tam olarak anlaşılmayan şey şudur: *Candida* sıklıkla diğer hastalıklar ya da organizmaların refakatçisi, kofaktörü (eşetkeni) olabilir. Bunların arasında Lyme hastalığı, zona, EBV, uçuk, *Clostridium difficile*, *Streptokok*, *H. Pylori*, diyabet, MS, HHV-6, sitomegalovirus ve daha birçoğu sayılabilir.

Örneğin; Lyme hastalığı belirtileriniz varsa (bkz. Bölüm 16) onları tetikleyen koşullar -örneğin; antibiyotikler, sağlıksız gıdalar, uyku eksikliği, stres, korku ve endişeherhangi bir viral ve/veya bakteriye bağlı enfeksiyonun sebep olduğu iltihaplanma aşırı *Candida* üretimine neden olacak ve *Candida*'nın ölçüldüğü testlerde sonucun yüksek çıkmasıyla sonuçlanacaktır. Unutmayın ki *Candida* testleri hâlâ yetersiz ve hatalıdırlar. Sonuçlar yüksek çıkmasa bile *Candida* olma ihtimaliniz bulunmaktadır. Yine de vücudunuzdaki bu zarara yol açan şey mantar değil başka bir şeydir.

Candida'yı suçlamak elçiyi vurmaya benzer. Yüksek

seviyede *Candida* artışı araştırmayı gerektiren bir gösterge olabilir ancak yine de problem *Candida*'nın kendisi değildir.

Yine de doktorlar için *Candida* teşhisinde kullanılacak bir dolu testi uygulamak tıp camiasının başa çıkamadığı fibromiyalji, MS, Alzheimer, bunama, kimi idrar yolu enfeksiyonları, adrenal yorgunluğun kimi türleri, romatoid artrit, Lyme hastalığı, tiroit ve daha birçok hastalığın arkasında yatan asıl sebebi bulmaktan daha kolaydır. *Candida* en elverişli günah keçisi oldu.

Candida Hakkında Gerçekler

Candida'yla ilgili tıp camiasında on yıllarca süren modanın etkisiyle ve yanlış bilgilendirmeye bağlı olarak bir dizi absürt görüş belirdi. Bundan sonraki başlıkları okurken ufkunuzu geniş tutmalısınız, çünkü bu görece zararsız mantarla ilgili bugüne kadar duyduklarınıza tamamen ters şeyler okuyacaksınız.

Nadir Vakaların Farkına Varmak

Candida her yıl yüz binlerce insanın büyük sağlık sorunlarının arkasında yatan sebepmiş gibi yanlış teşhis edildi. Gerçek şu ki *Candida* Birleşik Devletler ve Avrupa'nın toplam nüfusunun %0,1'inden daha azının sağlık sorunlarında rol oynamaktadır.

Bu %0,1'den az insanda *Candida* ciddi zarara yol açıyor ve tedavi edilmesi gerekli. Kontrol dışına çıkan mantar orta-yüksek derece ateşe sebep oluyor. Kronik bir hal alıyor ve birkaç haftadan birkaç aya kadar süren uzun vadeye yayılıyor. Ayrıca kan dolaşımında yüksek miktarda

Candida ölçülüyor. Bu gerçek *Candida* vakaları genellikle ameliyat sonrası komplikasyonlar nedeniyle yaşanıyor ve çoğunlukla önlenmesi güç bakteri enfeksiyonları eşlik ediyor.

Eğer bir doktor size *Candida* olduğunuzu söylerse muhtemelen yanılıyor demektir.

Candida ve Sızıntılı Bağırsak Sendromu

Candida bağırsak ve bağırsak yolu üzerinde delikler açarak sızıntılı bağırsak sendromuna sebep olmakla suçlanır.

Bu tam olarak doğru değildir.

Yüksek düzeyde *Candida* en kötü ihtimalle bağırsak ve bağırsak yolunda sertleşme ve hassasiyet yaratır; o da yiyeceklerin az emilimine sebep olur. Hemen hemen tüm vakalarda durum *Candida*'nın olduğu kadar kötüdür. (Sızıntılı bağırsak sendromunun gerçek nedenini öğrenmek için Bölüm 17: Sindirim Yolu Sağlığı'na bakınız.)

Felaket Habercisi

Candida'nın evi bağırsaktır, ancak karaciğerde, dalakta, vajinada ya da başka bir yerde görülebilir. Bağışıklık sisteminiz üzerinde yaratacağı hafif gerginlikten başka bir zararı yoktur.

Yine de bir felaket habercisi olarak, mantarın oluşması kaygı veren başka bir şeyin göstergesi olabilir. Örneğin; doktorların gözünden kaçmış vajinal bir *Streptococcus* enfeksiyonunda suçlu olarak zaten var olan mantar görülebilir. Bunun yerine, doktorlar *Candida*'yı strep bakterisinin varlığının bir belirtisi olarak algılamalılar.

Ana Nedeni Tedavi Etmek

Aşırı miktarlara ulaşmış *Candida*'yı tedavi etmenize neredeyse gerek yoktur diyebiliriz. Bunun yerine, belirtilerinize sebep olan ana nedeni bulmak gerekir. Gerçek hastalığa bir son verdiğinizde *Candida* seviyeniz doğal olarak normale dönecektir.

Bugünün tıbbındaki olumlu tek şey, daha sağlıklı beslenme alışkanlıkları gibi kimi tedavilerin, *Candida*'nın eşlik ettiği diğer ciddi rahatsızlıkların tedavisinde de kullanılıyor olması. Bir kişi beslenme alışkanlıklarını değiştirir, kek, ekmek ve asitli diyet içecekler gibi şeylerden uzak durursa o kişinin bağışıklık sistemi doğal olarak güçlenecek ve vücudunu bağışıklık sistemi hastalıkları ve diğer durumlar için pek de konuksever olmayan bir yere dönüştürecektir.

Bununla birlikte, *Candida* için önerilen diyetin diğer yanları zarar verici olabilir…

Meyve Korkusu

Candida hakkındaki en büyük yanlış kanılardan biri de hangi besinlerin onu beslediğidir. *Candida*'nın şekerle beslendiği bilinse de mesele *ne tür* şekerle beslendiğinde yatmaktadır.

İnsanlar genellikle tüm şekerlerin aynı olduğunu düşünürler. Bu tüm suların aynı olduğunu söylemeye benzer, bir bardak temiz içme suyu ile tuvaletin dibinde biriken su aynı değildir.

Aslında meyvelerde bulunan fruktoz - antioksidanlar, polifenoller, antosiyaninler, mineraller, bitkisel ilaçlar ve kanseri öldüren mikro besinler gibi - kimi madde ve bileşiklerle bağlı durumdadır ve bunlar neredeyse tüm hastalıkları yener, doğrusu *Candida*'nın kökünü kazır. Şeker meyveden ayrılıp fruktoza bağlandığında bile *Candida*'yı besleme yeteneği yoktur.

Dahası, meyve şekeri midenizi üç ya da altı dakika içinde terk eder ve bağırsak yoluna uğramaz bile. Yani, eğer meyve şekerinin *Candida*'yı beslediğinden endişe ediyorsanız etmeyin. Meyvenin lifi, posası, kabuğu ve çekirdekleri yalnızca *Candida*, mantar ve mayanın tüm türevlerini değil, parazitler, solucanlar ve *E.coli* ve *Streptococcus* gibi yararsız bakterileri de yok eder. Meyve sizin gizli *Anti-Candida* silahızdır. (Daha fazla bilgi için Bölüm 20: Meyve Korkusu'na bakınız.)

Candida'yı besleyen şekerler, sofra şekeri, işlenmiş pancar şekeri, agav (sabırotu) nektarından elde edilen şeker, her tür işlenmiş tanecikli şeker ve (yüksek fruktozlu mısır şurubu gibi) mısırdan elde edilen şekerlerdir. İşte burada alternatif doktorlar insanlara çikolatalı kek gibi şeyleri bıraktırarak onlara yardımcı olmuş oldular.

Yağ ve Protein Efsanesi

Fazla-yağlı ve fazla-proteinli bir diyetin *Candida*'nın kökünü kazıyacağı çok büyük bir yanılgıdır. Aslında yağ ve protein *Candida*'yı besler.

İltihap yapan proteinler yapışkandırlar ve bağırsak yoluna tutunurlar. Zayıflamış sindirim sistemine sahip biri için sindirilmemiş protein birikimi *Candida* ve diğer mantar, parazit ve bakteri türlerine beslenme ortamı yaratır.

Ana kalori kaynağı olarak yağa güvenmek *Candida*'yı en üst seviyeye taşıyacaktır. Bir hasta doktorunun verdiği diyete harfiyen uyuyor olabilir ve her şey yolunda *görünüyor* olabilir. Oysa *Candida* hastanın sisteminde sessizce katlanarak artıyordur, hastanın yemiş olduğu kümes hayvanları, yumurta ve yağlarla tıka basa beslenmektedir. Hasta, oğlunun doğum günü partisinde dondurma yeme isteğine boyun eğdiğinde *Candida* ortaya çıkar - ve hasta başlangıçtakinden daha kötü bir durumdadır artık.

En iyi *anti-Candida* beslenme şekli yağsız ya da az yağlı, az proteinli yemek, bunun yanında yığınla meyve sebze yemektir.

Candida'nın İyileşmesi

Aniden ortaya çıkan *Candida*'dan kurtulmanın en iyi yolu belirtilerin ardında yatan asıl hastalığı bulmaktır.

Bununla birlikte, eğer başka gizemli bir hastalığınız yoksa, sistem dengesizliği yaşamıyorsanız, bağışıklık sistemi sorununuz yoksa ya da başka bir sağlık sorununuz bulunmuyorsa ve gerçekten *Candida*'nın nadir görülen vakalarından biri olduğunuzu düşünüyorsanız Bölüm 17: Sindirim Yolu Sağlığı'nda yer alan önerileri takip ediniz. Oradaki bilgiler *Candida*'yı başka bir hastalığın yan sorunu olarak görenler de dâhil olmak üzere herkese faydalı bilgilerdir. *Candida*'nızın üzerine giderken hedefiniz mide sıvısı içindeki hidroklorik asit seviyesini yükseltmek, bağırsak yolunu yenilemek ve karaciğeri zehirden arındırıp güçlendirmektir.

Ayrıca antibiyotikler ve mantar önleyici ilaçlardan kaçınmanız gerektiğini unutmayın. Bunlar bağırsaklarınızdaki tüm bakterileri -iyi bakteriler de dâhil- yok eder; bu da bağışıklık sisteminizi ağır biçimde zayıflatır. Bozulmuş bir bağışıklık sistemi vücudunuzda gizlenen ve bu ilaçlara karşı yüksek direnç sahibi olan virüsleri, bakterileri ve/veya mantarları tetikler; yeniden üremeye başlarlar bu da hayat kalitenizi düşürür.

Hasta Dosyaları:

Sonuçta *Candida* Değilmiş

Margaret aşırı yorgunluk belirtileri başladığında 42 yaşında bir anaokulu öğretmeniydi. Nefis bir uyku çekmiş olsa bile sabah dinlenmemiş uyanıyor ve gün içerisinde yorgun hissediyordu.

Daha sonra dirseklerinde, bileklerinde ve dizlerinde ağrılar başladı, sınıfıyla çömelip çember oyunları oynarken sıkıntı çeker oldu. Ona daha önce sorun çıkarmayan besinler şimdi sindirim sistemi rahatsızlıklarına neden oluyordu, sürekli şişkinlik hissediyordu. Tüm bunların üstüne periyodik olarak bir üşüyor, bir sıcak basıyordu. Ter basmalarında parmak üşümelerine kadar gün içerisinde yaşadığı tüm anlara uyum sağlayabilmek için kat kat giyinmeye başladı.

Margaret hiçbir şey yapmadan geçirdiği bir hafta sonunun ardından, okula esneyerek ve gözlerinin altında koyu renk halkalarla dönünce okuldan bir öğretmen doktora görünmesini önerdi. Margaret'in her zaman gittiği doktor tiroit sorunu için bir kan testi yapılmasını istedi. Test sonuçları geldikten sonra doktor aradı ve, "Hiçbir şeyiniz yok, sapasağlamsınız," dedi.

Tatmin olamayan Margaret, kız kardeşine, öve öve bitiremediği alternatif doktorun ismini sordu. Doktorun klimalı muayenehanesinde Margaret yelpazeyle serinlemeye çalıştığında, doktor olanları anlamış bir havayla gülümsedi. "Yaşadığınız sorunlar hormonal," dedi ve bunun ya bir düzensizlik ya da perimenopozun ilk evresi olduğunu ekledi. Hangisi olursa olsun, doktor hastalığın, ondaki belirtilere sebep olan *Candida*'yla ilişkili olduğunda ısrarcıydı.

Margaret o kadar rahatlamıştı ki kalkıp doktora sarılmamak için kendini zor tuttu. Sonunda bir cevap bulmuştu. Elinde hormon tedavisi (BHRT) ve mantar önleyici bir ilacın adı yazan reçete ile doktorun ofisinden çıktı. Ayrıca bir de işlenmiş şeker, işlenmiş yağ, kızarmış yiyecekler gibi uzak durması gereken besinler ve yemesi gerekenlerin yazılı olduğu bir bilgisayar çıktısı vardı elinde.

On gün boyunca mantar önleyici ilaç aldıktan sonra, kendini pek iyi hissetmedi. Tekrar bir doktora başvurdu ve bağırsağının daha kötü olduğunu öğrendi. O da Margaret'e bir probiyotik ürün sattı ve rahatsızlığına iyi geleceğini garanti etti. Bir hafta sonra bu probiyotik ürün, BHRT ve yeni diyetiyle Margaret okulda oynadıkları oyunlarda mide krampları geçirmeye başladı.

Bu kez bir natüropata gitmeye karar verdi. Margaret hikâyesini yeni baştan anlatırken natüropat kafasını sallıyordu, daha sonra hormonal dengesizlik ve *Candida* suçlu bulundu. Natüropat *Candida* için kolon temizleyici destekler verdi ve diyetinden tüm karbonhidratları çıkarmasını söyledi. Margaret hayvansal protein ve sebze yiyecekti.

Okul yaz tatiline girdiğinde Margaret kendini natüropatın verdiği diyete adadı; balzamik salata sosu ve her gece içtiği bir kadeh şarabı bile kesti. Ağrı ve acılar ona göre %15 iyileşmişti. Doğru yoldaymış gibi görünüyordu... Ancak bundan öteye geçmeyi başaramamıştı.

Natüropat onu başka bir temizlenme programına soktu, ancak bu kez Margaret ilerlemenin durduğunu gözlemledi. Hassasiyeti ve ağrılar geri gelmişti, aşırı gaz üretiyordu ve her zamankinden daha yorgundu (sonra kendisine bunun sebebinin onu taşıyacak karbonhidratlardan yoksun kalmış olması olduğunu açıkladım). Taneli küçük meyveleri (çilek, dut, böğürtlen...vb), greyfurt ve muzu özlüyordu - ancak natüropat meyvenin yanından geçmesini bile yasaklamıştı. Kurallar gereği 30 gün daha şekeri diyetinden uzak tuttu ve karbonhidratın hiçbir türlüsünü tüketmedi.

Şimdi yardım aramaya başladığı zamandan daha kötü bir durumda olduğuna üzülüyordu. Umutsuz ve kendini dünyada tek başına hissediyordu, birkaç hafta sonra başlayacak olan okulda işini nasıl yerine getireceğini bilemiyordu. Teşhis konan *Candida*'nın hayatının kalitesini düşürdüğüne inanıyordu.

Margaret bu aşamada beni buldu. Ruh derhal problemin *Candida* olmadığını anlattı bana. Aslında Margaret'in vücudunda bulunmuyordu bile. Sorunun asıl nedeni teşhis edilemeyen mide bakterisi *H. Pylori* idi ve ona sitomegalovirus de eşlik ediyordu. Karaciğeri tembelleşmişti, onun yaşındaki kadınlarda %65 olması beklenirken, işlevini %40 yerine getiriyordu. Mide sıvısında ise çok düşük oranda hidroklorik asit bulunuyordu, neredeyse hafif bir cıva-bazlı ağır metal zehirlenmesinde olduğu kadar.

Ben bunları söyledikçe Margaret bu durumun başlangıcından hemen önce metal diş dolgularının çıkarıldığını anımsadı. Çıkarılma işlemleri sırasında cıvanın sistemine karışmış olduğunu açıkladım ve bu karaciğerini tüketmişti. Bu da sitomegalovirus ve *H. Pylori*'yi besleyip büyütmüştü ve ihtiyaç duyduğu hidroklorik asidin azalmasına sebep olmuştu.

Durumu belirlemek için diyet programında hemen bir değişiklik yaptım. Hayvansal yağ ve protein alımını azalttık, yaban mersini, kayısı ve hatta hurma gibi bazı meyveleri yeniden beslenme programına aldık. Diyetin geri kalanı yapraklı yeşillikler, patates, avokado, çeşitli meyveler ve -düşük yağa tam bir vurgu yapmak amacıyla- vahşi somon balığı gibi yiyeceklerden oluşuyordu. Bu değişiklikle bağırsak yolu ve karaciğerden geniş miktarda cıvanın atılmasını sağladık. Ayrıca anında *H. Pylori*'nin büyümesi durdu ve sitomegalovirus yüklemesi düşürüldü.

Eylül ayında, Margaret yeni sınıfını karşılayabilecek kadar iyileşmişti. İlk görüşmemizden sonraki üç ay içerisinde tüm belirtiler yok oldu -hiçbirinin *Candida* ya da hormon rahatsızlığıyla bir ilgisi yoktu- ve tamamen sağlığına kavuştu.

BÖLÜM 10

MİGREN

Yaklaşık 35 milyon Amerikalı migrenden şikâyetçi, yoğun kalp atışlarına genellikle kafanın bir tarafında zonklama eşlik eder. (*Migraine* kelimesi, "kafatasının yarısı anlamına gelen, eski bir Yunan terimi" olan *hemikrana*'dan gelmektedir.) Herkes, her yaşta migren olabilir ancak hastalık kadınlarda daha yaygındır. Birleşik Devletler'de kadınların %35'i hayatlarının belli noktalarında migreni yaşamıştır.

Bu ağrıyla birlikte ışığa, sese ve/veya kokuya karşı aşırı bir hassasiyet, bulanık görüş, ani ışık parlamaları, bulantı ve/veya kusma, konuşmada güçlük ve bayılma nöbetlerine kadar gidebilen dengesizlik/bayılma hissi görülür. Bir migren nöbeti iki saatten birkaç güne kadar sürebilir ve hiçbir şey yapmadan, karanlık, sessiz odada öylece yatmaktan başka bir şey yaptırmaz insana.

Bu gizemli hastalık elden ayaktan düşürüyor, bir meslek icra etmeyi ya da arkadaşlarla vakit geçirmeyi zorlaştırıyor olabilir. Migreni olan insanlar programlarını sürekli baş ağrısına göre düzenlemek durumunda kalırlar. Toplantılarının, buluşmalarının veya arkadaşlarla yenecek bir öğle yemeğinin migren tarafından berbat edilebileceğini öngörmeye çalışırlar.

Kimileri için bu gizemli hastalık bir batıl inanç halini almış durumda - bir nöbet geliverir diye *migren* kelimesini anmak dahi istemiyorlar. Kimi hastalarım bana bunun ömür boyu hapis cezasına benzediğini söylüyorlar. Hayatlarının kurallarının migren tarafından belirleniyor olması, yaptıkları her harekete migrenin dahil olması -fiziksel acının etkileri gibi- hastaların kendilerini son derece zayıf ve duygusal açıdan duyarlı hissetmelerine sebep oluyor.

Bu karmaşık bir gizemli hastalıktır. Hastalığı tetikleyen sorunların kombinasyonu kişiden kişiye değişiyor. Doktorlar, deneme-yanılma yöntemi ile çeşitli ilaç kokteyllerini deniyorlar. Eğer bir ilaç grubu iyi gelmezse doktorunuz başka bir ilaç yazıyor, o olmazsa başka bir tane, sizi rahatlayana kadar bu böyle gidiyor. Ancak ilaçların yan etkileri yeni sorunlar yaratabilir, ayrıca sadece o an için işe yaramış da olabilirler. Bazı vakalarda, vücut zaman içerisinde bir ilaca karşı bağışıklık geliştirmiş olabiliyor - yine de ilaçlardan uzak durmak da migreni tetikliyor olabilir.

Bu bölüm, migren hakkında daha önce masaya yatırılmayan yeni bilgiler sunuyor. Migreni tetikleyen şeylerin ardındaki gizemi açıklıyor ve size iyileşmenin yolunu gösteriyor.

Migreni Tetikleyenler

Tıp camiası migrene neyin sebep olduğunu bilmiyor. Tedaviye rastgele yaklaşmaları bu yüzden. Şu ana dek, büyük teori şunu söylüyor; trigeminal sistemde (kafa sinirleri) salınan nöropeptidler, özellikle bu bileşime duyarlı insanlarda baş ağrısına neden oluyor.

Aslında migreni tetikleyen şey yalnız bir tane değil, birçok şeyin birleşiminden kaynaklanıyor. Aşağıda en sık rastlanan tetikleyicileri sayacağım. Açıklamaları okuyun ve size olan şeyleri tanımlamak için elinizden gelenin en iyisini yapın - ve hepsini iyi irdeleyin ki iyileşme sürecine başlayabilesiniz.

Bir neden bulduktan sonra tanımlamayı bırakmamanız gerektiğini unutmayın. Migren genelde sebepler yumağından kaynaklanır - iki, üç, dört ya da daha fazla neden *toplu olarak* bir neden gibi davranırlar. Örneğin; yeteri kadar uyumuyorsanız ve kronik (sürekli) stres altındaysanız ancak bunun dışında sağlıklıysanız muhtemelen migreniniz yoktur. Ancak bir de ağır metale maruz kaldıysanız (cıva veya alüminyum gibi) ve üzerine süt ürünleri ve yumurta yiyorsanız (mukus-yapıcı, asitli ve alerjen yiyecekler), o zaman uykusuzluk, stres, ağır metaller ve besin hassasiyeti birleşerek sisteminizi çıldırma noktasına getirir ve migreni tetikler.

Olağan Şüpheliler

Migren belirtilerini yaratan, bilinen belli durumlar vardır. Güvenilir bir doktor, bu sorunlardan birine sahip misiniz diye ilk olarak bu listeyi kontrol eder. Eğer migrenden şikâyetçiyseniz, şüphesiz pek çok doktora gitmiş ve çeşitli testler yaptırmışsınızdır. Sadece pekiştirmek adına işte liste:

- **Beyin Sarsıntısı:** Travmatik beyin yaralanması, genellikle kafaya bir darbe almak veya başın ya da üst gövdenin şiddetle sarsılmasından kaynaklanır. Eğer sarsıntı ile sonuçlanan bir olay yaşadıysanız bunu doktorunuza söyleyin. Eğer sarsıntıyı çok önce yaşadıysanız ve migren son zamanlara kadar ortaya çıkmadıysa hassasiyeti tetiklemiş olabilir.
- **Menenjit:** Beyin ve omuriliği çevreleyen koruyucu zarlarda ciddi iltihaplanma ve şişmedir. Bu genellikle viral bir enfeksiyondan dolayı olur. Diğer sebepler bakteriler ve kimi ilaçlardır. Eğer menenjit olduysanız, bu çok önceyse bile, muhtemelen bu migren hassasiyetiniz için tetikleyici olmuştur.
- **Felç/İnme:** Beynin bir kısmına kan akışının kesilmesi veya azalması sonucu oluşan bir hasar, beyin hücreleri besin ve oksijen alamadıkları için ölürler. Zedelenme etkisiyle oluşan felç türlerinin en kolay tanımlananıdır.
- **Geçici İskemik Atak:** Felçten daha ufak bir hasara yol açar, öyle ki gerçekleştiğinde hissedilemeyebilir ancak sağlık üzerinde önemli bir etkisi mevcuttur.
- **Beyin Anevrizması:** Beyindeki kan damarlarından birinin baloncuk yapması.
- **Beyin Tümörü:** Beyinde anormal bir beze. Bir tümör kanserli ya da iyi huylu olabilir ancak her iki tür de migrene sebep olur.
- **Beyin Kisti ya da Mikrokist:** Hava, sıvı ya da beyinde oluşan zararsız başka bir madde ile dolu olan bir kese.
- **Engellenen Boyun Sinirleri:** Boyun sinirleri omurilikten çıkıp sekiz kola ayrılarak vücudun farklı bölge-

lerini kontrol eden sinir grubudur. İlk iki boyun siniri (C1 ve C2) kafayı kontrol ederler. Eğer herhangi bir şey onlarla çatışacak olursa, içlerinde migrenin de bulunduğu çeşitli rahatsızlıklara yol açabilirler.

Eğer bir yığın testten geçmiş, daha önce kullanmış olduğunuz ilaçları doktorunuzla incelemiş ve yukarıdaki listede yer alan maddeleri elediyseniz gizemli diyardasınız demektir. Şimdi sırada tıp camiasının tam olarak anlayamadığı migrenin tetikleyicileri var ve aralarında ilk kez burada açıkladıklarım da mevcut.

Epstein-Barr Virüs ve Zona

Doktorlar milyonlarca insanın migren şikâyetinin EBV veya zona virüsünden kaynaklandığını bilmiyorlar.

Bölüm 3'te de açıklandığı gibi EBV -beyninizi de içeren- merkezi sinir sisteminizi etkiler. Eğer EBV, vagus sinirine girdiyse iltihaplanmış sinir migreni tetikleyebilir.

Bundan farklı olarak zona, trigeminal (üçlü sinir, üçlü ikiz sinir) siniri veya frenik siniri iltihaplandırmış olabilir, bunun da migreni tetikleme potansiyeli vardır.

EBV'den muzdarip olup olmadığınızı öğrenmek için Bölüm 3'e bakın ve baş ağrısından başka EBV belirtileri gösterip göstermediğinizi tespit edin. Eğer öyleyse, virüsle mücadele etmek için Bölüm 3'teki önerileri uygulayın. Suçlunun zona virüsü olup olmadığını öğrenmek için ise Bölüm 11'i okuyun. EBV veya zonayı iyileştirmek migrenin geçmesine yol açabilir.

Mikro-Geçici İskemik Atak

Mikro-geçici iskemik atak geçici iskemik atağa çok benzer ancak daha küçük boyutlardadır. Tıp camiası bu mikro-felç-benzeri aktivitenin migren oluşturabileceğinin ya da onu tetikleyebileceğinin henüz farkında değil.

Sinüs Bağlantılı Migrenler

Kimi migrenler sinüs kanallarında bulunan kronik streptokokal iltihaplanmadan kaynaklanabilir. Bu gibi durumlarda kulak, burun ve boğaz uzmanları hasar görmüş bezeyi çıkarmak için sinüs ameliyatı önerirler. Çünkü bir kez sinüs kanalına girdikten sonra strepin çıkarılması oldukça zordur, bu cerrahi müdahale işe yarasa bile hastalara sunulan rahatlama geçicidir.

Sinüs bağlantılı migrenlerden kurtulmanın daha iyi bir yolu ise bağışıklık sistemini güçlendirerek vücudun iltihaplanmalara karşı kendini savunabilmesine olanak sağlamaktır. Bu bölüm ve Kısım 4: Sonuçta Nasıl İyileşeceğiz?'de yer alan öneriler sizi yönlendirecektir.

Amonyak Geçirgenliği

Başka bir migren suçlusu ise yetersiz bağırsaklardır. Tıp camiası, bağırsak sisteminizin düzgün çalışmadığında, amonyak gazının bağırsaktan çıkıp vagus, frenik ve/veya trigeminal sinirlere ulaştığını bilmez. Amonyak kan-beyin bariyerini geçer ve merkezi sinir sisteminin her tarafına yönelir. Gaz onları oksijenden mahrum bıraktıkça sinirler iltihaplanır ve bu da migrene neden olarak beyin fonksiyonlarınızın aksamasına sebep olabilir.

Bunun size olup olmadığını anlamak için -ve eğer öyleyse nasıl başa çıkacağınızı öğrenmek için- Bölüm 17: Sindirim Yolu Sağlığı bölümünü okuyun.

Elektrolit Yetersizliği

Sağlıklı kalabilmek için vücudunuzun, tuz ve diğer vücut sıvılarınız tarafından üretilen *elektrolit* ve iyonların belli bir seviyede olmasına ihtiyacı vardır. Bu elektrolitler vücudunuzun -özellikle de elektriksel aktivitenin merkezi konumunda olan beyninizin- çalışması için gerekli olan elektriksel sinir sinyalinin elde edilmesi ve gönderilmesi için gereklidir. Elektrolit seviyeniz azaldığında, beyninizin aktivitesi ciddi zarar görür ve bu da merkezi sinir sisteminize yük bindirerek migrene sebep olabilir.

Elektrolit azalmasının temel sebebi dehidrasyondur (su kaybı). Hindistancevizi suyu ve taze sıkılmış meyve suları en iyi elektrolit kaynaklarıdır. Günde yaklaşık 350 ml salatalık, salatalık-elma veya kereviz-elma suyu içmeye çalışın. (Karışımlar yarı yarıya yapılabilir.)

Stres

Herkes zaman zaman az ya da çok stres yaşar. Kimimizin buna karşı olan hassasiyeti diğerlerinden fazladır. Eğer kronik (sürekli) stres yaşıyorsanız, aşındırıcı adrenalin seviyesinin sürekli aniden yükselmesi, beyniniz ve vücudunuz boyunca dolaşan sinirleriniz gibi kimi bölgelerde yıkıma yol açar. Bu da trigeminal sinirler gibi kimi bölgelerde gerginliğe sebep olur ve migrene yol açabilir.

Zihinsel gerginliğinizi azaltmanın yolları için Bölüm 22: Ruhsal İyileşme Meditasyonu ve Teknikleri'ni okuyunuz.

Menstrüel Döngü (Adet Döngüsü)

Çoğu kadın migren nöbetlerinin adet döneminden önce, adet döneminde ya da hemen sonrasında geldiğini belirtiyor. Çünkü bir kadın adet dönemindeyken üreme sistemi vücudunun enerjisinin ve bağışıklık sisteminin %80'ini kullanır. Eğer vücudunuz stres, gıda alerjisi, ağır metal zehirlenmeleri veya dehidrasyon gibi tetikleyicilerin üstesinden geliyor da adet dönemine gelince *boom* diye patlıyorsa migren nöbeti yaşayabilirsiniz, çünkü bu rezervler ve bağışıklık sistemi gücü üreme sistemine yardımcı olmak için düğmeye basarlar. Bu yüzden migren şikâyeti olanların büyük çoğunluğu kadındır.

Eğer size de böyle oluyorsa diğer tetikleyicileri en aza indirmeye çalışın, böylece aylık döngünüz sisteminizi baskılayamayacaktır.

Uyku Bozuklukları

Eğer iyi uyuyamıyorsanız (örneğin; aralıksız ve rüya görerek) zamanla beyin kimyanızda bir takım dengesizlikler baş gösterir. Sadece bu sebepten ötürü migren belirtileri göstermezsiniz ancak bir veya daha fazla diğer etkenle birleştiğinde büyük bir faktör halini alabilir.

İnsomnia gibi uyku bozukluklarınız varsa rahat olun; gecenin ortasında uyandığınızda beyninizin yarısı hâlâ uykudadır. Bu da vücudunuzun hâlâ iyileştiğini ve merkezi sinir sisteminizin hâlâ yenilendiğini gösterir; bu yüzden, durmadan uyandığınız bir gece için sinirlenmenize ya da bundan bıkmanıza gerek yok. Yalnızca bunu anlamak sizi uykuyla ilintili migren sorunlarına karşı daha az duyarlı kılacaktır.

Eğer bu insomniaya sebep olan bir fiziksel hastalıksa ve bu kitapta işlenmişse -örneğin; EBV, zona Lyme hastalığı- ilgili bölüm ve Kısım 4: Sonuçta Nasıl İyileşeceğiz?'deki önerileri okuyun.

Eğer kimi zorunluluklarınızdan ötürü yeterince uyuyamıyorsanız nereden kısabileceğinizi düşünün. İmkânsız gelebilir. Eğer diğer seçenek, migrenle geçecek olan saatler ya da günlerse birkaç saat daha fazla uyumak tercih edilebilir. Vücudunuzun sınırlarına saygı göstermelisiniz.

Ağır Metaller ve Diğer Çevresel Zehirlenmeler

Cıva, alüminyum ve bakır gibi ağır metaller, beyin ve karaciğer gibi organlara yerleşebilir ve işlevlerini gereğince yerine getirebilme kabiliyetlerini etkilerler. Olası sonuçlar arasında, anksiyete, depresyon, obsesif-kompulsif bozukluk (OKB), dikkat eksikliği ve hiperaktivite bozukluğu (DEHB) sayılabilir. Diğer bir olası sonuç ise migrendir.

Evinizde, işyerinizde, içtiğiniz suda, soluduğunuz havada ve daha nice yerde binlerce tartışmalı veya doğrudan zehirli kimyasala maruz kalıyorsunuz. Bu kimyasallar er ya da geç beyninize girip elektriksel iletimlerin aksamasına sebep olabilirler. Çoğumuz kendi çevresi hakkında bile kontrolü kaybetmiş durumda -hangi havayı soluyoruz, neye maruz kalıyoruz- ancak bu zehirleri vücudumuzdan atacak gücümüz var. Bu konuda bilgi için Bölüm 18: Zihninizi ve Vücudunuzu Toksinlerden Arındırmak. Kimi vakalarda düzenli bir şekilde toksinlerden/zehirlerden arınmak -yeni olası zehirlerden de kaçınmakla birleşince - migreni durdurmaya yetiyor.

Migren Tetikleyici Yiyecekler

Bir besini aldığınız için migren olmazsınız, tabii hassasiyetiniz yoksa ve altında yatan başka bir rahatsızlıkla baş etmiyorsanız.

Muhtemelen durumunuza sebep olan *birçok* şey vardır. Ancak aşağıdaki yiyecekler tetikleyici olması muhtemel besinlerdir.

- **Süt Ürünleri:** Mukus formunda, lenf sistemine ve nihayetinde merkezi sinir sistemine baskı uygular.
- **Yumurta:** Düşük hidroklorik asit içeren zayıf bir sindirim sisteminiz varsa yumurta amonyak üretimine neden olarak merkezi sinir sistemini rahatsız eder.
- **Glüten (örneğin; buğday, çavdar, arpa, kavuzlu buğday):** Glüten bağışıklık sistemini karıştırır ve histamini yükseltir; bunlar migreni tetikleyebilir.
- **Et (örneğin; sığır, tavuk, domuz):** Düşük hidroklorik asit içeren zayıf bir sindirim sisteminiz varsa, yoğun proteinler amonyak üretimine neden olarak merkezi sinir sistemini rahatsız edebilir.
- **Mayalı yiyecekler (örneğin; turşu, *kimchi*, ketçap):** Mayalı ya da sirke bazlı yiyecekler bağırsak yolundaki pH seviyesini düşürür, sistem daha asidik olur ve bu da migreni tetikleyebilir.
- **Tuz:** Kelt denizi tuzu ve Himalaya tuzu en iyileridir. Sofra tuzu kullanmayın.
- **Yağ:** Kanola, mısır, pamuk ve palmiye yağları yüksek oranda iltihap yapıcıdır.
- **Katkı Maddeleri (örneğin; MSG, aspartam):** Bunlar nörotoksik, yani sinir sistemine zarar veren maddelerdir. Migren şikâyeti olanlar için saldırgan tetikleyiciler olabilirler.
- **Alkol:** Aşırı miktarda su kaybına sebep olur, ayrıca karaciğeri zorlar.
- **Çikolata:** Aşırı uyarıcıdır. Migreni tetikleyen bir nörotoksin gibi davranabilir ve merkezi sinir sistemine saldırabilir. Kimi insanlar çikolata ve diğer kafein

formlarının migrene iyi gelebileceğini iddia ediyorlar. Bunu yaşıyorlar, çünkü kafein böbrek üstü bezlerini, adrenalin salgılamaları için uyarıyor ve bu da migrene sebep olan iltihaplanmalar için geçici bir önlem olmuş oluyor. Ancak zaman içerisinde kafeinin verimsiz yankıları oluyor.

İyileşmenizi kolaylaştırmak için, *en azından* migreniniz geçene kadar yukarıda yazılanları yememenizi şiddetle tavsiye ederim. Eğer çok güç geliyorsa yapabileceklerinizden başlayın ve devam ettirmeye çalışın. Her şekilde etkin olmak olumludur.

Alerjik Tepkiler

Alerjik olduğunuz bir şeyle karşılaştığınızda, vücudunuz sizi olası tehlikeli maddeye karşı korumak için histamin salgılar. Kimi durumlarda vücudunuz aşırı tepki verip fazla histamin salgılayabilir - bu da migren nöbetleriyle sonuçlanabilir. Aynı tepki, günler sonra aynı alerjik besin alındığında yeniden ortaya çıkabilir.

Yediğiniz, içtiğiniz, soluduğunuz veya bir şekilde maruz kaldığınız ve bağışıklık sisteminizi bozan bir şey olup olmadığını düşünün. Biriyle paylaşılan bir sigaradan tutun da polene ya da yeni komşunun köpeğine kadar her şey olabilir.

Migrenden Kurtulmak

Gördüğünüz gibi baş döndürücü sayıda olası migren tetikleyici var. Siz de olası tetikleyicileri baş ağrınızın sebebi olarak tespit ettiyseniz, o zaman yapabileceğiniz en faydalı şey bunları hayatınızdan çıkarmak olacaktır.

Şifalı bitkiler ve ilave gıdalar, iyileştirici gıdalar kadar önemli. Hepsi ağrılarınızın ve iltihaplarınızın azalmasına, alerjik tepkilerinizin hafiflemesine, sinirlerinizin yatışmasına, sakinleşmenize, bağırsak sağlığınızın gelişmesine ve orta düzeyde bir detoks (zehirden arınma) sağlamaya yardımcı olacaktır.

İyileştirici Gıdalar

Belirli yiyecekler, kaslarınızı rahatlatarak, zehirlerin atılmasını sağlayarak, beyin dokusunu destekleyerek, sindirimi güçlendirerek, sinirleri yatıştırarak ve önemli besinler sunarak migreninizi önlemeye ya da onu iyileştirmeye yardımcı olabilir. Taze kereviz suyu, kişniş, kenevir tohumu, papaya, acı kırmızıbiber, sarımsak, zencefil, lahana, tarçın ve elma migrenden kurtulmak için en iyi yiyecekler arasındadır.

Şifalı Bitkiler ve Destekleyiciler

- **Kasımpatı Çayı:** Alerji kaynaklı reaksiyonları dindirir, histamini düşürür
- **Krizantem:** Migren atakları gibi krizler sırasında damar genişliğini dengede tutmaya yardımcı olur.
- **Öksürük Otu:** Migren atakları sırasında bazofilleri (bir çeşit akyuvar hücresi) güçlendirir.
- **Magnezyum:** Trigeminal sinirler içinde ve çevresinde oluşan gerilimi düşürür.
- **Ester-C:** C vitaminin bu formu histaminin kan dolaşımından atılması ve gerekli alanlara daha fazla oksijen sağlanmasına yardımcı olur. Ayrıca bağışıklık sistemini de güçlendirir.
- ***Ginkgo Biloba*:** Histamini düşürerek alerji kaynaklı tepkileri dindirir.

- **Aksöğüt Ağacı Kabuğu:** İltihaplanmayı ve ağrıyı azaltır.
- **Kava Kava:** Sinirlerdeki gerginliği yumuşatır.
- **Kovanotu/Oğulotu/Melisa:** İltihaplanmayı azaltır ve merkezi sinir sistemini sakinleştirir. Ayrıca sinirleri iltihaplandırmakta olan virüsleri de öldürür.
- **Biberiye Yaprağı:** Damarları korumaya yardımcı olur.
- **Riboflavin (B_2 Vitamini):** Sinir faaliyetine yardım eder.
- **Koenzim Q10 (CoQ10):** İltihaplanmayı azaltır ve sinirlerin sinyal gönderme kabiliyetini yükseltir.
- **Kırmızıbiber:** Acıları dindirir, histamin dengesini sağlamaya yardımcı olur.
- **Takke Çiçeği:** Gergin sinirleri yumuşatır.
- **Kediotu Kökü:** Vagus sinirini rahatlatır, migren ağrısına eşlik eden hipertansiyonu düşürür.

Hasta Dosyası:

Artık Karanlıkta Değil

Erica on iki yaşından beri migrenden şikâyetçiydi. İlk nöbetini net bir şekilde hatırlıyordu: Başının bir tarafına aniden saplanan ağrı geldiğinde, bir okul oyununda, sahnede, parlak ışıklar altındaydı.

Bundan sonra Erica migrenden kurtulmanın tek yolunun karanlık odada essizce oturmak olduğunu öğrendi. Kimi zaman ağrı başının öteki tarafına geçiyordu. Bazen ağrıdan dolayı istifra ettiği oluyordu. Yaşı ilerledikçe migren atakları adet döneminden hemen önce, tam o dönemde ya da hemen o dönemin ardından belirmeye başladı. Ayrıca bir arabada yolcu koltuğunda oturmanın da migrene sebep olduğuna dikkat etti. Herhangi duygusal bir çakışma bile bu zonklamaları tetikleyebiliyordu.

Şimdi 30 yaşında ve Erica'nın üç yıldır erkek arkadaşıyla sorunları var.

Derek, Erica'nın fazladan dinlenmeye ve sessiz kalmaya ihtiyaç duymasını anlayamıyor. "Kendi evimde parmak ucunda yürümeyi hak etmiyorum," diyor. Ayrıca dışarı çıkıp bir şeyler içmek istediğinde kız arkadaşının neden kendisine eşlik etmek istemediğine de anlam veremiyor. Erica gece geç saate kadar kaldığında ve kokteyl içtiğinde migreninin tuttuğunu söylüyor, Derek yalnız başına gidiyor ve barda duran şirin kızları tavlamadığı için ne kadar asil olduğunu anlatan mesajlar atıyor. Bu, Erica'yı her zaman bunalıma sürüklüyor ve birbirlerine kızgın mesajlar atıyorlar; ta ki o tanıdık ağrı gelip Erica uzanmak zorunda kalana kadar.

Erica doktorunun yazdığı reçetelerin hiçbirinde derman bulamadı. Rastladığı makalelerde yazan diyetleri uyguladı, ancak bu da işe yaramadı. Çare peşinde sinir hastalıkları uzmanlarına, alerjik besinler alanında ihtisas yapmış beslenme uzmanlarına, hatta kendini soyutlanmış ve kayıp hissetmeye başladığı zamanlarda bir psikoterapiste bile gitti. Bir bütünleyici tıp doktoru Erica'ya *Candida* teşhisi koydu ve şekerin her türlüsünden uzak durmasını söyledi... Ancak bu da bir sonuç vermedi.

Erica beni aradığında sessiz konuşuyordu. Derek'in yan odada olduğunu, yine bir iyileşme arayışı içinde olduğunu anlayacak olursa onunla dalga geçeceğini söyledi. Derek, Erica'nın kurban zihniyetinde olduğunu ve bu "migrenler"in de, daha fazla dikkat çekmek için özenle hazırlanmış entrikalar olduğunu düşünüyordu.

Ruh'un, Erica'ye iletmem için bana söylediği ilk şey bunun bir safsata olduğuydu. Acısı gerçekti, gerçek.

Sonra Erica'ya, Ruh'un, beyninde ve karaciğerinde yüksek miktarda cıva bulunduğunu, bunun da esasen çocukken ağır metale maruz kalmasından dolayı olduğunu söylediğini aktardım. Hepsi bu da değildi; sürekli su kaybediyordu, yumurta, süt ürünleri ve buğday glütenine alerjisi vardı. B_{12}, çinko, selenyum, molibden gibi sinir sistemi için çok önemli besinlerin eksikliğini yaşıyordu. Ayrıca elektrolit korunmasıyla ilgili asli eşektenler de mevcuttu.

Ruh, Erica'nın iyileşmesine yardımcı olmak için, kaybettiği suyu geri kazanması için potasyum açısından zengin besinleri, ağır metallerin vücuttan atılması için kişnişi ve merkezi sinir sisteminin çok ihtiyaç duyduğu bir mineral tuz kaynağı olan kereviz suyunu önerdi. Bunları uygulayarak Erica çabucak dengesini bulmaya başladı. Bu bölümde anlatılan körükleyici gıdalardan uzak durdu ve su kaybetmemeye odaklandı, bol bol dinlendi ve "Şifalı Bitkiler ve Destekleyiciler" bölümündekilerin birçoğunu yemeye başladı.

20 yıldan beri ilk kez migren ağrısı çekmiyordu.

Ve üç yıldan bu yana da Derek'ten kurtulmuş durumda. Daha temiz bir kafayla ilişkilerini yeniden değerlendirmiş ve beklentilerini yükseltmeye karar vermiş.

BÖLÜM 11

ZONA - KOLİTİN ASIL NEDENİ, TME SENDROMU, DİYABETİK NÖROPATİ VE DAHA FAZLASI

Tıp dünyasında *zona* hastalığı, inceleme ve soruşturma gerektirmeyen, kolayca sonuçlanan bir dava gibidir. Ders kitabında yazdığı gibi kaşıntı ve kızarıkları olan bir hastanız var, yanında ya da sırtında sinir ağrısı ve işte hepsi bu beyler.

Eğer gerçekler böyle olsaydı, bu bölüme ihtiyaç olmazdı.

Doğrusu şu ki, zona virüsü milyonlarca insanın, dermatologların kafasını karıştıran kızarıklıklardan tutun da kas seğirmeleri, karıncalanma, yanma, spazmlar, kronik migren, baş ağrıları ve daha nicelerine kadar giden sinirsel gizemli belirtilerinin sorumlusudur. Zona çeşitleri Bell palsisi (yüz felci), donuk omuz, diyabetik sinir ağrısı, kolit, vajinal yanma, TME, Lyme hastalığı ve hatta yanlış teşhis edilen MS'e kadar pek çok hastalıktan sorumludur.

Zona ateş, baş ağrısı, kızarıklıklar, eklem ağrısı, kas ağrısı, boyun ağrısı, keskin sinir ağrısı, yanan sinir ağrısı, kalp çarpıntısı ve diğer yüksek derecede rahatsızlık verici belirtiyle sonuçlanır. İlk olarak zona belirtileri 20. yüzyıl sıralarında görülmüştür. Tıp camiası, zonanın, herpes ailesinden bir virüs olan *zoster* virüsünden kaynaklandığına inanıyor. Ve aslında bu doğru.

Doktorların henüz yeterince bilmedikleri şey şu ki yalnızca bir çeşit zona virüsü yok, tam *31* farklı türü bulunmakta. Bu önemli, çünkü farklı zona türleri farklı belirtiler gösterir. Bir açıdan daha önemli çünkü tıp dünyası zona vakalarının büyük bir bölümünün bir virüs sonucu olduğunu fark etmiyor bile. Örneğin; daha saldırgan bir zona virüsü Lyme hastalığına yol açabilmekte ancak doktorlar yine de Lyme hastalığına *bakterinin* sebep olduğuna inanıyorlar. (Lyme hastalığıyla ilgili daha fazla bilgi için Bölüm 16'ya bakınız.)

Bu bölüm, insanların en çok şikâyet ettikleri 15 farklı zona virüsünü inceliyor, bunların çoğu yanlış biçimde tedavi ediliyor, kimi zaman bağışıklık sistemini bastıran ilaçlarla, steroidlerle ve antibiyotiklerle, ki bunlar da hastanın yaşam kalitesine zarar verebiliyor. Zonanın belirtilerini, virüsün nasıl bulaştığını nasıl tetiklendiğini, her zona belirtisinin ortak özelliklerini ve iki büyük zona türü ile nasıl mücadele edileceğini öğreneceksiniz. Böylece hangi zona türüne yakalanmış olursanız olun onu tanımayı ve onunla nasıl baş edileceğini ve nasıl sağlıklı bir yaşam sürebileceğinizi biliyor olacaksınız.

Zona Belirtileri

Grip gibi bir terleme bir üşüme, baş ağrısı ya da migren, ağrılar, sızılar, yanmalar, kaşıntı, karıncalanma, kızarıklık ve döküntüler ve/veya çıbanlar (deride, içi iltihap dolu kabarıklar) gibi işaretler zona olduğunuzu gösterebilir.

Tıp camiası, bu son iki belirtinin -kızarıklık ve çıbanlar- her zaman zonaya eşlik ettiğine inanıyor. Aslında bu sadece zoster virüsünün bir çeşidinin görünümüdür. Eğer bir hastanın alışılmadık bölgelerinde kızarıklık ya da döküntü varsa bunu zona olarak görmeyeceklerdir. Bu ortak bir teşhis hatasıdır. Bu virüsün yedi çeşidi, vücudun herhangi bir yerinde kızarıklık ve kabarcıklara sebep *olur* ama her zaman beklenen bölgelerde değil.

Diğer sekiz çeşit ise çıbanlara sebep *olmaz*. Yani, eğer zonanın birçok belirtisini gösteriyorsanız ve doktorunuz, vücudunuzda kızarıklık ya da çıban olmadığı için, şikâyetinizi tanımlayamıyorsa, o zaman kızarıklık ve çıban yapmayan bir zona çeşidinden muzdarip olabilirsiniz demektir.

Zona Bulaşması ve Tetikleyiciler

Herpes ailesinden birçok virüste olduğu gibi zonaya yakalanmanın da sayısız yolu vardır. Annenizin rahminden, kan nakli sırasında, vücut sıvılarının birbirine karıştığı durumlarda, hatta dışarıda yediğiniz bir yemeği hazırlayan şef garsonun yanlışlıkla kesilmiş parmağından akan kanla bile bulaşabilir zona!

Suçiçeği Efsanesi

Tıp camiasının şu anki inanışının aksine suçiçeği zona *yapmaz*. Doktorunuz size, suçiçeği geçirmişseniz er ya da geç bir gün zona olacağınızı söylemiş olabilir. Ancak bu böyle değil. Suçiçeğiyle zonanın tek ortak yanı, herpes ailesinden kızarıklığa sebep olan virüslerden olmalarıdır. Temelde birbirleriyle alakaları yoktur.

Öyle olmadığı halde bize neden suçiçeğinin zonayla ilgili olduğu söyleniyor? Bu bir noktada anlamlı geldiği için kabul edilmiş, sonra sürdürülmüş ve şimdi de kökleşmiş yanlış bilgilendirmenin önemli bir örneğidir.

Uyku Hali ve Tetikleyiciler

Eğer size zona bulaşmışsa ve onu vücudunuzda barındırıyorsanız, muhtemelen uzun zaman bunu fark edemezsiniz. En az 10 yıldan başlayarak 50 yıl veya daha fazla ortaya çıkmadan bu virüsü taşıyabilirsiniz.

Virüs organlarınızdan birinde -genelde karaciğer- saklanır, burada bağışıklık sisteminiz tarafından tespit edilemez. Sabırla zamanını bekler, travmatik fiziksel ya da ruhsal bir zayıflama yaşarsınız ve/veya virüse kendini güçlü hissedeceği bir ortam sunarsınız. Kimi zaman, maddi sıkışıklıklar ya da kalp kırıklığı da bir tetikleyici olabilir.

Eğer güçlü bir bağışıklık sistemine sahipseniz ve/veya yaşam tarzınız sizi zona tetikleyicilerinden uzak tutuyorsa, zona virüsü hayatınızın sonuna kadar, size kayda değer bir zarar vermeden vücudunuzda yaşayabilir.

Ancak bir gün bağışıklık sisteminiz ufak bir sarsıntı geçirdiğinde, virüs saklandığı yerden çıkar ve bir tetikleyici bile olmadan vücudunuza saldırabilir. Virüs muhtemelen, omurganızın alt tarafına inecek ve siyatik (kalçaya ilişkin) sinirinizi iltihaplandıracak. Yani eğer, bir türlü bir sebep bulamadığınız, gelip giden bel ağrılarınız varsa, bu omurganızla karaciğeriniz arasında gidip gelen bir zona virüsü olabilir.

Küçük ya da büyük zona ataklarına karşı geliştirilecek en iyi strateji ondan korunmaktır - virüsü uyku halinden saldırgan evreye geçmeye teşvik eden durumlardan tamamen uzak durmak gibi.

Kızarıklık Yapan Zona

Şişkin kızarıklıklara sebep olan yedi çeşit zona vardır. Çıbanlar görünmez ve ağrılı olsalar da, eğer tespit edilmesi kolay bir yerdeyseler ve doktorunuz zona ile bunları ilişkilendirebilirse, bir anlamda nimettirler - çünkü en azından kızarıklıkla doktorunuz zona olduğunuzu fark edecek ve bunun idyopatik (nedeni bilinmeyen) bir hastalık olmadığını kabul edecektir. Buna rağmen kimi kızarıklıklar bulundukları bölge veya şekilleri dolayısıyla doktorlar tarafından tanımlanabiliyor.

Bu yedi zona çeşidi ortak belirtiler gösterir. Genellikle sebep oldukları kızarıklıkların şekli ve bulundukları bölge üzerinden ayırt edilirler.

Klasik Zona

Şişkin kızarıklıklar göğüsten ayaklara kadar her yerde olabilir. Bunlara kalçanın üst kısmında ve sırtın aşağısında olanlar da dâhildir. Ayrıca vücudun bir tarafında ya da diğer tarafında olabilirler ya da bir bacakta veya diğerinde (ama ikisinde birden değil). Bu (yanlış bir biçimde) suçiçeğiyle karıştırılır. Oysa açık ara, en yaygın zona türüdür - ve doktorlar yanlış bir şekilde tek bir zona çeşidi olduğuna inanırlar.

Üst Bedende Zona

Kızarıklıklar göğsün üst kısımlarında -örneğin; omuzlar, boyun ya da göğsün üst tarafları- belirir, ancak kollarda değil. Bu tür, görünüşte en yaygın zona türüne en çok benzeyen türdür.

İki Kolda da Zona

Kızarıklıklar sadece *her iki* kolda veya *her iki* elde de belirir. Ayrıca kızarıklıklar farklı türdendir, kimi noktalı/benekli, geniş veya küçük iltihaplarla, ayrı yerlerde.

Tek Kolda Zona

Kızarıklıklar sadece bir kolda belirir. Kollardan birinde olur, her ikisinde birden *değil*. Ayrıca kızarıklıklar farklı türdendir; kimi noktalı/benekli, geniş veya küçük iltihaplarla ve ayrı yerlerde olurlar.

Başta Zona

Şişkin kızarıklıklar sadece kafanın üst veya yan kısımlarında belirir. İltihap keseciklerinin görünümü yukarıdaki türlerden farklıdır, kimi zaman tepelerinde minik "boynuzlar" olur. Tıp dünyası bu tipi, çoğu zaman mantar önleyici veya steroid kremlerle tedavi edilen bir mantar türüyle karıştırır.

Her İki Bacakta Zona

Kızarıklıklar *her iki* bacakta da belirir, başka bir yerde değil. Normal kızarıklıklardan farklı bir görünümleri vardır. Takımyıldızlar gibi görünen iltihaplanmalarla karşılaşılabilir.

Vajinal Bölge Zonası

Yalnızca kadınları etkileyen bu türde şişkin kızarıklıklar vajinanın dışında ancak yakınlarında belirir - örneğin; rektum ile vajina arasında, kalçaların alt kısımlarında veya apış arasında. Bu tür özellikle önemlidir, çünkü doktorlar bunu cinsel yolla bulaşan mantarlarla karıştırırlar... Ve on binlerce kadına yok yere acı çektirirler. Bu hastalığı ayırt etmenin ilk yolu, bu tür zona virüsünün neden olduğu ve azımsanmayacak kadar güçlü ağrı/acılardır, genital mantarlarda - örneğin; herpes simpleks virüs 2, HSV-2 gibi- ağrı/acı daha azdır. Ayrıca bu tür zona virüsü çıbanlara neden olur, bunlar vajinal bölge veya kalçaların alt kısımlarında yayılmışlardır ancak HSV-2 virüsünün neden olduğu çıbanlar küçük bir alanda toplanma eğilimindedirler.

Nörotoksin Zona

Zona virüsü ile ilgili bir yanlış kanı da hemen kızarıklığın altında yer aldığıdır. Öyle değildir. Virüs daha derinlerdedir; kendisini, sinir sisteminize mümkün olan en etkili iltihaplanmayı yaşatmak için konumlar.

Bununla birlikte, virüs bir nörotoksin salgılar ve yedi türde, bu viral zehir periferik sinirlerinize ve derinize doğru ilerler. O meşhur kaşıntılı, sinir bozucu zona iltihaplanmalarına, kabartılara ve çıbanlara yol açan şey nörotoksindir.

Bu virüsler derinizde ve çok daha derinlerde sinir hasarlarına yol açarken çok ağrıya neden olabilseler de bunlar aslında en hafif türlerdir. Eğer güçlü bir bağışıklık sisteminiz varsa ve bu virüsleri güçlendirecek şeylerden uzaksanız vücudunuz, kendi başına onlardan kurtulacaktır.

Kızarıklık Yapmayan Zona

Tıp camiası tarafından pek bilinmese de şişkin kızarıklıklara sebep *olmayan* sekiz zona türü vardır.

Açıkladığım gibi, ilk yedi türde bu kızarıklıklara sebep olan şey periferik sinirlerinize ve derinize doğru ilerleyen virüsten yayılan nörotoksindir.

Kızarıklığa yol açmayan sekiz tür de nörotoksin üretir. Ancak bu vakalarda zehir periferik sinirler ve deriye ilerlemez, *daha da içeriye*, daha geniş sinirlere yönelir. Bu sinirler zaten hasar görmüştür, bir de nörotoksin onları etkiler ve bağışıklık sisteminiz üzerinde daha da büyük bir gerginlik oluşur.

Eğer kızarıklık yapmayan zona olmuşsanız, kızarıklık yapan zonaya göre daha derinlerde ağrılarınız olacak ve sinirleriniz daha fazla zarar görecektir. Üstelik bunları, doktorunuzun, zona olduğunuzu anlayabileceği herhangi bir dış belirti olmadan yaşayacaksınız. Sonuç olarak doktorunuz bunun bir hayalet ağrı olduğunu düşünecek, kuruntulu biri olduğunuzu düşünecek ve sizi bir psikiyatriste yönlendirecektir.

Şansınız varsa tabii.

Ya da doktorunuz size inanacak ve yardımcı olmaya çalışacak - en güncel tedaviler sizi daha da *kötü* edecektir.

Örneğin; doktorunuz, bağışıklık sisteminizin vücudunuzun herhangi bir yerini istilacı olarak görüp saldırdığına karar verebilir. Saldırının ciddiyetini azaltmak için bağışıklık sisteminizi baskılayan ilaçlar yazabilir. Ancak, daha önce de belirttiğim gibi, bu yanlış gidişin sorumlusu bağışıklık sisteminiz değil, o sizin gerçek hasar kaynaklarına karşı en temel savunucunuz. Dolayısıyla, bağışıklık sistemini baskılayan ilaçlar kullanmak zona virüsüne daha rahat bir ortam sağlayacak ve güçlenmesine neden olacaktır.

Daha da kötüsü, doktorunuz, sorunun bakteriler olduğunu düşünür ve antibiyotik yazarsa gerçekleşir. Bu durumda sağlığınız çifte saldırıyla karşı karşıya demektir. Bağışıklık sisteminiz zayıflayacak *ve* zona virüsü güçlenecektir.

Kızarıklığa sebep olmayan sekiz zona virüsünün özelliklerini öğrenerek kendinizi bunlara karşı koruyabilirsiniz.

Nevraljik Zona (Diyabetik Nöropati adıyla da bilinir)

Nevraljik zona -ilk başta bacak ve ayaklara saldırır, sinir ağrıları meydana getirir ve/veya bacaklarda ve ayaklarda uyuşmaya sebep olur- genellikle *diyabetik nöropati* adıyla bilinir ve bir diyabet belirtisi zannedilir. Bu büyük, tıp efsanesi çürütülmelidir. Hastanın hissettikleri nöropati *değildir*, doktorlar bir bölgedeki sinirlerin öldüğüne inanırlar. Aslında sinirler iltihaplanmıştır ve nevralji üretiyorlardır.

Gerçekte diyabet ile diyabetik nöropati arasında bir bağ yoktur. (Aslında bu zona türüne yakalanan hastaların %50'sinde diyabet görülmemektedir.) Doktorlar, yine iki ayrı sorunla muhatap olduklarını bilmezler ve yazdıkları ilaçlarla -virüsü güçlendirerek- sinir sorununa dair bir şey yapmazlar.

Deli Eden Kaşıntılı Zona

Virüs durmadan hareket eden, bir türlü kaşıyıp rahatlayamadığınız bir kaşıntıya sebep olur. Çünkü virüs, derinin çok çok altında, parmaklarınızla ulaşamayacağınız yerlerde sinirleri rahatsız etmektedir. Yanma yoktur, dolayısıyla ağrı/acı olmaz; ancak durmadan gezinen ve hiçbir şey yapamadığınız kaşıntı sizi deli eder. Eğer virüs, zayıf bir bağışıklık sistemi veya tetikleyiciler sayesinde güçlenmişse bu ciddi kaşıntı gece uyumanızı, bir mesleği icra etmenizi veya normal bir hayat sürmenizi engelleyecektir.

Vajinal Zona

Bu virüs türü yalnızca kadınları etkiler. Vajina duvarının derinliklerine ilerler ve burada sinirlerin iltihaplanmasına neden olur. Ayrıca idrar torbası ve bağırsak içine de geçerek daha başka zararlara yol açar, o kadar rahatsız edici bir yanmaya sebep olur ki tıpkı bir işkence gibidir.

Eğer doktor buna "hepsini siz kafanızda yaratıyorsunuz," demiyorsa, o zaman bir yanlış teşhis daha gerçekleştirecek ve hormonal dengesizlik olduğunu düşünerek hormon ilaçları yazacaktır; bu da sizi daha korkunç bir duruma sürükleyecektir. Birçok kadın bu türden şikâyetçidir ve medikal sanayi şimdiye kadar bunu göz ardı etmiş durumda.

Kolit Zonası

Tıp dünyası bu virüsün hemen hemen tüm *kolit* vakalarından sorumlu olduğunu bilmez; bu durum bağırsak içinde birçok yara ve kanamaya sebep olur. Belirtiler arasında bağırsak ağrıları, dışkıda kan, güçsüzlük ve kilo kaybı bulunmaktadır.

Kolit bugüne kadar gizemli bir hastalık olmuştur ve tıp dünyası bunun bir çeşit zona olduğunu ortaya çıkarana kadar da öyle olmaya devam edecektir. Bunu kimse bilmez! Toplum bir kez daha gerçekleri öğrenmekten otuz ya da kırk yıl uzaktadır.

Bu arada, doktorlar genel olarak koliti, bağışıklık sistemini baskılayan ilaçlar ve virüsü daha da güçlendiren antibiyotiklerle tedavi etmeye çalışırlar. Steroidler koliti hafifletir ancak ilaçlar doğrudan zonayı hedeflemediği için bu bir sonuca varmaz.

Kol ve Bacaklarda Yanma Yapan Zona

Bu virüs kol ve bacaklarda acı ve yanma oluşmasına sebep olur. Kızarıklıklara yol açan kol ve bacak zonasının aksine bu türde sinir iltihaplanmaları ve yanma hissi derinin çok çok altında duyulur, saptayamaz ve çare bulamazsınız.

Ayrıca zona virüsünü teşhis ettirecek bir kızarıklık olmadığından, doktorlar muhtemelen durumu daha da kötü yapacak ilaçlar yazarlar.

Ağızda Zona, TME ve Bell Palsisi

Bu virüs türü diş etlerini ve/veya çene civarını etkiler. Ayrıca yüz felcinin de (kritik yüz sinirlerinin iltihaplanması/ Bell Palsisi) sorumlusudur. Genelde diş sorunu sanılır ve gereksiz yere kanal tedavisi uygulanabilir. Bu müdahale etkili olmadığı gibi, kullanılan ilaçlar bağışıklık sistemini zayıflatarak virüsün güçlenmesine sebep olur.

Virüsün uyguladığı ağız işkencesi yıllarca sürebilir.

Donuk Omuz Zonası

Bu virüs omuzlardaki sinirleri etkiler, bir aydan bir yıla kadar omzunuzun donmasına, kıpırdamamasına sebep olur.

Bu durum genellikle bulaşıcı bursit ile karıştırılır ve antibiyotik ile tedavi edilmeye başlanır - bu da virüsü daha güçlü hale getirir. Kimi zaman, doktorlar bütün bu olan bitenin ardında yatanın zona olduğunu bilmediklerinden gereksiz cerrahi müdahaleler de yaşanabilir.

Yanan Beden Zonası

Bu virüs, tüm vücudunuzun yandığını hissetmenize neden olur, aynı anda her yer ve durmadan. Sinir sisteminizin derinliklerinde bir sinir düğümüne yerleşerek nörotoksinini salgılar ve sinirler aracılığıyla tüm vücuda yayılır. Söylemeye gerek yok sanırım, büyük bir korku ve gerginlik yaratır. Bu duygu durumu da virüsü besleyen ve güçlendiren adrenal hormonların salgılanmasını sağlar.

Bu çok fena bir zona türüdür, ancak çok şükür ki pek nadir görülür. Unutmayın, vücut her zaman iyileşme potansiyeline sahiptir - bu yaygın olmayan türe karşı bile.

Zona Tedavisi

Zonanın herhangi bir türü ile uğraşmak acılı ve sıkıntılıdır. Kızarıklık yapan ya da yapmayan hangi tür olursa olsun, deli eder.

Neyse ki bu durumun da bir çaresi vardır. Eğer bu bölümdeki tavsiyeleri kaçırmadan günü gününe uygularsanız virüsü tekrar uyku evresine sokar ve onu zararsız hale getirebilirsiniz.

Bu sürecin ne kadar süreceği, sisteminizdeki virüs miktarı, sağlıklı bir ortamda olup olmamanız (sağlıklı olmayan ortam virüsü besleyecektir) ve bağışıklık sisteminizin uygun olmayan ilaçlarla zayıflayıp zayıflamadığı gibi koşullara bağlıdır. Açık konuşmak gerekirse, bu durum üç aydan bir buçuk yıla kadar sürebilir.

İyi beslenerek, egzersiz yaparak ve yeterince uyuyarak kendinizi ve bağışıklık sisteminizi zinde tutun. İlave destek için Kısım 4: Sonuçta Nasıl İyileşeceğiz?'i okuyabilirsiniz.

İyileştirici Gıdalar

Kimi besinler kızarıklığa sebep olan ya da olmayan zona türleri karşısında iyileşmesi için vücuda yardım eder. Bu yardım çeşitli virüs türlerine saldırmak, vücudu nörotoksinlere karşı desteklemek, bağışıklık sistemini güçlendirmek, hasar görmüş cildi yumuşatmak, sinirleri iyileştirip sinir gelişimini canlandırmak ve vücudu zehirden arındırmak gibi çeşitli şekillerde olabilir. En iyi gelen besinler arasında şunlar sayılabilir: yaban mersini, hindistancevizi, papaya, kırmızı elma, armut, enginar, muz, tatlı patates, ıspanak, kuşkonmaz, marul (bol yapraklı, koyu yeşil ya da kırmızı renkli), taze fasulye ve avokado.

Şifalı Bitkiler ve Destekleyiciler

- **ALA (alfa lipoik asit):** Zona virüsü tarafından hasara uğratılmış sinir sistemi bölgelerini onaran ve güçlendiren bir antioksidandır.
- **Magnezyum:** İltihaplanmayı azaltır ve sinirleri yatıştırır, böylece sinirlerin şişmesini ve spazm geçirmelerini önlemeye yardımcı olur. Ayrıca zarar görmüş sinirlerin yakınındaki kasları da destekler.
- **MSM (metilsülfonilmetan):** İltihaplanmadan dolayı gerilen sinirleri sağlıklı bir esneklik ve yumuşaklığa kavuşturur.
- **B_{12} Vitamini (metilkobalamin ve/veya adenosilkobalamin olarak):** Virüs tarafından zarar görmüş sinir bölgelerini onarır ve güçlendirir.
- **EPA & DHA (eikosapentaeonik asit ve dokosaheksaenoik asit):** Virüs tarafından zarar görmüş sinir bölgelerini onarır ve güçlendirir. Bitkisel kökenli olanı almalısınız (balık bazlı olanı değil).
- **Lobelya:** Temas ettiği virüsü öldürür

- **Krizantem/Kasımpatı/Solucan Otu:** Sinir sistemindeki iltihaplanmayı azaltır.
- **Acem Lalesi/Güneştopu:** İltihaplanmayı azaltır ve sinirleri sakinleştirir, böylece sinirlerin şişmesini ve spazm geçirmelerini önlemeye yardımcı olur.
- **Meyan Kökü:** Virüslerin hareket etme ve üreme yetilerine zarar vermede çok etkilidir.
- **Çinko:** Zona virüsü tarafından üretilen nörotoksinlerin iltihap yapmasını azaltır.
- **L-lisin:** Virüslerin hareket etme ve üreme yetilerine zarar verir.
- **Selenyum:** Deriye yakın bölgedeki zarar görmüş sinirleri yeniler.
- **Isırgan Otu Yaprağı:** Zona kızarıklıklarının neden olduğu ağrı/acı ve iltihaplanmayı azaltır.

Hasta Dosyası:

Çenede Başa Bela Bir Ağrı

Terrence'in sağlığı hep yerinde olmuştu. Tenis oynamayı, arkadaşlarıyla maceralara atılmayı, danışmanlık hizmeti verdiği işinde uzun saatler boyunca çalışmayı severdi. Terence 51 yaşına geldiğinde, her nasılsa, çenesinin sağ altında bir hassasiyet gelişti. Ne zaman o tarafla bir şey çiğnese çenesinden yüzüne bir sancı saplanıyordu.

Diş hekimi azı dişlerinden birinde bulunan dolguyu suçlu ilan etti. "Çenenizde küçük bir iltihaplanma var," dedi. Çözümü şuydu: Dolguyu oyacak ve kanal tedavisi uygulayacaktı.

Terence için işler daha da kötüye gidiyordu. Acı artmıştı, sancı şimdi tüm çenesini kaplamış ve bir şey çiğnemesini imkânsız hale getirmişti. Rahatsızlık hafif ağrı kesicilerle zar zor idare ediliyordu. Bir sabah, Terence çenesinde bir gerginlikle uyandı. Daha sonraki tüm sabahlar o gerginlik hep oradaydı.

Tekrar diş hekimine gittiğinde ona kanal tedavisi uygulanan dişin yanındaki dolguya müdahale edilmesi gerektiği söylendi. Komşu dişin kökü de zarar görmüş durumda olduğundan ona da kanal tedavisi yapılacaktı. Sonrasında Terrence'in ağrısı azalmadı. Hatta boynuna ve omuzlarına da yayılmaya başlamıştı.

Terence bir çene cerrahına görünmeye karar verdi. İlk başta afallayan doktor daha sonra sorunun temporomandibüler (şakak kemiği ve alt çeneye ait) eklemde (TME) olduğunu söyledi. Eklem sorunsuz gözükse de ağrı TME sorununun başlangıcını işaret ediyor olabilirdi. Bakteriyel bir enfeksiyon olması ihtimaline karşın doktor antibiyotik yazdı. İki hafta bunları kullanan Terence şifa bulamamıştı.

Sorun başlayalı sekiz ay olmuştu ve her gece uykuya dalmak saatlerini alıyordu. Birden ona kadar olan bir skalada bu acı on alırdı. Tüm bunların üstüne tenis arkadaşı kendine başka birini bulmuştu, işyerindeki faturalar birikiyordu ve arkadaşları dışarı çıkarken onu davet etmeyi bırakmışlardı.

Bir gün Terence arkadaşı Jim'i aradı, bir kahve içmeyi teklif etti. Jim, Terrence'in bir özür duya ihtiyacını yanlış anladı. "Üzülme adamım," dedi Jim. "Sadece Reggie senin bizi bıraktığını düşünüyor."

Terence buna sinirlenince Jim bunun sadece bir şaka olduğunu söyledi. "Sadece bir şaka! Sakin ol ve bir daha-ki tırmanışa bizimle gelmek için hazır ol," dedi.

Terence bozguna uğramış gibiydi, yapayalnız, kayıp ve bir takım cevaplara muhtaçtı.

Beni internet üzerinden bulup bir buluşma ayarladığı zaman hikâyenin bu kısmına denk geliyor. Hemen bir içsel tarama yapıldı ve Ruh, Terrence'te trigeminal ve frenik sinirlerde iltihaplanmaya neden olan, kızarıklık yapmayan bir zona virüsü çeşidi olduğunu; bunun da çenesinde, yüzünde, boynunda ve omuzlarında ağrı ve acıya sebep olduğunu söyledi. Bir TME sorunu yoktu. Ancak sinirdeki iltihaplanma çenesine baskı yapıyor ve geceleri uyku boyunca gerilmelere sebep oluyordu.

Terrence'e, bu virüse, ilk kanal tedavisini yaptırmadan önce de sahip olduğunu -aslında tüm hayatı boyunca bunu taşıdığını - açıkladım. İlk diş hekimi metal dolguyu çıkardığı zaman cıva zehri serbest kalmıştı ve tedavi için kullanılan anestetikler de zona virüsünü besleyip güçlendirmişti.

Virüse derhal uygun bitkiler ve iyileştirici besinlerle müdahale ettik. Bağışıklık sisteminin düzelmesi için düşman besinleri diyetinden çıkardık; mısır ürünleri ve kanola gibi virüsü güçlendirenler ve spor salonundaki çalıştırıcısının günde iki kez tüketmesini tavsiye ettiği protein tozlarını.

Acısının gerçek sebebini öğrenmek hastalığın üstündeki gizemi kaldırdı ve Terrence'in tekrar kendine ve iyileşeceğine güvenmesinin önünü açtı.

Yeni diyeti ile geçen ilk ayda Terrence'in acısı kayda değer biçimde azaldı.

Üç ay sonra artık tehlike geçmişti.

Yerel gıda kooperatifinde yeni arkadaşlar edindi, oraya organik üretim yapmak için gitmeye başlamıştı. Bir dahaki sefere, tırmanış arkadaşlarından, davet için bir e-posta geldiğinde yanıtlamak için acele etmedi. Bunun yerine kooperatifte bir görev aldı, şimdi dinlemek isteyen herkese meyvelerin iyileştirici gücünün hakikatini anlatıyor.

BÖLÜM 12

DİKKAT EKSİKLİĞİ/HİPERAKTİVİTE BOZUKLUĞU VE OTİZM

Çocuğunuzda *dikkat eksikliği/hiperaktivite bozukluğu* (DEHB) veya *otizm* olup olmadığının onlarca belirtisini burada saymanın, konuya başlamak için yaratıcı bir yol olduğunu düşünmüyorum. Bu konuda hayli karışıklık var zaten, olan bitene hiçbir şey katmayan çok sayıda kitap, web sitesi ve makale söz konusu.

Çocukta DEHB ya da otizm olup olmadığını tanımlayabilecek en iyi araç annenin sezgileridir. Anneler ve çocukları arasındaki köprünün gizemli bir gücü vardır, asla kopmaz. Anneler çocuklarını, başkalarından çok daha iyi bilir ve tanırlar. Dikkat sorununun, çocuğun şımarık, inatçı veya duygusuz olmasından kaynaklanmadığını bilirler. Çocuklarının bu davranışta genelde başka seçeneklerinin bulunmadığını bilirler, daha derinlerde başka bir şeyin olduğunu anlarlar.

Bir annenin içgüdüsü, çocukları teşhis etmek için kurulan tüm o klinik sisteme karşı üstün gelir - bütün o bilgilendirici kitaplar, öğretmenlerin değerlendirmeleri veya sınıf arkadaşının anne-babasının yargılamaları. Çocuğun, artan ağrılardan daha fazlasıyla mücadele ettiğini en iyi belirleyecek olan şey annesinin içgüdüsüdür.

On milyonlarca çocukta DEHB ve otizm var, dahası bu sayı tedirgin edici biçimde artmakta. Bu bölüm öncelikle DEHB ve otizm şikâyeti olan çocukların anne-babaları veya bakıcıları için yazılmıştır - bu insanlar belli davranışlar sergileyen çocuklarını anlamanın ne kadar zor olduğunu, ihtiyaç duydukları desteği ve aradıkları cevapları dışarıdaki dünyadan alamamanın ne kadar zor olduğunu bilir.

Ayrıca bu durumlarda olan bir yetişkinseniz de bu bölüm faydalı olabilir.

Ne olursa olsun, bu bölüm, tıp camiasının bildiklerinin ötesinde bilgiler sunarak, DEHB ve otizmi anlamanıza yardımcı olacaktır. Ayrıca her iki durumdan da kurtulmak için size seçenekler sunacaktır.

DEHB ve Otizmin Saklı İyi Yönleri

DEHB ve otizme bağlı özelliklere muhtemelen aşinasınızdır. Yerinde duramamak, kıpır kıpır olmak, zaman zaman dikkati dağılmak, kimi durumlarda iletişim kuramamaktan daha öte bir şeyler olduğunu anlarsınız.

Ayrıca DEHB'nin iki farklı türü hakkında birçok şey okumuş ya da duymuşsunuzdur. İlki *dikkatsizlik*, klasik terimin *dikkat eksikliği bozukluğu* (DEB) tarafıyla ilgili olan. Bu alt küme daha çok kızlarda görülüyor ve genelde teşhis edilemiyor; çünkü DEHB olan kızları inceleyenler onları "sersem" ya da "şaşkın" olarak tanımlıyorlar daha çok. DEHB'nin ikinci türü ise *hiperaktivite* ve *dürtüsellik (dürtülerine hâkim olamama)*dır. Bu tür daha çok oğlanlarda görülse bile kızlar da bunu yaşayabilir.

Bu dikkatsizlik, hiperaktivite ve dürtüsellik, çocuk artık okulda veya başka yerlerde faaliyetini sürdürmede zorlanmaya başladığı zaman dikkate alınıyor. Belirtiler DEHB'nin bir adım ötesine geçince de otizm kategorisine giriyor.

Bir çocukta bunların her ikisinin de olması veya ikisi arasında 'gel-git'lerin yaşanması alışıldık bir şeydir. Örneğin; bir çocuk sürekli beslenme çantasını serviste unutuyor *ve* okulda, öğleden sonra derslerinde yerinde duramıyor olabilir.

Yine de, DEHB'nin iyi yönleri de vardır. Bu durumdaki çocukların sezileri kuvvetli olur, olağanüstü yaratıcıdırlar, bir görünenin ötesini anlamak gibi sıra dış bir yetenekleri vardır ve -her ne kadar bu, geleneksel düşünceye ters düşse de- insanları kolayca "okuyabilirler". DEHB ve otizm olan çocuklar genellikle, kısmen bir şeyleri "standart" yoldan yapmaya karşı olan sabırsızlıklarından dolayı, normale göre daha hızlı düşünür, daha derin hisseder, daha sezgisel ve sanatsal olurlar. (Bu özelliklerin DEHB ve otizmle bir arada bulunmasının psikolojik sebepleri de vardır; bunu sonraki sayfalarda inceleyeceğiz.)

Gerçek şu ki, DEHB ve otizm, problemlerimizi çözebilecek daha iyi donanımlarla yetişen ve insanlık için en iyi rotayı çizecek olan nesiller yaratıyor. 1970'lerde doğan çocuklar için kullanılan bir terim vardı: *indigo çocuklar*. Bu çocuklarda deha ve sıra dışı sezgiler gibi özel yetenekler vardı ve kimi vakalarda telepati gibi paranormal beceriler.

Farklı olmak, indigo çocuklar -ve tabii ki aileleri- için hayatı zorlaştırırken sıra dışı bir hayat yaşama şanslarını da artırıyordu.

DEHB ve Otizme Ne Sebep Olur?

Popüler bir yanlış kanıya göre DEHB ve otizm düşük kaliteli bağırsak ortamının sonucudur. Aynı kanıya göre *Candida*, maya, küf ve faydasız bakterilerin aşırı üretimi çocukların dikkatsiz, dürtüsel ve anti-sosyal hareketlerine neden oluyor; bağırsak ortamının iyileştirilmesi, çocuğun beyin sağlığını da iyileştirecek ve belirtileri azaltacaktır.

Bu teori, dikkati, günümüz gerçeklerinden başka bir tarafa çekmek içindir. Bağırsak sağlığına kavuşan herhangi biri fayda görebilir. DEHB ve otizm vakasında probiyotikler ve probiyotik açıdan zengin yiyeceklerle bağırsak ortamını iyileştirmek sadece doğru yönde atılmış ufak bir adımdır. DEHB ve otizmin altında yatan gerçeğe yönelmezler: zehirli ağır metaller.

Özellikle, DEHB ve otizm, beynin sağ ve sol yarısını ayıran orta beyin kanalına yerleşen cıva ve alüminyumdan kaynaklanır.

Birkaç yıllık genç ömründe, bir çocuğun kayda değer miktarda cıva biriktirmesi size zor görünüyor olabilir. Ancak cıva doktorların burnunun dibindedir. Tıp camiası belirgin bir cıva kirliliğine karşı topyekûn alarm durumuna geçmeli.

21. yüzyılda, çocuklardaki DEHB ve otizmin en büyük azmettiricisi cıvadır. (Ayrıca birçok felç/nöbet/kriz yaşanan bozukluklardan da cıva sorumludur.) Cıva sorununun üstüne gidilmedikçe, bu durum her yıl milyonlarca çocuğu etkilemeye devam edecek.

Bir bebeğin, annesinin rahminden veya babası tarafından bulaştırılması sonucu ağır metalleri alması çok kolaydır. Çünkü o anne-baba da on yıllar boyunca ağır metalleri biriktirmiştir, tıpkı onların da anne-babaları gibi. Ve cıva, kimi durumlarda yüz yıllarca kuşaktan kuşağa aktarılma eğilimindedir, ta ki vücuttan atılması için bir dizi özel adım atılana kadar.

DEHB ve otizmin arkasında kalıtım yoktur. Geçen bölümlerde durup dururken kendine saldıran bağışıklık sistemi hikâyesini hatırlıyor musunuz? Yalan ve insanın kendini suçlayan bir teori. Kalıtım teorisi de onun gibi bir günah keçisi. DNA'yı suçlamak DEHB ve/veya otizmi yaşayan bir çocuğun özünü suçlamaktır, bu bir utançtır. DEHB ve otizmin kimi zaman bir ailede kuşaktan kuşağa ilerlemesinin sebebi biriken cıvanın aktarımıdır.

DEHB ve otizm konusunda başka ağır metal zehirlenmelerine maruz kalmış olmak da mümkündür. Kutu içeceklerin kutuları alüminyumdan yapılmıştır, alüminyum folyo mutfakta popüler bir nesnedir ve binalarda alüminyum kaplama yaygındır. Alüminyum ve cıva ayrıca, tarım ilaçlarında, mantar ve bitki öldürücülerde de bulunmaktadır.

Ayrıca DEHB ve otizm hikâyesinin önemli bir noktası da zehirli ağır metalin vücutta nereye yerleştiğiyle ilgilidir.

Serebral Orta Kanal/Beyin Orta Kanalı

Beynin orta kanalı tam olarak sağ ve sol loblar arasında yer alır. Orta kanal açık bir kanala benzese de içinden su yerine bir enerji yolu geçer. Tıbbi araştırmalarda bu yolun beynin her iki yarısı arasında metafizik ve enerjik bir bağlantı kurduğu ve bilgi alışverişini sağladığı henüz belgelenmemiştir. Bunun keşfedilmesi için on yıllar geçmesi gerekecek.

Çocukların serbest akışlı orta kanalları vardır. Bu onların diğer insanlarla ve metafizik gerçeklikle nasıl iletişim kuracaklarını öğrenmelerine ve melekler, hayali arkadaşlar gibi yetişkinlerin göremedikleri şeyleri görmelerine izin verir.

Boş ve serbest olması beklenen orta kanala ağır metaller girdiğinde beynin iki yarı küresi arasındaki elektriksel ve metafiziksel enerji akışını engellerler. Bu da çocuğun beynini bu bilgi alışverişini gerçekleştirmek için daha başka yollar bulmaya sevk eder. Uyum sağlanır ve çocuk bilinçsiz bir şekilde, beyninin, çoğumuzun (en azından yaşlanana kadar) asla kullanmadığımız bölümlerine ulaşmaya başlar. Metafiziksel ve elektriksel enerji keşfedilmemiş bölgelerde yolunu bulmak için mücadeleye başlar. Elektriksel sinir iletimleri nöronları ateşlemeye ve nörotransmitterleri, insanın 18 yaşını geçtikten sonra açılması beklenen beyin yollarına jet hızıyla yollamaya başlar.

Otizm aslında DEHB'nin daha ilerlemiş ve karmaşık bir formudur. Serebral orta kanalda değişik katmanlarda bir araya gelmiş, yüksek seviyede zehirli ağır metal bulunur. Bu bize, niçin çocuğa göre değişen farklı yoğunluklarda otizm belirtilerinin yaşandığını açıklamaya yardımcı olur. Bu tamamen, kanalda biriken ağır metalin miktarı ve hangi pozisyonlarda birikmiş olmasıyla ilgilidir. Otizmde (DEHB'nin tersine) biriken cıva katmanları, kanalı geçmeye çalışan metafiziksel ve elektriksel enerjiyle çok daha fazla çakışır.

DEHB ve otizmi anlamak için Büyük Kanyon'u hayal edin. Kanyonun içinde ve çevresinde yaşananlar beynimizle büyük benzerlik göstermektedir. Kanyonda su akar, rüzgâr eser, fırtınalar ve toprağın oluşturduğu elektrik alanları vardır, güneşin sıcaklığı ve ışığı bulunur. Bütün bunlar kanyonu görünür, enerjik ve manevi anlamda güçlü kılmak için bir araya gelir. Beynin orta kanalı da bu açıdan tıpkı Büyük Kanyon gibidir - çalışabilmesi için aynı anda birçok element etkileşim içerisindedir.

Peki, büyük kanyonun bu el değmemiş doğası bozulursa ne olur? Eğer biri kanyondan içeriye büyük metal bariyerler ya da dev kayalar atmaya başlarsa ne olur? Her şey değişir. Rüzgârın akış yönü değişir. Güneş farklı açılarda yansımaya başlar, kimi alanlara artık ulaşamaz, binlerce yıldır güneş ışığı görmemiş kimi çatlaklar aydınlanmaya başlar. Hatta kanyon ve etrafındaki sesler bile değişir. Elementlerin uyum sağladığı her şey farklılaşmaya başlar.

İşte bir çocuğun beynine ağır zehirli metaller girdiğinde de bu olur. Çocuğun ondan ummadığımız bir biçimde davranmaya başladığını görürüz, çünkü beyni, elektriksel ve metafiziksel sinyalleri engelleyen ekstra maddelere uyum sağlamaya çalışıyordur, kendi içinde farklı alanlara ulaşmayı öğreniyordur.

Özellikle Evrimleşmiş Beyin Nöronları

DEHB ve otizmli çocuklar özellikle beyinlerinin ön loblarında evrimleşmiş beyin nöronları geliştirirler. Bu, diğerleriyle olan iletişimlerini ve insanları okuyabilmek gibi yetenekleri kolaylaştırır (örneğin; başkalarının ne düşündüğünü ya da ne hissettiğini algılama). DEHB'li ve otizmli çocuklar başkalarına karşı kapalı bir görünüm ve antisosyal özellikler sergilediklerinden dolayı bu şaşırtıcı bir şeydir. Kendilerine ve kişisel bilgilerine odaklanmaları, etraflarında bulunan insanlardan gelen bilgi akışı altında ezilip gitmemek içindir. Bu odaklanma, bu çocukların güçlü sezgisel gelişimlerini gizler.

Evrim geçirmiş yeni nöronlar yalnızca beynin ön lobunda değil, davranışları, duyguları ve arzuları işleyen limbik sistem gibi başka yerlerde de gelişirler. Bu yeni evrimleşmiş nöronlar kolayca uyarılabilir ve bizim DEHB hastalığı gibi gördüğümüz şeylerin çoğuna sebep olabilirler. Bu, daha fazla miktarda evrimleşmiş ve uyum sağlayabilen nöron biriktiren çocuklarda daha doğrudur.

Yaş ve Beyin Gelişimi

Olaylar silsilesi - beynin sol ve sağ yarı küreleri arasındaki kanalda zehirli ağır metallerin birikmesi, daha sonra beynin kullanılmayan bölgelerine ulaşmak için zorlanması (çünkü iletişim enerjisi ve bilgi, kanaldan geçememektedir) ve daha sonra birçok evrimleşmiş nöronun gelişmesi genellikle dört yaşından önce gerçekleşir. Çocuk bu noktada bir indigo çocuk olmuştur.

Ancak yine de cıva gibi ağır metaller diyet ve diğer zehirden arınma teknikleriyle 18 yaşına kadar çocuğun beyninden uzaklaştırılabilir. Eğer bu yapılırsa çocuğun indigo güçleri kalacak, ağır metallerin dışarı atılmasıyla büyük ihtimalle çocuğun DEHB ya da otizmi sonlanacaktır Bu bir kazan kazan stratejisidir, çocuk sıra dışı olmasına izin verilirken bu koşullara sahip olmakla ilgili zorluklardan da uzaklaştırılmış olur.

18 yaş civarında beyin yarı küreleri arasındaki orta kanal kapanır. Sol ve sağ yarı küreler birbirine yaklaşmaya başlar. Enerji ve çocukça, özgür ruhlu bilginin beynin sağ ve sol tarafı arasındaki serbest ve kolay akışı sınırlanır. Bu vücudun, bireyin odağını, yetişkinliğin sorumluluklarına çevirme yoludur. Ancak iki yarı küre arasındaki kanala yerleşmiş olan cıva gibi ağır metaller için de bir kapan olur.

Eğer DEHB veya otizmi olan bir yetişkinseniz, özenle ve sabırlı bir şekilde zehirli ağır metalleri sisteminizden uzaklaştırmaya ve yenilerine maruz kalmamaya çalışmadığınız sürece bu, bu durumun herhangi bir formuna sahip olmaya devam edeceğiniz anlamına gelir. Birçok insan için DEHB ve otizm olumsuz bir şey gibi görülmez, sadece genel topluluktan daha farklı yaşamak gibi görülür. Bununla birlikte eğer yaşantınız ve ilişkilerinizle çakışan ciddi DEHB veya otizminiz varsa, etkilerini azaltmak için bir sonraki bölümde yer alan tavsiyeleri uygulayabilirsiniz.

Aynı şekilde bir ebeveynseniz, bir sonraki bölüm çocuğunuzun DEHB ya da otizminden kurtulmak için neler yapılacağını size söyleyecektir.

DEHB ve Otizmden Kurtulmak

Doktorlar genellikle DEHB'yi tedavi etmek için amfetamin yazarlar. Bu mantıksızdır, çünkü amfetaminler uyarıcıdırlar ve aşırı hareketli bir çocuğa veya odaklanamayan birine verilecek en son şeylerdir.

Amfetamin yazmak, 19. yüzyılın sonu 20. yüzyılın başlarında, yanlış davranışlar sergileyen çocukları sakinleştirmek için Bayan Winslow'un Yatıştırıcı Şurubu'nu vermeyi hatırlattı bana. Şurup çocukları derhal sakinleştiriyordu çünkü içinde morfin vardı. Sonunda çocuklara bu narkotik maddeyi vermenin tehlikeli olduğunu anladılar ve ürün pazardan kaldırıldı.

Doktorlar kısa vadede odaklanma sağlayabilmeleri için çocuklara amfetamin yazdıklarında bu çoğu zaman işe yarar. Gerçi tıp camiası bunun neden olduğunu bilmez.

Bu işin temelinde çocuğun beyninde gerçekleşen olağanüstü gelişim vardır. Normalde beynin kullanılmayan kısımlarına ulaşmak ve evrimleşmiş, uyumlu çok sayıda nöronun gelişmesi beynin temel besini olan glikoz miktarının normalden 2-3 kat daha fazlasını gerektirir. Muhtemelen çocuğunuz beyni için yeterli glikozu alamıyor ve kısmen DEHB ile ilintili davranışlarının sebebi de bu. Amfetaminler adrenalin salgılanması için böbrek üstü bezlerini uyarır; salgılanan bu adrenalin, aktivitelerini yerine getirmesi için beynin ihtiyaç duyduğu glikozun yerine geçer. Beyinde yer alan cıva gibi ağır zehirli metallerin üstesinden gelebilmek için adrenalin elektriksel sinir iletimlerini endişe verici derecede zorlar. Bu çocuğunuzun DEHB'sini dengeler ve odaklanmasına yardımcı olur ama geçici bir süreliğine.

Sorun şu ki amfetaminler, böbrek üstü bezleri üzerinde büyük bir yük oluştururlar (tüm organların adrenaline boğulduğundan bahsetmiyorum bile). Eğer ilaç kullanımı yıllarca sürecek olursa, sonunda böbrek üstü bezleri tükenecek ve kararsızlaşarak birçok soruna yol açacaktır. Sık sık, reçetelerinde yer alan amfetaminlerin tüketmesi sonucu, böbrek üstü bezleri yetersizliği, ciddi yorgunluk ve yüksek gerginlik yaşayan genç yetişkinlerle konuşuyorum.

DEHB ve otizmin çok daha iyi, uzun vadeli çözümü için çocuğunuza bol bol -tercihen organik- taze meyve sunabilirsiniz. Bu, çocuğunuza mümkün olan en yüksek kalitede glikozu sunacaktır. (Bölüm 20: Meyve Korkusu'na bakınız.) Meyveyi alışkanlık haline getirmek için yaratıcı şeyler deneyin - örneğin; donmuş muzları karıştırarak dondurma hazırlayabilirsiniz.

Şimdilerde DEHB ve otizm için şeker ve tahılın olmadığı diyetler moda. Bu akıllıca bir seçim ancak yalnızca saf dışı bırakılan diğer şekerlerin yerini meyve alıyorsa. Bir diğer moda ise yüksek yağlı ketojenik diyet. Şekerden çekinen doktorlar bunu tavsiye ediyor. Bu, tavsiye edilecek bir şey değil. Çocuğunuzda gözlemleyeceğiniz herhangi bir değişiklik geçici olacaktır. Yüksek oranda yağ, böbrek üstü bezlerini adrenalin salgılamaya zorlayacak ve çocuğun kimi zaman odaklanmasına yardımcı olacaktır. Fakat sonunda bu iş, böbrek üstü bezlerinin yorgunluğu ile sonuçlanacaktır. Eğer çocuğunuz meyve şekeri (doğal formunda) almıyorsa DEHB ve otizmin belirtileri ile boğuşmaya devam edecektir.

Eğer çocuğunuz yüksek oranda şeker içeren yiyecekler ya da kızartma gibi yüksek kalorili yiyeceklere kapılmışsa bu size bir bakış açısı sunabilir; beyni ona daha fazla glikoz istediğini söylüyordur. Sorun şu ki, abur cuburlar besleyicilikten uzak en kötü şekeri içermenin yanında, genellikle domuz yağı ya da genetiği değiştirilmiş organizmalar içermektedir. Bu da şekerin beyne ulaşmasını engeller. Dolayısıyla bu tip önlemlerin DEHB ya da otizmle bir ilgisi yoktur.

Aslında çocuğunuzu geleneksel şekere yönlendirmenin ötesinde, diyetinden bütün buğday ve glüten ürünlerini çıkarmasını isteyebilirsiniz. Eğer mümkünse, çocuğunuzdan zehirli özellikleri bulunan yiyeceklerden uzak durmasını isteyin; mısır, kanola yağı, MSG ve aspartam gibi. (Bölüm 19: Ne Yememeliyiz?'e bakınız.)

Ayrıca, çocuğunuzu, diğer zehirlerden uzak tutmak isteyeceksiniz, özellikle ağır metallerden. (Bölüm 18: Zihninizi ve Vücudunuzu Toksinlerden Arındırmak'a bakınız.) Çocuğunuzun maruz kaldığı her şeyi her zaman sorgulamalısınız.

Sonuçta çocuğunuzun aşağıda yer alan besinler, destek gıdalar ve şifalı bitkileri içeren diyeti uygulayıp uygulayamadığına bakınız. Tamamen samimi olarak şunu söyleyebilirim, DEHB ve otizmli çocukların yaklaşık %85'i işbirliği yapmak istemiyor. Eğer aşağıdakilerin çocuğunuza faydalı olacağını düşünüyorsanız, bu konuda onları isteklendirecek yollara başvurabilirsiniz. Süreç içerisinde, onun isteklerine ve kişiliğine uygun bir biçimde çocuğunuzu yüreklendirin. Bir anne ya da çocukla ilgilenen kişi, çocuğun ilgileri doğrultusunda onunla nasıl iletişim kurulacağını en iyi bilen kişidir. Her çocuk özeldir, kendine has ve şaşırtıcıdır, dolayısıyla plan yaparak değil elinizden gelenin en iyisini yaparak ilerleyebilirsiniz.

İyileştirici Gıdalar

DEHB ve otizmi iyileştirmenin temel faktörü diyettir. Kimi yiyecekler özellikle bazı açılardan faydalıdır; ağır metal ve diğer zehirleri dışarı atmak, beyin dokusunu iyileştirmek, sağlıklı nöron sinyal taşınmasını sağlamak, beyne glikoz sağlamak, zihni sakinleştirmek ve merkezi sinir sistemini güçlendirmek gibi. Bu yiyecekler arasında yaban mersini, kişniş, hindistancevizi yağı, muz, böğürtlen, avokado, çilek ve keten tohumu sayılabilir.

Şifalı Bitkiler ve Destekleyiciler

- **Spirulina Yosunu/Mavi-Yeşil Alg (tercihen Hawaii'den):** Beyinden ağır metalleri uzaklaştırmak için önemlidir. Ayrıca yeni nöronların gelişmesine ve nörotransmitterlerin güçlenmesine yardımcı olur.
- **B_{12} Vitamini (metilkobalamin ve/veya adenosilkobalamin):** beyni ve merkezi sinir sistemini destekler.
- **Ester-C:** C vitamininin bu hali zarar görmüş nörotransmitterlerin onarılmasına yardımcı olur ve böbrek üstü bezlerini destekler. Ayrıca karaciğeri temizler ve zehirleri uzaklaştırır.

- **Çinko:** İç salgı bezlerini güçlendirir ve nörotransmitterleri destekler.
- **Melatonin:** Beyindeki iltihaplanmayı azaltır nöronların iyileşmesine ve gelişmesine yardımcı olur.
- **Kovan Otu/Oğul Otu/Melissa/Limon Otu:** İltihaplanmayı azaltır ve merkezi sinir sistemini rahatlatır, yiyecek alerjilerine ve bağırsak yolundaki iltihaplanmaya sebep olan mantarları bakterileri ve virüsleri öldürür.
- **Magnezyum:** Düşünme, öğrenme, hatırlama, okuma ve konuşma yeteneklerine yardımcı olur. Ayrıca merkezi sinir sistemini sakinleştirir.
- **Ginkgo Biloba:** Beyindeki cıvanın atılmasına yardımcı olur ve oradaki iltihaplanmayı azaltır.
- **GABA (gamaaminobutirik asit):** Nöropeptit ve nörotransmitterleri güçlendirir, merkezi sinir sistemini rahatlatır.
- **B Vitaminleri:** Beyin ile beyin sapını besler ve destekler.
- **Ginseng:** Böbrek üstü bezlerini güçlendirir.
- **Probiyotikler:** Sindirim sistemini dengeler ve destekler, o da bağışıklık sistemine destek olur. Doğal olanları ya da kaliteli bir markayı seçebilirsiniz.
- **EPA & DHA (eikosapentaeonik asit ve dokosaheksaenoik asit):** Nöronların büyümesine ve onarılmasına yardımcı olur. Bitkisel kökenli olanı almalısınız (balık bazlı olanı değil).

Hasta Dosyası:

Bir Annenin Emeğinin Meyveleri

Bir çocuk olarak Jonathan arkadaşlarıyla, ailesiyle ve öğretmenleriyle iletişim kurmakta zorlanıyordu. Küçük kız kardeşiyle anlaşamıyordu. Hiçbir zaman sakin görünmeyen Jonathan için bir şeye odaklanmak neredeyse imkânsızdı. Beş yaşında DEHB teşhisi kondu.

Jonathan'ın annesi Alberta onun hayattaki en büyük desteğiydi. Sonraki 13 sene boyunca Jonathan'ın sorunlarının sebebini bulabilmek, onun sağlığı ve esenliğini sağlayabilmek için kendini adamıştı. Jonathan'ın gösterdiği bütün belirtileri günü gününe tutuyordu, gittikleri bütün doktorları, yaptıkları bütün diyetleri, kullandığı bütün ilaçları -hayli popüler olan amfetaminler de dâhil olmak üzere- hepsini yazıyordu.

Alberta'nın eşi, Jonathan o gün ne kadar güzel odaklanırsa odaklansın Jonathan'ın o günün oyunlarına katılamamasıyla dalga geçmekten keyif alıyordu. Bunun bir kısmı arkadaşlarının onu yalnız bırakmasıyla ilgiliydi. Bir diğer faktör de Jonathan'ın kendi yaşındaki diğer çocuklara göre çok daha gelişmiş ve yoğun ilgilerinin olmasıydı.

Jonathan'ın davranışları DEHB ve hafif otizm arasında gidip gelirken Alberta onun parlak ve sezgisel bir varlık olduğunu biliyordu. Bir kitapta "indigo çocuk" tanımına denk geldikten sonra onu öyle adlandırmaya başladı.

Jonathan'ın, 7 yaşındayken arabanın arka koltuğunda, kot pantolon, mavi eşofman üstü ve ona tam olduğunu söylediği, çok sevdiği spor ayakkabıları ile otururkenki hatırasına tutunmaya çalışıyordu. Arabanın ön koltuğunda otururken, az evvel okul müdürü ile yapmış oldukları toplantının detaylarını düşünen Alberta, Jonathan'ın kendi kendine konuşmaya başladığını duydu. "Kimse beni anlamıyor," diyordu "Bu dünyaya uyum sağlamak için biraz daha zamana ihtiyacım var."

Jonathan'ın erken yetişkinlik döneminde Alberta ona aynı sonuçları sunan bir doktor buldu. Doktor Duval Jonathan'ın DEHB ve sınırdaki otistik davranışlarının bağırsak florası sorunuyla ilgili olduğunu söyledi - bu çok fazla verimsiz bakteri ve az miktarda iyi bakteri demek oluyordu. Doktor tahılların da bu sorunda payı olduğunu düşündü ve bulgur, çavdar, yulaf, arpa ve bunun gibilerini Jonathan'ın diyetinden çıkardı. Ayrıca işlenmiş şeker ve süt, peynir, tereyağı gibi ürünlerin de Jonathan'a iyi gelmeyeceğini hissetti. Lahana gibi yapraklı bitkileri ve diğer sebzeleri, tohumları tavsiye etti. Et, tavuk ve balık yemekte serbestti. Destek için doktor, sağlıksız bağırsak florası dediği şey için ve bağışıklık sistemini güçlendirmesi adına ileri düzeyde probiyotikler yazdı.

Jonathan, iş yemeğe geldiği zaman istekli olan nadir çocuklardandı. Alberta'nın, diğer çocukların annelerinden, onların beslenme alışkanlıklarını değiştirmenin ne kadar zor olduğunu duymasına rağmen, Jonathan bulguru bırakıp lahana gibi yeşil yapraklar, bir takım tohumlar ve Doktor Duval'in beyin geliştirici olduğunu söylediği kimi yiyecekleri yemek konusunu fazla kafasına takmadı.

Yıllar içerisinde Jonathan'ın odaklanma ve iletişim sorunları ilkokul, ortaokul, hatta koleje gidebilecek kadar gelişme gösterdi. Farklı zaman dilimlerinde Alberta Jonathan'ı evde eğitti, daha sonra öğretmenler tuttu. Her iki hareket de Jonathan'ın okul başarısında çok önemli rol oynadı.

18 yaşına geldiğinde Jonathan hâlâ belirtilerle boğu-

şuyordu. Alberta'yla ikisi, üniversiteye girmesi için uğraşıyorlardı. Ve ikisinin de -Jonathan bunu belli etmese de- evden uzakta, Alberta'nın devamlı desteği olmadan hayatını nasıl sürdüreceğine dair endişeleri vardı. Reçetelerdeki amfetaminler ve diğer destekleyicilere bel bağlamak zorunda kalmamak onun için bir mucize olacaktı.

Geçen 18 yıl Alberta için zor olmuştu ama yine de bir dakikasını bile hiçbir şey için değişmezdi. Ne zaman hüsrana kapılsa, arabanın arka koltuğunda oturup, dünyanın onu anlamasını uman 7 yaşındaki çocuğu hatırlıyordu. Jonathan'ın okulundaki akşam toplantısında Alberta aynı belirtileri gösteren bir çocuğun annesiyle tanıştı. Kadın Alberta'ya benim numaramı verdi ve bir randevu ayarladık.

İlk konuşmamızda Alberta telefondaydı, Jonathan hatta olmamasına rağmen onu taramayı başarabildim. Ağır metal ve özellikle cıvanın suçlu olduğunu bulmuştuk. Tüm doktorlar, onu, iyileşme kapasitesinin %40'na kadar taşıyabilmişlerdi. Onlar ancak oraya kadar taşıyabilirlerdi, çünkü en önemli bağlantıyı kaçırıyorlardı: zehirli ağır metaller.

Jonathan'ın beyninin iki yarı küresi arasında azımsanmayacak miktarda cıva birikmişti. (Tıp araştırmaları bunu önümüzdeki 20 ya da 30 yıl boyunca bulamayacak.) Jonathan 18 yaşında olmasına rağmen, beyin yarı küreleri birleşmeye ve kanalı kapatmaya başlamışlardı, ancak yine de radikal sonuçlar alabilecek boşluk mevcuttu.

Alberta benimle konuştuğunda rahatlamış gibiydi. Ancak eğer beni bir yıl sonra aramış olsa Jonathan'ın ne durumda kalmış olacağını düşündükçe panik yapıyordu. Onu, Jonathan daha yaşlı olsa bile detoks metotlarından sonuç alabileceğimize ikna ettim.

Kan dolaşımındaki yağlar beynin ihtiyaç duyduğu glikoza ulaşmasını engellediği için Jonathan'ın yalnızca hayvansal protein formunda aldığı yağ tüketimini azalttık. Yıllardır Jonathan'ın beyninde biriken ağır metal, onun aldığı glikozun iki katına ihtiyaç duymasına sebep olmuştu. Alberta Jonathan'ın her zaman tatlılara ve şekerli şeylere yakın olduğunu ve onları yerken daha iyi odaklandığını söyledi. Gerçi işlenmiş şekerin onu tam bir tükenmeye sürüklemesine ramak kalmıştı. Bu gözlemlerine katıldım ve işlenmiş şekerin doğru bir şey olmadığını onayladım. Doktor Duval bazı konularda haklıydı tahıl ve süt ürünlerinin de hiçbir faydası yoktu. Jonathan'ın esas ihtiyaç duyduğu şey gerçek beyin besinleriydi. Yaban mersini, elma, hurma, üzüm ve Jonathan'ın sevdiği diğer meyveler gibi. Lahana gibi yeşil yapraklı sebzeler de ayrıca önemliydi.

Destek için günde iki kez servis edilen kişniş ile birlikte yüksek dozda spirulina yosununa başvurduk (glikoz ve lezzet için hindistancevizi suyu ile karıştırmıştık).

"Bu tektonik bir değişiklik olacak," dedi Alberta. "Yıllardır Jonathan'ın meyve yemesine izin yoktu."

"Hayatın tüm sorunlarına karşı lahana ve protein çözümü iyi niyetli bir trend," dedim ona. "Lahana harika; şekerin, beynin yararı için yaptığının bir bölümünü yapıyor. Ve hayvansal proteindeki gizli yağa karşı da dikkatli olmalıyız. Antioksidan açıdan zengin meyve şekeri, azaltılmış yağ, spirulina yosunu ve ağır metalleri uzaklaştıracak olan kişniş bileşiminden oluşan bu yeni diyet Jonathan'ın hayatını değiştirecektir."

Öyle de oldu. 3 hafta içinde Alberta asistanıma bir mesaj bıraktı. Hayatında ilk kez oğluyla gerçek, derinlikli bir konuşma yapmıştı. Bir monolog değil bir diyalog! Oğlu ona karşı gelmemiş, lafını kesmemiş ya da odayı terk edip gitmemişti. Bunun yerine dinlemiş ve ona cevap vermişti; iki yetişkin gibi karşılıklı konuşabilmişlerdi. Alberta günden güne Jonathan'ın sistemini terk etmekte olan ağır metali hissedebildiğini söylüyordu.

"Şaşkınlıktan ağzım bir karış açık," diyordu asistanıma gözleri dolarken. "Biliyorsunuz, Jonathan'ın tedavisi ve belirtileri için kullandığım not defterlerinin sonuncusu bitmeye yüz tutmuştu. Belki, yenisini almama gerek kalmayacak."

Jonathan da değişimin farkındaydı. İlk ayın içinde, fincan fincan kahve içmesine gerek kalmadan ödevlerini bitirebilmeye başlamıştı. İyi bir üniversiteye girdi, kaydını yaptırdı ve oda arkadaşıyla kısa sürede anlaşmaya başladı.

Alberta her hafta ona organik bir meyve fabrikasında paket yollamaya başladı. Jonathan ve oda arkadaşı her gün bu meyvelerden yiyorlardı. Glikoz Jonathan'ın sınıfları geçmesine yardımcı oldu ve hatta girdiği birkaç kulüpte de işe yaradı. Vize zamanı geldiğinde hayatının zirvesindeydi.

BÖLÜM 13

TRAVMA SONRASI STRES BOZUKLUĞU

Dünyadaki her yalnız ruh *travma sonrası stres bozukluğu* (TSSB) hastalığının bir türünü yaşıyordur. Bu, yalnızca bir trajediye ya da insanların savaş sonrası travmalarına -TSSB'nin kesinlikle iyi bilinen ve kayda alınan bir türüdür- karşı verdiği 'savaş ya da kaç' tepkisi değildir.

Gizli bir TSSB salgını da vardır.

Bu bölümde, oldukça saldırgan ve neredeyse herkeste olan bilinmeyen bir TSSB türüne odaklanılacaktır. Bu tür hepimizin mücadele etmek zorunda olduğu sinir bozucu durumlardan kaynaklanır. Bilincimiz bu durumu unutmuş gözükse de bilinçaltımız unutmamıştır. TSSB'nin kökleri 1000 yıllık acılara dayanır; sebebi insanlık tarihinde gizlidir.

Sizin ya da bir başkasının hayatı tehlikeye girdiğinde korkmak normal, hatta sağlıklı bir şeydir. Korkunuz savaş ya da kaç tepkisini tetikler ve vücudunuzda adrenalin yayılmaya başlar. Aynı anda size artırılmış bir güç sağlar ve tehlikeye karşı daha iyi refleksleriniz olur. Ama tehlike geçtikten sonra duygusal artçı şoklar yaşayabilirsiniz. Bu, terapistlerin ve psikiyatristlerin farkına vardıkları klasik TSSB türüdür.

Bir hasta, Jerry, bir gün bana damadı Mike'ın bir inşaatta birlikte çalışırlarken yaşadığı ölüm tehlikesini anlattı. Bir gün, şantiyenin diğer tarafından Mike'ın yardım için bağırdığını duyan Jerry koşarak sorunun ne olduğuna bakmaya gitti. Damadı yarım tonluk römorkun altında kalmıştı. Römorku taşıyan bloklardan bir tanesi çöküp römork Mike'ı yeri çivilemeden ve neredeyse göğüs kafesini kırmadan önce Mike bir dingili tamir etti.

Yardım çağırmak için telefona sarılsaydı Jerry biliyordu ki sağlık ekipleri çok geç geleceklerdi. Bu yüzden 911 aramaktansa ve daha sonra kızına, eşinin öldüğünü söylemektense Jerry hayat kurtarma moduna geçti. Tüm vücudu adrenalin ile dolmuştu. Yarım tonluk römorku Mike'ın göğsünden kaldırdı ve damadı kurtuldu.

Bir mucize gerçekleşmiş ve her şey yoluna girmiş olduğu halde Mike sürekli kâbuslarında ağır bir şeyin altında kaldığını ve yardım için bağırdığını görüyordu. Jerry ise mide bulantısı hissetmeden bir römorka bakamaz olmuştu. Yıllar sonra Jerry bununla nasıl başa çıkacağını öğrenmek için bana geldi. İki adam da TSSB'nin nasıl bir şey olduğunu deneyimlemişlerdi.

Bir de her gün yaşadığımız duygusal yaralar var. Tehlikede olmak, güven problemi, korku, suçluluk, utanç ve daha fazlası. Bunların hepsi olumsuz duygusal deneyimlerden kaynaklanıyor, hepsi gizli TSSB'nin sonuçları. Örneğin; eğer bir insan bir ilişkiye başlamakta güçlük çekiyorsa bu onun daha önceki hayatında ciddi düzeyde travma sonrası stres bozukluğu yaşadığının göstergesidir. Kimsenin geçmişte, bugünkü hayatına etkisi olan ne gibi şeyler yaşadığını bilemezsiniz.

TSSB çok farklı seviyelerde olabilir. Bir keresinde bir dağ tırmanışında üzerinde ayak izleri bulunan yoldan çıktım, kendimce bir yoldan gidecektim. Ruh beni bunu yapmamam için uyardı ama ben özgür irademi kullanarak o yoldan gitmeye karar verdim. Kayanın üstüne geldiğimde aşağıda dikkatli bir şekilde ilerlersem ulaşabileceğim bir düzlük gördüm. Hiçbir güvenlik kazığı olmadan inmeye başladım. En tehlikeli kayaya geldiğimde, 30 metre aşağıdaki okyanustan bir pastanın üstündeki kremadan daha kalın bir sis yükseldi.

Önümde duran ellerimi zor görüyordum. Altımda dalgalar kayalara çarpıyordu. Biliyordum ki eğer kayacak olursam ya da bir-iki santim farkla yanlış bir yere tutunacak olursam beni Tanrı'ya kavuşacaktım. Bitmiştim.

Sis saatlerce sürdü. Gece çöktü. Hâlâ yoğun bir ses vardı. Sıcaklık düştü. Üzerimde bulunan ince giysiler nemden dolayı ıslanmışlardı. Bir kayanın ucunda asılıyken uyuyakalmak gibi bir seçeneğim yoktu. Dolayısıyla şafak vaktine kadar soğuktan titreyerek uyanık kaldım. Sis biraz dağılıp yollardaki ayak izlerini görebilmeye başlayınca arabaya gittim. Eve sürdüm ve uyumaya çalıştım.

Gözlerimi kapar kapamaz üzerinde asılı kaldığım kayayı görüyordum.

Defalarca aynı şeyi gördüm. Nasıl da sona bu kadar yaklaştığını düşündükçe panik oluyordum. Bu, sağlam doz adrenaline rağmen bir doğa deneyimi yaşamayı seven insanlar için sarsıcı bir şey olmayacaktır. Bir kayanın ucunda asılı kalmaktan korkmayan kaya tırmanıcıları biliyorum; hiçbir güvenlik önlemi almadan tırmanarak hayatlarını tehlikeye atıyorlar. Ama ben öyle biri değilim. Sarsılmıştım.

Neyse ki iyileşmenin sırlarını biliyordum zamanla, sabırla ve ruhun iyileşme programını uygulayarak bu travmadan çok önce kurtuldum.

Fark Edilmeyen TSSB

Son zamanlarda eskiden gizli saklı tutulan şeyleri daha fazla konuşan bir toplum haline geldik. Daha önceleri ne hissettiğimize dair veya niçin akıl hastanesine gönderildiğimiz konusunda sessiz kalır ya da duygularımızı söylemezdik. Eğer hislerimizi biraz fazla dışarı vurursak lobotomiyi hak etmiş olurduk.

Gaziler için, savaşta yaşamış oldukları travmaları takip eden stresin tedavisi edilmesi ve bu konuda ilgi görmeleri yüz yıllar sürdü. Bir kültür olarak duygularımızı alkol ve uyuşturucuyla, yiyecekle ve adrenalin dolu aktivitelerle bastırma eğilimindeyiz. Son zamanlara kadar kendimizi ifade etmek bir seçenek bile değildi. Son 40 yıl içerisinde bir şeyler değişmeye başladı. Stres dolu bir çağda yaşıyoruz ama terapistler, yaşam koçları ve danışmanlar artık çoğaldılar. Dolayısıyla TSSB'nin kapsamını ve tanımını genişletmek artık mümkün.

Travma sonrası stres bozukluğu zorlu bir deneyimden sonra meydana gelir. TSSB'nin, bir taciz, trajedi, çocuk kaçırma ya da vahşi bir suça tanık olma gibi şeylerden kaynaklanan bildiğimiz çok daha ciddi vakaları vardır.

Ayrıca bir de fark edilmeyen tetikleyiciler var. Bir çocuğun anne babasının ayrılması onun bir yetişkin olduğunda evlilikten kaçınmasına sebep olabilir. Bir ergenin okul balosu için davet edilmemesi bütün okul danslarından hoşlanmamasına sebep olabilir. Bir uçakta türbülansa girmek bir insanın bundan sonra asla uçmak istememesi ile sonuçlanabilir. Bir fast food restoranının bir şubesinde yediği yemekten zehirlenip daha sonra oraya gitmek konuşulduğunda bile arabadaki koltukta kıvrılıp bükülen insanların hikâyelerini duydum.

Diğer tetikleyiciler ise şunlar olabilir: Bir işten atılmak, erkek ya da kız arkadaştan ayrılmak, yaralanmaların yaşanmadığı küçük trafik kazaları ya da hayatta bir şeyi başaramadığınız hissettiğiniz anlar. TSSB'ye neyin sebep olacağı konusunda herhangi bir sınırlama yoktur.

Bir hastam, yatılı okulda zorla yedirdikleri için yetişkinliğinde taze fasulye ve köfte yemediğini anlatmıştı; bu yemeklerin sadece kokusu ya da görüntüsü bile ona geçmişte yaşadıkların hatırlatıyordu. Zorlu bir hamilelik dönemi yaşayan birçok kadının gebe kalmaktan korktuğuna şahit oldum. Bunlar da TSSB'nin çeşitli türleridir.

Günümüzün modern zamanlarında kendi kendine yardım etmek, terapi, duygusal anlayış gibi şeyler olsa da toplum bu fark edilmeyen tetikçilerin TSSB ile ilintili olduğunu anlayamamakta. Sağlık profesyonelleri genellikle ölüm kalım deneyimleri yaşanan durumlarda travma sonrası stres bozukluğu konusunda çekimser kalıyorlar. Binlerce olmasa da yüzlerce vakayı göz ardı ediyorlar.

İşte TSSB'nin yaptığı budur; derecesi fark etmez yaptığımız seçimleri olumsuz yönde etkiler. Kişiliğimizin yapısını değiştirir.

Çok nadir konuşulan tetikleyicilerden bir tanesi de hastalıklardır. Çoğu insan iki haftalık bir nezlenin ardından bile TSSB'ye yakalanabiliyor; üç ay süren kronik yorgunluk ya da yıllarca süren sinir sorunlarından bahsetmiyorum bile. Bu belirtilerin deneyimlenmesi hikâyenin başka bir tarafı. Duygusal zararın bir başka sebebi ise doktor doktor gezinmek, testler yaptırmak, MR çektirmek, bilgisayarlı tomografi gibi hiçbir şeyi su yüzüne çıkarmayan, bir rahatlama ya da bir geçerlilik kazandırmayan umutsuzluktur.

TSSB kendi üzerine katlanarak büyüme eğilimindedir. Hayatınızın herhangi bir döneminde bir kez hasta olduğunuzda artık vücudunuzun sizi aşağı doğru çektiğine inanmaya başlarsınız. Teşhis edilemeyen, yanlış teşhis edilen ya da iyileşmeye götürmeyen bir teşhisin bulunduğu hastalıkların içerisinde kaybolup gitmişsinizdir. Etrafınız finansal prangalarla sarılmıştır. Kariyerinizin ya da ilişkilerinizin elinizden kayıp gittiğini hissedersiniz. İşte bu sizi travma sonrası stres bozukluğu için harika bir aday haline getirir.

TSSB ayrıca sevilen birinin hastalığına karşı da verilebilen bir tepkidir. Birilerinin canlılığını kaybetmesini ve eskiden hayatınızda oynadığı role artık devam edemediğini görmek sizi zayıf ve güçsüz hissettirebilir. Birisiyle ilgilenmek için kendinizi aşırı derecede zorlamak da külfetli bir hal alabilir. Sevdiğiniz kişi iyileşmiş olsa bile, sesinin daha sonra biraz hırıltılı çıkması ya da hafifçe burnunu çekmesi eski korkularınızı ortaya çıkarıp tekrar karanlık zamanları hatırlamanıza ve kötü hissetmenize sebep olabilir.

TSSB'ye sahip olup bunun farkında olmamak da mümkündür. Eğer bilinçaltından gelen hatıralardan kaynaklanıyorsa açıklayamadığımız duygular ya da kaçınmalar yaşıyor olabilirsiniz ya da kimi zamanlarda kendinizi kapatıyor ve bunun sebebini anlayamıyorsunuzdur. Kimi zaman kendinizi aşırı tatlı yemeye ya da adrenalin dolu aktivitelere kapılmış bulabilirsiniz. İnsanlar size can sıkıcı lakaplar takmış olabilirler; "alıngan", "asabi", "kırılgan", "yaralı" ya da "aşırı duyarlı" gibi. Bunlar uzun ya da yakın geçmişte yaşanan bir şeylerin işaretleri olabilirler ve bugün ortaya çıkıyorlardır.

Tıp kurumu aslında TSSB'nin gerçekten ne olduğunu henüz bilmiyor. Çeşitliliğinden ya da nasıl meydana geldiğinden haberleri yok.

Bu bölümde cevapları bulacaksınız.

Kişisel geçmişinizin üzücü kısımlarına hiçbir şey borçlu değilsiniz. Bir takım travmaları tekrar tekrar yaşamak kaderiniz değil. Sizi üzen insanlar hayatınızın sonuna kadar size dadanacak güçte değiller. Bir dizi küçük talihsizlik ya da kronik stres sizi tarif eden şeyler olamaz. Bunların ötesinde bir yol var.

Doğru beslenme, doğru duygusal ve ruh sağlığı desteğiyle canlılığınızı tekrar kazanabilir, hayatınızı dolu dolu yaşamaya devam edebilirsiniz.

Bunu, tarihi geçmiş yazılımlar, eski dosyalar ve virüslerden çökmüş bir bilgisayara benzetebilirsiniz. Zaman içerisinde yavaşlamıştır ancak siz ona alışmışsınızdır. Bir gün yeğeniniz sizi ziyarete geldiğinde, bir anti-virüs taraması yaptırıp eski dosyaları harici bir diske atıp tüm yazılımlarınızı güncellediğinizde bilgisayarınızın nasıl daha hızlı ve daha etkili işlediğini görerek şaşkına dönersiniz. Üstüne bir de yeni dosyalarınızı kaydedebileceğiniz yeni alanlar açılmıştır.

İşte bilincinizi ve zihninizi TSSB'nin bu güç algılanan yaralarından temizlediğinizde böyle olur. Nasıl iyileşeceğini öğrendiğinizde işlem kapasiteniz artar ve daha önce yerinizin kalmadığı yeni iyiliklere kendinizi açarsınız.

Aslında Olan

Fiziksel ve duygusal düzeyde ne gerçekleşiyor da TSSB'ye sebep oluyor?

Açıkçası bu, travma yaşayan beyinde gerçekleşen kimyasal bir dengesizliktir. Beyinde, merkezi sinir sistemini besleyecek yeterli glikoz olmadığında duygusal yükselme kalıcı etkilere sebep olabilir. Popüler bilim inanışının tersine, elektrolitler beyin sağlığında önemli bir rol oynasalar da TSSB elektrolit kaybından kaynaklanmaz. Gerçek sebep glikoz eksikliğidir.

Kimi şokları ya da üzüntüleri zarar görmeden atlatan kişiler için, "Kaya gibi sağlam," dendiğini duymuşsunuzdur? Bu insanların bu dayanıklılıklarının ardında yatan şey beyinlerinde bulunan sağlam glikoz rezervleridir. Sonuç olarak büyük travmaları bile etkilenmeden atlatabilirler.

Glikoz duygusal beyin ve nörolojik doku üzerinde biyokimyasal koruyucu bir peçe gibidir. Tıp araştırmaları henüz beynin stres anlarında ne kadar glikoza ihtiyaç duyduğunu bulamadı - ve ayrıca beynin stoklarında fazla miktarda glikozun depolanmasının ne kadar önemli olduğunu da. Eğer glikoz paraya çevrilecek olsaydı bir kaza gibi önemli bir travma yeni bir araba satın almakla eşdeğer olurdu, sorunlu bir ilişki gibi uzun süreli bir travma ise glikoz rezervlerinizde, banka hesabınızda yeni bir ev satın aldığınızda oluşacak olan etkinin aynısını yaratırdı.

Glikozun koruyucu örtüsü iki sebeple önemlidir: Birincisi; glikoz beyin hücrelerini, beyin dokusunu ve nöronları sinir, hayal kırıklığı, umutsuzluk ve korku anlarında salgılanan kortizol ve adrenalinin yakıcı etkisinden korumak için kullanılır. İkincisi; travmalar meydana geldiğinde, beyinde gerçekleşen elektrik fırtınalarını durdurmasıdır. Elektrik akımları alarm halinde beyin dokunuzu, nöronlarınızı ve glial hücrelerimizi etkilemektedir.

Beyni bir arabanın motoru gibi düşünün. Şeker gibi tatlılar ise motorun antifirizidir. Soğutucu olmadan motor fazla ısınır ve zarar görebilir. Aynı şekilde beyin de bir soğutucuya (glikoz) sahip olmadığında binlerce nöronun içinden geçen elektrik akımları aşırı ısınmaya yol açabilir.

Acı biberin etkisini geçirmek için şeker yendiğini duydunuz mu hiç? Şeker biberin yakıcı ünitelerine karşı bir antidot gibidir tükürük bezlerini, dili ve damağınızı yanmaktan korur. Aynı şekilde glikoz da (şeker) beyni korur. Eğer birinin glikoz rezervi düşükse yalnızca patlayan bir lastik bile onu TSSB'li yapabilir. Diğer taraftan yüksek glikoz rezervine sahip biri ise silahlı bir soyguna şahit olduktan sonra, akşam hiçbir şey yokmuş gibi arkadaşına bu hikâyeyi anlatabilir.

Hayvanlarda doğuştan glikozun önemini bilebilme yeteneği vardır. İşte size internette bulamayacağınız bir şey: İki sincap yolda karşıdan karşıya geçmeye çalışırken eğer bir araba bir tanesini ezerse hayatta kalan sincap derhal geri döner ve ölenin kanını içer; bunu glikoz için yapar. Sezgisel, içgüdüsel, doğuştan gelen bir şeydir ve sincabı kaç ya da savaş tepkisinin beyne verdiği zarardan korur.

İnsanlarda da şekerin sakinleştirici etkisi vardır. Bu yüzden doktorlar iğne yapmadan önce çocuğa şeker verirler ya da anneler doktordan sonra çocuklarını dondurma yemeye çıkarırlar.

Problem şudur ki günümüz dünyasında çok fazla kötü şeker var. Dondurmalar ve çocuklara verilen şekerler besleyici değer içermemektedir.

Çok sayıda insan yaralarını sarmak için hâlâ şekere sarılıyor. Bir fazla yeme problemleri olduğunu ya da özellikle şekerli şeylere karşı dayanamadıklarını düşünüyor olabilirler. Aslında olan şey bilinçaltında fiziksel bir durumla ilintilidir.

TSSB'ye karşı bir antidot olarak insanlar şekerle adrenalinin yerini değiştirmeye başladılar. Uçaktan atlayan, yüksek gerilimli sporlarla meşgul olan, halatla aşağı sarkan, uçurumlardan aşağı atlayan çok sayıda insan var ve farkında bile olmadıkları şikâyetleri ile başa çıkmaya çalışıyorlar. Bir de yeni ilişkiler var. Sevgilisinden ayrılan birisi başka biriyle bir ilişkiye başlayarak bir öncekini unutmaya çalışıyor. Yeni ilişkinin sağladığı adrenalinle bu durumdan kurtulmak istiyor. Bunun gibi adrenalini glikoz yerine kullanmaya çalışan birçok insan mevcut.

Bu yaklaşımla ilgili sorun şudur ki yükselen şey mutlaka düşecektir. Çikolatalı keklerden alınan şeker bir süre sonra bir düşüşe yol açacaktır. Ya da kor halindeki kömürlerin üzerinden koşmaya çalışmak o an için adrenalin salgılandığından dolayı size güç veriyor gibi gözükebilir; ancak etki uzun sürmeyecektir. Eve gittiğinizde daha karamsar olacaksınızdır.

TSSB'den kurtulup iyileşmek için risk almamıza lüzum yok. Kumar oynamamız gerekmiyor.

TSSB'nin Tedavisi

Gerçek tanımıyla travma sonrası stres bozukluğu, bir insanın herhangi olumsuz bir yaşantı sonucunda, olumsuz duygulara takılıp kalmasıdır ve bu durum bu insanı sınırlar. Bu duygular arasında korku, endişe, güvensizlik, üzüntü, ilgi, panik, kaçınma, sinir, sadakat, uyanıklık, alınganlık, telaş, kendinden nefret etme, terk edilmişlik, savunmacılık, ajitasyon, karamsarlık, hayal kırıklığı, kin, alaycılık, utanç, görünmezlik, sessizlik, güçsüzlük, incinebilirlik, güven kaybı, kendine olan saygıyı yitirmek ve güvensizlik sayılabilir.

Travma sonrası stres bozukluğu ile başa çıkmanın en güçlü yollarından bir tanesi de yeni deneyimler edinmektir. Bunlar sizi hayatınızda doğru temas noktalarına taşıyacaklardır. Bu yeni deneyimleri daha çok yarattıkça TSSB'den kurtulma şansınız daha da artacaktır. Her yeni olumlu deneyim bahçenizde yeni bir tohumun filizlenmesine sebep olacaktır.

Bu deneyimlerin çok büyük olmasına gerek yok. Tehlikeli ya da riskli de olmak zorunda değiller. Başkalarına çok büyük görünmeyebilirler de. Huzurlu bir çevrede yürümek beyninizin yenilenmesine yardımcı olabilir.

Her şey yeni maceraları nasıl kabul ettiğinizle, nasıl algıladığınızla ilgilidir. Her bir maceranızı not edin, neler hissettiğinizi listeleyin. Örneğin; yürüyüşe çıktığınızda hiç kuş gördünüz mü? Hava nasıldı? Bunlar zihin durumunuzu nasıl etkilediler? Bunların hepsi önemlidir. Bunların hepsi o anın içinde olmakla ilgilidir.

Ya da bir yapboz yapmaya çalışın. Sıradan parçaları bir araya getirip bir bütün oluşturduğunuzda kendi kendinize kaostan kurtulmanın yolunun düzen olduğunu öğretmiş olursunuz. Resim yapın, karalamalar yapın, çizim yapın. Bunlar da sizi olduğunuz ana taşımak için yardımcı olacak güçlü egzersizlerdir. Sanatın güçlü bir temizleyici etkisi vardır.

Ya da yıllardır görüşmediğiniz bir arkadaşınızı arayın ve öğle yemeğine davet edin. Önemli parçalarınızı tekrar birleştirmede size yardımcı olacaktır. Ya da bir hayvan beslemeye başlayın. Her gün yeni ve aşkla dolu olacaktır. Veya bir hobi edinin. Kendinize sürpriz yapın. Daha önce hiç buluşmadığımız bir temel beceri alanıyla ilgilenin ya da her zaman yapmak isteyip de yapamadığınız bir şeyi yapın. Yeni bir dil öğrenin. Tatile çıkın. Yapılabilecek en iyi şeylerden bir tanesi de kendi bahçenizi oluşturmaktır.

Ne seçtiğinizin bir önemi yok, ancak bununla ilgili notlar alın. En sevdiğiniz deneyimlerinizi ardı ardına eklemeye devam edin. Siz aramıyorken bile hayatın size getirdiği güzellikleri farkına varmanızda yardımcı olacaktır. Ayrıca bilincinizden olumsuz deneyimleri silmenize sebep olacaktır. Ruh her zaman bana bunun bahçenizde yeni bir tohum için yer açmak gibi bir şey olduğunu söylerdi. Bu boş bir tavsiye değildir. Duygusal bir karışıklığı devam ettirdiğinizde ya da şu anda devam ediyorsa veya geçmişse, muhtemelen dünyayı algılama biçiminizi sarsmıştır. Kendinizi sanki bu eski anıları durmadan tekrar ediyormuş gibi yeniden deneyimlerken bulabilirsiniz ya da neden olduğunu bilmeden bu duyguları tetikleyen şeyleri yeniden yeniden deneyimleyebilirsiniz.

Kendinizle yeni temas noktaları oluşturduğunuzda ve bunların zihin durumunuz üzerindeki olumlu etkilerine dikkat ettiğinizde, beyninize egzersiz yaptırmış olursunuz. Sanki o bir radyoymuş ve sizin için uygun olan iyileşme frekansını buluyormuş gibi. Daha sonra hayat zorlaşmaya başlayınca içten gelen bu radyo istasyonuna bağlanırsınız ve olumlu deneyimlerinizi aktif hale getirirsiniz. Sanki onlar orijinal yayının kayıtlarıymış gibi.

TSSB'den kurtulurken kendinizi bir yerden başka bir yere taşınan bir ağaç gibi hissedin. Ağaç yerinden çıkarıldığında şoka girer. Tıpkı yaşamınızdaki stres dolu deneyimlerin size yaptıkları gibi. Ağacı yeni taze toprağına yerleştirdiğinizde travma hâlâ devam etmektedir, sanki kendi yerini kaybetmiş gibidir. Ağacın bu değişiklikten kurtulup kendini yeniden kurabilmesi için aylar geçmesi gerekir.

Aynı şekilde sizin için de TSSB iyileşme programını uygulamak üç ay sürebilir. Tıpkı ağaçların topraklarına yeni gübreler ve katkı maddeleri eklemenin tavsiye edildiği gibi siz de kendinizi ve merkezi sinir sisteminizi ve bilincinizi besleyebilirsiniz. Kalbinizi ve ruhunuzu yenileyebilirsiniz. İyileştirici besinler ve destek gıdalar bölümlerine bakabilirsiniz.

TSSB'den kurtulmak sevdiğiniz insanların desteğini de gerektirir. Zaman, sabır ve beslenme önemli etkenlerdir - Kısım 4: Sonuçta Nasıl İyileşeceğiz?'de gerekli bilgiyi bulabilirsiniz.

Hangi biçimde olursa olsun dua etmek de iyileşmenin bir yoludur. Size yardım etmeleri için kimi özel meleklere de dua edebilirsiniz. Ruh ile canın nasıl iyileştiğini ve nasıl bu durumdan kurtulabileceğini en iyi bilen melek *iyileşme* meleğidir ve TSSB için doğrudan bu meleği çağırabilirsiniz. (23. Bölüm: Önemli Melekler'e bakınız.)

Bir travmanın yaratabileceği ruh kırıklarını onarmak için Bölüm 22'deki ruh iyileştirme meditasyonlarını deneyiniz. Sizi tekrar kendinizle temas ettirerek, güveninizi ve inancınızı yenileyerek ruhun üzerinde önemli bir etki yaratabilirler. İşkenceli bir zihinle yaşamak zorunda değilsiniz artık. Önünüzde uzanan bir yol var.

İyileştirici Gıdalar

Beyninizde glikoz depolamak, hayatın sorunlarının TSSB'ye dönüşmesine engel olabilmek ve bir glikoz rezervi sağlamak için şu yiyecekleri diyetinize dâhil edin: yaban mersini, kavun, karpuz, pancar, muz, cennet hurması, papaya, tatlı patates, kuru incir, portakal, mango, mandalina, elma, saf bal ve hurma. Unutmayın ki vücudunuz beyinde glikoz depolamak için sadece saf bal ve meyve şekerini kabul eder.

Şifalı Bitkiler ve Destekleyiciler

- **L-glutamin:** Beyin fonksiyonlarını desteklemeye ve sinir sağlığına yardımcı olur.
- **5-MTHF (5-methyltetrahydrofolate):** Merkezi sinir sistemini destekler.
- **B Vitaminleri**: Bilişsel fonksiyonları destekler ve nörotransmitterleri güçlendirir.
- ***Ginkgo biloba*:** Nöronları besler ve nörotransmitterleri destekler.

- **GABA (gamaaminobutirik asit):** Nörotransmitterleri güçlendirir ve aşırı aktif zihni rahatlatır.
- **Spirulina Yosunu/Mavi-Yeşil Alg (tercihen Hawaii'den):** Beyin dokusunun yenilenmesine yardım eder, merkezi sinir sistemini destekler.
- **Hanımeli:** Glikozu düzenlemeye yardımcı olur ve dengeler.
- **Isırgan Otu Yaprağı:** İç salgı bezi sistemini desteklemeye ve düzenlemeye yardımcı olur.
- **Magnezyum L-threonate:** Hipertansiyonu düşürmeye yardımcı olur ve bilişsel fonksiyonları artırır.
- **Sibirya Ginsengi:** İç salgı bezi sistemini dengeler ve güçlendirir.

Hasta Dosyaları:

Ruhu Gizli Travmadan Kurtarmak

Jacquelyn 10 yılı aşkın süredir iş dünyasındaydı. Bu süre boyunca kendini olağanüstü sadık, disiplinli bir çalışan olarak ispatladı. Arkadaşlarıyla iyi geçiniyor ve onlarla ilgileniyordu. Yıllar süren işine bağlılığından sonra hayalini kurduğu göreve ulaştı. Proje koordinatörü oldu.

Teknik olarak bir yönetici olmasa da Jacquelyn kendi bölümünde 10 yıl önce terfi ettirilen ilk eleman olmuştu. Herkes bölümlerinde deneyimi sayesinde onun fiilen patron olduğunu biliyordu. Ve bu sakin liderlik stiline saygı duyuyorlardı. İş arkadaşları işlerini bitirdiklerinde onun masasına gelip, "Sana yardım etmek için ne yapabilirim?" diye soruyorlardı. Ne zaman bitmiş bir işi üstlerine sunsalar herkes başarılı olması için onu destekliyordu ve başarılı oluyordu da.

Jacquelyn'in müdürü onun şirketin en iyi çalışanlarından biri olduğunu biliyordu. Son günü yarın olan bir projeyi masasına koysanız bile o işi yapmak için ne kadar istekli olduğunu görebilirdiniz. Üsteli mesai dışında kaç saat çalışmayı gerektirirse gerektirsin. Yeni pozisyonu ise daha da talepkârdı, tabii bu onun trajedisinden önceydi.

Kısa bir süre içinde yeni bir eleman, Bridget, Jacquelyn'in bölümünde işe başladı. Bridget daha önce aynı şirketin insan kaynakları bölümünde çalışmaktaydı. Jacquelyn yoğun sezondan dolayı herkesin yardımına ihtiyacı vardı ve ekibe yeni katılan Bridget'in de o katta bulunan diğer insanlar gibi ona destek olacağını düşünüyordu.

İlk başta Bridget fazla bir şey yapmıyor gibiydi. Kısık sesle telefonla konuşmalar, masasından ayrı uzun vakit geçirmeler. Daha sonra Jacquelyn, Bridget'in üçüncü haftasının cuma gününde öğle yemeğinden döndükten sonra onu kabin kabin gezerken gördü. Bütün çalışanlara, "Bana rapor verin," diyordu. Birisi, "Neden?" diye soracak olursa, "Buradaki en tecrübeli kişiyim," diyordu.

Jacquelyn herkesin önünde onunla yüzleşmektense hiçbir şey olmamış gibi masasına gitti ve çalışmaya devam etti. Çalışanları işlerini bu sahtekâr Bridget'e teslim edecek değillerdi onlar da çalışmaya devam ettiler. Bridget öğleden sonra birkaç kez Jacquelyn'e yaklaşmayı denedi, şu anda yürütüyor oldukları projedeki birkaç detayla ilgili mutsuzluğunu anlatacaktı. Fakat Jacquelyn her seferinde sadece başını salladı ve elindeki işe geri döndü.

Diğer çalışanlar eve gittiklerinde Jacquelyn Bridget'e yaklaştı, aslına onu kendi yerine koymaya hazırdı ama daha Jacquelyn ağzını açmadan Bridget onun eski projelerine baktığını ve hepsinin de eksik olduğunu söyledi. Bölümün revizyona ihtiyacı vardı. Jacquelyn odanın dönmeye başladığını hissetti.

Pazartesi sabahı, cumartesi ve pazarı projelerle geçirdikten sonra Jacquelyn ofise geldi ve odanın yeniden düzenlenmiş olduğunu fark etti. Masasında saat dokuzda müdürün ofisinde beklendiğine dair bir not vardı. Odaya girdiğinde bölüm yöneticisi ve Bridget derin bir konuşmanın içerisindeydiler, gülüşüyorlardı. Jacquelyn geldiğinde yüzlerindeki mutlu ifade yok oldu. "Bridget, neden başlamıyorsun?" dedi Jacquelyn'in müdürü.

Bridget, Jacquelyn'le ilgili tuhaf, saçma sapan şikâyetler anlatmaya başladı. Daha sonra Jacquelyn'in yerine getirmediği sorumluluklarını saydı. Şu an üzerinde çalıştıkları projenin tam bir felaket olduğunu ve bölümde liderlik diye bir şeyin olmadığını söyledi. Toplantının sonunda müdür Jacquelyn'e yeni bir yönetici pozisyonu açmak için çalıştıklarını söyledi ve bu konuma Bridget getirilecekti.

Gözyaşlarını bastırmaya çalışırken Jacquelyn bölümüne geri döndü ve Bridget'in söylediği projelerle ilgili belgeleri araştırmaya başladı. Herkes projenin bitiş süresinin aksayacağını söylüyordu, çünkü Bridget işlerini bırakmaları konusunda ısrar etmişti. Bir çalışan Jacquelyn adına sinirlendi ve müdürün ofisine gitti. Ona Jacquelyn'in kuyusunu kazmak için Bridget'in yaptığı taktikleri anlattı. Ancak müdür bu hikâyenin saçma olduğuna inanıyordu. Birkaç gün sonra Jacquelyn'in gönüllü avukatı kovulmuştu.

Daha sonraki birkaç ay boyunca Jacquelyn'in yaşadığı zihinsel taciz lise kafeteryasındakinden bile daha kötüydü. Bridget onun hakkında daha fazla yalan ve dedikodu uyduruyor ve sanki amiri gibi davranıyordu. Sık sık Jacquelyn'e yapması gereken işler veriyor ve geri alıyordu. Jacquelyn bunu fark etmese de beyni tekrarlanan travmadan dolayı fiziksel hasar görüyordu.

Jacquelyn bir kez daha müdürüne gidip şikâyetçi olmaya karar verdi. Ancak sekreteri tarafından geri çevrildi, sekreter ona bunun yerine insan kaynaklarına gidip bir form doldurması gerektiğini söyledi.

Jacquelyn'in şikâyetleri insan kaynaklarında bir dosyayı doldurmuş olduğu halde Bridget'in uygunsuz davranışlarına dair hiçbir gelişme yaşanmamıştı.

Bir gün Jacquelyn insan kaynakları ofisine giderek Bridget'in disipline sevk edilmesi için doğru prosedürü yürütüp yürütülmediğini takip etmek istedi. onunla konuşan kadın aslında şikâyetinin branş yöneticisine iletilmediğini söyledi. "Bu tarifler Bridget'e uymuyor," dedi. Birden Jacquelyn'in kafasında, Bridget'in daha önce insan kaynakları bölümünde çalıştığı dank etti. Ve şu anda konuştuğu kişi onun arkadaşıydı.

Jacquelyn öğle yemeği saatini yürüyerek geçirdi. Müdürüne gidip insan kaynaklarında dönen dolapları anlatmak için kendini cesaretlendirmeye çalışıyordu. Ancak bir restoranın önünden geçerken camın arka tarafında müdür ve Bridget'in gülerek yemek yediklerini gördü.

Jacquelyn sayısız kez eve ağlayarak gitmiş ve eşi Alan'a durumu anlatmıştı. Alan onun kâbuslarına, gerginliğine ve uykusuzluklarına ilk elden şahit oluyordu. Jacquelyn tükeniyordu, yok oluyordu. Ne zaman bir anlığına huzur bulmak istese kafasının içinde Bridget'in onu azarlayan sesini duyuyordu. Şimdi daha kötü hissediyordu. İşyerinde geçirdiği her saat bir işkenceydi. On yıllık çaba ve sadakatten sonra şimdi işten ayrılmak zorunda kalacaktı.

Jacquelyn bana ulaştığında daha bir kelime bile etmeden Ruh ve ben onun travma sonrası stres bozukluğu yaşadığını anlamıştık. Konuştuğu zaman sesinden sinir, üzüntü, terk edilmişlik ve acı duyuluyordu.

İşyerinde en sıkı çalışan olarak bilinirdi ve bu ona dünyada kendini konumlandıracağı bir yer sağlamıştı. Annesi ölmeden önce ona, kolejden iyi notlarla mezun olup bu işe girdiği için onunla gurur duyduğunu söylemişti.

Yani Jacquelyn'in travma sonrası stres bozukluğu katlanıyordu. Konu yalnızca Bridget'in çalışma ortamını sevimsiz bir yer haline getirmesi değil, Jacquelyn'in kendi benlik algısını kaybetmesi ile de ilgiliydi. Geleceği ve ruhu hızla küçülüyor, derin bir depresyona doğru sürükleniyordu.

Alan telefonu aldı ve bize Jacquelyn'i rahatlatabilmek için hiçbir şey söyleyemediğini belirtti. "Sanki ona yetenekli biri olduğunu söylediğimde buna karşı alerjik bir reaksiyon gösteriyor gibi."

"Hiç tatile çıktınız mı?" diye sordum Jacquelyn'e. İki haftalık izni olduğunu söyledi. Ona derhal iznini kullanmasını söyledim.

Sonraki 14 gün boyunca ruhu ve canı için çok güçlü bir yenilenme uyguladık.

Başlangıç için önceden severek yaptığı şeyleri araştırdık. Çalışan kimliğini edinmeden önce hayatta zevk aldığı her şeyin listesini yaptık. Alan, birbirlerine kur yaparlarken oynadıkları Scrabble setini buldu. Yalnızca, anılarla dolu bu oyun bile Jacquelyn'in ruhunu yeniden ateşlemek için çok güçlü bir ilk adım olmuştu.

Ayrıca tatildeyken yapmaktan keyif aldığı olumlu ve iyi şeyleri günlük iş haline getirdi, günlüğüne yazmaya başladı. Örneğin; geceleri köpekle yürüyüşe çıkmak onun göreviydi artık. Önceleri o çok meşgul oluyordu ve dolayısıyla köpekle Alan çıkıyordu. Şimdi, mahallenin geceleri ne kadar sakin ve rahat olduğunu görüyordu. Köpeği durup her ağacı kokladığında bu ona nefes almayı hatırlatıyordu. Ne kadar çok insan yanından geçerken sıcak bir biçimde onu selamlıyordu.

Daha fazla olumlu temas noktası için Jacquelyn sevdiği televizyon şovlarının DVD'lerini sipariş etti. Alan yerel bir dans okulunda vals öğrenmeleri teklifinde bulundu. Yıllardır gitme şansı bulamadıkları ve en sevdikleri restorana gittiler. Bir hafta sonu kaçamak yapıp olumlu anıları yaşatmak için oda ve kahvaltı hizmeti veren bir yere gittiler.

Liste uzayıp Jacquelyn'in günlüğü doldukça kendini daha yetenekli hissetmeye başladı. İçsel gücünün geri geldiğini hissediyordu. Benlik algısı ve ruhunu geri kazanıyordu. Alan her sabah, fiziksel düzeyde Jacquelyn'in glikoz rezervlerini tazelemek için ona kavun kesiyor ve her öğleden sonra meyve salatası hazırlıyordu.

Bu aşamada hayatın Bridget için ne kadar tuhaf olduğunu konuşmaya başladık. Nasıl yaralı bir insandı ki böylesine sinirli, nefret dolu, düzenbaz biri olmuştu. Bu onun için çok zor olmalıydı. Bridget'e üzülmenin bir yolunu geliştirmiştik. Dış görünüşünü saymazsak Bridget'in nasıl da güçsüz biri olduğunu keşfetti Jacquelyn. Tam tersi hiç gücü yoktu. Bu yüzden Jacquelyn'e insafsızca davranma ihtiyacı içerisindeydi. Bu Jacquelyn'in Bridget'i yeni bir ışıkla görmesine müsaade etti.

Jacquelyn'le işyerindeki konumunun nasıl her zaman onun olduğunu ve öyle olacağını konuştuk. Unvanı değişmemişti. Orada en uzun süredir o çalışıyordu ve en çok saygı ona gösteriliyordu. Her gün Bridget'in negatif enerjisini almak yerine kendini ilgi, sevgi ve pozitif enerji sağanağına tutmanın bir yolunu bulmalıydı.

İki hafta sonunda Jacquelyn işyerine gitti. Bridget'i arabasında otururken gördü - şüphesiz kafasının içinde dönüp duran sesini ve olumsuz mesajlarını bastırmaya çalıştı. Bridgit'i kahvesini yudumlarken ve kaşlarını çatarken gördüğünde Jacquelyn biraz üzüldü. Bridget'in davranışlarının ne kadar patetik olduğunu şimdi görebiliyordu.

Arabanın camını tıklattı ve, "İşyerine benimle yürümek ister misin?" dedi.

Bridget kafasını dışarı uzattı. "Emin misin?"

Binaya girerken Jacquelyn kolunu Bridget'in beline doladı. "Sen harika bir insansın. Bunu biliyorsun değil mi? Burada mücadele ettiğini biliyorum ve senin için buradayım."

Bridget o kadar şaşkın gözüküyordu ki ağzını açıp tek kelime söyleyemedi. Jacquelyn tüm gün boyunca Bridget'in en ufak bir tatsızlık çıkarmadığını dikkat etti.

Birkaç ay sonra bölüm bir yenilenmeye gittiğinde Bridget yaratıcı bölümün yeni yöneticisinin Jacquelyn olması için oy kullandı. Jacquelyn, Bridget'ten çok daha fazla deneyimli olduğu bilgisi ile kendisine verilmiş olan armağanı kabul etti ve ilerledi.

BÖLÜM 14

DEPRESYON

Çocukluğumun en iyi arkadaşını, 21 yaşında bir araba kazasında kaybettiğimde tesellisi mümkün olmayan bir haldeydim. Bu çocuk benim ruh kardeşimdi. Ruh'u duyabilme yeteneğimi anlıyor ve büyürken bunun benim üzerinde nasıl bir baskı yarattığını biliyordu. Beni ciddiye alıyordu. Yeryüzünde beni anlayan az sayıda insandan biriydi. Onun öldüğünü duyduğumda sanki araba bana çarpmış gibi hissettim.

Ruh'un beni iyileştirmek için söylediği sözler kâr etmiyordu. Yaralarım iyileşmiyordu. İncinmiştim, dertliydim, sinirliydim, korkmuştum. Aynı zamanda arkadaşımın ailesini de düşünüyordum. Bu inanılmaz kayıp karşısında ben yaşadığım şokun sonuçlarıyla uğraşırken onlar da acı çekiyorlardı. Geçici bir depresyona girmiştim. Hayatta karşılaştığım diğer örneklere hiç benzemiyordu. Hatta büyürken karşılaştıklarıma bile. Artık hiçbir şeyin anlamı kalmamıştı.

Geçmişte, Ruh onların durumunu anlayabildiği için depresyondan şikâyetçi olan insanlara yardım edebiliyordum, ancak kişisel düzeyde kendimi onlarla özdeşleştiremiyordum. Şimdi onların oldukları yerdeydim - bu deneyim bana kendi örnekleri ile karşılaşan insanların neler hissettiklerini görmem için bir pencere açmıştı.

Zaman geçti, iyileştim. Hâlâ arkadaşımın ölümüne çok üzülüyorum ancak tekrar umutsuzluğa kapılmayacağım. Depresyona karşı sabırlı olmamız gerektiğini öğrendim. 5 yıl 10 yıl hatta daha uzun sürse bile bunun her zaman böyle gitmeyeceğine dair umudunuzu canlı tutmalısınız. Depresyondan kurtulmak için inanç çok önemlidir. Dayan*malı*sınız.

Eğer kişisel olarak depresyon yaşamadıysanız mutlaka yaşamış birini tanıyorsunuzdur. Sevdiğimiz biri, arkadaşımız veya iş arkadaşımızdan şu cümleyi mutlaka hepimiz duymuşuzdur: "Depresyondayım." Klinik depresyon yaşamayan birçok insan bunu günlük, gelip geçici üzüntülerle karıştırır ve depresyondaki insanların niçin gülümseyemediklerini bir türlü anlamazlar. Gerçek şudur ki zaman zaman kendini üzgün hissetmek ve klinik depresyon arasında dünyalar kadar fark vardır. Kimi insanlar için bu tarif edilemez bir duygudur. Diğerleri depresyonu çok daha ağır şekilde yaşarlar - bu farklı zaman aralıklarında çok değişik ciddiyet düzeylerinde gerçekleşir.

Tıp camiasında depresyon hâlâ gizemini koruyan bir hastalıktır. İnsanlığın başlangıcından beri kafaları karıştırmaktadır. Muhtemelen dünyadaki en şiddetli hastalıklardan biridir. Bu bölümde depresyonu tetikleyen şeyleri açıklayacağım. Mahkûmiyetinizin arkasındaki sebebi ortaya çıkarmanıza ve bundan nasıl kurtulacağınızı öğrenmenize yardımcı olacağım.

Yaklaşık 20 yıl önce bir hastam depresyonu ıssız bir yerde trenden indirilmek olarak tanımlamıştı. Tren gidiyor ve tek başına kalıyordu. İstasyondan başka tren geçmiyordu. Bana, depresyonun, sanki bir daha onu asla terk etmeyecek bir yalnızlıkmış gibi olduğunu söyledi. O zamandan beri bu tanımlama aklımdan çıkmadı.

Eğer depresyondan şikâyetçiyseniz şunu bilmenizi isterim; tren sizin için geri geliyor. Artık yalnızlığınıza takılıp kalmak zorunda değilsiniz. Bu bölüm trenin ışıkları olsun ve trenin size doğru yaklaştığını belli etsin. Buradaki tavsiyeleri takip ederseniz sağlıklı bir zihne giden yolu bulabilirsiniz.

Depresyon Belirtileri

Eğer depresyondaysanız muhtemelen üzüntü, daha önce keyif veren aktivitelere karşı ilgi kaybı, düşünme, konuşma ve/veya hareketlerde yavaşlama ve hatta kendine zarar verme gibi belirtileri yaşıyorsunuzdur.

Bu belirtilerin işaret ettiği klinik depresyon çok ciddi bir durumdur.

Depresyondayken ne kadar zor olursa olsun yaşadığınız şeyleri size değer veren kişilerle paylaşmanız çok önemlidir. Onların sevgi ve desteğine izin verin. Depresyonunuz hakkında utanç duyduğunuz bir şey varsa bırakın gitsin. Tıp camiasının henüz keşfedemediği çok önemli bakış açıları var bu konuda. Devam eden sayfalardaki bölümleri okudukça belirtilerinizin ardında yatan şeylere ve onlar için ne yapabileceğinize dair yeni bir bakış açısı geliştireceksiniz.

Depresyonun Ana Nedenlerini Belirlemek ve Tedavi Etmek

Pek çok insan klinik depresyonun ciddi üzüntü ve/veya bastırılmış sinir gibi duygusal acılardan kaynaklandığını zanneder. Bu aslında depresyonun bir türünü tarif ediyordur. Ancak depresyon karmaşık bir durumdur ve çok sayıda farklı ana nedenden kaynaklanıyor olabilir. Bunların kimi duygusal temelliyken (örneğin; travmatik bir kayıp) diğerleri tamamen fizikseldir (örneğin; ağır metaller, Epstein-Barr).

Aşağıda bu durumun arkasında yatan nedenlerin en çok bilinenleri sıralanmıştır. Bu sorunlardan bir tanesi bile depresyonu tetiklemek için yeterli güçtedir. Ancak bunlardan iki ya da daha fazlasından aynı anda şikâyetçi olmanız da mümkündür. Kendinizde gördüğünüz bu tetikleyicileri tanımlamak için elimizden geleni yapınız.

Travmatik Kayıp

Depresyonun en açık sebeplerinden biri ciddi bir duygusal şok ya da şoklar serisidir ve bu genellikle bir kaybı içerir.

Örneğin; bir aile üyesinin ölümü (sevilen birinin kaybı), sizi aldatan bir eş (güven ve iyi bir ilişkinin kaybı), sizi tanımlayan bir işten atılmak (kimlik ve güvenlik kaybı), uzun vadeli planlarınızı yıkan bir olayı yaşamak (yön ve amaç kaybı), dünyanın acımasız bir yer olduğuna karar verdirecek bir adaletsizlik yaşamak (inanç kaybı) ve bir süre sonra öleceğinize inanmak (gelecek kaybı).

Elbette ki farklı insanlar durumlara farklı şekillerde tepki verirler. Birini depresyon döngüsüne bağlayan bir kayıp sizi o derecede etkilemeyebilir ya da tam tersi olabilir. Bunun gibi farklı tepkiler, kişilik, kişisel geçmiş ve beyin kimyası gibi şeylere bağlı olarak değişiklik gösterebilir. Burada en önemli olan şey bunun *sizin* üzerinizdeki etkisidir. Eğer bu sizi yoğun duygusal acılara, acizlik ve/veya umutsuzluğa sürüklüyorsa o zaman ciddi bir depresyonun başlangıcı olabilir.

Tıp camiası henüz bu çeşit travmatik duyguların beyinde mikro felçler yarattığını bilmiyor. Konvansiyonel iskemik felçlere veya trans geçici iskemik ataklara oranla daha küçük bir düzeydedir ve bu mikro felçler beyin dokusuna zarar veren bir şeydir. O kadar küçüklerdir ki MR, tomografi ya da bugün sahip olduğumuz diğer görüntüleme teknolojilerinde belli olmazlar. Klinik depresyonun belirtilerini de içeren birçok problemle sonuçlanabilirler. Neyse ki zamanla çözülebilecek şeylerdir.

Büyük duygusal bir şok beyninizde çeşitli elektrik iletimleri yaratabilir. Bu yüzden kötü bir haber vermeden önce birisine, "İstersen şöyle otur," deriz. İçgüdüsel olarak bu şokun fiziksel etkisi olduğunu biliriz. Bu yüklenme o kadar yoğun olabilir ki beyninizdeki sigorta atabilir ve bazı bölümlerin devre dışı kalmasına sebep olabilir.

Bu devre dışı kalma (beyninizin içindeki) ruhunuzu, canınızı çok daha kötü yaralanmalardan korumak için tasarlanmış bir güvenlik mekanizmasıdır. Ne kadar haince olursa olsun, işten atıldığını öğrenmek ya da arabanıza yaklaştığımızda camın kırılmış olduğunu görmek beyninizin duygusal merkezlerinde bir elektrik akımını tetikleyebilir. Bu, sahile vuran dalgalara benzer. Bir dizi üzücü olay bu güvenlik mekanizmasının çökmesine ve işlerin ters gitmesi neden olarak depresyonla sonuçlanabilir.

Kargaşa arttıkça bu güvenlik önlemleri düzgün bir biçimde çalışmayabilirler. Bu kumsala yapılmış kumdan bir kaleye benzer. Kalenin etrafına bir duvar örmüşsünüzdür ve gelen ilk güçlü dalgaya karşı bu duvar kaleyi korur. Daha sonra bir büyük dalga daha gelir ve duvar yıkılır. İşler yolundadır, çünkü kalenin etrafına bir de hendek kazmışsınızdır. Kale hâlâ sağlamdır. Sonraki birkaç dakika içinde üçüncü bir dalga gelir ve kaleyi alır götürür.

Zihnimizdeki bu güvenlik önlemleri normal işleyişlerini yitirdiklerinde beynin bazı bölümleri, artık tekrar eski neşeli haline dönemeyebilir. Bu genellikle, depresyona eşlik eden duygusuzluk ya da kötümserlik gibi duygularla sonuçlanabilir.

Yine de iyi haberlerim var. Zihinsel kaynaklarımızı yeniden inşa edebiliriz. Doğru beslenme ile güvenlik mekanizmalarımızı yenileyebiliriz ve hayata karşı daha uyanık bir şekilde durabiliriz. Beklenmedik olaylardan kolayca sıyrılabilir, zamanla depresyonumuzu iyileştirebiliriz.

Travmatik Stres

Depresyonun bir diğer ana sebebi ise ciddi ve sürekli strestir. Hepimiz ara sıra üzerimizde baskı hissederiz. Bu canlı olmanın bir parçasıdır. Ancak uzun süreli, yoğun bir stresten şikâyetçiyseniz bu yıkıcı etki yaratabilir.

Mesela aylarca işsiz kalmak ve sürekli faturaları nasıl ödeyeceğinizi düşünmek gibi, finansal açıdan sizi zarara uğratacak bir davanın sonuçlanması gibi veya şiddetli geçimsizlik sonucu boşanma gibi, belki de korkmuş ve çaresiz hissetmenize sebep olan büyük bir hastalık gibi.

Bunlar birçok insan için sürekli ve travmatik stres yaratabilen durumlar olabilirler, oysa ufak stres etkenleri de bir araya geldiklerinde travmatik olabilirler. Herkesin kendine has bir hassasiyet düzeyi vardır. Buna saygı duymalıyız. Örneğin; postada bir mektubun kaybolması birine çok önemli bir şey gibi gözükmese de bu, bir başkası için borçlu olduğu birine zamanında ödeyemediği parayı hatırlatan bir tetikleyici olabilir ya da şu an uğraştıklarının yanında bir de buna zaman ayıramayabilir.

Size yeni bir bakış açısına ihtiyacımız olduğunu söyleyen bir büyüğünüz oldu mu hiç? Belki lise döneminde, okul balosuna gidecekken, bir gece önce terziden aldığınız elbisenin 10 santim kısa olduğunu fark ettiniz ve büyükbabanızdan sempati göremediniz. "Afrika'da açlıktan ölen çocuklar var, sen burada bir elbise için mi ağlıyorsun?" Ya da kolunuz kırıldığında duş alırken ne kadar zorlandığınızı bir arkadaşınıza anlattığımızda, "İyi de yine de en azından bir kolun var," cevabını almadınız mı? Muhtemelen bu durumlar -daha çok birer ceza gibidirler- bir işe yaramazlar.

Elbette ki yeni bakış açıları kazanmak ya da kafamızın içinden çıkıp yaşantılarımıza daha büyük bir ölçekten bakmaya çalışmak yararımıza olacaktır. Yine de mantık her zaman bir duruma karşı verdiğimiz duygusal tepkiyi kontrol edemez. Dünyevi şeyler yüzünden ciddi stres yaşıyoruz ya da ufak sıkıntılar ama hepsi aynı. İçimizde ve dışımızda farklı tüm reaksiyon düzeylerine saygı göstermeliyiz.

Fiziksel düzeyde bu olaylar 'kaç ya da savaş' tepkisini tetikler ve iç salgı bezleriniz sisteminize adrenalin salgılar. Üstünüze doğru gelmekte olan bir kaplandan kaçıyorsanız ya da son anda size çarpacak olan arabanın önünden çekilebiliyorsanız bu tabii ki iyi bir şey. Ancak hayati organlarınıza -özellikle de beyninize- dolan bu adrenalini fiziksel olarak yakamadığınızda büyük depresyonlara yol açabilir. Adrenalin, nörotransmitterleri çökerten bir tetikleyici haline gelir ve melatonin üretimini düşürür, sizi derin bir sis bulutu içerisinde, kaybolmuş gibi bir hisse sürükler.

Adrenal Yetmezlik

Depresyon tamamen fiziksel bir sebepten kaynaklanıyor da olabilir. Böyle durumlarda apansız geliverir. Kendinizi neden böyle berbat hissettiğinizde dair hiçbir fikriniz yoktur.

Örneğin, daha önce de anlattığım gibi, yoğun veya ve uzun süren duygular beyninizi tüketici adrenalinle yıkayabilir. Bunu, benzin istasyonunda arabanızı benzinle doldurmaya benzetebilirsiniz. Aracın çalışması için benzine ihtiyacı vardır fakat depo dolduktan sonra benzin koymaya devam ederseniz petrol arabanın boyasına zarar verecektir.

Bu tip duygularla daha önce hiç sarsılmamış olsanız bile, yine de böbrek üstü bezlerinizde bir işlev bozukluğu varsa, beyniniz bu zararlı salgıdan dolayı acı çekiyor olabilir. Bu da depresyona yol açacaktır. Öyle bir sorununuz olup olmadığını -ve böyle ise, zarar görmüş olan böbrek üstü bezlerinin nasıl iyileştirileceğini- anlamak için Bölüm 8: Adrenal Yorgunluk bölümünü okuyabilirsiniz.

Viral Enfeksiyon

Tıp camiası, milyonlarca insanın, Epstein-Barr (Bölüm 3'te ayrıntılı anlatılıyor) ya da Lyme hastalığı (Bölüm 16'da ayrıntılı anlatılıyor) gibi virüsler sonucu depresyon yaşadığını bilmiyor. Virüs sinirlerinizi ele geçirir ve onları sürekli iltihaplandırır. Ayrıca zehir ya da nörotoksin gibi, sinirlerinizi ve beyin hücrelerinizi iltihaplandıran salgılar yayar. Bu, beyninize gelen ya da beyninizden gitmekte olan sinyalleri etkiler ve depresyona yol açabilir. Vücudunuzda başka hiçbir belirtiye sebep olmayan, hafif düzeydeki bir virüs bile depresyonun kaynağını oluşturabilir.

Ağır Metaller ve Diğer Zehirler

Diğer bir depresyon çeşidi ise *her şey yolunda*dır. Birinin harika bir ailesi vardır, kusursuz bir işi, çok güzel bir evi ve bütün bunlar için şükran duymaktadır. Ancak karanlık ve beklenmedik bir bulut gelip kâbus gibi üstüne çöker. Çok farklı hissetmesine sebep olur, üzgündür, artık kendisi gibi hissetmiyordur. Sanki bir şeyler eksik gibidir. İnsan sabah yataktan kalkmak için bir sebep bulamaz olur.

Etraflarındakiler onları anlamazlar. "İyi de her şeyin var zaten, sorun ne anlamıyorum ki."

Bu tip depresyon zehirlenme sonucun oluşur - olumsuz davranışlardan değil.

Modern yaşantının bir sonucu olarak vücudumuz zehirli ağır metalleri biriktiriyor - özellikle cıva, alüminyum ve bakır. Örneğin; ton balığı ya da diğer deniz ürünleri cıva içermektedir. Kutu içeceklerin kutusu alüminyumdan yapılmıştır. Ayrıca muhtemelen musluk suyu, bakır borulardan geçerek evinize geliyordur - ve alüminyumun zehirli bir yan ürünü olan florit ile doludur.

Bu metaller sonunda beyinde talamus, beyin epifizi, hipofiz bezi ve hipotalamus yakınlarında birikir. Eğer asidik ortam, yüksek protein ve yağ temelli beslenme ile destekleniyorsa metaller oksitlenmeye başlayacaklardır. Bu da beyin hücrelerini kirleten ve elektrik iletim aktivitesini düşüren zehirli bir kimyasal yaratır. Bu bozulma beynin kimi bölgelerinde depresif bozukluk yaratabilir. Hiç beklenmedik bir anda gelip bir insanı bulabilir.

Bu zehirlenme daima sürekli olmaz. Eğer zehirli ağır metallerden akış rastgele gerçekleşiyorsa siz de depresyonu düzensiz aralıklarla hissedeceksinizdir ve her seferinde bir diğeriyle tutarlı olmayacaktır.

Ametal zehirliler de nöronların ve nörotransmitterlerin zarar görmelerine yol açabilir ve beyninizin işlevselliğini aksatabilir. Aşağıda depresyonla ilgili zehirler listelenmiştir:

- **Zirai İlaçlar ve Böcek İlaçları:** İlaçlanmış bir bahçenin, çiftliğin ya da golf sahasının içinde ya da etrafında yürüyorsanız, son zamanlarda ilaçlanmış bir parktan geçiyorsanız, organik olmayan bir şeyler yiyorsanız ve bunun gibi şeyler yapıyorsanız bu kimyasallara maruz kalabilirsiniz.
- **Formaldehit:** Bu kimyasal binlerce işlenmiş gıdada koruyucu madde olarak kullanılmaktadır.
- **Çözücüler:** Halı temizliğinde, ev temizliğinde, ofis temizliğinde bu kimyasallar her gün soluduğunuz gazlar yaratırlar.
- **Gıda Katkı Maddeleri:** MSG, aspartam, sülfit (kurutulmuş meyve atıştırmalık patates ve bunun gibi şeyler de koruyucu olarak kullanılır) ve diğer doğal olmayan katkı maddeleri beyninizde birikebilir. Bir kez depresyonu tetiklemeye başladıklarında artık bir kutu diyet kola içmek bile yeni bir atağa sebep olabilir

Elektrolit Eksikliği

Sağlıklı kalabilmek için vücudumuz elektrolit seviyesini belli bir düzeyde tutmalıdır. Elektrolitler tuz ve diğer vücut sıvılarının birleşiminden yaratılan iyonlardır. Elektrolitler vücudunuz boyunca -özellikle de vücudunuzun elektriksel aktivitesinin merkezi olan beyninizde- elektrik akımlarının sürdürülmesine ve gönderilmesine yardımcı olurlar. Beyinlerinde fazla miktarda cıva ve diğer zehirli maddeler bulunan insanlar bunu dengeleyebilmek için normal düzeyde elektrolitin daha fazlasına ihtiyaç duyarlar.

Beyninizi bir arabanın aküsü gibi düşünün. Kimyasal elektrolit çözeltisi düşük seviyede olduğunda arabadaki elektrik akımını engeller ve araba çalışamaz. Aynı şekilde beyninizden geçmekte olan kanın içinde de düşük miktarda elektrolit varsa bu elektriksel aktiviteyi ciddi biçimde engelleyecek ve depresyonu tetikleyecektir. Ve tıpkı bir araba aküsü gibi yeterli elektrolit alabilirseniz beyninizi yanmaktan kurtarıp yeniden şarj edebilirsiniz.

Depresyon Tedavisi

Gördüğünüz gibi depresyon için çok fazla tanım ve tetikleyici var. Depresyonun için yapabileceğiniz en iyi şey, saptadığınız herhangi bir özel durumu göz önünde bulundurmaktır. Zihinsel durumunuzun arkasında yatan şeyin ne olduğunu bilmek olağanüstü büyük ve geçerli bir iyileştirici etkidir.

Ayrıca bu bölümde açıklanan destek gıdalar, otlar ve besinleri almanız da önerilir. Yalnızca doğal yöntemler kullanarak beyin dokunuzu, sinir hücrelerinizi ve iç salgı bezlerinizi destekleyecek, sizi zehirlerden arındıracak ve modunuzu yükselteceklerdir. Zihinsel sağlığınız üzerinde derin bir etkisi olabilecek beslenme hakkında daha fazla bilgi için Kısım 4: Sonuçta Nasıl İyileşeceğiz?'e bakınız. Bölüm 22: Ruhsal İyileşme Meditasyonu ve Teknikleri ile Bölüm 23: Önemli Melekler ise depresyondan kurtaran, hayatınızı iyileştiren, huzur bulacağınız egzersizleri barındırmaktadır.

İyileştirici Gıdalar

Belirli yiyecekler beyninizi canlandırmak, ağır metalleri arındırmak, elektrolitleri tazelemek, beyin dokusunu iyileştirmek ve/veya depresyonla ilgili beslenme eksikliklerini tamamlamada yardımcı olacaktır. Belirtilerinizin azalması için size yardımcı olacak diyetin içinde, yaban mersini, ıspanak, kenevir tohumu, kişniş, ceviz, hindistancevizi yağı, Brüksel lahanası, lahana, kayısı ve avokado sayılabilir.

Şifalı Bitkiler ve Destekleyiciler

- **B_{12} Vitamini (metilkobalamin ve/veya adenosilkobalamin olarak):** Beyin ve merkezi sinir sistemini güçlendirir.
- **Spirulina Yosunu/Mavi-Yeşil Alg (tercihen Hawaii'den):** Beyinden ve merkezi sistemden ağır metalleri ve diğer zehirleri yok etmek için önemlidir.
- **Nascent İyot:** Tiroit ve böbrek üstü bezleri dâhil olmak üzere iç salgı bezlerini destekler. Ayrıca virüsleri öldürür, bağışıklık sistemini güçlendirir.
- **Melatonin:** Beyindeki iltihaplanmayı azaltır. Ayrıca yeni nöronların gelişmesine yardımcı olur.
- **Ester-C:** C vitamininin bu hali zarar görmüş nörotransmitterleri onarır ve böbrek üstü bezleri destekler. Ayrıca karaciğeri temizlemeye yardımcı olur ve sisteminizdeki zehirlileri arındırır.
- **Meyan Kökü:** Tiroit ve böbrek üstü bezleri dâhil olmak üzere iç salgı bezlerini destekler. Ayrıca virüs hücrelerinin hareket etme ve yeniden üreme kabiliyetlerine zarar verir.

- **Ginkgo Yaprağı:** Nörotransmitterleri besleyen ve büyüten güçlü alkaloitler içerir.
- **Limon Otu:** İltihaplanmayı azaltır ve merkezi sinir sistemini sakinleştirir. Ayrıca sinirleri iltihaplandırabilecek olan virüsleri öldürür.
- **Kuş Kirazı/Hint Ginsengi:** Tiroit ve böbrek üstü bezleri dâhil olmak üzere iç salgı bezlerine yardımcı olur.
- **D_3 Vitamini:** Tiroit ve böbrek üstü bezleri dahil olmak üzere iç salgı bezlerini güçlendirir. Ayrıca virüsleri öldürür iltihaplanmayı azaltır.
- **GABA (gamaaminobutirik asit):** Nöropeptit ve nörotransmitterleri destekler. Ayrıca Merkezi sinir sistemini yatıştırır.
- **EPA & DHA (eikosapentaeonik asit ve dokosaheksaenoik asit):** Merkezi sinir sistemini onarır ve kuvvetlendirir. Bitkisel kökenli olanı almalısınız (balık bazlı olanı değil).
- **5-HTP (5-hidroksitriptopan):** Nörotransmitterleri destekler.
- **B Vitaminleri:** Vücudun bütün bölgelerini duygusal zarar görmekten korur. Ayrıca beyin ve beyin sapını destekler.
- **Magnezyum:** Merkezi sinir sistemini sakinleştirir ve kas kasılmalarını rahatlatır.
- **Güneş Topu/Acem Lalesi:** Aşırı aktif nöronları sakinleştirir ve nörotransmitterleri destekler.
- **Kava-kava:** Merkezi sinir sistemini yatıştırır ve stresi azaltır.
- **E vitamini:** Merkezi sinir sistemini destekler.
- **Altın Kök:** Tiroit ve böbrek üstü bezler dâhil olmak üzere iç salgı bezlerinin güçlendirir. Ayrıca damar sistemini sağlamlaştırır.

Hasta Dosyası:

Mutluluğa Karşı Beklenmedik Bir Cevap

Ellen hayatı boyunca çok mutlu bir insan olmuştu. Arkadaşları ve ailesi onu neşe kaynağı olarak görüyorlardı. Üzgün ya da mutsuz olan kişileri nasıl rahatlatacağını iyi biliyordu ve evliliğinin temel taşıydı. Güneşin doğuşunu hasretle bekler, hafta sonları için planlar yapar, geleceğe dair tatiller tasarlar ve üç kızının doğum günü partilerini planlardı. Ellen hayatın değerini biliyordu ve her gün bunun için şükrediyordu. Hayatının kusursuz olduğunu hissediyordu.

Daha sonra 44 yaşındayken Ellen, ailesiyle tatilden döndükten sonra, birden kendini farklı hissetmeye başladı. Bunu açıklayamıyordu ancak bir parçası eksik gibiydi. Aşırı yorgun hissetmenin yanı sıra yaşama dair yürekliliğini ve tutkusunu kaybetmiş gibi hissediyordu. İçinde bir mutsuzluk belirmeye başlamıştı.

Ellen ilk başta bunu tatil sonrası hüznü diye nitelendirdi ve gelip geçeceğini düşündü. Daha sonraki birkaç ay boyunca iyiye doğru gittiğini hissettiği zamanlar oldu ama tekrar daha kötü olmaya başlamıştı. Sanki kendini kaybediyor gibiydi. Eşi Tom çok üzgündü. "O gülüşünü özledim," diyordu. Ellen her zaman parlak bir ışık yayardı, ancak şimdi o ışık sönmüştü.

Tüm bunlara bir yanıt bulma peşinde olan Ellen doktora gitti. Doktor bir dizi hormon testi yaptırdı. Hormon seviyeleri normal çıkınca doktor onun depresyonda olduğunu düşündü ve içinde antidepresanlar olan bir reçete yazdı. "Bakalım bu seni rahatlatacak mı?"

Ellen ofisten çıktığında daha kötü hissediyordu. Bu teşhis, bu reçete ona çok yabancı geliyordu. Haberleri ailesiyle paylaştı, onlar da tıpkı onun gibi şoktaydı. Bu duyguların nereden çıktığını bilmeden antidepresanları almaya başladı ama bunun ne kadar süreceğini bilmeden kendini sanki bu ilaçların esiriymiş gibi hissediyordu.

Profesyonel danışmanlık hizmeti almak istedi. Terapist biriktirilmiş hatıraların Ellen'ı esir aldığında karar kıldı. Ellen bu harika, destekleyici danışmanla birlikte geçmişine doğru inmeye başladı. Süreç iyi ilerliyordu ve onu depresyonu boyunca su üstünde tutacak bir destek verdi. Ancak depresyon hâlâ oradaydı.

Hastalığın başlangıcından 1 yıl sonra Tom, Ellen'ı başka bir tatile çıkarmaya karar verdi. Belki bu geleceğe dair yeni planlar yapmasına yardımcı olurdu. Tüm aile 10 gün boyunca tatile çıktılar. Ellen kendini daha iyi hissediyordu, kızlarıyla okulda oynayacakları oyunlar için kostümler tasarlayarak gevezelik ediyor ve güneşle birlikte uyanıyordu. Eskiden olduğu gibi değildi, ancak yine de yarı yarıya iyileşmiş hissediyordu. Eve dönüş uçağına binmek üzere havaalanında oturmuş beklediği sırada, Ellen Tom'a bu tatilin belki de ihtiyaç duyduğu bir başlangıç noktası olabileceğini söyledi.

Birkaç saat sonra eve gelip valizleri açmaya başladığında Ellen çöktü. Yatakta kıvrılmış yatıyordu ve depresyon her zamankinden daha fazla binmişti üzerine. Günler geçti, aynı his devam ediyordu ve sanki hiç bitmeyecek gibiydi. Her an ağlamaya başlayabiliyordu -dişlerini fırçalarken, ayakkabısını bağlarken ya da sabah uyandığında- Tom ve kızlarla birlikte en sevdikleri pazar akşamı programını izlemek için oturma odasında oturacak enerjisi yoktu artık.

Ellen'ı bu kamburdan kurtaramayan terapist benimle bir randevu ayarlamasını önerdi. Ellen'ı okumaya başlar başlamaz, Ruh organlarında aşırı miktarda tarım ve böcek ilacı olduğunu söyledi bana. Bulguları ona anlattım. Ellen aniden sessizleşmişti.

"İyi misin?" dedim.

Ellen eşinin periyodik bir biçimde evin içini ve dışını ilaçlama şirketine ilaçlattığını anlattı. Hangi sıklıkla yaptırdıklarını sordum. Ellen telefonla Tom'u aradı. Örneğin; hafta sonları kayınvalidesini ziyarete gittiklerinde ya da uzun bir tatile çıktıklarında, komşuya anahtarı bırakıyorlardı, ilaçlama için gelen elemanlar evi ilaçlıyorlardı. Ayda bir kez de bahçeleri ilaçlanıyordu.

Ellen, Tom ve çocukların derhal o evden taşınmaları üzerinde ısrar ettim. Annesinin evinde kalıyorlarken Ellen, depresyona sebep olan ve sisteminde bulunan ağır metaller ve kimyasallardan kurtulmak için, iyileştirici bir yiyecek, destek ve detoks rejimine başladı - bu bölümde ve Kısım 4'te anlatıldığı gibi. Buna Tom da katıldı. Ayrıca farklı bir programı da kızların zehirden arınmaları için uyguladık.

Ellen yaşama geri dönmüştü. gizemli hastalığın çözülmesi, yerinde uygulanan iyileşme programı, yenilenen özgüveni, tarım ve böcek ilaçlarından uzak bir hayat ve terapi sürecinde edinmiş olduğu faydalarla Ellen artık daha iyi hissediyordu. O ve Tom evlerini satılığa çıkarıp yeni bir tane satın almaya karar verdiler.

BÖLÜM 15

PREMENSTRÜEL SENDROM VE MENOPOZ

Neredeyse tüm tarih boyunca, kadınlar menopozu iyi bir şey olarak gördüler. Her ne kadar yaşlanmanın bir belirtisi olsa da menopoz, *premenstrüel sendrom* (PMS) ve regl döneminin tüm zorluk ve aksaklıklarını acısız, yumuşak bir şekilde sonlandırır. Ayrıca yükselmiş bir libido ile kazara hamile kalma endişesi olmadan seks yapabilmeye olanak tanır.

Geçmişte kadınlar menopozla ilgili yardım almak için doktorlara başvurmuyorlardı, çünkü dikkate değer fiziksel bir problem ya da belirti yaşamamaktaydılar. Kadınlar neredeyse her zaman menopoz döneminde, öncesinde ya da sonrasında her zamankinden çok *daha iyi* hissettiler. Bu, kabullenmenin ötesinde hiçbir şey gerektirmeyen, hayatın normal bir dönemiydi.

Tıp literatürü 1800'lü yıllarda menopozdan çok nadir bahsetmekteydi. Bahsettiğinde de asla menopozu semptomatik bir şey gibi ya da doktor tedavisini gerektirecek bir güçlük gibi görmezdi. Sıcak basmaları ve kalp çarpıntıları kesinlikle söz konusu değildi.

Her şey modern çağda, 1950 civarında değişti. 1900 ve daha sonrasında doğan kadınlar geceleri terlemeye, sıcak basmalarına, yorgunluklara, panik ataklara, sinirliliğe, saçların incelmesine ve eklem ağrılarına maruz kaldılar. Belli bir yaşa geldiklerinde, 20. yüzyılın ortalarında, 40-55 yaş arası kadınlar, bu belirtilerle, bir Tsunami dalgası gibi doktorları ziyaret etmeye başladılar. Ve doktorlar bu konuda ne düşüneceklerini bilmiyorlardı.

Şu işe bakın ki buradan gizemli hastalık ve bağışıklık sistemi karışıklıkları doğdu. Medikal profesyoneller hiç bu kadar afallamamışlardı.

Doktorlar bu salgını ilaç şirketlerine rapor ettiler. İlk başta bunun, kadınların kafasında yarattıkları bir şey olduğu düşünüldü. Bu basit bir çılgın kadın sendromuydu. Kendi belirtilerini kendileri yaratıyorlardı. Çünkü başka bir açıklaması yoktu. Yalnızca dikkat çekmek için bunu yapıyorlardı, sıkıldıklarının bir işaretiydi.

Ancak 1950'lerde hafıza sorunları, odaklanma güçlüğü, huysuzluk, kilo alma, sersemlik ve daha fazla şikâyetle doktorları ziyaret eden kadınların sayısı arttı. İlaç şirketleri ve doktorlar tekrar bir araya geldiler ve bu konunun ortak noktasının, kadınların yaşı olduğunu tespit ettiler. Tıp kurumu buna hormonların sebep olduğuna karar verdi. Hâlbuki erkekler de aynı belirtileri gösteriyorlardı. Birçok erkek sıcak basması yaşıyordu. Ancak bu çok çalışmaktan terlemek ya da sinirden terlemekle karıştırıldı. Erkekler depresyon, göbekte yağlanma ve unutkanlık gibi diğer menopoz belirtilerini de yaşıyorlardı ama bunun bir önemi yoktu. Çünkü erkekler metin olmaları gerektiği söylenen bir dönemden geçiyorlardı;

eve ekmek getirmenin ağır sorumluluğu omuzlarında, kariyerlerini kaybetmenin korkusuyla, özel fiziksel sorunlarını göz ardı etmekteydiler.

Bir ilaç şirketi derhal kadınları istismar etmeye ve kadınların hormonal bir problemleri olduğu konusundaki yanlış inançtan menfaat sağlamaya başladı. 1950'lerin sonunda kadınların hormon eksikliğinden dolayı şikâyetçi oldukları haberi yayılıyordu. Bu kadın sorunu kavramı popüler oldukça, erkekler kendilerinde gördükleri aynı belirtiler hakkında sessiz kalmak adına daha büyük baskıyla karşı karşıya kalmaya başladılar.

Kadınlar bu noktaya gelene kadar birçok zorlukla karşılaşmışlardı. Ezilmişlerdi, duygularını bastırmaları söylenmişti ve sadece çok kısa bir süre önce -insan yerine konularak- oy verme hakkını kazanmışlardı. Yüz yılın ortasında hâlâ seslerini çıkarmak için mücadele ediyorlardı. Onların duyulmalarını sağlayarak bundan çıkar sağlamak çok kolaydı.

Doktorlar kadınların bu gizemli belirtileri karşısında şaşkınlardı. Ancak, en azından, sonuçta, doktorlar onlara inandılar. İlaç dünyası her ne kadar yanlış yöne doğru gitse de teoriler bir şekilde kabul edilmişti. Çünkü kadınların sağlık sorunlarına artık bir isim verilmişti. Bu, doktorlar tarafından gerçekleştirilmiş iyi niyetli bir çabaydı.

O günden bugüne, doktorlar bu yanlış hormonal bilgilendirme ile hareket ediyorlar. Sayısız kadın şikâyetlerinin arkasında yatan sebebin hormonal dengesizlik ya da menopoz olduğunu dinledi.

Ancak böyle değil. Menopoz aslında sizden yanadır. Buna inanın ya da inanmayın, menopozdan sonra yaşlanma süreci yavaşlar. Bu bir mesaj değil, gerçek. Kadınlar menopozu yaşlanmanın ve yaşlılıkla ilgili sağlık problemlerini başlangıcı olarak görürler. Hâlbuki gerçekte iş tam tersidir.

Kadının yaşlanma süreci, en hızlı ergenlikle menopoz arasında işler. Bir kız çocuğunun ilk âdetini gördükten sonra, vücudunda gerçekleşen gelişimlerin ne kadar çabuk olduğunu bir düşünün. Bu yaşlanma sürecini hızlandıran steroid bileşenleri olan üreme hormonlarından dolayıdır. Bir kadının östrojen ve progesteron seviyelerini düşürerek menopoz, onu üreme hormonlarının etkisine kapılan ve onlarla beslenen virüsler, bakteriler ve kanserden korur.

Ve işte *osteoporoz* hakkındaki gerçek: Bir kadını kemik sorunlarına karşı daha kırılgan bir hale getiren şey menopoz sonrası dönem değildir. Osteoporozun gelişmesi on yıllar sürer ve kadın belli bir yaşa geldiğinde birden ortaya çıkar. Tıp dünyası bu rastlantıyı bir sebep olarak görmekte ve kadın vücudundaki östrojen seviyesinin düşmesini onun kemik kütlesindeki kayba bağlı olduğunu söylemekte. Gerçekte *üreme hormonları* osteoporoza katkıda bulunur. Çünkü onlar steroidlerdir ve steroidlerin kemik çözücü etkisi vardır. Epstein-Barr virüs, beslenme eksiklikleri, yetersiz egzersiz gibi etkenler, patojenlerin enfeksiyonları ile birleştiğinde östrojen ve progesteron bir kadında menopozdan çok önce bile osteoporozun gelişmesini tetikleyebilir.

Bu, üreme hormonlarının kötü oldukları anlamına gelmez. Onlar bir kadının doğurganlığının temel taşlarıdır ve bu hormonlar olmadan insanlık devam etmez.

Ancak vücut sınırlarını iyi bilir. Yeni bir canlı dünyaya getirebilmenin bedelini ödemeye hazırdır ve bir kadın ergenliğinden menopoza kadar çocuk doğurabildiğinden sizi güvende tutmak ister.

Kadınlara üreme hormonlarının gençlik kaynağı olduğu söylenir. Buradaki ironi şudur: Gençliğiniz yirmili, otuzlu ya da kırklı yaşlarınızda değildir; gençliğiniz ergenliğinizden önceki dönemdedir. Menopoza kavuşmak, bu zamanla yeniden bağlantı kurmanın bir yoludur. Menopoz üreme sisteminin döngüsünü ve bunun vücutta yarattığı baskıyı sonlandırır. Ve üreme hormonları seviyesini düşürür. Vücudun yaşlanmayı yavaşlatmasının doğal bir yoludur. Böylelikle uzun ve sağlıklı bir hayat yaşayabilirsiniz.

Menopoz ve menopoz sonrası yaşam korkulacak bir şey değildir. Menopozun kendisi zor bir fiziksel süreç değildir. Ayrıca hormonal olarak adlandırılan belirtileri yaşamaya başlayan genç kadınlar dalgası erken menopoza girmemektedir. Başka faktörler devrededir ve bunları bulmak için çok güçlü yollar vardır. Tekrar sağlıklı bir yaşama dönebilir ve her evrede hayatı kucaklaya*bilirsiniz*.

"Menopoz Belirtileri" Dalgasının Arkasında *Aslında* Ne Vardı?

İşte gerçek hikâye: Kadınlar, 1950'lerde, doktorlar ve ilaç şirketlerinin, hayatın değişimi olarak atfettikleri belirtileri göstermeye başladıklarında, üç ortak özelliği göz ardı ediyorlardı.

Birincisi viraldi. Bu kadınların hepsi 1900'lerin başında doğmuştu, Epstein-Barr ve diğer virüslerin insanlığa kök saldıkları zamanlarda.

EBV genellikle bir kadının vücuduna o gençken girer ve iltihabi bir hastalık şeklinde bilinir hale gelecek noktaya ulaşana kadar, on yıllarca vücutta kalabilir. Öyle ki EBV'nin ilk saldırgan olmayan evrelerinden etkilenen kadınlar, virüsün bekleme evresi geçip belirtiler başladığı zaman 40 ya da 50 yaşlarındaydılar. Aynı zamanlarda tiroit iltihaplanması da çok sayıda kadını etkilemeye başladı. (Bu konu hakkında daha fazla bilgi için bakınız Bölüm 6: Hipotiroidi ve Hashimoto Hastalığı).

Eğer 1905'te dünyaya geldiyseniz ve Epstein-Barr ile bir çocuk olarak karşılaştıysanız, 1950'de 45 yaşında ve bu bulaşıcı viral enfeksiyonun belirtilerini yaşayan ilk kuşaktan biri olacaksınız. Bunun menopoz öncesi dönem ya da menopozla aynı zamana denk gelmesi sadece bir rastlantı. Yine de, muhtemelen sıcak basmalarının, gece terlemelerinin ve yorgunluğun hormonal olduğunu duyacaksınız. Eğer iltihaplanma daha önce ya da daha sonra ortaya çıkacak olursa menopoz öncesi ya da menopoz sonrası diye etkileneceksiniz.

1950'lerde menopoz teşhisi koyulan kadınların arasındaki ikinci ortak özellik ise radyasyona maruz kalmaktı. Ayak floroskopisi adındaki bu dev tarihi hata yüzünden -halının altına süpürülen hatalardan bir tanesi- bu dönemin kadınları, tarihte görülen en aşırı radyasyona maruz kaldılar. Eğer 1986 yılında Çernobil sınırında yaşamış olsalardı bundan daha az radyasyona maruz kalırlardı.

Ayak floroskopisi icat olduktan sonra, insanlar 1920'lerden 1950'lere kadar bir ayakkabıcıya gidip ayaklarını ve bacaklarını bir X-ray cihazının içine soktular. Fikir şuydu: Röntgen cihazı müşterinin ayağının kemik yapısını anlayacak ve satıcıya, ona en iyi şekilde uyacak olan topuklu ayakkabıyı sunmasına olanak sağlayacaktı. Ancak radyasyonun dozu kontrol altında değildi, düzenlenmemişti ve ayakkabıcıda hazır bulunan bir doktor yoktu. Sadece bir ayakkabı satıcısı ölümcül bir düğmeye basıyordu, o kadar.

Bu her ayakkabı mağazasına girildiğinde tekrar etti.

Birçok kadın her hafta terapi gibi ayakkabı dükkanına gidiyorlardı. Bu da hayatları boyunca yaklaşık 800 kez radyasyona maruz kaldıkları anlamına gelir. Bu durum milyonlarca kadının radyasyondan zehirlenmesi ile sonuçlandı.

1950'ler geçilirken ayak floroskopisi, sanki daha önce hiç varolmamış gibi ayakkabı mağazalarından sessizce kaldırıldı. Modern tıp o zaman radyasyonun tehlikeli bir şey olduğunu anlamaya başlamıştı. Ayrıca eminim ki sahne arkasında birileri, kadınların bu beklenmedik sağlık sorunlarıyla durmadan tekrar eden radyasyona maruz kalmaları arasındaki bağlantıyı kurdu. Çünkü kanser nedeniyle on binlerce kadının ayak ve bacakları kesiliyordu.

Yine de radyasyona yönelmek yerine düşünce kuruluşları suçlu olarak menopozu gördüler. Oysa bu kadınların anneleri, onların anneleri ve onların da anneleri menopozu yumuşak bir geçiş olarak yaşamışlardı.

Aynı zamanda hastalık için üçüncü bir tetikleyici daha ortaya çıkıyordu: Bir böcek ilacı olan DDT'ye maruz kalma patlaması. 1940'larda DDT her yerde kullanılıyordu. Çiçeklere sıkılıyor, parklara sıkılıyordu, hatta çocuklar oyun olsun diye DDT sıkarak ilerleyen kamyonların arkasından koşuyorlardı. DDT satıcıları kapı kapı gezerek çiçeklere, eve, bahçeye sıkmaları için kadınlara kutu kutu DDT sattılar. Güvenliğini kanıtlamak adına satıcılar elmaya DDT sıkıyorlar ve bunun besleyici bir değeri olduğunu söylüyorlardı. 1950'de DDT kullanımı en üst seviyedeydi. Sayısız kadının merkezi sinir sistemi ve karaciğeri aşırı zehirle doluydu.

Bu riskin bu kadar uzun süre gözden kaçmış olması hayret verici. Rachel Carson'ın, 1962 yılında yayınlanan *Silent Spring* isimli kitabı kimyasal zehirlere dikkat çekmeseydi ve sonunda DDT'nin yasaklanmasına yol açmasaydı ve Çevre Koruma Ajansı'nın bulguları olmasaydı dünya bu ilaçların zehirli olduklarını uzun süre daha görmezden gelebilirdi. Hal böyleyken eleştirmenler Carson'a saldırılar ve onun histerik olduğunu söylediler - kadınların o zaman yaşadıkları gizemli belirtiler için kullanılan bir terim! Sonunda, yine de ona hakkını verdiler. Doğruyu gün ışığına çıkarmak için yaşadığı her şey, kurtardığı hayatlara değerdi.

(Bu arada DDT'nin arkasında duran kimya endüstrisi halkın gözünde böylesine bir darbe yemişken, yeni bir endüstri gelişmeye başlamıştı: hormon tedavisi.)

Bu arada menopoz tamamen farklı sebeplerden kaynaklanan birçok belirti için günah keçisi haline gelmişti. Yanlışlıkla menopoza atfedilen belirtiler arasında gece terlemeleri, sıcak basmaları, yorgunluk, sersemlik, kilo almak, sindirim sorunları, şişkinlik, kendini tutamama, baş ağrısı, huysuzluk, alınganlık, depresyon, sinirlilik, panik atak, kalp çarpıntıları, odaklanma sorunları, hafıza sorunları, uykusuzluk ve diğer uyku sorunları, vajinal kuruluk, göğüslerde hassasiyet, eklem ağrıları, karıncalanma, saç dökülmesi ya da saç tellerinin incelmesi, kuru veya çatlak cilt ve kuru veya kırılgan tırnaklar sayılabilir.

Sağlıklı ve doğal hayat süren birinin bu tip problemlerle karşılaşması kimseye anlamlı gelmeyecektir. Özellikle de daha önce böyle bir şey olmadığından dolayı. Ama durun bir dakika, neden 30 yıl boyunca düzensiz ve yoğun radyasyona maruz bırakılmayı, DDT'yi ve viral patojenleri düşünerek canımızı sıkalım ki?

Kadınlar gerçekten bağışıklık sistemi ve viral durumlarla ilgili -hepsi de modern çağın viral, radyasyon ve DDT zehirlenmelerine maruz kalmakla tetiklenen- kronik yorgunluk sendromu, fibromiyalji, adrenal yorgunluk, hipotiroidi, Epstein-Barr virüsün diğer çeşitleri, deri veremi, ağır metal zehirlenmesi, karaciğer yetmezliği, besin yetersizliği gibi hastalıklar yaşamaya başladıklarında tıp camiası gerçek cevapları anlayamadı. Hâlâ da bu faktörleri dikkate almıyorlar.

Her şey sizin kafanızda savının doğuşu işte böyle oldu. Kadınlar teşhis edilemeyen bu hastalığa karşı geldiklerinde -çünkü bu noktada kadınların hakları gittikçe güçleniyordu- kadınları sakinleştirmek için hormonlar en iyi yol oldu. Doktorlar için, "Size ne olduğu hakkında hiçbir fikrim yok," demektense "Hormonlarınız işte," demek çok daha kolaydı. 1950'den önce bir doktorun kararı her şeyi olduran ya da öldüren bir şey olarak algılanmıyordu. Fakat 1950'den sonra modern tıp toplum üzerinde hâkimiyeti ele geçirdi. Tarihte ilk kez doktorlar Tanrı gibi görülüyorlardı.

Hormon Replasman Tedavisi Hakkındaki Gerçek

İlaç şirketleri, şeytani menopozdan milyarlar kazanacaklarını fark ettiklerinde hormon trendini aktif biçimde desteklediler ve onu iyileştirecek ilaçlar yarattılar. 1960'ların başında büyük bir promosyon kampanyası başlatıldı. Östrojen eksikliğinin kadınlar tarafından menopoz sırasında, öncesinde ya da sonrasında yaşanan birçok hastalıkla ilgili olduğu söyleniyordu. Hormon replasman tedavisi (HRT) ile östrojen kayıplarını telafi edebilecekleri sözüyle birlikte ürün satışları zirve yaptı.

Aslında HRT bir süredir hazırlık safhasındaydı. Doktorlar hormon sorunu olan kadınları teşhis etmeye başladığında, ilaç şirketleri aniden steroid bazlı laboratuvar deneyini kullanmaya başladılar. Hastalara şu mesajı gönderdiler: "Acınızı anlıyoruz ve sizin için devrim niteliğinde bir tedavi geliştirdik." Aslında henüz geliştirdikleri ve bugüne kadar uygulayamadıkları ürünleri piyasaya sürmek için fırsat kolluyorlardı.

Yine de HRT ürünleri neredeyse hiçbir olumlu sonuç yaratmadı. Çok az vakada HRT belirtileri azaltmıştır. Ancak bunu vücuttaki bir dengesizliği gidererek değil bir steroid gibi davranarak gerçekleştiriyordu; yani bağışıklık sisteminin viral enfeksiyona, beslenme yetersizliğine ve DDT gibi zehirlere maruz kalmaya karşı cevap vermesini baskılayarak.

Başka bir deyişle HRT kimseyi iyileştirmedi. Tersine bağışıklık sisteminin tepki göstermesini engelleyerek kimi hastalıkların saklanmasına, belirtilerin azalmasına sebep oldu. Belirtileri azaltırken HRT, kanser, virüs, bakteriler ve onlar farkında olmadan, kadınların vücuduna giren ve onları hızlıca yaşlandıran, çok daha fazla şeye müsaade ettiler - en azından sorun ciddiyet kazanıp artık gizlenemez hale gelene kadar.

Aniden doktorlar HRT alan kadınlarda kanser ve inme teşhis etmeye başladılar. Bu hormon replasman tedavisinin sebep olduğu problemlerin sadece görünen kısmıydı. Ancak yine de dikkate değerdi. Durum ortaya çıktığında satışlar düştü - bir süreliğine. Daha sonra başka bir promosyon kampanyası başladı ve üründeki bir iyileştirme ile sorunun çözüldüğü söylendi. HRT tekrar popüler olmuştu.

Daha sonra 2002'de Kadınların Sağlık Girişimi isimli muazzam bir klinik, on yıllar boyunca, 160 binden fazla menopoz sonrası dönemde olan kadınla çalışma yaptı ve HRT'nin sebep olduğu zararların çok daha fazlasının farkına vardı ve HRT'nin göğüs kanseri, kalp krizi ve inme riskini artırdığını açıkladı. Yani hormon replasman tedavisi yaşlanma sürecini hızlandırmaktaydı. HRT satışları bir kez daha düştü.

HRT'nin tehlikeleri ile ilgili bulgular gün yüzüne çıktığında onu yasaklamalıydılar. Kadınların gizemli belirtilerinin ardında yatan şeyin ne olduğunu araştırmacılar görmeliydi ve hormonların hiçbir zaman bir sorun olmadığını keşfetmelilerdi.

Bunun yerine başka bir strateji geliştirildi: *bioidentical hormon replasman tedavisi* BHRT

BHRT, HRT de kullanılan ilaçlardan daha güvenliydi. Ancak ne kadar daha güvenli? Kimse bilemez. Her doktor, şu noktada BHRT'nin henüz deney aşamasında olduğunu bilir; tıpkı HRT gibi 30 yıllık bir deneme yanılma sürecinin daha başlangıcındadır. Sağlık konusundaki trendler o kadar güçlü ki bazen kimse onları durduramıyor. Doktorlar için bu trend fareli köyün kavalcısını takip etmek gibi bir şey, çünkü iş arkadaşlarıyla aralarındaki barış ortamını ve geçim kaynaklarını korumalı ve sorunlarına bir yanıt arayan hastalarına umut vermeliler. Bu zor bir denge. Gençliğe, bilgelikten daha fazla değer veren bir toplumda kadınlar için herhangi moda, bir ilaç ya da kremin gençlik vaadine karşı gelmek çok güç. Gerçeği su yüzüne çıkarmak bile hormon trenini durduramayacak.

BHRT'nin tanıtımı için ne kadar cazibeli ve mantıklı bir dil kullanılırsa kullanılsın aynı sorun sürmekte. Menopoz hayatın tedavi edilmesi gerekmeyen bir parçasıdır. Geçmişte çok büyük zararlar açmış olan tehlikeli bir anlayışı ve görüşü devam ettirmek için böyle bir risk almaya değmez.

Bununla birlikte eğer hem HRT hem de BHRT gibi iki

seçeneğiniz var ve birinden birini denemek istiyorsanız size BHRT'yi tavsiye ederim. Bütüncül tıp alanında kendini kanıtlamış, yetenekli bir doktordan reçete almanız şart tabii ki. İlacın dozunu dengede tutmak ve düzenlemek önemlidir. Ayrıca bu doktor BHRT'yi geçici olarak vermelidir. Henüz tanımlanmamış bir çözüm olarak değil, geçici olarak kullanılan yara bandı gibi. Başka bir seçenek ise bir bitki uzmanına danışmak ve hormonları dengelemek için ondan hangi bitkileri kullanacağınızı öğrenmektir.

HRT veya BHRT kullanıp iyileşmeyen kadınlar da var. 25 yıl içerisinde, her ikisini de kullanıp iyileşmeyen kadınlar gördüm. Onlara gençliklerini geri verecek olduğu iddiasına rağmen hızla yaşlanmanın dışında hiçbir şey geçmedi ellerine. Dahası hastalarını hormon terapisi ile iyileştiremeyen yüzlerce şaşkın doktor gördüm. Bu, yanlışlıkla menopoza atfedilen sağlık sorunlarından değil. İnsanlar hormon terapisi ile kendilerini iyi hissettiklerinde bunun asla terapinin kendisi ile bir ilgisi yoktur, yüklenen destekleyici gıdalar ve yenilenmiş diyetle ilgilidir. Kadınların kendilerini daha iyi hissetmelerini bunlar sağlar.

Hormon terapileri, steroid oldukları için bağışıklık sistemini bastıran ilaçlar gibi davranırlar. Doktorların viral kaynaklı olarak tanımladıkları kalp çarpıntıları ve sıcak basmaları gibi belirtileri BHRT azaltabilir - böylece herkes bu yöntemin işe yaradığına inanır. BHRT ile bazen iyileşen vajinal kuruluk belirtisini ele alalım. Vajinal kuruluk adrenal yorgunluğun bir belirtisidir, menopozun ya da menopoz öncesi dönemin değil. Bu yüzden bu bela kadınların başına yirmili otuzlu yaşlarında gelebiliyor. BHRT steroidleri potansiyel olarak iç salgı bezlerini adrenalin salgılamaları konusunda teşvik eder; bu da o an için kimi kadınları rahatlatmaktadır ancak bu uzun süreli adrenal sorunlara yol açabilir.

Evet, yine de hormonal bir dengesizlik olması mümkündür. Ancak doktorların menopoz dedikleri belirtilerin üreme hormonları ile bir ilgisi yoktur. Normalde bunlar adrenal hormonlar ve tiroit bezleri hormonlarıyla ilgilidir.

Tükürük, kan ve idrar testleri bir kadının hormonlarının dengesiz olduğunu anlamak için iyi bir yol değildir. Bu test metotları yanıltıcı olabilir. Eğer tiroitte yeterli hormon üretimi yoksa -ki bu hipotiroidi demektir- iç salgı bezleri bunu telafi etmek için hormon üreteceklerdir. Adrenalinin aşırı üretilmesindeki yıkıcı doğa progesteron, östrojen ve testosteron seviyelerini kontrol eden kan testlerinin doğruluğuna ve netliğine zarar vermektedir.

Vücut ısısındaki değişiklikler, şişkinlik, sersemlik, gece terlemeleri, kalp çarpıntıları, yorgunluk ve bu bölümde daha önce bahsedilmiş olan diğer sorunlar; toplamda bakıldığında bu belirtiler, kadınların son 60 yıldır karşılaştıkları yeni bir dalga gibi. Burada üreme hormonlarını suçlayamayız. Gözden kaçırılan daha büyük bir resim var. Burada kimseyi suçlamaya çalışmıyorum ya da hastalarını iyileştirmek için tamamen iyi niyetle bu işlere kalkışan doktorlara bir şey demiyorum. Hepimiz aynı amacı gütmekteyiz: kadınların sağlığı. Hepimiz gerçekten kadınların iyileşmesini istiyoruz. Buradaki bilgilerin hepsi bunun için var.

Benim için bu varsayımları ve hâlihazırda bulunan tavsiyeleri tekrar etmek daha kolay olurdu. Yine de vicdanım rahat bir biçimde bunu yapamam. Geceleri rahat uyumamı sebebi Ruh'u dinlemiş ve insanlara gerçek cevaplar sunmuş olmamdır. Bu bölümdeki bilgileri sizleri korumak adına açığa vuruyorum ve buna değer. Yıllarca kadınlara yaptığım gibi, sizi de inmelerden, kanserden, kronik hastalıklardan korumak ve sağlığınıza kavuşmanız için size yardımcı olmak istiyorum. 90-100 yaşınıza kadar yaşamanızı istiyorum. Mutlu ve özgür olmanızı istiyorum.

Hayatınız kıymetlidir. Canınız kıymetlidir. Bütün kadınlar için menopoz hakkındaki gerçeği bilmek önemlidir. Bir seçim yapmak ve verdiğiniz kararlar hakkında bilgilendirmek iyidir. Çünkü eğer gerçek hikâyeyi anlayamazsınız sizin için neyin doğru olduğuna nasıl karar vereceksiniz?

Önümüzde net seçenekler olmadan, doğru bilgileri ve gerçeği öğrenmeden tercihlerimiz elimizden alınmış demektir. *Her zaman bir şansım var* ama tüm seçenekler size sunulmadığında bu böyle değildir. Eğer gerçekler saklanıyor ve siz onlara ulaşamıyorsanız ya da geçmişte kaldılarsa ve unutulmuşlarsa nasıl doğru tercih yapacaksınız?

Bu bölümde anlattığım detaylar gerçeğin üzerine vurulan kilitleri kaldırmak içindir.

Eğer bir kişi bu bölümde yazılan bilgileri görür ve yıllarca kadınlardan saklanan bu sırları uygularsa, o zaman en azından bir kişi daha iyi bir hayat yaşamış olur.

Günümüzde Menopozu Anlamak

Günümüzde, menopozla bu bölümde bahsettiğim belirtiler arasındaki bağlantısızlık daha da netleşmeye başlarken bu hastalık kadınlarda daha yaygın bir biçimde görülüyor. Viral durumlar ve zehirli madde birikimi kadınlarda, 40 ya da 50 yaşlarında ortaya çıkmak yerine, 30'lu, 20'li yaşlar, hatta ergenlik dönemlerinde kadınları etkilemeye başladı. Eğer bu durum 40'larda ya da 50'lerin başında olduğu gibi, her yaştan kadının gizemli belirtiler göstermesi olsaydı, belki sağlık profesyonelleri menopozu suçlamak konusunda iki kez düşünürlerdi. Ya da ilaç şirketleri ve araştırmacılar başka bir oyun oynarlardı.

Doktorlar neden bu bağlantıyı kurmuyor? 18 ya da 25 ya da 30 yaşında birinin neden menopoz öncesi belirtiler gösterdiğini açıklayamıyorlar? Üstelik bu durum genç kadınlar arasında oldukça yaygın. Eskiden 40 ve 50 yaşlardaki kadınların yaşadıkları şeyleri şimdi onlar yaşıyor. Bunlar Epstein-Barr virüsünün, tiroit hastalıklarının ve daha fazlasının belirtileridir; hormon, perimenopoz ve 1950'lerde başlayan menopoz suçlama oyunun başlamasında aynı koşullar bulunmaktadır. Ancak hiçbiri menopozla başlamamıştır.

Aynı şikâyetlerin gittikçe daha genç yaşta kadınlarda ortaya çıkması bunu biraz daha netleştiriyor. Her ne kadar ayakkabı mağazalarındaki floroskopi makinesi ve DDT yavaş yavaş kullanımdan kaldırılsa da, bugün bile kadınlar, hâlâ zehirli maddeler, tarım ve böcek ilaçlar, ağır metaller ve diğer hava kirletici teknolojik şeylere maruz kalıyorlar. Bir de bunun üstüne geçmiş kuşaklardan gelen zehirler var. Modern zamanın zehirlerinden kaynaklanan değişik kanser çeşitleri, virüs, bakteri ve diğer hastalıkların salgınlarıyla da karşı karşıyayız. Yine de gerçek, egonun, hırsın, açgözlülüğün, statünün ve aptallığın altında gömülü duruyor.

Doktorlar 18 yaşındakilere HRT veya BHRT vermiyor. Benzer steroid etkiyle belirtileri bastıran, ancak sebebe yönelemeyen doğum kontrol hapları yazıyorlar. (Büyük ihtimalle bu 18 yaşındakiler gelecekte HRT ve BHRT olacaklar. Hatta bugün, otuzlu yaşlarında adrenal yorgunluk veya tiroit yetmezliği yaşayan kadınlar kan testlerinde gözükmediği için BHRT oluyorlar.)

Bilinmesi gereken bir önemli nokta da burada söylediğim belirtileri gösteriyorken yaptırdığınız testlerde, doktorunuzun hormon seviyesini doğru ölçmeyeceğidir. Çünkü bu belirtiler sisteminizde bozukluğa yol açmaktadır, böbrek üstü bezleriniz yetersizken hormonal testler düşük çıkacaktır; östrojen ve progesteron seviyeleri doğru olmayacaktır. Böbrek üstü bezi yetmezliği olan milyonlarca kadın doğru olmayan hormon testlerinin sonuçlarını alıyorlar.

BHRT yaptıran bir kadın iyileşmeye başlıyorsa bunda BHRT'nin payı olduğu düşünülüyor. Aslında BHRT yapılmasını isteyen doktor bütüncül bir mantıkla bir başlangıç yapıyor. Belki ilerde, aynı zamanda yetersizliklerin üstesinden gelebilmek için daha farklı bir diyet ve birçok destekleyici besin önerecektir. Bir kez daha söylüyorum, bir hastanın sağlıklı bir yaşam biçimine geçmesi iyileşmesindeki gerçek faktördür. Bu bölümde bahsedilen belirtileri yaşıyorsanız aslında bunlara sebep olan hastalığı bulmalısınız. Bu kitaptaki diğer bölümleri okumak size yardımcı olacaktır. Devam eden sayfalardaki tavsiyeler de öyle. Hastalıklardan kurtulmayı hak ediyorsunuz. Hayatınızı iyileştirmeyi hak ediyorsunuz.

Premenstrüel Sendromu Anlamak

Depresyon, ishal, şişkinlik, anksiyete, uykusuzluk, migren ve ruh halinde ani değişimler gibi kimi belirtiler genellikle premenstrüel sendroma (PMS) bağlanır.

Bunun için PMS'i suçlamak doğru değildir.

Menopoz belirtisi olduğu zannedilen bu belirtiler genellikle hassas merkezi sinir sistemi, rahatsız bağırsak sendromu, yiyecek alerjileri veya ağır metal zehirlenmesinden kaynaklanmaktadır. Bunlar bir kadının adet döngüsünde kimi zaman ortaya çıkarlar, çünkü mensturasyon süreci kadının vücut rezervlerinin %80'i meşgul eder. Geri kalan %20 ise normalde bağışıklık sisteminin uzak tuttuğu sağlık sorunlarıyla başa çıkamaz.

Bu, tıp camiasının kadınların sağlığını anlamaktan ne kadar uzak olduğunun bir başka göstergesidir. Bir kadının, her ay belli bir dönemde yaşadığı bir sorun için üreme sistemini hedef göstermek yerine bunu bir haberci olarak görebiliriz.

Eğer siz de bu güne kadar PMS'ten kaynaklandığını düşündüğünüz sorunlarla uğraşıyorsanız belirtilerinizin arkasında yatan gerçek nedeni bulmak için bu kitabı kullanabilirsiniz. Stresten uzak bir adet dönemi yaşamak için bu sizin anahtarınız olacaktır.

Premenstrüel Sendrom, Perimenopoz, Menopoz ve Postmenopoz Dönemleri İlgilendiren Belirtilerin Tedavisi

Bu bölümde yer alan belirtiler -ki bunlar genellikle ve doğru olmayan bir biçimde menopozla ilişkilendirilir- o kadar çok sayıdadır ki neredeyse her sağlık sorunuyla ilgili olabilir. Bunların içinde adrenal yorgunluk, yiyecek alerjileri, kanda virüs değerinin artması, karaciğer yetmezliği ve hipotiroidi sayılabilir. Bu kısım, virüs, bakteri, mantar ve muhtemelen sizin belirtilerinize de sebep olan diğer zehirler dâhil olmak üzere bir dizi bitki, destek gıda ve yiyecek önermektedir.

Bu bölüm ayrıca -eğer ihtiyaç duyduğunuzu hissediyorsanız- üreme hormonlarınız ve sisteminizi dengede tutan şifalı bitkileri ve destekleyicileri de önermektedir.

Ve unutmayın ki, bu bölümde tartışılan belirtilerin en aza indirgenmesi için diyet çok önemli bir rol oynamaktadır. Kısım 4: Sonuçta Nasıl İyileşeceğiz?'de zehirden arınmanın detayları da dâhil olmak üzere vücudunuzu nasıl destekleyeceğiniz ve hastalıkların üstesinden nasıl geleceğinize dair daha fazla bilgi bulacaksınız.

İyileştirici Gıdalar

Bağışıklık sisteminizi güçlendirecek ve üreme sisteminizi destekleyecek yiyecekler arasında yaban mersini, tahin, avokado, börülce, kuşkonmaz, elma, ıspanak, kara üzüm ve salatalık sayılabilir. Bu yiyecekler çeşitli antioksidanlar sağlayarak, ani sıcak basmalarını önleyerek, hayati organlarınızı güçlendirecek besin sağlayarak, iltihaplanmayı azaltarak ve hormon seviyelerini dengede tutarak size yardımcı olacaktır.

Genel Belirtileri Tedavi Etmek İçin Şifalı Bitkiler ve Destekleyiciler

- **Gümüş Hidrosol:** Temasa geçtiği virüs, bakteri ve diğer mikropları öldürür, bağışıklık sistemini destekler.
- **Çinko:** Virüsleri öldürür, bağışıklık sistemini güçlendirir ve iç salgı bezlerinin korumaya yardımcı olur.
- **Meyan Kökü:** Böbrek üstü bezlerine ve vücuttaki kortizol ve kortizon seviyelerini dengelemeye yardımcı olur.
- **L-lysine:** Virüs hücrelerinin hareket etme ve üreme kabiliyetlerini yok eder.
- **B_{12} Vitamini: (metilkobalamin ve/veya adenosilkobalamin):** Merkezi sinir sistemini güçlendirir.
- **Nascent iyot:** Tiroit ve iç salgı bezlerinin geri kalan kısmını güçlendirir ve dengeler.
- **Ashwagandha:** Böbrek üstü bezleri güçlendirir, kortizol üretimini dengelemeye yardımcı olur.

- **Taşkesen Otu/Duvar Arpası Suyu Özü Tozu:** Karaciğeri temizler, sindirime yardımcı olur, alkali ortamı destekler.
- **Zeytin Yaprağı:** Virüs, bakteri ve mantarları öldürür, kan dolaşımını destekler.
- **Monolaurin:** Virüs, bakteri ve diğer kötü mikropları öldürür.
- **Spirulina Yosunu/Mavi-Yeşil Alg (tercihen Hawaii'den):** İç salgı bezi sisteminizi destekleyecek kritik mikro-besinler sunar.
- **Ginseng:** Böbrek üstü bezlerini destekler.

Üreme Sistemi İçin Şifalı Bitki ve Destekleyiciler

- **Isırgan Otu Yaprağı:** Üreme sistemindeki iltihaplanmayı azaltır.
- **Yabani Tatlı Patates/Hint Yerelması:** Östrojen ve progesteron seviyelerini dengede tutmaya yardımcı olur.
- **Schisandra Meyvesi:** Fazla östrojeni vücuttan atmaya yardımcı olur.
- **Hawthorn Meyvesi:** Yumurtalıkları destekler.
- **Hayıt (vitex):** Adet görüyorsanız, bu dönemi rahatlatmaya yardımcı olur.
- **Kızıl Yonca Çiçeği:** Organlarda depolanan ve hiçbir faydası olmayan hormonların atılmasına yardımcı olur.
- **Adaçayı:** Rahim boynunu (serviks) anormal hücre büyümesinden korumaya yardımcı olur.
- **Folik Asit:** Rahmi tazelemeye yardımcı olur.
- **B Vitaminleri:** Üreme sistemi için önemli vitaminler sunar.
- **D_3 Vitamini:** Üreme ve bağışıklık sistemlerini dengelemeye yardımcı olur.

- **E Vitamini:** Kan dolaşımını destekler, merkezi sinir sistemini güçlendirir.
- **EPA & DHA (eikosapentaeonik asit ve dokosaheksaenoik asit):** Üreme organlarındaki derin dokuları besler. Bitkisel kökenli olanından almalısınız (balık bazlı olanı değil).

Hasta Dosyası:

Elveda Uykusuz Geceler

Valerie enteresan belirtiler göstermeye başladığında 48 yaşındaydı. Geceleri uyku zorluğu çekmeye başlamıştı. Saat üçte uyanıyor, beş buçuk altıya kadar yatakta dönüp duruyordu. Nadiren tekrar uykuya dalabiliyordu. Ayrıca, zaman zaman kalp çarpıntıları, gündüzleri sıcak basmaları, geceleri terlemeler ve karamsarlık gibi belirtiler de ortaya çıkmıştı. Şirketindeki asistanı ve çalışanlara soğuk davranmaya başlamıştı, bir gün 17 yaşındaki kızı Molly telefonda ablasıyla konuşurken "Annem çok hassaslaştı, her zaman sinirli gözüküyor ancak yemin ediyorum bunda benim bir hatam yok," demişti.

Valerie her zamanki doktoru, Dr. Fitzgerald ile bir randevu ayarladı. Doktor kan testi de dâhil olmak üzere genel bir muayene yaptı. Tiroit hormon seviyeleri de dâhil olmak üzere her şeyi normaldi. Fitzgerald, Valerie'nin perimenopoz belirtileri gösterdiğinden emindi. Ona kapsamlı bir hormon kimyası paneli verdikten sonra bunun sonuçlarının DHEA ve testosteron seviyelerinde düşüşe yol açabileceğini; progesteron ve östrojen seviyelerini düşürebileceğini anlattı.

Hormon replasman tedavisi fikri Valerie'ye pek uygun gelmemişti. 1980'lerde annesinin HRT tedavisi gördüğünü hatırladı. Çok kısa bir zamanda 15 yıl yaşlanmıştı. Fitzgerald, HRT'nin tarihini biliyordu ve Valerie'ye BHRT'yi sağlam bir eczaneden yazdığını söyledi. Valerie denemeye karar vermişti ve 3 ay boyunca hiçbir işe yaramayan hormonları aldı. Fitzgerald reçetede birtakım düzenlemeler yapıp 3 ay daha devam etmesini önerdi.

BHRT'ye devam etme kararı vermiş olmasına rağmen Valerie ikinci bir görüş için, başka bir doktora görünmeyi kararlaştırdı. Bu doktor ona tiroit tedavisi uyguladı ama tiroit hormon seviyeleri normal sınırlar içerisindeydi. Valerie 6 ay boyunca bu tedaviyi denemeye karar verdi. Ancak başladıktan sonra yorgunluk, depresyon, bilinç bulanıklığı, daha fazla uykusuz gece ve daha sık kalp çarpıntıları gibi belirtiler yaşamaya başladı.

Bu noktada bir arkadaşı Valerie'den beni aramasını istedi. Yaptığım okuma sırasında ilk karşılaştığım şey Valerie'de bir tiroit sorunu olduğuydu. Ancak tiroit tedavisi soruna yönelik değildi, çünkü sorun viraldi.

Ondaki yorgunluk ve bilinç bulanıklığının sebebi virüstü. Karaciğerini zorluyor, uyku sorunları, sıcak basmaları ve gece terlemelerine sebep oluyordu. Sinir sisteminde baskı yaratıyor ve onun duygularını etkiliyordu. Ayrıca kan dolaşımındaki viral yan ürünler biyofilm adında bir madde üretiyorlardı ve bu madde mitral kapakçıkta birikiyordu ve Valerie'nin kalp çarpıntılarına sebep oluyordu. Bir kanda artan virüs miktarının, menopoz öncesi dönem olarak görülmesinin klasik bir örneğiydi bu durum.

Valerie derhal BHRT ve tiroit ilaçlarını bıraktı. Yumurta ve süt ürünleri kesmek de dâhil olmak üzere güçlü bir antiviral diyet uygulamaya başladı. Ayrıca durumunu kötü etkileyen çinko, iyot gibi minerallerinin eksikliğini giderecek olan destekler almaya başladı.

Bu değişikliklerle geçen bir aydan sonra Valerie'nin sağlığı %80 iyileşmişti.

3 ay sonra tekrar kendini normal hissetmeye başlamıştı.

Belirtilerin altında yatan sorunları tedavi ettiğimiz için Valerie'nin sağlığı kendini yenileyebilmişti.

Genellikle doktorlar, insanların temel rahatsızlıklarını bilemiyorlar ve hormon trendine kapılıp gidiyorlar. Valerie hormon tedavisini bırakıp kendi hissettiği şekilde ilerledi. O ve ailesi bundan dolayı daha mutlular.

BÖLÜM 16

LYME HASTALIĞI

Uzun zamandır Lyme hastalığıyla ilgili gerçeği halka anlatmak istiyordum.

Şu anda bile, onlarca yıldır insanları Lyme hastalığından kurtarmak için yardım ettikten sonra, bu bölümü yazma konusunda oldukça isteksizim. Çünkü bu hastalık bir sürü yükle birlikte geliyor; hatalı teoriler, yanlış klinik kararlar ve yanlış kararların peşinden koşan trendler.

Açıklayacak olduğum şey bir ihtilafa yol açabilir ve böyle bir şeyin peşinde değilim. İnsanların, Lyme hastalığının gerçekten ne olduğunu anlamalarını ve ondan nasıl kurtulabileceklerini bilmelerini istiyorum. Çalışıyor ve sabrederek bekliyorum, doktorlara ve hastalara Lyme hastalığı hakkında birçok şey öğretiyorum ve tüm bu süre boyunca da araştırmacıların, bu hastalığın üzerindeki sır perdesini kaldırmalarını bekliyorum. Yıllar yılları kovalıyor ve tıp camiası daha fazla yanlışın peşinden gitmeye başlıyor.

Kimse neden hasta olduğunun cevabını bulmak için on yıllar boyunca bekleyecek ve hayatını bu uğurda boşa harcayacak değil.

Eğer gerçek hikâye Lyme hastalığı bir sonraki seviyeye geçmeden önce su yüzüne çıkmazsa, doğrular insanlara ulaşma şansı bulamayacaklar. Yaklaşık 20 yıl içinde romatoid artrit, MS, fibromiyalji, kronik yorgunluk sendromu, Epstein-Barr virüs, adrenal yorgunluk, bağırsak yolu bozukluğu ve tiroit hastalıkları Lyme hastalığının yanlış testleriyle araştırılacak ve bu belirtileri gösteren insanların Lyme hastası oldukları söylenecek.

Lyme hastalığıyla ilgili ortada dönüp dolaşan bu karmaşayı anlayabilmek için bir kartopunu hayal edin. Yıllar önce bir dağdan aşağı yuvarlanmaya başladı ve büyüyüp ağaçları, vahşi hayatı, telefon direklerini, kabinleri ve önüne çıkan her şeyi yutmaya başladı. Dahası gittikçe hızlanıyor da. Cehalet ve kafa karışıklığından almış olduğu muhteşem hızla birlikte iyi niyetli doktorları ve bu belirtilerden şikâyetçi olan hastaları yuttu. Ve böyle yapmaya devam ediyor. Şimdi ise insanlığın kasabasına bir çığ olup düşmeye hazırlanıyor.

Benim için en kolay şey onun yolundan çekilmek olacaktır ama ben böyle çalışan birisi değilim.

Önümüzdeki 20 yıl boyunca Lyme deliliğine kapılıp gidecek olan milyonlarca insan için, kızlarımız, oğullarımız, yeni nesil doktorlarımız ve tarihi geçmiş hipotezlerle tedavi edilmeye çalışan insanlar, bunların hepsini bu çığdan kurtarmak için elimden geleni yapmam gerekir.

Bu bölümde, Lyme hastalığıyla ilgili gerçekleri öğrenecek ve 21. yüzyılın bu Lyme tuzağından kendinizi nasıl kurtaracağını göreceksiniz.

Geçmişe Bakmak

Hadi bir anlığına Kasım 1975'e dönelim; 'Lyme şehrinde yaşayan birçok çocukta gözlemlenen eklem iltihaplarının' Connecticut Eyalet Sağlık Departmanı'na rapor edildiği tarihe. Lyme, eski Lyme, Doğu Haddam ve Connecticut eyaletlerinde yaşayan hastaların yaşadıkları soruna - Lyme hastalığına bu bölge adını vermiştir.

İlk olarak o zamanki teknolojik şartları hatırlayalım. Mutfak duvarlarında çevirmeli telefonlar, sesli mesaj diye bir şey yok, Sony Birleşik Devletler'de ilk video oynatıcıyı satışa sunmuş. Tıp dünyasında ise bademcik iltihabının altında yatan sebep anlaşılmadan, sanki ağaçtan elma koparır gibi çocukların bademcikleri alınıyordu. Bugün bile bademcik iltihaplanması klinik açıdan anlaşılmış bir şey değildir. Teknolojide çok hızlı gelişmeler oluyorken kronik ve gizemli hastalıklar konusunda neredeyse bir durağanlık hâkim. Lyme bölgesindeki kimi yetişkinler ve çocukların yaşadıkları belirtiler -kronik yorgunluk, baş ağrısı, eklem ağrısı ve bunun gibi şeyler- Connecticut'taki yerleşim yerlerinde on yıllardır görülen belirtilerdi, ülkedeki tüm eyaletlerden bahsetmiyorum bile. Ancak her nasılsa Lyme bölgesi etrafında hastalığa yeni ve daha önce görülmemiş bir şey olarak davranıldı. Doktorlar, araştırmacılar ve kasaba halkı bir suçlu arıyordu - ve geyik kenesi üzerinde karar kıldılar. Çünkü bir hasta, kendini kötü hissetmeden birkaç hafta önce, bir kene gördüğünü söylemişti. Bu, bilinmeyen bir sebeple raydan çıkan bir tren için, 50 km geride görülen bir geyiği suçlamaya benzer. Her ikisinde de ipuçları senaryoya hiçbir şey katmamaktadır. Her ne kadar kimse Lyme hastalığına neden bir kenenin sebep olduğunu açıklayamasa da 17. yüzyıl tarzı cadı avı başlamıştı. Bir dedikoduya kapılıp geyikler ve keneler hedef haline getirilmişti.

1981'de bir entomoloji uzmanı *Borrelia burgdorferi* adlı bir bakterinin geyiklerden insanlara geçerek, ısırmak yoluyla bu hastalığı yaydığını keşfettiğini söyledi. Bu buluşuyla çok alkışlandı ve aynı zamanda bu, Lyme hastalığı için bakteri odaklı testlerle çeşitli tedavi biçimlerinin geliştirilmesine sebep oldu.

Bu, tıp otoriteleri için harika bir *sonuçtu,* zaten kimse keneleri sevmezdi. O günlerde toplumdaki doğa korkusuna bir de kenelerle bulaşan hastalık eklenmişti. Tıp otoriteleri bu konu hakkında daha fazla araştırma yapmalarına gerek olmadığını düşündüler.

Ne yazık ki bütün bu "keşifler" yanlıştı.

Bunu başka bir yerde duyamazsınız: Lyme hastalığı kenelerden kaynaklanmaz.

Lyme hastalığı *Borrelia burgdorferi* bakterisinden de kaynaklanmaz.

1970'ler ve 1980'lerdeki araştırma ilerlerken, araştırmacıların bu sorunun ülke çapında -hatta dünya çapında- yaşandığını fark ettiklerini umacaksınız. Ve bugün, birilerinin uyanıp, hayatları boyunca geyik kenesi ile karşılaşmamış yüz binlerce insana, Lyme hastalığı teşhisi koyulduğunu fark etmesini bekleyeceksiniz.

Borrelia burgdorferi'ye gelince, bu doğal çevremizin bir parçasıdır ve bu dünyadaki insan ve hayvanlar tarafından taşınmaktadır - tamamen sağlıklı olanlar tarafından bile. Gerçek şudur ki bu bakteri hiçbir risk taşımamaktadır ve Lyme hastalığı ile hiçbir bağlantısı yoktur. Eğer bir Lyme hastasının *Borrelia burgdorferi* testleri pozitif çıkıyorsa, bunun hiçbir anlamı yoktur.

Bununla birlikte, tıp camiası tarafından geçmiş on

yıllar boyunca Lyme hastalığının tedavisi ve teşhisi için geliştirilen tüm metotlar, bu hastalığa kene ve bakterinin sebep olduğu yönündeki yanlış inanç üzerine kurulmuştur.

Şu hayatta yanlış bir teori gelişmeye başladıktan sonra kimse onun hatalı olduğunu söylemeyecektir ya da onun aksini ispat etmeye çalışmayacaktır. Bu, tıpkı doğru düzgün mimari planları çizilmemiş bir evi inşa etmeye benzer. Bir işçi planlardaki hatayı fark edecektir ancak bir probleme sebep olmak istemediğinden ya da işini kaybetmek istemediğimden sesini çıkarmayacaktır. Bu durumda işçileriniz ne kadar yetenekli olursa olsun ve dekorasyonu ne kadar güzel tasarlamış olursanız olun, ilk güçlü rüzgârda eviniz yerle bir olacaktır.

Aynı şekilde 70'ler ve 80'ler de tıp camiasının yanlış varsayımlara kapılması sonucunda, insanların hastalıkları bilinmedik gizemlere dönüştü. Hasta insanlar yardım alamadıkları gibi, iyi niyetli doktorların trajik bir biçimde inandıkları yanlış bilgiler neticesinde zarar da görmüş oldular.

Tıp camiasının bilmediği başka bir şey ise Lyme hastalığının belirtilerinin sebepleridir. İlk ortaya çıkan hali 1901'e rastlıyor ve görece daha hafif belirtiler göstermişti. 1950'ye gelindiğinde hastalık mutasyonla beraber farklı çeşitlere bürünmüştü. Yeni bir mutasyonla birlikte 70'lerdeki Lyme belirtileri halini aldı.

Bu zamana kadar ise hastalık dünya çapında 60 yıldır insanları rahatsız ediyordu ve belirtileri her zaman başka bir hastalığa atfediliyor ya da bir gizem olarak kalıyordu.

Bu hastalıklarla hâlâ uğraşmaktayız. Birçoğu için isim bulduk: Kronik yorgunluk sendromu, fibromiyalji, MS, ALS, tiroit bozukluğu, lupus (deri veremi), Parkinson,

Crohn hastalığı, böbrek üstü bezi yetmezliği ve daha fazlası. Bunlar hâlâ birçok karmaşaya sebep oluyor ve genellikle hâlâ Lyme hastalığı adıyla teşhis ediliyorlar.

Lyme Hastalığı Belirtileri

Lyme hastalığının belirtileri hakkındaki karmaşa çok geniştir. Bu noktada, bütün bağışıklık sistemi rahatsızlıkları veya bu kitapta yer alan ve var olan gizemli hastalıklar Lyme hastalığıyla ilintilendirilen belirtilere sahiptir.

Herhangi bir belirti ile ya da MS, lupus (deri veremi), fibromiyalji, romatoid artrit, kronik yorgunluk sendromu gibi hastalıkların teşhisi ile bir Lyme uzmanına gidecek olursanız -burada hafiften, aşırı ve/veya sürekli yorgunluk, kas ağrısı, güçsüzlük, seğirme, spazmlar, huzursuz bacak sendromu, bilinç bulanıklığı, eklem ağrısı veya şişkinlik; ya da el ve ayaklarda karıncalanma gibi şeylerden bahsediyoruz- testlerinizin sonuçları pozitif ya da negatif çıksa bile Lyme hastası kabul edilirsiniz. Ancak Lyme uzmanı olmayan bir doktora muayene olursanız, o zaman tamamen farklı bir teşhis koyabilir size. Bu tamamen doktorun ilgi ve dikkatinin ne yönde olduğuna bağlıdır.

Genellikle hastalarıma, bir Lyme uzmanına gitmenin süpürge dükkânına gitmeye benzediğini anlatırım - orada hiçbir şey dinlemeden süpürge satmaya çalışırlar. Satıcıya banyodaki fayansları ovmak istediğinizi, mutfaktaki lavaboları temizlemek istediğinizi veya oturma odasının camındaki şeritlerden kurtulmak istediğinizi söylersiniz. Bütün bunların, dükkânın sattığı şeylerin kapsamında olup olmaması hiç fark etmez, elinizde bir süpürgeyle dışarı çıkarsınız.

Lyme Hastalığı *Aslında* Nedir?

Daha önce de söylediğim gibi, tıp camiası Lyme hastalığına, geyik kenesi ısırması sonucu bulaşan, *Borrelia burgdorferi* adlı bir bakterinin sebep olduğunu inandı.

Son zamanlarda doktorlar ve araştırmacılar 35 yıldır yanlış bakteri üzerinde odaklandıklarını fark ettiler. Artık yeni hastalar *Bartonella* isimli yeni bir böcekle *Babesia* isimli mikroskobik bir parazit hikâyesi dinliyorlar. Ve bu yeni hastalara *Borrelia* hikâyesi, diğerlerinin yürüdüğü uzun yol ve bu yoldaki tuzaklar anlatılmıyor. O olaydan ders çıkarmadılar.

Bu arada *Bartonella* ve *Babesia*'nın zararsız olduğunu ve birçoğumuzun bunları taşıdığını bilmelisiniz. Bunlar sadece ya tutarsa teorileri, bir cevap vaat ediyor fakat sadece bir tahmin sunuyorlar. Eğer merak ediyorsanız, *Bartonella* ve *Babesia* henüz klinik olarak bir kenede bulunamadı.

Gerçek şu ki Lyme hastalığı kenelerin, parazitlerin ya da bakterilerin sonucunda oluşmaz. Lyme hastalığı aslında viraldir - bakteriyel ya da parazitsel değildir. Tıp dünyası sonunda bu gerçeği anladığı zaman Lyme hastaları için bir umut doğmuş olacak.

Lyme hastalığı adı verilen bu şeyin gerçek sebebi kişiden kişiye değişir. Epstein-Barr'ın farklı çeşitlerine sahip insanlar Lyme belirtileri gösterebilirler, HHV-6 ve onun çeşitlerine sahip insanlar gibi. Farklı zona türlerini taşıyan insanlar da beyin iltihaplanması ve diğer merkezi sinir sistemi zayıflıkları gibi, kızarıklığa sebep olmayıp çok daha ciddi belirtilere sebep olan Lyme belirtilerini gösterebilirler. Bu birçok virüs için aynıdır. Birçok Lyme hastasının kan testleri EBV ya da sitromegalovirüs açısından pozitiftir. Ve birçok hasta bu testlerde görünmeyen virüslere de sahiptir. Bu daha saldırgan virüs çeşitlerinin herhangi bir tanesi bir hastanın Lyme belirtilerinin arkasında yatan sebep olabilir. Yukarıda saydığım bütün virüsler herpes ailesine aittirler. Ve eğer doğru biçimde tedavi edilmezlerse ateş, baş ağrısı, eklem ağrısı, kas ağrısı, yorgunluk, boyun ağrısı, sinir ağrısı, kalp çarpıntıları, neredeyse tüm nörolojik belirtiler ve/veya doktorların Lyme hastalığı olarak adlandırdıkları şeyin belirtilerini gösterebilirler. Bir hastanın hayat kalitesini dramatik bir biçimde düşürürler ve ciddi sorunlara sebep olurlar.

Eğer siz de bu söz konusu belirtilerden herhangi bir tanesini yaşıyorsanız, virüsleri uyku modunda tutarak Lyme hastalığı adı verilen bu gizemli deneyimden kaçınabilirsiniz. Ve eğer Lyme hastalığı olarak adlandırılan bu belirtileri çok daha ciddi şekilde yaşıyorsanız, bu hastalıkla savaşmak ve üstesinden gelmek için yapabileceğiniz çok şey var.

Lyme Hastalığı Nasıl Tetiklenir?

Eğer viral enfeksiyon yaşıyorsanız veya bağışıklık sisteminiz alışılmadık bir biçimde zayıflamışsa günler içerisinde Lyme hastalığı belirtilerine kapılabilirsiniz; dahası belki de yıllarca, hatta 10 yıllarca bu virüsü sisteminizde olduğunu bilmeden vücudunuzda taşırsınız.

Konuştuğumuz virüslerin hemen hemen hepsi karaciğerinizde, dalağınızda, ince bağırsak yolunda, merkezi sinir sisteminizde, ganglionda veya bağışıklık sisteminiz tarafından bulunamayacakları başka bölgelerde saklanma eğilimi içerisindedirler. Bir virüs fiziksel ya da duygusal travmatik bir olay olana kadar ya da siz kötü beslenene kadar veya kısaca değineceğimiz başka tetikleyicilerin sizi zayıflatması ve virüsün güçlenmesi için uygun ortamı sağlamasına kadar zaman kollar. Daha sonra merkezi sinir sisteminizi iltihaplandırmaya başlar. Bu da bağışıklık sisteminizin onunla mücadele etme kabiliyetinin zayıflatır.

Örneğin; sisteminizde cıva gibi ağır bir metal birikmiş ise bu sizi zehirleyecek ve bağışıklık sisteminizi bozacaktır. Ve aynı zamanda Lyme hastalığının belirtilerine sebep olan virüs ağır metal zehirlerine bayılır, bunlar onun en sevdiği yiyeceklerdir. Onu güçlendirirler. Bu çifte etki, virüsü uyku halinden çıkarıp virüs hücreleri ordusunu geliştirmesi için tetikler.

Başka bir örnekle açıklarsak, eğer ailenizden biri öldüyse stres ve acı dolu duygular bağışıklık sisteminizi zayıflatacaktır. Aynı zamanda böbrek üstü bezlerinin hormon üretmesine sebep olacaktır. Bunlar da virüsün en sevdiği yiyeceklerdir. Yoğun stres bu yüzden Lyme hastalığı için çok genel bir tetikleyicidir.

Kene ısırığı yaygın tetikleyiciler -sebepler değil- arasında en alt sıralardadır. Lyme vakalarının %0,5'ini oluştururlar.

Ayrıca genel sağlık durumunuzun bu konuda çok büyük bir rol oynadığını unutmamak gerekir. Eğer iki insan, aynı tetikleyicilerden kaynaklanan aynı türden bir viral enfeksiyona yakalanmışlarsa iyi beslenen, düzenli egzersiz yapan ve yeterince uyuyan kişi, virüsün aktif hale geçmesi için gereken zayıflığa düşmeyecektir; ancak kendine daha az dikkat eden diğeri, çok daha hızlı bir şekilde Lyme belirtileri göstermeye başlayacaktır.

Dünyada milyonlarca insan aşağıda -önem sırasına göre sıralanmış- tetikleyicilerden dolayı Lyme belirtileri göstermektedir. Tüm bu tetikleyiciler sizi doktor doktor gezdirebilir. Ve sonunda bir Lyme uzmanına gidebilirsiniz. O da test sonuçlarınıza bakmadan size Lyme olduğunuzu söyleyecektir - daha Lyme'ın ne olduğunu bile tam olarak bilmeden.

En Yaygın Lyme Tetikleyicileri

Aşağıdaki maddeler ve durumlar Lyme hastalığını *yaratmazlar,* onlar vücut içerisinde uyku durumunda olan virüsleri *tetikleyerek* tıp camiasının hep birlikte Lyme hastalığı adını verdiği belirtilerin su yüzüne çıkmasına sebep olurlar. Tetikleyiciler önem sırasına göre listelenmiştir; en yaygın olanı en üstte en az görülen en alttadır.

1. **Küf:** Eğer evinizde ya da işyerinizde küf varsa her gün bu mantarı soluyorsunuz demektir. Bu da her geçen gün bağışıklık sisteminizi zayıflatarak sonunda bir yıkıma sebep olacaktır.
2. **Cıva bazlı diş dolguları:** Eğer dişlerinizde eski cıva dolgular varsa (gümüş dolgu olarak da bilinir) iyi niyetli bir doktor sizin güvenliğiniz için onları çıkarmak isteyecektir. Bu bir hatadır. Bu bağışıklık sistemi üzerinde aşırı baskı yaratır ve bir seferde bir dolgu olarak ele alınmalıdır. Çünkü cıva olduğu yerde durma eğilimindedir ve bu dolgu çıkarma süreci büyük ihtimalle zehirli cıvayı kan dolaşımınıza karıştıracaktır.
3. **Başka formlarda cıva:** Hangi kaynaktan olursa olsun cıva zehirlidir. Örneğin; düzenli bir şekilde ton balığı kılıç balığı gibi kayda değer miktarda cıva taşıyan büyük balıklar yemek. Sonuçta bağışıklık sisteminizin bir noktayı geçmesine ve bir viral enfeksiyona sebep olabilirler. Cıvaya maruz kalma konusunda her zaman dikkatli olunuz. Bugün, modern zamanlarda bile, her daim ona karşı savunmasız durumdayız; özellikle tıp alanında. Araştır-

manızı yapın, size, çocuklarınıza ve ailenizin geri kalan kısmına ne önerildiğini iyi sorgulayın.

4. **Tarım ve böcek ilaçları:** Eğer bahçenizde ya da tarlanızda zehir varsa ya da ilaçlanmış bir çiftliğin, park ya da golf sahasının yakınında yaşıyorsanız, tüm gününüzü bilerek ya da bilmeyerek onları soluyarak geçiriyorsunuz demektir. Bu hem size zarar verir hem de zehirlerle güçlenen viral enfeksiyonu besler.
5. **Evdeki böcek ilaçları:** Sinek, karınca ve böcekler için kullanılan spreyler ve diğer zehirler sizi de zehirlemekte ve ayrıca viral enfeksiyonu güçlendirmektedir.
6. **Aileden birinin ölümü:** Sevdiğiniz birini kaybetmenin duygusal travması hem bağışıklık sistemini zayıflatır hem de viral enfeksiyonları -böbrek üstü bezleri tarafından olumsuz duygular sonucunda üretilen hormonlardan beslenirler- güçlendirir.
7. **Kırılmış kalp:** Sevilen biri tarafından terk edilmek ya da beklenmedik bir ayrılık veya şiddetli geçimsizlik sonucu boşanma veya benzer duygusal travmalara sebep olan herhangi bir şey virüsler için genel bir tetikleyicidir.
8. **Sevdiğiniz birinin hastalanması ve ona bakmanız:** Yine duygusal travma hem bağışıklık sisteminizi zayıflatır hem de virüsleri güçlendirir.
9. **Örümcek ısırığı:** Örümcek ısırıkları bu listedeki vakaların %5'ini oluşturarak kene ısırıklarından daha fazla Lyme hastalığı belirtilerine sebep olur. Eğer ısırık sırasında örümceğin zehrinin birazı derinizin içinde kaldıysa bağışıklık sistemini zayıflatan bir enfeksiyon yaşayabilirsiniz. yaklaşık olarak 5 vakadan 1 tanesinde kabartılı kızarıklıklar oluşur.

10. **Arı sokması:** Tıpkı örümcek ısırığı gibi arı sokması da Lyme hastalığı belirtilerinde kene ısırıklarından daha yaygındır, onlar da bu listenin %5'ini oluştururlar. Eğer arı sokması sırasında arının bir kısmı derinizde kaldıysa bağışıklık sistemini zayıflatan bir enfeksiyonla sonuçlanabilir. Yaklaşık olarak 5 vakadan 1 tanesinde kabartılı kızarıklıklar oluşur.
11. **"Virüs dostu" reçeteli ilaçlar:** Virüsler antibiyotiklerle büyürler ki bu aynı zamanda bağışıklık sisteminizi zayıflatır. Benzodiazepin benzeri ilaçlar da aynı etkiye sahiptir. Bir viral enfeksiyon yaşadığınızdan şüpheleniyorsanız doktorunuza danışın ve kullanmakta olduğunuz ilaçları yeniden değerlendirmesini isteğin.
12. **Sürekli kullanılan ilaçlar:** Bir ilaç ölçülü alınsa bile sizin için önemlidir. Çok uzun süreli bir reçete bağışıklık sisteminizin dengesini bozar ve viral saldırılar için kapıyı açar. Ya da birden fazla doktor size farklı ilaçlar yazdıysa bu bağışıklık sisteminiz için çok yoğun ve stresli bir kokteyle dönüşebilir.
13. **Rekreasyonel uyuşturucu kullanımı:** Çeşitli zehirleri içeren yasadışı uyuşturucular eş zamanlı olarak bağışıklık sisteminizi çökertir ve viral enfeksiyonu besler.
14. **Maddi sıkışıklık:** İşinizi kaybetmek konusunda endişelenmek, faturalarınızı ödeyemeyecek duruma gelmekten korkmak ve hatta evsiz kalma korkusu size bir takım güçlü olumsuz duygular yaşatabilir. Bunların arasında başarısızlık korkusu, ölüm korkusu, özsaygı eksikliği, stres ve utanç sayılabilir. Bunlar bağışıklık sisteminizin viral enfeksiyonlardan kurtulma kabiliyetini zayıflatır.

15. **Fiziksel yaralanmalar:** Eğer bileğiniz burkulduysa, bir araba kazası geçirdiyseniz ya da fiziksel bir yaralanma yaşadıysanız bu, vücudunuzu virüsün kendisini ortaya çıkarması için uygun hissedebileceği bir duruma getirebilir. Ve eğer bu yaralanmanın ardından bir operasyon geçirdiyseniz iki kat tehlikedesiniz demektir. Çünkü ameliyatlar genelde antibiyotik eşliğinde yapılır.
16. **Yaz yüzmeleri:** Hava sıcak olduğunda kırmızı su yosunları göl veya okyanus kıyılarında birikirler. Sebep oldukları oksijen kaybı bakterilerin büyümesini sağlar. Bunlar bağışıklık sisteminizi zayıflattıkları gibi virüsü de uyku durumundan çıkması için tetiklerler.
17. **Sızıntılar:** Özellikle yazın, sıcak havada ağır metaller ve diğer zehirler çöplüklerden yakındaki göllere sızabilir. Bu göllerde yüzmek sizi bu zehirlere maruz bırakacak ve bağışıklık sisteminizi viral bir enfeksiyona karşı savaşma yeteneğini zayıflatacaktır.
18. **Profesyonel halı temizliği:** Geleneksel halı temizleyicileri sizin için yüksek derecede zehirli olan kimyasallar kullanırlar. Zaten halıların birçoğunda zehir bulunmaktadır, dolayısıyla temizlemek zehir üstüne zehir katmak demektir. Eğer kapalı alanda çok fazla vakit geçiriyorsanız her gün bu zehri soluyacaksınızdır. Bu hem bağışıklık sisteminizi zayıflatır hem de virüsleri besler. "Yeşil halı" alarak ve organik temizleyiciler kullanarak ve/veya "modern yeşil halı temizleme servislerini" çağırarak bundan kaçırabilirsiniz. Ancak bunlar bile şüphelidir. Eğer bu konuda hassassanız halılarınızı kaldırmayı deneyin.
19. **Yeni boya:** Birçok yeni boya havayı zehirli gazlarla doldurur. Eğer iyi hava almayan bir ev ya da ofistey-

seniz bağışıklık sistemini zayıflayacak ve viral enfeksiyon için bir tetikleyici elde etmiş olacaksınız.

20. **Uykusuzluk:** Herhangi bir uyku bozukluğu vücudunuzu altüst edecek ve bu da zamanla viral enfeksiyonu tetikleyecektir.
21. **Kene ısırığı:** Tıp camiası kenelerin Lyme hastalığına *sebep olduğuna* inanıyorken kene ısırıkları Lyme belirtileri için *tetikleyici* olabilirler. Örümcek sokması ve arı sokmasının yanında sizi sokan böceğin bir kısmı vücudunuzda kaldığında, saldırılar gittikçe bağışıklık sistemini zayıflatan enfeksiyonlara dönüşebilir. Ya da uyku evresinde olan bir virüs taşıyorsanız ve zamanlama doğruysa bir viral enfeksiyona karşı karşıya kalmanız için bir ısırık yeterli olacaktır. Bu enfeksiyonun *Borrelia burgdorferi* ile bir ilgisi yoktur. *Borrelia* bu enfeksiyondaki bakteri değildir. Tekrar ediyorum, yaygın inanışın tersine kene bu listedeki yaygın tetikleyiciler arasında en son sıradadır. Lyme hastalığı vakalarının %0,5'inden daha azını oluşturur

Eğer bu tetikleyicilerden bir tanesi uyumakta olan virüsü uyandırırsa, virüsün asker hücrelerden bir ordu üretmek gibi hazırlıkları tamamlaması ve içsel saldırıya geçmesi biraz zaman alabilir. Bu tetikleyicilerden hiçbiri Lyme hastalığı belirtilerine sebep olan virüsü bulaştırmaz size, ayrıca bunlar yanlış bir biçimde Lyme hastalığıyla ilintilendirilen bakterilerin bulaşmasına da sebep olmazlar.

Eğer doktorların Lyme hastalığı dedikleri şeyden şikâyetçiyseniz büyük ihtimalle yıllar önce vücudunuza girmiş olan bir virüsü barındırıyorsunuz demektir. Yaklaşık %75 olasılıkla, yukarıda sayılan tetikleyicilerden bir veya daha fazlası, üç ay ya da bir yıl sonra belirtilerin ortaya çıkmasına neden olacaktır.

Antibiyotikler

Tıp dünyasının Lyme hastalığının bakteri ve son zamanlarda parazitlerden kaynaklandığına dair yanlış inancı modern tıp tarihinin en büyük hatalarından biridir. Viral enfeksiyonlarla mücadele içinde olan kuşakları ihtiyaç duydukları yardımdan alı koymuştur. Ben buna Lyme tuzağı diyorum.

Lyme hastalığı ile mücadele etmek için doktorların genellikle başvurdukları yol antibiyotik yazmaktır, çünkü *Borrelia burgdorferi* ve *Bartonella* gibi bakterileri ve *Babesia* gibi parazitleri öldürmeyi amaçlamaktadırlar. Hâlbuki bunların Lyme hastalığıyla bir ilgisi yoktur ve sağlık için tehdit unsuru oluşturmazlar. *Borrelia*, *Bartonella* ve *Babesia* merkezi sinir sistemine saldırmaz ve Lyme hastaları arasında bir numaralı sorun merkezi sinir sisteminin iltihaplanmasıdır. Tıp dünyası bu gerçeği öğrenene kadar hiçbir işe yaramayan ve zarar veren bu antibiyotikleri yazmaya devam edecektir. Bu yalnızca faydasız değil, aynı zamanda tehlikelidir de.

Güçlü antibiyotikler bir Lyme hastasına çifte darbe vururlar. Lyme hastalarının sinir sistemleri, herpes ailesinden viral enfeksiyonlar tarafından iltihaplandığı için bu güçlü antibiyotikler sinirlere zarar verir. Kimi doktorlar yanlış bir kanıya kapılarak bu durumdaki bir hastanın yaşadığı ağrı ve diğer belirtilerin birer iyileşme işareti olduğunu düşünürler. Onlara göre bu, Herxheimer reaksiyonunun bir sonucudur - vücut zehirden arındıkça bakteriler ölmektedir. Aslında bu belirtiler çok kötü bir şeyin göstergesidir.

Antibiyotikler tüm bakterileri öldürme eğilimi içerisindedirler, sadece sizin için kötü olanları değil. Bağırsağınızda yer alan iyi bakteriler sağlığınız için önemlidir ve onların zarar görmesi sindirim sisteminiz gibi, bağışıklık sisteminizde de aksaklıklara yol açacaktır. Eğer bir doktor size iki hafta veya daha fazla sürecek olan antibiyotik tedavisi planlıyorsa günlük probiyotik alıyor olsanız bile, bağırsağınız karşılaşmış olduğumuz zararın üstesinden gelebilmek için bir ya da daha fazla yıla ihtiyaç duyacaktır. Kimi bağırsaklar ise asla eskisi gibi olamaz - antibiyotik damardan veriliyor olsa bile. (Bağırsak sağlığı hakkında daha fazla bilgi için 17. Bölüm'e bakınız.)

Lyme hastalığı belirtilerine sebep olan virüsler antibiyotiklere bayılırlar. Güçlü antibiyotiklerin virüslere yaptığı şey anne sütünün bebeğe yaptığına benzer: büyütür ve güçlendirir.

Lyme belirtilerine sebep olan viral enfeksiyonların en önemli doğal düşmanı bağışıklık sistemimiz olduğu için ve antibiyotik hem bağışıklık sistemine zarar verip hem de virüsleri beslediği için bu bir yangının üzerine benzin dökerek söndürmeye çalışmaya benzer. Ancak bu, yine de Lyme hastalığını tedavi etmek için doktorların başvurduğu standart yol. Güçlü antibiyotikler almak görece hafif bir Lyme vakasını ciddi sağlık krizi haline dönüştürebilir ve zamanla tehlikeli bir hal alabilir. Trajik ama bu her gün gerçekleşiyor.

Lyme uzmanları, son 25 ila 40 yıldır aşırı antibiyotik kullanımının verdiği zararları anlamaları ile birlikte, artık antibiyotiğin dozunu azaltmaya başladılar. Ayrıca damar içi (intravenöz) vitaminlerle bunu destekliyorlar. Bunu fark etmelerinden dolayı onlara madalya vermeden önce, tıp biliminin bu iş için antibiyotiğe ihtiyaç olmadığını anlamaktan 10 yıllarca uzak olduğunu görmeliyiz - çünkü Lyme hastalığı viraldir. Ultraviyole kan ışınlaması tedavisi gibi popüler alternatif tedaviler de bu konuda yardımcı olmaz, çünkü onlar da problemin bakteriyel olduğunu ve kan dolaşımı ile ilgili olduğuna dair yanlış kanının peşinden gitmektedirler. Aslında Lyme hastalığı belirtilerine sebep olan virüsler genellikle nörolojiktirler ve kan içerisindeyken asla Lyme belirtilerine sebep olmazlar. Ancak virüsler bir organa ya da merkezi sinir sistemine geçtiklerinde buna sebep olurlar.

Doktorlar Lyme belirtilerinin arkasında yatan problemin bakteriyel olduğuna inandıkları müddetçe, belki de milyonlarca insanın hayatı pahasına, sis içerisinde bir denizde, hayalet bir geminin peşinde kaybolup gidecekler. Dikkat edilmesi gereken bir nokta da Lyme hastalığı belirtilerine sebep olan virüslerin çok fazla sayıda eşetkeni olmasıdır. Bunların arasında *Streptococcus* A ve B, *E. Coli*, *Mycoplasma pneumoniae, H. pylori,* ve/veya *Chlamydophila pneumoniae*; zehirli küfler ve *Candida* mantarı sayılabilir Ayrıca bu eşetkenler arasında yer alan *Bartonella* ve *Babesia* Lyme alanında son zamanlarda popüler olan *Candida*'dan daha fazla zararlı değildirler.

Unutmayın, bu eşetkenler Lyme hastalığı diye bilinen belirtileri *yaratmazlar.* Tıp dünyasının bu eşetkenleri sebep olarak kabul etmesini anlamak için, savaşan iki orduyu düşünün. Birinci ordu (tıp camiası) geri çekilen bir ordunun (bakterilerin) izini sürüyor. İlk grubun piyadeleri takibi sonlandırıp düşmanın etrafını çevirdiklerinde anlıyorlar ki uzaktan süngü diye gördükleri şeyler aslında bayrak direkleri, trampetler ve bagetlermiş; yani ordu yanlış birliğin peşine düşmüş. Düşmanın izini sürdüklerini düşündükleri o süre boyunca aslında izini sürdükleri şey askeri bir bandoymuş. Tıpkı bunun gibi tıp araştırmaları da yanlış habercilerin (bakteriler) peşindeler, bu arada gerçek düşman (virüsler) dikkatlerden kaçıyor.

Hastanın gördüğü zararın en büyük nedeni fark edilemeyen viral enfeksiyonlardır - veya fark edilirseler bile bir sorun değilmiş gibi görmezden gelinir. Eşetkenler tehdit değildir.

Bu arada Lyme hastalığı belirtilerinin arkasında olan virüslerin eşetkeni bakteriler antibiyotiğe karşı dirençlidirler. Hatta zamanla daha da dirençli bir hal alırlar. Eğer Lyme belirtileri gösteriyorsanız, bu, antibiyotikten kaçınmak için çok mantıklı bir sebeptir.

Bu durumun bir istisnası vardır: Bir enfeksiyonla mücadele etmek için kullanılan antibiyotikler. Örneğin; ısıran böceğin bir parçasının teninizde kaldığı örümcek ısırığı, arı sokması veya kene ısırığı gibi normal deri enfeksiyonları. Vücudunuz enfeksiyona karşı savaşabilmek için halka şeklinde bir kızarıklık ya da iri bir sivilce gibi bölge üstünde bir şişkinlik yaratabilir. Bu kırmızı şişkinlik Lyme hastalığı konusundaki son yanlış anlamalardan bir tanesidir.

Bu durumda hafif bir antibiyotik almanın bir sakıncası yoktur. Antibiyotiklerin uzun vadeli riskleri, enfeksiyonun kısa vadeli riskinin yanında gölgede kalır. Yine de açık olalım, bu enfeksiyonun kendisi Lyme hastalığı değildir ve enfeksiyonun sebebi *Borrelia burgdorferi* değildir. Bu kızarıklıklar yabancı bir maddenin, delinme yoluyla deri altına girmesinden kaynaklanan normal enfeksiyonlardır. Kayıtlara geçsin; ne *Borrelia* ne *Babesia* ne de *Bartonella* bu kızarık şişkinlikte bulunmaz ya da orada üremez.

Günümüzde Lyme Testi

Tıp dünyasının Lyme hastalığını teşhis etmek için kullandığı iki ana test var. Bir tanesi ELISA (*Enzyme-Linked Immunosorbent Assay*), *Borrelia burgdorferi* bakterisinin antikorlarını tespit eder; diğeri *Western blot* ki o da *Borrelia burgdorferi*'nin birçok proteininin antikorlarını tespit eder. İki test de Lyme hastalığı belirtilerinin *Borrelia burgdorferi*'den kaynaklandığı yönündeki yanlış varsayıma dayalıdır... Ki öyle değil. Bu yüzden bir hasta, Lyme belirtileri gösteriyorken test sonuçları negatif çıkabiliyor.

Önde gelen laboratuvarlar bu testlerin doğru sonuç vermediklerini keşfetmeye başladılar ve daha iyi testler geliştiriyorlar. Ancak hâlâ bakteri ve veya parazitlerin Lyme hastalığına sebep olduğu yönündeki eski teoriye inanmaktalar. Tekrar ev yapmak örneğine dönecek olursak, bu bir plan yapmadan ev inşa etmeye benziyor.

Eğer son zamanlarda bir doktor sizde Lyme hastalığı teşhis ettiyse, onun da ELISA ya da Western blot testlerine güvenmediğini belirtme ihtimali yüksek. Doktorunuz şöyle söyleyebilir: "Kanınızı gelişmiş laboratuvarlara göndermemiz gerekiyor." Sonuçlar geldiğinde doktorunuz muhtemelen kanınızda Lyme ölçüldüğünü ve bazı antikorlar bulunduğunu ya da *Bartonella* gibi bakteriler ve *Babesia* gibi parazitlerin kısmen göründüğünü söyleyecektir. (Eğer nezle, stafilokok enfeksiyonu, EBV ya da *Candida* iseniz muhtemelen Lyme testi sonuçlarınız pozitif çıkacaktır.)

Tıp camiası yanlış suçlunun peşinde olduğundan, bu, on yıllardır kandırılan hastaların ilgisini sinsice başka yöne çekerek oyalamaktır. Bu doktorların anlamadıkları şey bu yeni *Bartonella* ve *Babesia* hikâyesinin gerçekten işe yaramadığıdır, çünkü her zamanki yanlışın peşinden gidiyorlar. Bakteri ve parazitleri zararsız eşetkenler olarak anlamaktan çok uzaktalar; onları hastalığın kendisiymiş gibi gösteriyorlar.

Lyme hastalığı belirtileri gösteren hastalar arasında bir sinek ya da kene tarafından ısırılma vakası her ne kadar çok nadir gözükse de tıp profesyonelleri şimdi Lyme hastalığının, hastayı yıllar önce ısırmış olan sivrisinek, geyik sineği ya da at sineği tarafından gelmiş olabileceğine dair şeyler anlatıyorlar.

Bir geyik sineği ya da at sineği tarafından ısırılmanın viral belirtilerin su yüzüne çıkması için birer tetikleyici olma ihtimalleri çok düşük; daha önce belirtilen böcek ısırıkları da buna dâhil. Ancak bu ısırıkları Lyme hastalığının sebebi olarak göstermek bir kez daha eski yanlış teorinin peşinden gitmek demek oluyor - ve bu insanlara doğada bulunma korkusu yayıyor. Bu keneleri suçlamaktan çok da farklı bir şey değil.

Bu konunun tek iyi yönü, tıp camiasının Lyme konusunda araştırma alanını genişletmesi oldu. Böylece *Borrelia burgdorferi* hipotezinin yanlış olduğunu gördüler ama araştırmacılar hâlâ yanlış tarafa bakıyorlar. Size söylüyorum, yıllar yıllar sonra başka bakteriler Lyme hastalığı için suçlanacak ve gerçek viral suçlular göz ardı edilecek.

Eğer Lyme hastasıysanız, araştırmaların bunun gerçek sebebini bulması için bekleyecek 20 yılınız var mı?

Gerçek şu ki, tıp camiası henüz Lyme hastalığının hakiki eşetkenlerini keşfedemedi. *Babesia* ve *Bartonella* konusunda da, bunların Lyme hastalığı belirtilerinde çok küçük bir rolleri olduğunu fark etmemelerinin ötesinde, bunları belirlemek için yapılan testler birçok problem barındırmaktadır.

İlk olarak, Lyme hastalığı belirtilerine sebep olan viral enfeksiyona sahip olabilirsiniz ancak bu eşetkenlere sahip olmayabilirsiniz; o zaman test sonuçlarınız negatif çıkacaktır. İkinci olarak, bu eşetkenleri barındırıyor olabilirsiniz ancak test tarafından saptanmayabilirler ve sonuç negatif çıkacaktır.

Ancak en büyük sorun şu ki Amerikalıların %60'ı *Babesia* ve *Bartonella* taşımaktadır. Ancak bu onlar için zararlı bir şey değil. Sonuç olarak tamamen sağlıklı olduğunuz halde test sonuçlarınız pozitif çıkabilir. Bu testler Lyme belirtileri gösteren kişilerde negatif sonuç verirken, Lyme belirtileri göstermeyen bir hastada pozitif sonuç verebildikleri için kullanışsızdırlar.

Eğer en gelişmiş laboratuvarların uyguladıkları en ileri testler 100 sağlıklı kişiye uygulanacak olsa 50'den fazlasında pozitif sonuç çıkar. Bu kişilerde tıp camiasının Lyme hastalığına sebep olduğunu söyledi bakterilerin antikorları tespit edilmiştir.

Lyme belirtilerine sebep olan viral bir enfeksiyonunuz olup olmadığını anlamanın en iyi yolu geçmişinize ve belirtilerinize odaklanmaktadır. Eğer viral enfeksiyonları aktif hale getiren genel tetikleyicilerden bir tanesini yaşamışsınız ve karıncalanma, spazm, yorgunluk, bilinç bulanıklığı, hafıza kaybı, sinir ve eklem ağrıları ve diğer nörolojik belirtileri yaşamaktaysanız ve böyle hissetmemizin sebebi olabilecek diğer şeyleri elemişseniz, o zaman Lyme hastalığı belirtilerini yaratan virüsten şikâyetçi olma ihtimaliniz yüksek. Daha önce de söylediğim gibi, bu herpes ailesine bağlı zona, HHV-6, Epstein-Barr veya sitomegalovirüs olabilir.

Bu yeni Lyme hastalığı laboratuvar testlerinde bu virüsler yanlış pozitif sonuçlar yaratan birer tetikleyici olabilirler. Virüsler yan ürün, ceset, viral biyofilm ve meşhur spiroketleri yaratırlar (bunlar viral vakalarda ancak bakteriyel olarak algılanırlar). Hepsi bir arada hatalı testleri, hastalığın bakteriyel olduğu yönünde şaşırtabilir. Kan laboratuvarları tıpkı diğer şirketler gibidirler, ticaret yapmak için açılmışlardır. İşlerini sürdürmek, geçimlerini sağlamak gibi kâr amaçlı motivasyonlar gütmektedirler. Bu yeni laboratuvar testlerine sanki birer mucizeymiş gibi güvenemeyiz. Ayrıca kan laboratuvarları ve onlara bu testleri yaptıran doktorlar arasında büyük bir kopukluk mevcut; doktorlara çoğu zaman laboratuvarların bu sonuçları nasıl aldığı söylenmez. Bu yüzden bunlar aklınızda olsun ve inandığınız *gerçekler* hakkında daha dikkatli olun.

Eğer antibiyotik aldıysanız ve beklenmedik viral kötü sonuçlar yaşadıysanız ya da tedavi olmadıysanız ancak bu bölümde daha önce açıkladığım belirtileri gösteriyorsanız, büyük ihtimalle bir sonraki başlıkta söyleyeceklerime sabır ve titizlikle uyarak sağlığınızı yeniden kazanabilirsiniz. Zamanla virüs hücrelerinin %90'ını yok edecek ve bağışıklık sisteminizin virüsü tekrar uyku moduna göndermesini ve bu hastalıktan kurtulmanızı sağlayacaksınız.

Lyme Hastalığının Tedavisi

Lyme hastalığının kronik belirtileri insanların hayatlarına girdiğinde bir felakete dönüşebilir. Birçok hasta çok sayıda doktora gider ve hiçbir cevap bulamadığı gibi MS, fibromiyalji, romatoid artrit, Sjögren sendromu, migren, lupus (deri veremi), kronik yorgunluk sendromu gibi teşhislerle evine dönebilir. Bu hastalardan bir tanesi sonunda bir Lyme uzmanına göründüğünde ise artık hastalığın teşhisi onun için bir rahatlama sayılabilir, sonunda hastalığın üstündeki gizem kalkmıştır.

Yalnızca Birleşik Devletler'de her yıl 500 binden fazla insan aslında hastalıkları viral olduğu halde sanki bakteriyelmiş gibi tedavi ediliyor ve Lyme teşhisi konuluyor. Bu çağımızın en berbat yanlış yorumlanan felaketi. İvme kazandıkça geleceğin meşhur teşhisi haline gelecek. Doktorlar da hastalar gibi bu adlandırmanın sağlayacak gibi göründüğü geçerlik karşısında şaşkına dönecek gibiler - hiçbir anlam ifade etmese de.

Lyme hastalığı ismi kimsenin aslında viral bir enfeksiyon olduğunun farkına varamadığı gizemli bir hastalığın adı olarak kalacak. Bu isim sizi rahatsız eden şeyin ne olduğunun cevabı değildir. İşin içyüzünü isimle anlatmak için ona *peynir hastalığı* ya da *iyi hissetmiyorum* hastalığı diyebilirsiniz.

Bu bölümde keşfettiklerimiz sonucunda, Lyme hastalığının arkasında yatan gerçek sebeplerin ne olduğunu bilmenin önemli olduğunu ve kendimizi ve sevdiklerimizi bu Lyme tuzağından nasıl kurabileceğimizi öğrenmiş olduk.

Eğer bugün 40 yaşındaysanız, ancak 65 ya da 70 yaşınıza geldiğinizde tıp dünyası Lyme hastalığının değerlendirilmesi ve tedavisinde yaptıkları yanlışın farkına varacaktır - iyimser olursak. Ancak bu bölümde anlatılan uygulamaları günü gününe, kaçırmadan takip ederseniz viral enfeksiyonunuzu tekrar uyku evresine döndürmeye ve zararsız hale getirmeye zorlayabilirsiniz.

Bu işin ne kadar süreceği çok sayıda değişkene bağlıdır. Size bulaşan virüsün az ya da aşırı saldırgan olması, son zamanlarda antibiyotik alıp almadığınız, sağlıklı bir ortamda mı yoksa virüsü tetikleyen ve besleyen zehirli bir ortamda mı olduğunuz, hastalığın erken mi yoksa geç döneminde mi olduğunuz gibi farklı değişkenlere bağlı olarak bu sürecin ne kadar süreceği belli olur. Dürüst olmak gerekirse, programın tam etkili olabilmesi için 6 aydan 2 yıla kadar bir süreç gerektirir.

Bu bölümdeki tavsiyeleri uygulamayı bırakmayın. Ayrıca Lyme belirtilerinden kurtulmak için ihtiyacınız olan ağır metalden arınma ve diğer birçok konuda detayları bulabileceğiniz Kısım 4: Sonuçta Nasıl İyileşeceğiz?'e de bakın. Kendinizi Lyme tuzağından nasıl kurtaracağınız ya da nasıl yanından geçip gideceğiniz konusundaki tüm bilgiler bu kitapta.

İyileşme kabiliyetine sahipsiniz, vücudunuz gerçekten iyileşmek ve iyi olmak istiyor. Eğer vücudunuza istediği şeyleri verir ve verimsiz elementleri uzaklaştırırsanız içinizdeki iyileşme gücüne kavuşabilirsiniz.

İyileştirici Gıdalar

Vücudumuzun Lyme hastalığının belirtilerinin arkasında yer alan virüsten kurtulması için yardımcı olabilecek bazı yiyecekler vardır. Yıldız anason, kuşkonmaz, yaban mersini, turp, kereviz, tarçın, sarımsak, kayısı ve soğan virüs hücrelerini öldürmede, bedeni zehirden arındırmada, beyin hücrelerini onarmada, merkezi sinir sistemini iyileştirmede ve diğer iyileşme süreçlerinde faydalı olur.

Şifalı Bitkiler ve Destekleyiciler

- **Kekik:** Temas halinde virüsleri öldürür. Kekiğin önemli olmasının özel bir sebebi vardır. Çünkü kan/beyin bariyerini geçebilmektedir. Yani kan sisteminin de ötesinde, beyin kökü ve omurilik sıvısı boyunca zararlı hücrelere ulaşarak onları öldürebilir.

- **Kovan Otu/Oğul Otu/Melissa/Limon Otu:** *Streptococcus, E. coli, Bartonella, Babesia, Mycoplasma pneumoniae* ve *Chlamydophila pneumoniae* gibi bakteriler ve *Candida* mantarı gibi Lyme belirtilerinin arkasında yer alan virüslerin eşetkenlerinş öldürür, bağışıklık sistemi üzerindeki baskıyı azaltır.
- **Çinko:** Herpes ailesinden olan virüsler tarafından üretilen bir nörotoksinin sebep olduğu iltihabi reaksiyonu azaltır.
- **Meyan kökü:** Virüs hücrelerinin hareket etme ve üreme kabiliyetlerine zarar verme anlamında çok etkilidir.
- **L-lysine:** Virüs hücrelerinin hareket etme ve üreme kabiliyetlerini zayıflatır.
- **Lomatium Kökü:** Sisteminizde yer alan bakteri ve virüs hücrelerinin dışkı ve ceset gibi atıklarının vücuttan atılmasına yardımcı olur.
- **Reishi Mantarı:** Bağışıklık sistemini güçlendiren lenfosit, trombosit ve nötrofilleri oluşturur.
- **Gümüş Hidrosol:** Temas halinde virüsleri öldürür.
- **Astaksanthin:** Virüslerin zarar verdiği beyin dokusu ve sinirleri onarmaya yardımcı olan bir antioksidandır.
- **Nascent İyot:** İç salgı bezleri sistemini dengeler ve güçlendirir.

Hasta Dosyası:

Lyme Tuzağı

Stephanie evde kocası Edward ve iki çocuğuyla ilgilenmekten mutluluk duyan bir anneydi. Edward daha genç bir kadın için onu terk ettiğinde Stephanie kozmetik ürünleri satmak zorunda kalmıştı. Ancak ne yazık ki patronu, çalışanlarını günlük kotalarını tutturamazsa işten atmakla tehdit etmekten zevk duyan bir adamdı.

Kocası tarafından terk edilmenin acısı, bir yandan iki çocuğunu kendi başına büyütmeye çalışmanın duygusal ve fiziksel yükü, bir yandan eğer işini kaybetme endişesinin yarattığı baskı Stephanie'nin içinde yıllardır beklemekte olan virüse, bir enfeksiyona dönüşmek için doğru zamanı sunmuş oldu. Bir ay içinde virüs harekete geçti.

Virüs Stephanie'nin içinde saklandığı yer olan karaciğerinden çıkmış merkezi sinir sistemini istila etmişti. Stephanie çok yorgun ve miskin hissediyordu ve zihni de bulanmaya başlamıştı.

Durumla ilgilenmek isteyen Stephanie aile doktoruna gitti ve genel bir kontrole girdi. Doktoru birtakım fiziksel testler ve kan testleri yaptırdı ancak ters giden bir şey bulamadı. "Sadece stres," dedi doktor ona. "Endişelenmeyi bırak. İyi olacaksın."

Stephanie'nin aşırı düzeyde yorgunluğu ve zihinsel karışıklığı devam etti. Virüs kollarında, bacaklarında ve omuzlarında sinirler boyunca ilerledikçe Stephanie daha önce hiç yaşamamış olduğu nörolojik belirtiler hissetmeye başladı. Özellikle sol kalçası ile dizinde bir ağrı hissediyordu ve bu her gün yaptığı koşusuna engel oluyordu. Aniden Stephanie sol bacağı artık işini düzgün biçimde yerine getiremediği için sendelemeye başlamıştı.

Stephanie tekrar aile doktoruna döndü. O ise hâlâ yanlış giden bir şey bulamıyordu ve eklem ağrılarını da hesaba katarak bir eklem uzmanına görünmesini önerdi.

Uzman doktor romatoid artrit olabilir endişesiyle yeniden Stephanie'yi muayene etti ve kan testleri istedi. O da ters giden bir şey bulamıyordu. "Sağlığınız son derece yerinde," dedi. "Sakin olun, yeterince dinlenin, bu sorunlar kendiliğinden geçeceklerdir."

Her ne kadar Stephanie buna inanmak istese de belirtiler devam etmekle kalmadı, daha da ilerledi. Stephanie ne kadar uyumuş olursa olsun kendini her an yorgun hissediyordu. Sol omzundaki ağrı akut hale gelmişti. Sol kalçası ve dizi daha zayıftı, hafifçe topallamasına sebep oluyordu. Ayrıca hafif bir de anksiyete vakası yaşamıştı.

Sorunlarından arkadaşlarında bahsettiği sırada içlerinden bir tanesi şöyle söyledi: "Bu anlattıkların bana kuzenim Shelly'nin yaşadığı şikâyetleri anımsattı. Ona Lyme hastalığı teşhisi koymuşlardı."

"Lyme hastalığı mı?" dedi Stephanie. "Şehirde yaşıyorum, yıllardır bir ormana ya da geyiklerin yaşadıkları yerlere gitmedim. Beni nasıl kene ısırmış olabilir ki?"

"Bilmiyorum," dedi arkadaşı. "Ancak sana başka kimse yardımcı olamaz. Bir Lyme uzmanına görün, ne kaybedersin ki?"

Bu, Stefanie'ye mantıklı geldi. Bir Lyme uzmanı olan Dr. Nartel'e gitti.

Doktor Nartel iki tip test yapmak için Stefanie'nin kanını aldı - ELISA ve Western blot. Her iki test de *Borrelia burgdorferi* bakterisinin varlığına karşı tepki olarak üretilen antikorlara bakmaktaydı. Stephanie'nin sorunu *Borrelia burgdorferi* değildi gerçi, bir virüstü ve sonuçta her iki test de negatif çıktı.

Doktor Nartel neden olduğunu anlayamasa da bu testlerin güvenilir olmadıklarını tecrübe etmişti ve Stephanie'nin daha önceki doktorlarının tersine bu belirtileri ciddiye aldı. "Söylediklerin Lyme tanımına uyuyor," dedi. "Her gün ilaç şeklinde alacağın 30 günlük bir antibiyotik tedavisi öneriyorum. Eğer gerçekten Lyme hastasıysan bu ilaç hastalığına sebep olan bakteriyi öldürecektir."

Bu Stephanie'ye mantıklı geldi, sonunda bilinen geçerli bir teşhis konmuştu yaşadıklarına. Hemen kabul etti.

Sonraki ay boyunca Stephanie hiçbir değişiklik hissetmedi. Antibiyotikler kötü bakterileri öldürdüğü gibi iyileri de öldürüyordu. Bağırsağındaki bu değişiklik aslında uzun vadede bağışıklık sistemini zayıflatmaktaydı. Antibiyotik ayrıca Stephanie'nin bağırsak yolunun duvarlarını iltihaplandırmış, ağrılı gastrit ve spazmlara sebep oluyordu.

Dr. Nartel ayrıca probiyotikler de yazarak bu sorunların bir kısmını çözmeye çalıştı. Yine de tedavinin yan etkilerini engelleyecek güçte değillerdi. Stephanie besinleri sindirmekte zorluk yaşıyordu, iştahı kaçmıştı ve midesinde düzenli bir biçimde yanma hissediyordu.

Bir ay daha geçtikten sonra Stephanie'nin yorgunluğu ve eklem ağrıları, tedaviye başlamadan önceki halinden daha kötü bir duruma gelmişti; bilinç bulanıklığı da öyle. Ayrıca bir de periyodik hafıza kayıpları başlamıştı.

Durumu ciddiye alan Stephanie kitaplar ve internet aracılığıyla geniş çaplı bir arama yapmaya başladı. Eğer Lyme değilse kronik yorgunluk sendromu, fibromiyalji, lupus (deri veremi) ve hatta MS bile olabilirdi. Doktor Nartel'in yardımcı olamadığını görerek başka bir Lyme uzman olan Doktor Maizon'a başvurdu.

Doktor Maizon daha önceki doktorların yaptığından daha geniş çaplı bir kan testi istedi ve bunları yaptırmak için ona uygun daha gelişmiş bir laboratuvar seçti. Testlerden birinde *Babesia* ve *Bartonella* pozitif çıktı; bunda şaşılacak bir şey yok çünkü Lyme hastalığı belirtileri taşımayan bir insanda bile bu bakteri ve parazitlerin değişik türlerinin olması mümkündür. Stephanie *Babesia* ve *Bartonella*'nın merkezi sinir sistemi sorunuyla bir ilgisi olmayan, zararsız şeyler olduğunu bilmediğinden, deneyimli ellerde olduğu duygusuyla ferahladı.

Doktor Maizon ona bir aydan üç aya kadar damardan antibiyotik tedavisi ve özellikle daha güçlü bir ilaç tedavisi uygulayacaklarını söylediğinde Stephanie hemen kabul etti.

Daha güçlü antibiyotik onun yeni bir acı seviyesine ulaştırdı ve viral enfeksiyonu besleyip güçlendirdi. Tıpkı kömürün ateşe yaptığı gibi.

Bu güçlü antibiyotik tedavisiyle geçen iki aydan sonra Stephanie'nin yorgunluğu, eklem ağrıları, bilinç bulanıklığı ve hafıza kaybı o kadar ciddi bir hal aldı ki işini bırakmak zorunda kaldı. Vücudunda sinir ağrıları ve spazmlar oluşmaya başladı. Günün büyük bir bölümünü yatakta geçirme ihtiyacı hissettiğinden çocuklarıyla da yeterince ilgilenemiyordu.

Doktor Maizon bu kötüye gidişin önemli bir şey olmadığı garantisini veriyordu Stephanie'ye. "Bu, antibiyotiklerin çalıştığını gösterir," diyordu. "Biz buna Herxheimer reaksiyonu diyoruz. Ölmekte olan bakteri, zehrini vücudundan dışarı alabileceğinden daha hızlı salgıladığında olan bir şey."

Doktor Maizon'un bilmediği şey şuydu: Eğer problem onun düşündüğü gibi bakteriyel olsaydı antibiyotikler kayda değer bir değişikliğe sebep olmalılardı. Ancak getirdiği açıklama, tıp camiasının, onları iyileştirmesi beklenen ilaçları kullandıkları halde daha da kötüye giden hastalar için uydurduğu güncel bir bahaneydi.

Gerçekte Stephanie'nin yaşadığı şey artan virüs yoğunluğuyla beraber güçlü antibiyotiklerle daha da kötü bir hale gelen iltihaplanmış sinirlerdi. Yine de Stephanie doktoruna inandı ama hastalığı gittikçe şiddetleniyordu.

Antibiyotiklerle geçen 3 ayın ardından, Stephanie eğer bu tedaviye daha fazla devam ederse öleceğine dair bir hisse kapıldı. Doktor Maizon'ı görmeyi bıraktı, ancak zayıflamış bağışıklık sistemi ve güçlenmiş viral enfeksiyonla birlikte kronik hasta durumunda kaldı.

Stephanie başka bir Lyme uzmanına gitti. O da ona doğal ilaçlar önerdi; multivitaminler, D vitamini, koenzim Q10 ve bir sürü balık yağı. Doktor daha önceki tecrübelerinden ağır antibiyotiklerin işe yaramayacağını biliyordu ama Stephanie'nin bu doğal ilaçlarla bir gelişme göstermediğini fark ettiğinde ona az miktarda antibiyotikle tedaviyi destekleyebileceklerini söyledi. Stephanie'nin daha önce yüksek dozda antibiyotiğe maruz kaldığını biliyordu ama üç ay boyunca kullanacağı az miktarda antibiyotiğin sağlığını geri kazanmasına yardımcı olacağında ısrar etti.

Stephanie'nin hastalığı hafif bir şekilde başlamıştı ve eğer antibiyotiklerden uzak durmuş olsaydı öyle devam edecekti. Fakat antibiyotik aldıkça Lyme belirtilerinin tam potansiyellerine ulaşmasının önünü açmış oluyordu. Şimdi antibiyotikleri bir kez daha denemeye karar vermek, tanımlanamayan virüsün önüne silah koymak gibi bir şeydi. 6 hafta sonunda Stephanie krizin de ötesine geçen bir beyin iltihaplanması ve sinir ağrısı yaşadı. Artık konuşmakta bile zorlanıyordu.

O an gitmekte olduğu doktoru de bıraktı ve panikle bir dizi alternatif doktora göründü.

Belirtilerin büyüklüğünü göz önüne alan bir doktor, aslında Lyme hastalığı değil ALS, yani Lou Gehrig hastalığı olduğunu söyledi.

Diğer bir tanesi multipl skleroz olduğunu belirtti.

Bir diğeri ise ona Guillain-Barre olduğunu söyledi. (Aslında Stephanie'de bir çeşit Guillain-Barre vardı. Tıp camiası bunun farklı bir rahatsızlık olduğunu biliyordu fakat bu da beyni etkileyen viral sinir iltihaplanmasının diğer bir adıydı. Bu Lyme konusunda ne kadar çok kafa karışıklığının olduğunu gösteren ciddi bir örnektir.)

Sonunda Stephanie benim de hastalarımdan biri olan alternatif bir doktora gitti. O Stephanie'yi bana acil vaka olarak gönderdi.

Bir okuma ve tarama yaptıktan sonra ilk yaptığım şey durumla ilgili Stephanie'nin zihnini rahatlatmak oldu. "Evet" dedim. "Bu hastalığı biliyorum, bir kere at sineği ya da örümcek ısırığı veya bakteriden kaynaklanmaz. Ruh bunun, beyin iltihaplanmasına sebep olan, merkezi sinir sisteminde bulunan, kızarıklık yapmayan bir zona virüsü olduğunu söylüyor ve almış olduğun antibiyotikler onu daha da güçlü bir hale getirmiş."

Sadece ne olup bittiğini öğrenmiş olmak Stephanie'nin üstünden büyük bir yük kaldırdı ve ona iyileşmeye başlaması için bir fırsat tanıdı. Aynı zamanda onu yanlış tedavi ederek görece tanımlanamayan hafif viral bir enfeksiyonu neredeyse ölümcül bir duruma getiren doktorlarına da oldukça kızgındı. Uygun doğal metotlarla beslenmiş ve tedavi edilmiş olsaydı bir yılını bu acılarla geçirmek zorunda kalmayacaktı.

"Sinirli olman doğal," dedim ona. "Ancak bilmelisin ki, doktorların seni iyileştirmeye çalışıyorlardı. Bu hastalığın doğasıyla ilgili 40 yıl önce başlatılan yanlış varsayımlar üzerinden hareket ederek senin gibi binlerce hasta aynı denemelere maruz kaldı. Şimdi önemli olan sen gerçeği biliyorsun ve tedavi olabilir, iyileşebilirsin."

Stephanie bu bölümde önerilen yiyecekleri, şifalı bitkileri ve destekleyici gıdaları tüketti. Ayrıca bu kitapta yer alan 28 Günlük Tedavi Edici Arınma diyetindeki yönergelere uydu. Üstesinden gelinmesi gereken zarar çok büyüktü ama 6 ay sonra normal ev işlerini yapabilmeye başladı ve enerjisini korumak için öğlenleri sadece iki saat uyuması yeterli oluyordu. 9 ay sonra dışarı çıkabiliyor, topallamadan yürüyor, arabayla çocukları futbol antrenmanına bırakıyor, köpeğiyle oynayabiliyordu. Lyme teşhisinin arkasında yatan viral belirtileri yok edebilmek için 1 yıl doğal programı uyguladıktan sonra Stephanie, aşırı antibiyotik kullandığı dönemden öncekinden daha iyi hissetmeye başladı.

Zaman geçtikçe, ilk başta az miktarda kullandığı antibiyotik döneminden daha da güçlü bir hale geldi. Stephanie sonunda tam olarak sağlığına kavuşmuştu, koşu yapıyor ve normal hayatını sürdürüyordu.

Stephanie'nin yaşadığı şey bir kâbustu. Lyme teşhisi konan on binlerce insan her yıl aynı çileyi çekiyordu ve trajik olan şu ki çoğunun şikâyetleri dinmiyordu.

Neyse ki artık Lyme hastalığının doğası anlaşıldığı için bu ağrı ve şikâyetlerden kurtulmak mümkün... Ve artık bu hastalık, bu bölümde ve kitabın geri kalanında anlatılan hedefe yönelik metotlarla tedavi edilebilir.

KISIM 4:

SONUÇTA NASIL İYİLEŞECEĞİZ?

BÖLÜM 17

SİNDİRİM YOLU SAĞLIĞI

Kimse besin mideye girdiğinde aslında ne olduğunu bilmez. Sindirim sistemi bir mucizedir ve birinin anlayabileceğinin çok ötesinde bir fenomendir. Bazı işlevlerini bilen tıp anlayışı için bile sindirim sistemi gizemini korur.

Herkes şunu bilir; bir parça yemeği ağzımıza atar çiğneriz, yutarız, sonra o sindirim yoluna girer, birtakım çözülmeler olur ve dışarı atılır. Bunun besinleri alış şeklimiz olduğunu biliriz ve yine biliriz ki sindirim süreci her zaman iyi gitmez. Kimi zaman midemiz ağrır ya da bağırsaklarımızda rahatsızlık hissederiz veya daha kötüsü olur.

Tıp bilimi sindirim enzimlerini keşfetti diye sindirimin nasıl bir şey olduğunu tam olarak anlayabildiği düşünülemez. Konu ne yediğimiz ve vücudumuzun bunu nasıl işlediğine gelince tıp camiası, Karındeşen Jack ve Noel Baba arasındaki farkı bilemeyecek pozisyondadır.

Sindirim insan fizyolojisi çalışmalarının en az üzerinde durulmuş kısımlarından biridir. Hiçbir şey yokmuş ve sanki bilim her şeyi açığa çıkarmış gibi ilerlemeye devam ederiz, oysa vücudumuzun nasıl işlediği konusunda en karmaşık element olarak durmaktadır.

Kimi hastalıkların tersine -onlar için yapılması gereken keşiflerin birkaç on yıl içinde yapılacağını söyleyebilirim- bu kitapta yer alan bilgilerin keşfi -bağırsak sağlığı başka bir hikâyedir, onun gizli işleyişi bu dünyada tıp camiası tarafından asla keşfedilmeyebilir- bu yüzden bu bölüm önemlidir.

Sindirim yolunuz sağlığınızın önemli bir parçasıdır. İçten dışa iyileşmeye başlamak için harika bir yer olan sindirim sisteminizle ilgilidir.

Sindirim yolu mide, ince bağırsak, kalın bağırsak, karaciğer ve safra kesesini kapsar. Sindirim sisteminin görevi yediğimiz yiyeceklerden besin emilimini gerçekleştirmek, atık ve zehirli maddeleri dışarı atmak ve güçlü bir bağışıklık sistemini sürdürmektir.

Tüm bu günlük işlemlerin yanında sindirim yolunuz kendi yaşam gücünü barındırması ile de önemlidir. Yiyecekler yalnızca fiziksel parçalanma ile sindirilmez (tıp dünyası bu sürecin parçalarını da henüz bir araya getirebilmiş değildir); sindirimle ilgili ayrıca ruhsal ve metafizik faktörler de yer almaktadır. Bu yüzden bu gezegendeki aydınlanmış varlıklar yavaş yemek, bol çiğnemek, yemekten önce, yemek sırasında veya yemekten sonra dua etmek, yediği şeyin bilincinde olmak ve onunla bir olmak gibi tekniklerle meşgul olmaktadır.

Kalın bağırsağınızın içinde bir nehir aktığını düşünün. Nehir yatağının derinliklerinde -kalın bağırsağın çeperlerinde- farklı türden birçok bakteri ve mikroorganizma nehir suyunun zehirli hale gelmemesi için homeostatik bir denge kurmaya çalışmaktadır.

Tıpkı bir nehrin ruhunun olduğu gibi, sindirim yolu da insan ruhunu besler. Ruhumuz kendi özümüzdür, geleceğimizdir ve sezgilerimizdir.

Günlük dilimizde ne kadar çok sindirim yoluyla ilgili deyim var (midesiz olmak, midesi kaldırmamak, bağırsaklarını deşmek...vb.). Çünkü fiziksel oluşunun ötesinde, hayatımızda ne kadar içsel bir rol oynadığını bir şekilde biliyoruz; içgüdüsel ve duygusal olarak kim olduğumuzun temel taşı olduğunu biliyoruz.

Sindirim yolunuz gücünüzün olduğu yerdir. İşte tam da bu yüzden orada beslenen bakterilerin iyi ya da kötü olmaları duygular üzerinde bu kadar kontrol sahibidirler. Sindirim yolunun sağlıksız olması sezgilerimizi engeller.

İnsanlar elma gibidirler. Dışarıdan parlak ve kusursuz gözüken bir elmanın içi çürük çıkabilir. Örneğin; bir insanın sindirim yolu zararlı bakteriler üretiyorken ahlaksız bir karaktere sahip olabilir ama dış görünüşünden bunu asla tahmin edemeyebilirsiniz. Ayrıca dışında ezikler ve kusurlar olan bir elmanın içi de sağlam ve sağlıklı olabilir. Tıpkı muhterem, güvenilir bir kişinin güleryüzlü olmaması fakat sindirim yolunun iyi bakterilerle dolu olması gibi.

İnsanların sindirim yolunda 75 ile 125 trilyon arası bakteri bulunur. Bunlar zehirli ve faydasız bakteriler, mikroplar, küf, mantar, mikotoksinler ve virüsler tarafından gelecek olan enfeksiyonlara açılmış kapılardır. Eğer iyi başa çıkılmazlarsa bu patojenler gelişerek doğal içgüdülerimiz engeller ve sayısız hastalığa yol açabilecek zemin yaratabilirler - sindirim yolunuz bunlarla başa çıkabilecek iyi bakterilerle dengede değilse.

Bu bölüm geçirgen/sızıntılı bağırsak sendromu, sindirim güçlüğü, reflü, bağırsak enfeksiyonları, huzursuz bağırsak sendromu, mide spazmları, gastrit ve midenizde veya etrafında oluşan genel ağrılar gibi hastalıklarla ilgili neyin yanlış gittiğini kapsamaktadır. Bu durumlarla ilgili tıp dünyasının bildiklerinin ötesinde yeni bilgiler sunar. Ayrıca sindirim yolu sağlığıyla ilgili çok sayıda faydasız trend ve geçici hevesi çürütür. Sindirim yolunuzun yeniden sağlıklı bir hale kavuşması için, size alabileceğiniz basit önlemler sunar.

Sızıntılı/Geçirgen Bağırsak Sendromunu Anlamak

Tıptaki bir kafa karıştırıcı durum da sızıntılı bağırsak sendromudur - geçirgen bağırsak sendromu olarak da bilinir. Sadece bu isimler bile kafa karıştırıcıdır. Farklı tıp camialarının farklı durumlar ve teorileri tanımlamak için kullandıkları isimlerdir bunlar.

Sızıntılı bağırsak sendromu hikâyesi ile ilgili üç taraf vardır. İlk başta birincisine bakalım; geleneksel tıp camiasının anlayışı. Geleneksel tıp doktorları sızıntılı bağırsak terimini, bağırsağın çeperinde ya da midede oluşan yaralar ve deliklerden kaynaklanan önemli bir bağırsak rahatsızlığı için kullanırlar. Bu yaralar kanamalı enfeksiyonlara, aşırı ateşe ve/veya kan zehirlenmesine yol açabilirler. Geleneksel tıp doktorları bu konuda haklıdırlar. Gerçek sızıntılı bağırsak sendromu sıra dışı bir ağrı ve gizeme yol açan bir hastalıktır.

Sızıntılı bağırsak sendromu mide derinliklerinde gömülü ülserlerden kaynaklanabilir veya bağırsağın iç çeperinde küçük cepler üreten *E-Coli* bakterisi, *C. difficile* gibi antibiyotiklere dirençli bir bakteriden veya iç kanama, apse veya divertikülozis gibi sebeplerden kaynaklanıyor olabilir. Sızıntılı bağırsak ismi, bu durumlardan bir tanesi sindirim sistemi yolunu delerek patojenlerin kan dolaşımına karışmasına müsaade ettiği zaman kullanılır.

Sızıntılı bağırsak sendromunun oluşabileceği bir başka yol ise kolonoskopinin yanlış gitmesi ve kalın bağırsakta ufak deliklerin açılması ile gerçekleşir. (Bu duruma bağlı olarak, çok uzun süre hastanede yatmış olan hastalarım oldu.)

Sebebi ne olursa olsun fark etmez, gerçek sızıntılı bağırsak sendromu vahim belirtilerle sonuçlanır.

Hikâyenin ikinci tarafı ise alternatif, bütünleştirici ve doğal tedavi anlayıştır. Bu gibi tıp çevreleri, bu terimi bir tür küfün ya da *Candida* mantarlarının veya yararsız bakterilerin bağırsak çeperinde küçük delikler açması ve düşük seviyede zehrin kan dolaşımına karışmasına sebep olarak birçok farklı belirti ile sonuçlanması gibi durumlarda kullanırlar.

Bu teorinin biraz düzeltilmeye ihtiyacı vardır.

Bu yanlış anlaşılan sindirim yolu problemine göre, faydasız bakteriler ve mantarları da içeren zehirli bağırsak ortamının büyük bir sağlık sorununa yol açacağı doğrudur. Eğer bu patojenler en basit anlamda bile bağırsak yolunun dışına çıkabiliyorlarsa, o zaman yüksek ateş, kanda enfeksiyonlar, aşırı ağrı ve/veya zehirlenme gibi belirtiler ortaya çıkmalıydı. "Sızıntılı bağırsak" terimi yalnızca, bağırsakta açılan delikleri tanımlamak için kullanılmalıdır.

O halde neden alternatif doktorlar tarafından sızıntılı ya da geçirgen bağırsak teşhisi konan on binlerce hasta yorgunluk, ağrı ve sızı, kabızlık, sindirim güçlüğü ve reflü gibi sorunlar yaşıyorlar?

Çünkü ortada bir gerçek var ve bu yanlış kullanılan yerleşik tanım doktorların size sunabilecekleri tek şey.

Geleneksel tıp dünyasında milyonlarca hastaya IBS (irritabl bağırsak sendromu), çölyak hastalığı, Crohn hastalığı, kolit, gastroparezi veya gastrit teşhisi konuyor - koşullar hâlâ gizemini koruyor. Veya sindirim yolu sorunları yaşıyorlar ancak doktorlar bir tanı koyamıyor.

Aslında sızıntılı bağırsak olmayan bu gizemli sindirim yolu sorunlarının bir açıklaması *var*. Ben buna *amonyak geçirgenliği* diyorum ve işte bu da hikâyenin üçüncü tarafı.

Amonyak Geçirgenliği

Lütfen amonyak geçirgenliği ile son moda geçirgen bağırsak terimini birbirine karıştırmayın. Geçirgen bağırsak, eski sızıntılı bağırsak teorisinin ilerlediği yanılsamasını vermek için sadece yeni bir isim.

Amonyak geçirgenliği gerçek bir olaydır. Ne olduğunu anlamak için önce vücudunuzun yiyecekleri nasıl işlediğini bilmeniz lazım.

Yemek yediğinizde, yiyecek sindirilmek için hemen midenize gider. (Eğer tükürükle yiyeceklerin birbirine karışacağı kadar yavaş çiğniyorsanız, sindirimin ilk aşaması ağzınızda başlayacaktır.) Yoğun protein içeren gıdalarda -örneğin; et, ceviz/fındık gibi kabuklular ve tohumlar ve baklagiller- midenizdeki sindirim, midenizde bulunan ve enzimlerle güçlenen *hidroklorik asit* içerisinde geniş çapta gerçekleşecektir; proteinler, ileride, bağırsağınızda sindirilmek ve özümsenmek üzere daha basit formlara indirgenmiştir.

Eğer midenizde yeterince hidroklorik asit bulunuyorsa bu görece hafif bir süreçtir.

Eğer hidroklorik asit seviyesi düşükse yedikleriniz midenizde yeterince sindirilemeyecektir. Stres ya da baskı altında yemek yiyorsanız bu alışıldık bir şeydir. Proteinler kalın bağırsağınıza ulaştığında, hücrelerinizin besin almasına yetecek kadar parçalanamazlar, bunun yerine yiyecek orada öylece kalır ve çürür. Buna *bağırsak çürümesi* denir - *amonyak gazı* üreten ve şişkinlik, sindirim güçlüğü, kronik su kaybı gibi sorunlara yola açabilen, hatta çoğu zaman bir belirtiye de yol açmayan bir çürümedir. Tabii başlangıç olarak.

Kimi insanlarda iyi hidroklorik asit düşer ve yerini kötü asitler alır. Bir insan bu koşulda yıllarca yaşayıp bunu fark etmeyebilir. Sonuç olarak bu kötü asitler boğazınıza kadar yükselirler. (Eğer reflünüz varsa ona bu yaramaz asitler sebep oluyordur; mide asidiniz değil ve tıp dünyası tüm mide asitlerini aynıymış gibi görür.)

Bununla ilgili bir başka sorun da sindirim yolunuzun kötü asitlerle başa çıkabilmek için üretmiş olduğu bir mukustur. Eğer boğazınızdan yukarı çok fazla mukus yükseliyorsa bu, kötü asitler midenizi ve yemek borunuzu yaktığı için önlem almaya çalışmasından kaynaklanıyor olabilir... Bu da tedavi edilmesi gereken bir hastalığın işaretidir. Bu mukus aynı zamanda aşağı inerek bağırsakta besinlerin emilimine de engel olabilir.

Şimdi tekrar amonyak gazı meselesine dönelim. Bu bilginin anahtarı niteliğindedir: Yiyecekler bağırsağınızda çözünüp amonyak oluşturduklarında bu zehirli gaz bir hayalet gibi uçup kanınıza karışabilir. İşte amonyak geçirgenliği denen şey budur.

Sızıntılı/Geçirgen bağırsak sendromu ile ilgili çoğu rahatsızlığı yaratan şey amonyak gazıdır. İnce bağırsağınız ya da kalın bağırsağınızdaki yaralar veya deliklerle bir ilgisi yoktur. Ayrıca bağırsağınızın duvarından zehirler sızdıran *Candida* mayası da değildir.

Milyonlarca insan sindirim sorunlarıyla uğraşmakta ve asıl suçlanması gereken amonyak geçirgenliğidir. Daha önce de söylediğim gibi pek çok alternatif doktorun sızıntılı bağırsak sendromu diye adlandırdığı şeyin sindirim yolunuzdaki delikler ya da diğer eksikliklerle sızan asit ya da bakterilerle de ilgisi yoktur.

Bağırsaklarınızdaki amonyak gazı kan dolaşımınıza karışır ve gazı oraya taşır. Daha önce belirttiğim sindirim yolu sorunlarının yanı sıra keyifsizlik, yorgunluk, cilt sorunları, huzursuz uyku, gerginlik ve daha birçok soruna yol açabilir.

Bu noktada, aklınıza şöyle mantıklı bir soru gelebilir: "Eğer bunun sebebi midedeki aşırı az hidroklorik asitse *onun* sebebi ne peki?" Hidroklorik asitin az oluşunun bir numaralı sebebi *adrenalindir*.

Bilinmeyen şey ise adrenalinin sadece bir çeşidinin olmadığıdır. Böbrek üstü bezleriniz değişik durumlar ve duygulara tepki olarak 56 farklı karışım üretirler. Korku, gerginlik, sinirlilik, nefret, suçluluk, utanç, depresyon ve stres gibi olumsuz duygularla ilintili olan adrenalin türleri -midenizin hidroklorik asiti de dâhil olmak üzere- vücudunuzun farklı bölgelerine ciddi zararlar verebilir. Yani kronik biçimde stres ya da üzüntü yaşıyorsanız, bu, zamanla hidroklorik asidin bozulmasına ve besinleri iyi sindirememenize yol açar. Hemen her gün yaşadığımız değişik stres ve kaygı durumları iyi bakterilere engel olup kötüleri geliştirebilir.

Ayrıca hidroklorik asit için zararlı olan bir diğer şey ise *reçetesiz ilaçlar*dır. Antibiyotikler, bağışıklık sistemini baskılayan ilaçlar, mantar ilaçları, amfetaminler ve birçok diğer ilaç midenizdeki hidroklorik asit dengesini bozabilir.

Kırmızı et, ceviz/fındık gibi kabuklu yemişler, tohumlar ve/veya sebze gibi herhangi bir protein kaynağını da fazla miktarda alıyorsanız hidroklorik asit bundan etkilenecektir. (Eğer protein yeşillik, lahana veya diğer meyvelerden geliyorsa aynı etkiyi yaratmaz.) Yağ ve şekeri karıştıran yiyeceklerden aşırı miktarda yemek (peynir, tam yağlı süt, kek, kurabiye ve dondurma gibi) hidroklorik asit üzerinde aynı zararlı etkiyi gösterebilir.

Her iki tip yiyecek de meyve ve sebzelere göre daha zor sindirilir ve sindirim yolunuzu yorar. Bu, sonunda midenizin hidroklorik asitini tüketerek sindirim enzimlerinizi zayıflatabilir. Eğer protein açısından zengin yemekler yiyorsanız (örneğin; tavuk, balık ya da kırmızı et) ve şişkinlik, mide rahatsızlığı, kabızlık, ağırlık/tembellik/halsizlik ve/veya yorgunluk gibi belirtiler yaşıyorsanız o zaman hayvansal proteini tedbirli bir şekilde ve günde bir öğün tüketin.

Ancak iyi haberler de var. Her yerde satılan mucizevi bir bitki ile hidroklorik aist sorununuzun üstesinden gelebilir enzimlerinizi güçlendirebilirsiniz.

Hidroklorik Asiti Yeniden Yapılandırmak

Amonyak geçirgenliğini tedavi etmenin yolu (yukarıda sık sık sızıntılı/geçirgen bağırsak sendromuyla karıştırıldığını belirtmiştim) -ve gerçekte başka herhangi bir sindirim yolu rahatsızlığını tedavi etmenin ilk adımı- midenizin hidroklorik asit tedarikini yenilemekten ve bağışıklık sisteminizi güçlendirmekten geçiyor.

Bunu yapmanın son derece basit ve etkili bir yolu var: Her gün karnınız açken bir su bardağı (yaklaşık 300 ml) *kereviz suyu* için.

Bu beklediğiniz cevap olmayabilir. Kereviz suyu *bu*

kadar etkili bir şey gibi görünmeyebilir. Ancak bu söylediğimi çok ciddiye alın. Sindirim sistemini onarmak için *en iyi* yol olmasa bile en iyi yollardan biridir. O kadar kuvvetlidir. Ve unutmayın: Her ne kadar şu günlerde sağlığınız için muhteşem karışımlardan söz ediliyorsa da eğer amacınız sindirim işlevinizi onarmaksa doğrudan kereviz suyu içebilirsiniz.

Bu basitlik sizi şaşırtmasın. Bu şuna benzer, öğretmen belli bir tarih dönemine ait günlük yaşantı ile ilgili bir ödev vermiştir; siz sayfalarca yazarsınız ancak içinde günlük hayatla ilgili iki satır vardır. Öğretmen o iki satırın dışındaki bilgilerden çok da etkilenmez ve neden başlığa odaklanmadığınızı sorar.

Hidroklorik asidi yeniden yapılandırmaya çalışan mideniz de böyledir. İçinde kerevizin de bulunduğu yirmi farklı besinden elde edilen bir karışım dikkat dağıtıcıdır. Bazen basit olan en iyisidir. Mide kereviz suyu ister, sadece kereviz suyu ve bu sayede onarımını derinden gerçekleştirebilir. Bu, bağırsak sorunları yaşamakta olan bir insanın hayatını kurtaracak gizli bir yöntemdir.

İşte nasıl yapılacağı:

- Sabah, karnınız henüz açken bir kök kerevizi yıkayın. (Ya da günün geri kalan kısmında içecekseniz midenizin yeniden görece boş hale gelebilmesi için en son yemiş olduğunuz öğünün üzerinden 2 saat geçmesini bekleyin.) Midenizde bulunan herhangi başka bir şey kerevizin etkisini bozacaktır.
- Kerevizin suyunu sıkın. Başka *hiçbir şey* ilave etmeyin, kerevizin etkisini bozacaktır.
- Bu suyu *anında* için - oksitlenmeden önce, öyle olursa gücünü kaybeder.

Bu işe yarar çünkü kereviz kendine has sodyum bileşenleri içerir, bu mineral tuzlar birçok biyoaktif mineral ve besinle bağlanır. Eğer sabah kalktığınızda, daha açken kereviz suyu içerseniz, gün içinde daha sonra yiyeceğiniz bütün besinleri daha sağlıklı bir şekilde sindirirsiniz. Ve zaman içerisinde mineraller, mineral tuzlar ve besinler midenizdeki hidroklorik asidi tamamen yenilerler.

Genellikle sadece bir sindirim sorunu yaşamamanın genel bir durum olduğunu da bilmelisiniz, birbiriyle ilintili birden fazla sorun yaşamak yaygındır. Bu bölümün geri kalan kısmı sizi diğer bağırsak sorunlarıyla başa çıkabilme yolunda cesaretlendirecektir.

Bağırsağınızdaki Zehirli Ağır Metallerden Kurtulmak

Yaşadığımız modern zamanda cıva, alüminyum, bakır, kadmiyum, nikel ve kurşun gibi ağır metallerin belli bir miktarına maruz kalmamak neredeyse imkânsız. Bu ağır metaller genelde karaciğer, safra kesesi ve/veya bağırsaklarda birikir. Ağır metaller sindirim sisteminizdeki sudan ve kanınızdan ağır oldukları için aşağıya doğru iner ve tıpkı altının nehir yatağının dibinde birikmesi gibi bağırsak yolunuzun derinliklerinde toplanır.

Ağır metaller zehirlidir ve eğer oksitlenmeye başlarlarsa kimyasal atıklar yakınlarındaki hücreleri mutasyona ve zarara uğratır. Yine de ağır metallerle ilgili en büyük sorun virüs, bakteri, mantar, parazit ve solucanların en önemli yiyeceği olmalarıdır. Yani, bu şu demek oluyor; bu ağır metaller *Streptococcus* A veya B, *E. coli* ve birçok türü, *C. difficile*, *H.pylori*, ve virüsler için harika bir beslenme ortamı yaratır. Bu patojenler bu zehirli ağır metalleri tükettiklerinde nörotoksik bir gaz çıkarırlar ve bu gaz kendini amonyağa bağlayarak bağırsak çeperinden geçer. Başka bir deyişle amonyak geçirgenliği bir arkadaş edinmiştir ve bu arkadaş ağır metal kirliliğidir. Amonyak geçirgenliği, zehirli gazın bağırsak çeperinden geçmesini mümkün kılar.

Yine de mikotoksinleri (mantar toksini) geçirgenlikle karıştırmayınız. Doktorlar bu patojenlerin ağır metal tükettiklerinde nörotoksinler ürettiklerini bilmezler - ve bu nörotoksinler mikotoksinlerden oldukça farklıdır. Mikotoksinler nörotoksinlerin gösterdikleri belirtilerin çoğunu göstermezler; mikotoksinler bağırsak yolunda kalıp dışkılama sırasında atılırlar. Gelecek yıllarda mikotoksinler hakkında daha fazla şey duyacağınız için bunu unutmayın. Bağışıklık sistemi hastalıklarının suçlusu onlar değildir. Yanlış yönlendirilmiş bir trendin peşinden gitmenizi istemem - bu mesele sizin iyileşmenizle ilgilidir, yoksa hakkında konuşulan meşhur hastalıklar yüzünden aklınızı yitirmenizle ilgili değil.

Yukarıda sözünü ettiğim patojenler bir kez içinize yerleştikten sonra sindirim yolunuzu iltihaplandırmaya başlarlar - örneğin; ince ya da kalın bağırsağınızın çeperlerine nüfuz eder. Doğrudan ürettikleri nörotoksinleri ve dolaylı olarak atıkları ve cesetleri vasıtasıyla zehirlerini sindirim yolunuza bırakırlar. İnsanlar IBS, Crohn hastalığı (sindirim sistemi ile ilgili bir rahatsızlık) ve kolit (kalın bağırsağın iltihaplanması - o da *Streptococcus*'la birlikte Bölüm 11'de anlatılan zona virüslerinin kronik iltihaplanma yaratmaları demek oluyor) gibi hastalıklara böyle böyle sahip oluyorlar.

Mikroskop altında, ölü viral maddenin yan ürünleri parazit aktivitelerine benzer bir görünüm sunar. Bu da birçok gayta (dışkı) analizinin sonucunun yanlış teşhise varmasına yol açar, bu da parazit teşhisi konmuş olan birçok kişide hata yapıldığını gösterir. Bu, günümüzde, sindirim yolu sağlığı konusunda yaşanan büyük bir karmaşadır.

Ağır metaller atılmadıkları sürece sorunlara yol açabiliyor olsalar da onlardan kurtulmak oldukça kolaydır. Sonuçta, eğer herhangi bir sindirim yolu rahatsızlığı ya da kronik sindirim bozukluğu yaşıyorsanız, ağır metallerin en azından bu sorunun bir parçası olduğu ön kabulu ile yola çıkarak onlardan arınmak adına uygun adımlar atmak en iyisi olacaktır.

İşte, bağırsak yolunuzda bulunan ağır metallerden kurtulmak için birkaç öneri:

- **Kişniş:** Bu bitkiyi her gün yarım bardak yiyin, salatalara ve hazırladığınız meyve sularına ekleyebilirsiniz.
- **Maydanoz:** Bu bitkiyi her gün çeyrek (dörtte bir) bardak yiyin, salatalara ve taze meyve sularına ekleyebilirsiniz.
- **Zeolit:** Bu mineralli maddeyi sıvı halde satın alın.
- **Spirulina Yosunu/Mavi-Yeşil Alg (tercihen Hawaii'den):** Eğer toz haldeyse (sindirim yolundaki metallerden kurtulmak için en iyi hal) her gün suyunuza veya taze meyve suyunuza bir çay kaşığı karıştırın.
- **Sarımsak:** Her gün iki taze diş sarımsak yiyin.
- **Adaçayı:** Her gün iki yemek kaşığı yiyin.
- **L-glutamin:** Eğer toz haldeyse (sindirim yolundaki metallerden kurtulmak için en iyi hal) her gün suyunuza veya taze meyve suyunuza bir çay kaşığı karıştırın.
- **Sinirotu/Kuzudili Yaprağı:** Bu bitkiyi çay gibi demleyin ve her gün bir bardak için.
- **Kızılyonca Çiçeği:** Her gün iki yemek kaşığı demleyin ve iki bardak için.

Sindirim Yolunun Doğal Koruması

Tıp dünyası şimdiye kadar bağırsağımızın çeperini kaplayan ince tüylerle doğmuş olduğumuz bilgisini keşfedemedi. Bu tüycükler mikroskobik boyuttalar, bakterinin kendisinden biraz daha büyük. Bu tüyler bağırsağınıza virüs, kötü bakteri, mantar ve solucanların bulaşmasına engel oluyorlar. Ayrıca milyarlarca iyi bakteriye de ev sahipliği yapmaktalar.

19. yüzyıla kadar bu tüyler insanın hayatı boyunca yaşarlardı.

Endüstri devrimiyle birlikte bizler çevresel zehirlere, reçetesiz ilaçlara ve bağırsağımızı kavuracak diğer kimyasallara maruz kaldık; daha önce bahsettiğimiz ağır metaller; modern hayatın stresi ve ona eşlik eden adrenalin yangınları. Sonuç olarak bağırsağınızda tüyler siz 20 yaşınıza geldiğinizde geniş çapta yok olmuş oluyorlar. Bu da bugün insanların uğraşmak zorunda kaldıkları birçok sindirim yolu rahatsızlığının sebebi.

Tıp dünyasının bu tüyleri keşfedememiş olmasının nedeni, bağırsak operasyonu geçiren insanların daha çok 30 yaşın üstünde olmaları. Bu noktada, mesele tarih olmuş durumda. Ve bebekler için yapılan bağırsak biyopsilerinde bile bu mikroskobik tüyler radara yakalanmıyor.

Eğer bu tüylerden hâlâ biraz kalmışsa sindirim yolunuza iyi gelen besinlerle onları destekleyip kurtarabilirsiniz. Bunların arasında kaliteli yeşil salata (marul, kırmızı kıvırcık marul ve iri kıvırcık marul); keklikotu/farekulağı/güveyotu, kekik, nane gibi kadim şifalı bitkiler ve özellikle muz, elma, incir ve hurma gibi meyveler bulunmakta.

Ayrıca sağlığınızı kötü etkileyecek yiyeceklerden de uzak durmaya bakın. Detaylı bir liste için Bölüm 19: Ne Yememeliyiz?'e bakınız.

Sindirim Yolu Florasını İyileştirmek ve B_{12} Üretimini Zirveye Taşımak:

Sindirim yolunuzdaki iyi bakteriler vücudunuzun ihtiyacı olan B_{12} vitamininin büyük bölümünü üretirler. Ancak bu, sindirim yolunun her yerinde gerçekleşmez. *Ileum*, ince bağırsağınızın son bölümü B_{12} emilimi ve üretiminin ana merkezidir. Ayrıca burada *metilasyon* da gerçekleşir.

İhtiyaç duyulduğunda B_{12}, ileumun çeperlerinden B_{12}'den başka bir şey taşımayan mikrodamarlar yoluyla emilir. Beyin en çok ileum tarafından üretilen bu B_{12}'yi kabul eder. Enzimler başka zehir veya besinlerin bu mikrodamarlar yoluyla ileumdan emilmesine engel olurlar, yani kan dolaşımına karışmalarına izin vermezler.

Tıp henüz bu bilgiye ulaşmış değil ancak ileride ulaşabilir.

Neredeyse Birleşik Devletler'deki herkes B_{12} eksikliği ve/veya metilasyon problemi ile uğraşmakta. Bu problemler değişik biçimlerde ortaya çıkmakta. İlk başta, metilasyon yanlış gittiğinde, kimi önemli mikro besinler ve minerallerin gerçek biyo emilimlerini engelleyebilir. İkinci olarak ise bir metilasyon sorunu aktif olmayan büyük vitaminlerin ve diğer besinlerin, vücudun emebileceği daha küçük biyoaktif versiyonlara dönüşmesi sürecini engelleyebilir. Üçüncü olarak ise, zehirlenmiş bir karaciğer veya vücutta biriken fazla patojenin yarattığı zehirli yan ürünlerin sebep olduğu aşırı yüksek seviyede aminoasit homosistein metilasyonu engelleyerek besinlerin emilimi ve dönüştürülmesi süreçlerini engelleyebilir.

İleumunuzda belirli bir tür faydalı bakterinin fazla olması halinde ihtiyaç duyduğunuz B_{12} vitamininin hepsini üretirsiniz. Yeterli faydalı bakteri ayrıca metilasyonu da güçlendirir ancak hemen herkeste bu bakteriler yetersizdir - bunlar doğal olarak kimi besinlerin üzerinde yaşayan mikro-probiyotiklerdir, onları tükettiğimizde sindirim yoluna girerler ve ileumu doldururlar. Bu biyoaktif mikroorganizmaları probiyotik destek gıdası şeklinde satın alamazsınız veya mayalı yiyecek ve içeceklerden elde edemezsiniz.

Düşük seviyede hidroklorik asit, ağır metal zehirlenmesi ve/veya bağırsak geçirgenliğinden şikâyet ediyorsanız sindirim yolunuz boyunca birçok iyi bakteri neredeyse ölmüş demektir. Bu ileumu iltihaplandırır ve birçok olumsuz sonucu vardır, örneğin; bağışıklık sisteminizi ciddi anlamda zayıflatmak. Ayrıca sindirim yolunuzun B_{12} üretimini durdurabilir.

B_{12} kan testlerine güvenemezsiniz Çünkü tıp laboratuvarları henüz sindirim yolunuzdaki, organlarınızdaki ve özellikle merkezi sinir sisteminizdeki B_{12} vitamini seviyesini ölçemezler. B_{12} desteği alıyorken bu vitamin kan dolaşımınızı doldurur, böylece kanınızdaki B_{12} seviyesi test sonuçlarında normal gözükür, ancak bu B_{12}'nin, özellikle ona ihtiyaç duyan merkezi sinir sisteminize girdiğini göstermez. Dolayısıyla kan testlerinin gösterdiklerine aldırış etmeksizin yüksek kaliteli B_{12} desteklerini her zaman alın. (Siyanokobalamin formundansa metilkobalamin şeklinde arayın - ideal olanı adenosilkobalaminle karışmış olanıdır. Metilkobalamin ve adenosilkobalaminle karaciğeriniz B_{12} kullanılabilir forma dönüştürmek zorunda kalmayacaktır.) B_{12} eksikliği gerçekten ciddi sağlık sorunlarına yol açabilecek bir eksikliktir. Daha önce de söylediğim gibi Birleşik Devletler'de hemen herkes farklı şekillerde de olsa bu sorunu yaşamaktadır.

Ayrıca sindirim yolunuzun iyi bakteri seviyesini normale çıkarmak için de önlemler almalısınız. Market raflarında yer alan üretilmiş probiyotikler ve iyi bakterilere sahip olduğu düşünülen mayalı yiyecekler çözüm değildir. Bu mikroorganizmaların hepsi olmasa bile çoğu daha bağırsaklarınıza inmeden midenizde ölürler. Ve fabrikada üretilmiş probiyotikler asla bağırsağınızın son bölümü olan ve en çok B_{12}'ye ihtiyaç duyan ileuma ulaşamazlar.

Sindirim yolunda canlı kalan ve ileum da dâhil olmak üzere bağırsak florasını yenilmekten sorumlu probiyotikler de vardır. Bunlar çok az bilinirler ve onları kanıksamışızdır. Yine de oldukça güçlüdürler ve hayatınızı-sağlığınızı hayal edemeyeceğiniz biçimde değiştirebilirler. İnsanların sindirim yolu sağlıklı ise büyük ihtimalle kazara veya nadiren de olsa bu doğal olarak faydalı ve hayat veren mikroorganizmaları ve probiyotikleri tükettiklerindendir.

Onları nerede bulabilirsiniz? Taze, canlı yiyeceklerde.

Meyve ve sebzelerin üzerinde yaşayan bu özel probiyotiklere ben *yüce mikroorganizmalar* veya bazen *yüce biyotikler* diyorum. Çünkü onlar enerjilerini Tanrı ve güneşten alırlar. Yüce mikroorganizmalar toprak kökenli organizmalarla ya da topraktan elde edilen probiyotiklerle karıştırılmamalı. Yüce mikroorganizmalar elimizde olan en iyi sindirim yolu yenileyicilerdir. İleumun barındırdığı tek mikroorganizma bunlardır; vücut ve özellikle beynin aldığı B_{12}'yi bunlar üretir.

En önemli yüce mikroorganizmalar kaynağı lahanagillerdir. Alfalfa, brokoli, yonca, çemen, mercimek, hardal, günebakan, lahana ve bunlar gibi diğer tohumlar filizlendiklerinde yaşayan mikro bahçeler gibilerdir. Bu minik, yeni doğan yaşamda sindirim yolunuza yardımcı olacak faydalı bakteriler doludur.

Tekrar ediyorum, bu faydalı bakteriler toprak kökenli

organizmalar ve prebiyotiklerden farklıdırlar. Yüce mikroorganizmalar her zaman toprağın üstünde, meyve ve sebzelerin yapraklarında ve zarlarında bulunurlar.

Organik bir çiftliğe veya çiftçi pazarına ulaşabilmek gibi bir şansınız varsa veya kendi bahçenize sahipseniz, yüce mikroorganizmaları diyetinize katmak için bazı meyve ve sebzeleri yiyebilirsiniz. Burada önemli olan meyve veya sebzeleri taze, ham ve yıkanmamış halde yemektir. (Yine de sabun olmadan hafifçe yıkamak güvenli olabilir.) Bu yiyeceklerin yüzeyleri üzerinde milyonlarca canlandırıcı probiyotik ve mikroorganizma bulunur. Burada meyve veya sebzelerin yıkanmadan yenip yenmeyeceği konusunda sizin yargınız önemlidir. Yalnızca kaynağını bildiğiniz ve içinde zehir ya da başka türlü kirlerin olmadığından emin olduğunuz, sizi hasta etmeyecek meyve ve sebzelerde bu yöntemi uygulayınız.

Topraktan bir parça lahanayı kopardığınızda yaprakları üzerindeki minik ceplerde bir zar olduğunu göreceksiniz. Bu toprak, kir ya da toprak kökenli organizmalar değildir. Bu zar yüce mikroorganizmalardan yapılmıştır - henüz yıkanmamış ve doğal olarak orada bulunan bir probiyotik. (Gübreli toprak bulaşmış lahana ile karıştırmamak gerekir, ki o durumda en iyisi hafifçe yıkamaktır.) Lahananın yaprağını yediğiniz zaman iyi bakterilerle dolu küçük cepler katlanıp kapanır ve genellikle mideyi geçerler. Bağırsaklarda serbest kaldıklarında, aşağı doğru inip ileuma ulaştıklarında, B_{12} üretimini ve depolarını tazelediklerinde, bu milyonlarca mikroorganizmanın sindirim ve bağışıklık sisteminiz üzerinde harika etkileri olur.

Organik bahçeden koparılmış yıkanmamış ham bir parça lahana -evde yetiştirilmiş bir demet brüksel lahanası veya ilaçlanmamış taze bir ağaçtan koparılan bir elma- her türlü ulaşılabilir toprak kökenli ya da fabrikada üretilmiş olan probiyotik veya mayalı gıdayı gölgede bırakır. Eğer hayatınızda bir kez bile bu yüce mikroorganizmalarla kaplı meyve veya sebzelerden yemişseniz sizi bir dereceye kadar korumuştur ve siz bunun farkında değilsinizdir. Yediğiniz şey ne kadar taze, kimyasaldan arınmış, parafinsiz ve yıkanmamış olursa o kadar fazla fayda elde edersiniz.

Prebiyotiklerin son dönemde popüler olduklarını unutmayın. Bu terimle şunu anlatmak istiyorlar: Kimi meyve ve sebzeleri yerseniz sindirim yolumuzdaki üretken bakterileri besler. Gerçek şudur ki yediğiniz her meyve veya sebze iyi bakterileri besler.

Yapabileceğiniz bir diğer şey de dükkânlarda satılan kaliteli probiyotiklerden ya da toprak kökenli probiyotiklerden almaktır. İyi bakteriyi yaşayan ürünlerden almak en iyisidir, çünkü hiçbir şey onunla yarışamaz. Taze bir sebzenin yaprağında bulunan cüce mikroorganizmaları yemek 9000 beygir gücündeyken, dükkândan satın alınan probiyotik ise olsa olsa bir katır gücündedir.

Bağırsak florasını ham, organik, yıkanmamış ürünle yenilemek sindirim yolu sağlığınızı gerçekten iyileştirmektir. Ayrıca MTHFR gen mutasyonu diye adlandırılan hastalık ve diğer metilasyon sorunlarından da bu yolla kurtulabilirsiniz. Şunu bilmelisiniz ki tıp camiasının MTHFR gen mutasyonu diye adlandırdığı hastalık aslında belirsizdir. Bu durumdaki insanların aslında gen bozuklukları yoktur, yalnızca vücutlarında besinlerin mikro besinleri dönüştürülmesini engelleyen aşırı miktarda zehir bulunmaktadır. Bu güçlü mikroorganizmalar homosistein seviyelerini düşürebilir ve sonunda MTHFR gen mutasyonu teşhisini ortadan kaldırabilirler.

Siz midenizin hidroklorik asidini yeniden yapılandırdığınızda, sindirim yolunuzdan ağır metalleri ve diyetinizden rahatsız eden yiyecekleri uzaklaştırdığınızda ve faydalı bakterileri yeniden depolayarak sindirim yolunuzun B_{12} vitamini üretebilme yeteneğini geliştirdiğinizde, herhangi bir sindirim yolu sorunu da iyileştirilebilir demektir.

Sindirim Yolu ile İlgili Trendleri Modaları ve Efsaneler Anlamlandırmak

Ana akım tıpla aynı yönde ya da ters yönde birçok sindirim yolu sağlığı trendi bulunmakta. Bunlar gerçekten faydasız ve bazen saçma akımlar. Kendimizi iyi hissetmediğimizde genellikle umutsuz oluruz, önümüze çıkan herhangi bir yöntemi denemeye istekli bir haldeyizdir ve bu da dışarıda bizi bekleyen çok sayıda tedavi trendinin bizi ikna etmesini kolaylaştırır. Siz yine de dikkatli olun. Aşağıda en popüler olan akımlara dair açıklamalar ve niçin bunlardan uzak durmanız gerektiği bulunmakta.

Hidroklorik Asit Destekleyicileri

Midenizin ihtiyaç duyduğu hidroklorik asidi, tablet şeklinde size sunduğunu iddia eden destekleyiciler var. Bunlar iyi niyetli gibi görünseler de temelde iki sorun var.

Birincisi; bunlar midenizin hidroklorik asit üretmesine yardımcı olmuyorlar.

İkincisi ve daha önemli olanı ise; bu desteklerin üreticileri, midenizin hidroklorik asidinin yalnızca bir bileşenden oluşmadığını bilmiyorlar. Bilim henüz bunu keşfetmemiş olsa da mideniz 7 farklı aside ev sahipliği yapmaktadır. (10 yıldan daha kısa bir süre içerisinde bu kitaptan farklı kaynaklarda da bu bilgi yayınlanmaya başlayacak.)

Bu destekler midenizdeki hidroklorik asidi oluşturan yedi asitten sadece bir tanesini sunmaktadırlar, yani eksik çözeltilerdir.

Daha da kötüsü karışım içerisindeki yedi asitten sadece bir tanesini ezici bir üstünlüğe getirerek kimyasal dengesizlik yaratan bu ürünler, midenizin kendi sindirim sıvısını yeniden inşa etme işini engelleyebilirler. Bu mesele tam anlamıyla araştırılıp anlaşılmadan hidroklorik asit desteği almak iyi bir seçenek değil gibi görünüyor.

Bu destekleyiciler büyük zararlar vermekten uzaklar. Yine de her gün bir bardak kereviz suyu içseniz daha iyi olur. Midenizin hidroklorik asit deposunu yenilemenin ve sindirim yolu sağlığınıza tekrar kavuşmanın tek yolu kerevizdir.

Sodyum Bikarbonat ve *Candida*

Birçok insan, bir tedavi biçimi olarak *sodyum bikarbonat*ı desteklemekte - diğer adıyla kabartma tozu. Uzunca bir süre devam eden *Candida* teşhisi trendi yüzünden, sindirim yolu sorunlarının arkasındaki suçlunun *Candida* olduğuna inanılmakta. Ağır alkalin olan sodyum bikarbonatın bir şekilde *Candida'yı* durduracağını düşünüyorlar... Çünkü asidik ortamda büyüdüğünü düşünüyorlar.

Bu zincirin neredeyse tüm halkaları mantıken yanlış. Tek istisna var; evet virüsler bakteriler mikroplar asidik ortamı severler. Ancak yine de *Candida* nadiren sindirim yolu rahatsızlıklarının sebebidir. Sindirim yolunuz ağır metallerden dolayı işlevsiz bir hale geldiğinde, *Candida* da dahil olmak üzere birçok enfeksiyon ortaya çıkmaya başlayabilir. Ancak *Candida* sadece bir yan etkidir, sıklıkla da ciddi değildir.

Aslında aşırı miktarda *Candida*'dan kaynaklanan en kötü etki ince ve/veya kalın bağırsaklarımızda büyük nasırların oluşmasıdır; bu da besin emilimini güçleştirir. Hemen her vakada bu durum *Candida* kadar kötüdür. (Bkz. Bölüm 9.)

Sodyum bikarbonat her koşulda *Candida*'ya karşı etkisizdir. Daha geniş bakacak olursak sodyum bikarbonatın sindirim yolu sağlığınıza hiçbir faydası yoktur. Tersine aşındırıcıdır ve sadece dengesizlik yaratır. Eğer fazla dozda sodyum bikarbonat alırsanız aşağıdaki kombinasyonlardan bir tanesinin gerçekleşmesi muhtemeldir.

- **Mide spazmları**: Örneğin; ince ve kalın bağırsaklarda burulma ve gerilme.
- **Vücudunuzda dengelenme krizi**: Aniden çok fazla alkalin yüklendiği için yeniden dengeyi kurabilmek adına bu yaşanabilir.
- **Vücudunuzda zehirlenme krizi**: Sodyum bikarbonat küçük miktarlarda tamamen güvenlidir ancak belli bir seviyeyi geçtiği zaman mideniz ve bağırsaklarınız için rahatsız edici olabilir. Kimi durumlarda ishal, kusma, ciddi şişkinlik ve/veya daha farklı rahatsızlıklara mahal verir.
- **Bakteri ve mantara bağlı enfeksiyonların *kötüleşmesi***: Sodyum bikarbonat sindirim yolunuzdaki iyi bakterileri rahatsız eder ve böylece bağışıklık sisteminizi zayıflatır.
- **Sindirim sorunlarınızın *kötüleşmesi***: Sodyum bikarbonat hidroklorik asidinize zarar verir ve sonuçta sı-

zıntılı bağırsak sendromuna yol açar. Ayrıca bağırsaklarımızda yiyeceklerin emilimine de engel olur.

Bir çare olarak sodyum bikarbonatın fazla sayıda olumsuz yönü vardır. Kullandıktan sonra şikâyet eden birçok insan gördüm.

Moskof Toprağı/ Diyatomik Toprak

Sindirim yolunu iyileştirmek için kullanılan bir diğer trend ise *diyatomik toprak* veya diğer adıyla *diyatomit* tüketmektir. Bu, beyaz toz halinde ufalanıp parçalanan tortul bir kayadır. Bazı insanlar diyatomitin sindirim yolundaki parazitleri öldürdüğüne ve zehirleri arındırdığına inanmaktadır.

Aslında sindirim yolunuz için en ufak bir faydası bile yoktur. Eğer bu konuda hassassanız ve bir sağlık probleminiz varsa, aslında sizin için tehlikeli bile olabilir.

Diyatomit ısrarla ince ve kalın bağırsağınızın çeperlerine tutunur ve besinlerin emilimine ciddi şekilde engel olur. Bu yetmezmiş gibi, hidroklorik asidinize zarar verir ve iyi bakterileri öldürür. Bazı durumlarda uzun süreli gastrik spazm ve ağrıları takip eden kusma ve ishale yol açabilir.

Başka bir deyişle sodyum bikarbonatın bütün kötü etkilerine sahiptir; hatta daha da kötüdür. İnce bağırsağınızda kaybettiklerinizi tekrar yerine koymak aylar alabilir. Bu yüzden dyatomit veya besin bazlı diyatomik toprağı kullanmayı aklınızdan bile geçirmeyin.

Safra Kesesini Temizlemek

Safra kesenizi safra taşlarından ve zehirlerden temizlemek için önerilen bir diğer akım ise birçok çeşitli uydurma karışımı içmektir; örneğin bir bardak saf zeytinyağı veya birtakım bitkilerle ve/veya limon suyu, acı biber ve akçaağaç şurubu ile karıştırıp içmek gibi.

İnsanlar bu uyduruk karışımın işe yaradığını düşünüyorlar, çünkü bunu kullandıktan sonra dışkılarında safra taşlarına benzettikleri şeyler görüyorlar. Aslında fark etmedikleri şey ise gördüklerinin içtikleri yağ olduğudur. Vücudunuza aşırı miktarda yağ girdiğinde sindirim sisteminiz bunu (ince bağırsağınızın farklı bölgelerinde hangi yiyeceklerin bulunduğuna bağlı olarak farklı renklerde) minik toplara dönüştürmek için mukus kullanır ve böylelikle kolayca vücuttan dışarı atılabilirler. Bu, aşırı yüklenmiş bir karaciğeri korumak içindir.

Her yıl birçok kez olmak şartıyla, safra kesesini temizleyen ve yine de yüzlerce safra taşı barındıran insana rastladım. Eğer bu safra kesesi temizliği işe yaramış olsaydı, bir avuç büyüklüğünde bu minik organın içine binlerce taşın sığması gerekirdi. Bir insanın bu kadar safra taşını üretmesi ve dışarı atması mümkün değildir. Eğer bir safra taşını atabilecek olsaydınız, büyük ihtimalle safra kesesi yolunda takılacaktı. O zaman da acil ameliyata alınmak için hastaneye götürülecektiniz.

Safra taşları protein, öd ve kolesterolden oluşur. Bunları atmak için yarım litre zeytinyağı içmenize -ve muhtemel bir kriz yaratmanıza- gerek yoktur. Safra taşlarından kurtulmanın en iyi yolu yoğun protein tüketimini azaltmak ve sağlıklı biyo asitler içeren, sodyum bakımından zengin meyve ve sebzeleri diyetinize katmaktır. Daha fazla ıspanak, lahana, turp, hardal yaprağı, limon, portakal, greyfurt, misket limonu tüketerek - ve her sabah ve her akşam limon suyu içerek- safra taşı parçalama sürecini başlatabilirsiniz.

Safra taşlarını parçalamak ve karaciğeri yenilemenin bir diğer etkili yolu ise bir avuç kuşkonmazın suyunu sıkmak ve bunu sevdiğiniz başka meyve sularıyla karıştırarak içmektir.

Yeni safra taşlarının oluşmasını önlemenin en iyi yolu ise sağlıklı bir sindirim yoluna sahip olmak için bu bölümde anlatılan tavsiyelere uymaktır.

Mayalı Yiyecekler

Hadi şimdi zamanda bir yolculuk yapalım ve buzdolabının daha bulunmadığı zamana gidelim. Bin yıldır dünyanın çeşitli bölgelerinde, sezonun son mahsulleri kışı geçirmek adına meyveler ve sebzeler ile birlikte kaplara konurdu. Bu mahsuller gizemli bir süreçten geçerek bozulmadan sağlıklı bir biçimde kalmaktaydılar. Örneğin; Rusya'da insanlar lahanaları fıçılara koyarak pelte olana kadar çözülmelerini beklerlerdi, bugün turşu diye bildiğimiz şeyi yaparlardı yani.

Bu mayalanma önemliydi, çünkü bu olmadan insanlar açlıktan ölebilirlerdi. Kimsenin işten eve giderken uğrayabileceği bir süpermarket yoktu ya da yiyeceklerini saklayabilmek için derin dondurucuları veya buzdolapları bulunmamaktaydı.

Günümüzde mayalanmış yiyeceklerin saygıdeğer bir statüleri var; sanki sağlık için bir lütufmuş gibi algılanıyorlar. Bu tam olarak doğru değil.

Burada bir yanlış anlaşılma var, çünkü mayalı yiyecekler binlerce yıl boyunca insanlara sağlık açısından faydalı oldular. Gerçek şu ki mayalı yiyecekler hayatta kalmakla ilgilidir. Kendini koruyabilen bir yiyecek açlıktan ölmekle yaşama tutunmak arasındaki farkı oluşturdu. Bu yiyecekleri önemli bir tarihi tedbir olarak algılamak gerekiyor; bir sağlık yardımı olarak değil.

Mayalı yiyeceklerdeki probiyotikler hayat vermezler. Bunlardaki bakteriler çürümeye doğru ilerler, başka bir deyişle yaşama değil ölüme doğru gitmektedirler. Bir hayvan ormanda öldüğünde onun etinde bulunan bakteriler tüm mayalı yiyecekleri korumak için kullanılan bakterilerin aynısıdır.

Bu bölümde daha önce sözü geçen faydalı bakterilerden farklıdırlar. Yaşayan meyve ve sebzelerin üzerindeki yüce mikroorganizmalar yaşama doğru ilerlerler ve bu yüzden sindirim yolunuz için yenileyici özelliğe sahiptirler. Çünkü bizler canlıyızdır. Bu yüce mikroorganizmaların içinde mayalanmış yiyeceklerde olmayan bir yaşam gücü vardır.

Yararlı bakterileri düşündüğümüz zaman genellikle aklımıza yoğurt gelir. Yoğurdun içinde bulunan probiyotiklerin sindirim yolumuz için bir destek olduğunu düşünürüz. Ancak eğer bir sağlık sorunu yaşıyorsanız, yoğurt iyi bir yiyecek değildir - süt ürünlerinin hepsi sizin için kötüdür. Hele bir de aldığınız yoğurt pastörize ise o zaman içindeki probiyotikler zaten ölmüştür. Yaşayan (klasik yöntemle mayalanmış) yoğurdun içindeki faydalı bakteriler hidroklorik aside dayanamazlar ve bu yüzden daha bağırsaklarımıza ulaşamadan midemizde ölürler.

Kimchi (geleneksel bir Kore yemeği), lahana turşusu, salam, sucuk, soya sosu, kombu çayı ve buna benzer birçok mayalı gıda, canlı olmayan besinlerden bakteri üretirler. Bu tip bakteriler sindirim yolunuz için faydasızdır.

Birçok insan için bu bakteriler zararlı değildir, basit

bir şekilde sindirim yolundan geçer ve gereksiz bir şey olarak, insan vücudu tarafından dışarı atılırlar. Bunları tüketmeye karşı değilim.

Kimi insanların bünyesi daha sert bir biçimde karşılık verir, bu bakterileri yabancı istilacılar gibi görür ve onları sürgün etmek için aşırı çaba sarf eder. Bu da şişkinlik, mide ağrısı, gaz, bulantı ve/veya ishal gibi sonuçlara neden olur. Böyle olsa bile, yine de bu geçici bir durumdur ve bakteriler dışarı atıldıklarında sona erer.

Yani eğer mayalı yiyecekleri seviyorsanız, onları kendilerine has aromalarından dolayı tüketmenizde bir sorun yok; yok eğer bu mayalı yiyecekler midenizi rahatsız ediyorsa veya onları sevmiyorsanız, o zaman yemeyin. Sindirim yolunuz için çok fazla yarar sağlamıyorlar.

Ve eğer bu mayalı yiyeceklerden büyük fayda sağladığınızı düşünüyorsanız yanılıyorsunuz. Sindirim yolunuzdaki hidroklorik asit bu mayalı yiyeceklerdeki bakterilere karşı o kadar duyarlıdır ki zararlı olmasalar bile onları bir düşman olarak görür ve öldürür. Bu anlattığım şey yaşayan besinlerin üzerindeki taze, hayat veren bakterilerle taban tabana zıt bir konudur. Bahçeden koparılmış bir parça lahananın üzerindeki faydalı bakteriler hidroklorik asit tarafından zarar görmeden bağırsaklarınıza geçebilir - yani eğer sindirim yolu sağlığınıza iyi bir katkıda bulunmak istiyorsanız bu tip bakterilere odaklanmalısınız.

Elma Sirkesi

Eğer sindirim yolunuzda sorun yaşıyorsanız ve bir tedavi aramaktaysanız elma sirkesi efsanesinden uzak durun.

Beni yanlış anlamayın, elma sirkesi tüm sirkeler arasında en faydalı, en sağlıklı ve en güvenilir olanıdır. Temizlik için kullanılan sirke, beyaz veya kırmızı üzüm sirkesi, balzamik sirke veya pirinç sirkesinden daha iyidir... Ayrıca elma sirkesi deri kızarıklıkları, kafa derisindeki sorunlar ve hatta yaralar gibi harici kullanım için de idealdir. Ancak dâhili olarak kullanılan herhangi bir sirke sindirim yolu sorunları için rahatsızlık vericidir. Ve sonunda zarar verici de olabilir.

Eğer sirkeye dayanıklıysanız yüksek kaliteli elma sirkesi kullanın, tercihen "anne"si de içinde olsun; yani işlenmemiş, yaşayan bir sirke olsun.

Hasta Dosyası:

Yeniden Yiyebilecek Durumda

İlk gençlik yıllarından beri Jennifer'ın midesi hassastı. Sık sık midesi ağrır, ara sıra kabız veya ishal olurdu. Jennifer, yiyeceği şeylere midesinin ne gibi bir tepki vereceğini asla kestiremiyordu. Büyürken bu besin seçememe durumu yemek masasında aile arasında bir sürtüşme sebebi olmaya başlamıştı.

Yıllar boyu doktorlara gitti. Bir tanesi Jennifer'ın ilgiye ihtiyacı olduğunu söyledi. Aslında ilgi istediği en son şeydi, tek arzusu ağrılardan ve rahatsızlıklarından kurtulmak ve yerel hayvan koruma barınağında gönüllü olmak gibi, sevdiği şeylere odaklanabilmekti.

Sonunda, 25 yaşına geldiğinde, bir gastroenteroloji uzmanı ona huzursuz bağırsak sendromu teşhisi koydu. Uzman öyle söylemese de bu etiket Jennifer'ın gizemli bir hastalıkla karşı karşıya olduğunu anlatıyordu.

Belirtilerine bir teşhis konması ona iyi gelmişti ancak hâlâ içi rahat değildi.

Jennifer alternatif tıbba döndü. Onun buğday glüteni, peynir gibi süt ürünlerine karşı alerjisi olduğunu keşfeden harika bir doktor buldu. Doktor ona bu yiyecekleri diyetinden çıkarmasını ve çok fazla probiyotik almasını önerdi. Ayrıca bir de, onda *Candida* olduğunu ve meyve de dâhil olmak üzere, bütün işlenmiş ve doğal şekerlerden uzak durması gerektiğini söyledi.

6 ay boyunca Jennifer doktorun diyetini denedi ve günde iki kez tavuk, çok fazla taze sebze, ton balıklı salata veya iyi haşlanmış yumurta yedi. Jennifer bu talimatlara uymak konusunda oldukça katıydı - ancak yine de ayda bir kez canı şekerli bir şeyler çekiyor ve büyükannesinin evinde bir parça keki mideye indiriyordu. Kimi gelişmeler mevcuttu, artık ishal olmaktan kurtulmuştu ama yine de kabızlık, mide krampları, bulantı ve ağrı gibi şikâyetlerle boğuşmaktaydı.

Kafası karışmış olan Jennifer yeni bir alternatif doktor arayışına girdi. Bu seferki, *Candida* problemiyle birlikte glüten ve süt ürünlerine karşı alerjisi olmasının üstüne bir de sızıntılı bağırsak sendromu olduğunu söyledi. Tamamı protein demek olan et, tavuk, yumurta, balık ve yapraklı yeşil sebzeler diyetine soktu onu. Hiçbir tahıl ve fasulye türünü yiyemiyordu; sadece yeşil elmaya izni vardı. Büyümekte olan *Candida* ve sızıntılı bağırsak sendromunu tedavi etmek için doktor ayrıca bitkisel bir bağırsak temizleyici ürün yazmıştı.

8 ay boyunca Jennifer bu diyete sadık kaldı, ancak hiçbir gelişme yoktu. Aksine kendini yorgun hissediyordu, bilinç bulanıklığından muzdaripti, daha fazla kabız oluyordu ve sanki kendi deyimiyle "hamilemsi" mide bulantısı çekiyordu. Kendini hiç çekici hissetmiyordu ve hem vejeteryan arkadaşlarının hem de kendisinin yemek yiyebileceği bir yer bulmak macera haline gelmişti. Sindirim sistemi problemi ile uğraşarak geçen 10 yılın ardından

Jennifer, daha yalnız kaldığına ve şikâyetlerinin arttığına karar verdi.

Bir gün Jennifer'ın annesi bu sorunları bir arkadaşına anlatmış, o da beni tavsiye etmiş. İçsel okumama başlar başlamaz Ruh bana Jennifer'ın hiç hidroklorik asidinin kalmadığını söyledi. Bu da amonyak geçirgenliğine sebep olmaktaydı. Sindirim yolunda çürüyen proteinler amonyak gazı üretiyorlardı. Bu da yanma, ağrı ve Jennifer'ın koyduğu isimle "hamilemsi" bulantılara sebep oluyordu.

Ayrıca ince bağırsağın alt kısımlarındaki ileum da dâhil olmak üzere, Jennifer'ın ince bağırsaklarında ağır metaller bulunmaktaydı ve sağlığı için çok önemli olan mikroorganizmalar yoklardı. Jennifer'ın buğday ve bütün tahıllar, glüten, fasulyegiller, mısır, kanola yağı ve yumurtaya karşı alerjisi olduğu gerçekti. Yani bunların hepsinden uzak durması gerekiyordu. Tüm bunların üstüne karaciğeri yorulmuştu ve aşırı hayvansal yağla başı dertteydi.

Hemen Jennifer'a her gün yarım litre kereviz suyu içmesini önerdim.

"Eski doktorum yeşilliklerden hazırladığım bir karışımı içmemi tavsiye etmişti," dedi. "Aralarındaki fark nedir?"

Sebze suyu karışımlarının hidroklorik asit seviyesini yenilemediğini ona anlattım. Sadece aç karnına içilen kereviz suyu bunu yapabilirdi.

Karaciğerindeki aşırı yağdan kaynaklanan baskıyı azaltmak için Jennifer'ın hayvansal protein tüketimini günaşırı ve sadece bir öğüne düşürdük. Bunun yerine diyetine bütün meyve ve sebzeleri ekledik; özellikle avokado, muz, elma, taneli küçük meyveler (çilek, dut, böğürtlen... vb), papaya, mango, kivi, bol miktarda marul, ıspanak ve ağır metallerden kurtulması için tüm salatalarda çeyrek bardak kişniş suyu.

Tüm hayvansal proteinleri barındıran ve hiçbir lifli gıda içermeyen daha önceki diyetinin tam tersine, bu yeni plandaki meyveler iltihaplanan sindirim yolunda yiyeceklerin ilerlemesine yardımcı oldu ve kabızlık sorununa anında bir çözüm getirdi.

Bir hafta sonra Jennifer'ın "hamilemsi" bulantısı önemli ölçüde azaldı.

Bir ay sonra artık kabızlık çekmiyordu.

Ve üç ay sonra ağrı, kramplar, bilinç bulanıklığı ve yorgunluk yok olmuştu.

Midesindeki hidroklorik asit kendini yenilemiş ve amonyak sızıntısı durmuştu. Karaciğeri almış olduğu yağları işlemek ve şekerleri depolamaktan kurtulmuştu. Böylelikle yıllar boyunca almış olduğu kiloları geri verdi.

Ayrıca yaz mevsimini büyükannesinin bahçesinden taze, organik ve yıkanmamış lahana ile domatesler yiyerek geçirdi. Bu sebzelerin yüzeylerinde bulunan yüce mikroorganizmalar Jennifer'ın sindirim yolu florasını - özellikle de ileumu temizledi ve vücudunun yeniden B_{12} üretmesine imkân verdi.

Sonbaharda Jennifer hayvan barınağında tam zamanlı çalışmaya başladı. O ve en yakın arkadaşı aralarındaki bağı güçlendirdiler. Şimdi, cuma akşamlarını, barınaktan gittikçe artan sayıda arkadaşları için bitki temelli yiyecekler hazırlayarak geçiriyorlar.

Jennifer'ın canlılığı geri geldi. Şimdi ara sıra, bir arkadaşının evinde verilen partide, yasaklı yiyecekleri yiyor ve vücudu bunun için bir bedel ödemeyecek. O asla sızıntılı bağırsak sendromuna ya da büyümekte olan bir *Candida*'ya sahip değildi - yine de bunlar sayısız insanı yanlış yöne saptıran alternatif teşhis trendleri.

BÖLÜM 18

ZİHNİNİZİ VE VÜCUDUNUZU TOKSİNLERDEN ARINDIRMAK

Tarihimiz boyunca hiç bu kadar fazla zehirli maddeye maruz kalmamıştık. Bunlar arasında cıva, alüminyum, bakır, kurşun, nikel, kadmiyum, hava kirliliği, tıbbi ürünler, neredeyse üretilen her şeyin üzerine sıkılan nanoteknolojik kimyasallar, zirai ilaçlar, böcek ilaçları, mantar ilaçları, plastik, endüstriyel temizleyiciler, petrol, okyanuslarımızdaki zehirli maddeler ve her yıl çevreye yayılan binlerce yeni kimyasal sayılabilir. Bu zehirler su kaynaklarımıza bulaşmakta ve gökyüzünden üzerimize yağmakta.

Bu maddelerin büyük çoğunluğu o kadar yeni ki bilimin, bunların sağlığımız için ne kadar tehlikeli olduğunu fark etmesi on yıllar alacak. Dahası bu riskler, beklenenin aksine eğer fonlamalar ve ortak algı doğru yönde ilerlerse keşfedilebilecek. Birçok endüstri, ürünlerini sonuçlarını gördükten sonra değil, daha önce pazara sürmekte.

Çoğumuz neredeyse tüm hayatımız boyunca bizimle birlikte olan bu zehirleri taşıyoruz ve bunların çoğu içimizde gömülü. İşte en tehlikeli olan zehirler bu eski zehirlerdir. Örneğin; zehirli ağır metaller zamanla oksitlenip etraflarındaki hücreleri öldürebilirler.

Zehirler birçok tehdit unsuru oluşturmaktadır. Doğrudan vücudunuzu zehirleyerek beyninizi, karaciğerinizi, merkezi sinir sisteminizi ve diğer yaşamsal bölgelerinizi etkilerler. Bağışıklık sisteminizi zayıflatıp sizi hastalıklara karşı daha savunmasız bir hale getirirler. Ve hepsinden de kötüsü kanser, virüs, bakteri ve diğer ciddi sağlık sorunlarına yol açan istilacıların ilgisini çeker ve onları beslerler. Aslında bu zehirler bugün yaşamakta olduğumuz kanser ve Alzheimer gibi diğer birçok hastalığın tetikleyicileridirler.

Bu bölüm önemli zehirleri ve onlardan nasıl uzak duracağımızı anlatmaktadır. Böylelikle yenilerini biriktirmemiş olacağız. Günümüz dünyasında, bu zehirlerden uzak durmak neredeyse imkânsızdır. Dolayısıyla bunların boyutunu mümkün olduğu kadar aza indirgemeye çalışacağız. Ayrıca hâlihazırda vücudumuzda bulunan bu zehirlerden nasıl kurtulacağımızı da anlatacağız. Böylelikle bağışıklık sisteminiz kendini yenileyecek ve potansiyel hastalıklara karşı sizi koruyacaktır.

Olayları her zaman tersine çevirmek gibi bir şansımız var. Takip eden sayfalarda sağlığınızı nasıl koruyacağınıza ve yıllar boyu nasıl sağlıklı kalacağınıza dair bilgiler bulacaksınız.

Cıva

Yaklaşık 2500 yıl insanoğlu cıvanın gençlik kaynağı olduğunu sandı. Tüm hastalıklar için harika bir tedavi, sonsuz yaşamın gizi ve bitmeyen bilgeliğin kaynağı olduğunu düşündüler. Eski Çin'de cıva o kadar saygıdeğerdi ki sayısız hükümdar, şifacılarının tüm sorunlarını sonlandırmak için onlara önerdikleri cıva iksirlerini içti.

Cıva yalnızca Doğu Asya'da rağbet gören bir şey değildi. Tüm İngiltere ve Avrupa'nın geri kalan kısmında da cıva iksirleri meşhurdu. Uydurma cıva karışımları Yenidünya gelişirken de çok popülerdi. 1800'lerde Birleşik Devletler ve İngiltere'deki tıp fakülteleri doktor olacak öğrencilerine, kendilerine başvuran hastaların yaşına, cinsiyetine veya belirtilerine bakmaksızın her türlü hastalığın hızlı tedavisi için bir bardak cıva önermelerini salık veriyordu. Bu tedavi ayrıca bir yanlış anlaşılmayı destekleyecek biçimde, "kadın histerisi" olarak adlandırılan hastalığın tedavisinde de kullanıldı - bu tanı çekinmeden kendinden bahseden kadınlara koyuluyordu.

19. yüzyıl tam bir taş devriydi. Cıvanın, onunla oynayan, onu tüketen, hatta ona dokunan insanlar için çok zararlı bir zehir olduğu kanıtlanmıştı. Zaten yüz yıllardır milyonlarca insan cıvaya maruz kalmaktan dolayı hayatlarını kaybetmişti. Peki, öyleyse neden bu kadar rağbet görüyordu?

Bu faktörlerin başında cıvanın arkasında duran endüstriyel büyük şeytan bulunmaktaydı. Bu bile cıva tedavisinin bir trend olmasına yeterdi. Unutmayın, sağlık trendleri asla etkili oldukları için ortaya çıkmazlar.

Cıva hareketi en sonunda 1800'lerin ortasında bir hız tümseğine çarptı. Her türden insan için doktorlar artık daha ulaşılabilir durumdaydı. Bu iyi bir şey gibi gözüküyordu. Daha fazla sayıda insan bu yeni tıp mezunlarını ziyarete gittikçe, araştırmacılar daha fazla sayıda insanın kontrol edilemez titremeler, ateş, çılgınlık, öfke, tik ve saçmalama gibi şikâyetler yaşadığını gözlemlediler. Doktora gitmenin zehirlenmekle sonuçlanacağı açık bir hale gelmişti.

Örneğin; 5 çocuk annesi bir kadın, kocasını gut probleminden dolayı doktora gönderiyordu ve eve dönüşte adam hayaller görüyor, gözleri seğiriyor ve çocuk şiirlerini bağırarak okuyordu. Sadece bu deneyim bile bir aile için yeterliydi.

Bu yaygın farkındalık sonucunda tıp sektörü için 25 yıllık bir hayalet şehir dönemi başladı. İnsanlar rahatsızlıklarını kadere terk etmenin riskini tercih ediyorlardı, bir doktoru ziyaret etmek daha az yaşam şansı demekti. Tıp fakülteleri tüm zamanların en düşük fonlarını alıyorlardı.

Bu tam da doğal doktor ve şifacıların ihtiyaç duyduğu geçerliliği kazanmak için gerçekleşmiş bir kırılma noktası gibiydi. Bu zaman zarfında homeopati ve masajla tedavinin erken formları belirdi ve alternatif tıp popüler hale geldi.

Sonunda geleneksel doktorlar artık sıvı cıva tavsiye etmediklerini reklamlarla duyurdular. Bu yolla geleneksel tıp yeniden geçerlilik kazandı.

Yine de cıvanın arkasında duran şeytan hâlâ fazla sayıda insanın buna maruz kalmasını istemekte, gizli ve yaratıcı yollarla sisteme dâhil olmaya çalışmaktaydı. Sadece sanayi nehirlere, göllere ve suyollarına cıva salmakla kalmıyor başka şekillerde cıva içeren ilaçlar 20. yüzyılda yeniden hayat buluyorlardı. Bunların üzerine bir de dişçiler dolgu yapmak için cıva kullanmaya başladılar.

Şapka endüstrisin de cıva kullanılmaktaydı - şapkalara şekil vermek için bir tür solüsyon kullanılıyordu. Artık "zırdeli" anlamına gelen İnglizcedeki "mad as a hatter" deyimi buradan gelmekteydi. Ortalama bir şapka işçisi fabrikada çalışmaya başladıktan sonra 3 ya da 5 yıl yaşamaktaydı. Sadece işçiler buna maruz kalmıyorlardı. 1800'lerde ve 1900'lerin başında bu şapkaları takan ve alnı terleyen her erkek aynı durumdaydı. (Bu da bana eskici dükkânlarındaki şapkaları denememek gerektiğini hatırlatıyor.)

Bu dönemin neredeyse tüm zihinsel hastalıkları cıva zehirlenmesinden dolayı gerçekleşiyordu. 19. yüzyıl boyunca ve 20. yüzyılın başlarında akıl hastaneleri delilik ve gülme krizlerine tutulan insanlarla doluydu. Peki, tedavileri neydi? Ya cıva karışımlarını içecekler ya da cıvadan yapılmış ilaçları yutacaklardı. Abraham Lincoln'ün depresyonu cıva ilaçlarını kullandığı için ciddi biçimde kötüleşmişti - ki bu depresyon da muhtemelen birkaç bardak tıbbi cıva iksiri içmekle başlamıştı.

Kirli Sır

Neden cıva hakkında böyle söylüyorum? Çünkü konuşmayacağız sanılan kirli bir sır var. Cıvanın tarihimizi günümüze kadar nasıl şekillendirdiğini muhtemelen bilmiyorsunuz. Cıva göremeyeceğiniz kadar ufak dozlarda bile zehirli olabilir ve hiçbir yerde "DİKKAT CIVA" diyen bir uyarı yok.

Cıva şeytanına kalacak olsa cıvanın zararsız, hatta bizim için iyi bir şey olduğunu düşünmemiz gerekirdi. Daha da ileri gidip cıvanın bugüne kadar varlığından bile haberdar olamayacağımız bir şekilde saklanmış olması gerekirdi. Cıva hiçbir yere gitmez - tabii ki siz onu uzaklaştırmak için önlem almazsanız. Yüz yıllar boyunca kuşaktan kuşağa geçer. Şundan emin olabilirsiniz ki büyük büyükbabanız veya diğer atalarınız cıva iksirinden muhakkak içmiştir. Aynı cıva nesiller boyu geçerek size kadar geldi. Kimilerimiz içimizde 1000 yıllık hatta daha eski cıvalar taşımaktayız.

Cıva birçok insanı yutan bir şeytan ve ruhsuz bir gölge

rolündedir. Bir parçamız haline gelir ve sağlık konusunda ortaya çıkar.

Hırs, açgözlülük, aldırmazlık, kötülük ve cehalet cıvanın birçok insanı ağına düşürmesinde önemli rol oynamıştır. Geçmişte bir cıva madeni sahibi, madende çalışan bir işçinin işe başladıktan 6 ay ya da 3 yıl sonra ölmesini umursamamıştır - çünkü ortada kazanılacak para vardır.

Cıvanın bize hiç faydası var mıdır? Hayır. Bizim için hiç iyi bir şey yapmamıştır. *Hiçbir şey.* O gereksiz bir nörotoksindir. Medikal ve endüstriyel kullanım alanlarını daha güvenli bir şeye bırakabilirdi.

Peki, cıvadan kurtulduk mu? Kâbus sona erdi mi? İnsanlık adına, kendimize geldik ve başımıza açacağı tüm felaketlerden nasıl kurtulacağınızı öğrendik mi? Sağlığımız ve esenliğimiz adına? Çocuklarımız adına?

Yoo. Sadece gözümüzden uzakta ve aklımızdan çıkmış durumda. Daha ev sahipliği yapacağımız o kadar çok cıva var ki. Sürekli ayakucumuzda duruyor - ciddi biçimde tartışılabilir bir halde.

Modern yaşamın bir sonucu olarak zaman içerisinde vücudunuz cıva gibi zehirli ağır metalleri toplayacak. Durmaksızın buna maruz kalıyoruz, çünkü çatlaklardan sızmakta. Mecazen sağlık sistemi ve endüstrinin çatlaklarından, gerçek anlamda ise beynimizin kıvrımları arasından sızmakta. Hepimiz belli bir miktar cıvayı vücudumuzda taşımaktayız. Bu kaçınılmaz.

Peki, bunu neden umursamalıyız?

Çünkü cıva kanser hücreleri, virüsler ve bakteriler için bulunmaz bir nimet. Cıva iltihaplanmaya sebep olmakta ve insanların depresyon, anksiyete, DEHB, otizm, bipolar bozukluk, nörolojik bozukluklar, epilepsi, sızlama, uyuşukluk, tik, seğirme, spazm, ateş basmaları, kalp çarpıntıları, saç dökülmesi, hafıza kaybı, kafa karışıklığı, uykusuzluk, libido eksikliği, yorgunluk, migren ve tiroit bozuklukları gibi sebeplerle doktorlara gitmesine sebep olmakta.

İnsanlar ne sıklıkta kendilerinde depresyon gibi bir durum bulunduğunu hissediyorlar? Bu tamamen cıvanın oynadığı kurbanı suçlama oyunu. Bu depresif belirtiler, hastanın rızası olmadan onun adına konuşan cıvadır.

Bazen cıva rehin alma evresini geçer ve daha ileri giderek Alzheimer, Parkinson, erken bunama veya felç sebebiyle ölümlere yol açar. Bu konu bu kadar ciddidir. Cıva 1 milyardan fazla insanın ölmesine veya hastalanmasına sebep olmuştur.

Kimse Alzheimer'ı sevmez. O korkunç, felaket bir hastalıktır. Ve hızlı biçimde yaygınlaşıyor. Ve %100 cıvadan kaynaklanmakta. Bunu ilk kez burada duyuyorsunuz. Cıva Alzheimer hastalığının %100 sorumlusudur. Cıva hakkındaki bu gerçeği hayatınız boyunca bir daha asla başka bir yerde duymayacaksınız.

Tıp endüstrisi bu konu veya başka konular hakkında asla cıvayı suçlamayacaktır. Çünkü o zaman parmaklar doğrudan, gerçek adını bilmediğimiz Cıva Adam'ı gösterir. Orijinal ve ilk *güvenilir* endüstriden kendisi sorumludur.

Konu cıva hakkındaki kirli sırlara gelince, ben sadece bu konuyu tüm detaylarıyla masaya yatırdım.

Eğer cıva şeytanının bizi ve çocuklarımızı bu zehirli metaliyle ayartmasını durduramıyorsak, o zaman biz de kendi göbeğimizi kendimiz keser ve bize zarar verebilecek olan bu durumun farkına varırız. Kendinizi ve ailenizi korumak için *her şeyi* sorgulamalısınız.

Ayrıca kuşaklar boyunca bugüne kadar biriktirilerek vücudumuza taşınmış olan ve günümüzde de maruz kaldığımız cıvayı vücudumuzdan atarak sağlığımızla ilgili kontrolü ele alabiliriz. Bu basit, zehirden arınma programlarımızı günlük birer rutin haline getirebiliriz.

Sağlığınız kıymetli kutsal ve önemlidir onu nasıl koruyacağınızı bilmeyi hak ediyorsunuz.

Deniz Ürünleri

Cıvayı vücudumuza almamızın sayısız yollarından biri de deniz ürünleridir. Bütün balıklarda bulunur, özellikle ton balığı, kılıç balığı, köpekbalığı ile iri ve yağlı olan diğer balık türlerinde. Çünkü okyanuslarımız cıva ile doludur ve bu cıva fabrikaların atık su borularından çıkar ve sonunda birinin ton balıklı salatasına kadar gelir.

Riski küçük balıkları yiyerek azaltabilirsiniz. Örneğin; sardalya ve istavrit gibi. Ölçülü yendiğinde vahşi somon da güvenlidir.

Diş Dolguları

Gümüş diş dolguları da bir diğer yaygın cıvaya maruz kalma yoludur. Birçoğumuzun ağzında bu gümüş dolgulardan vardır ya da bir zamanlar olmuştur.

Şimdilerde tüm gümüş diş dolgularının bütüncül bir diş hekiminin muayenehanesinde aldırmak popüler oldu. Bu duyarlı ve yapılması gereken bir şey gibi gözükebilir. Ancak bu işlem sırasında çok dikkatli olmamız gerekir. Tüm gümüş dolguları bir seferde almak aşırı cıvaya maruz kalmaya sebep olabilir; kullanılan teknikler ya da bir diş hekiminin muayenehanesinde alınan önlemlerle bunun hiçbir ilgisi yoktur. Bu durum bağışıklık sisteminize ağır bir yük bindirir ve herhangi bir sağlık sorununun tetikleyicisi haline dönüşebilir.

Ağzındaki on gümüş dolguyu da aynı anda aldıran ve trombosit seviyesi düştüğü için hayatını kaybeden insanlar biliyorum.

En iyisi ihtiyaç olduğu takdirde yalnızca gereken dişteki dolguyu aldırmaktır – örneğin; dolgu sallanıyor veya diş zarar görmüş olabilir. Eğer dişleriniz ve dolgularınız iyi durumdalarsa ve hâlâ bu dolguları aldırmak istiyorsanız, o zaman her seferinde yalnızca bir tanesini aldırın ve bu işlemler arasında en az bir ay olmasına dikkat edin.

Eğer zaten bütün dolgularınızı aldırdıysanız o zaman kendinizi korumak için bir arınma programının zamanı gelmiş demektir.

Ve eğer yeni çürükleriniz varsa o zaman en iyi seramik dolguyu tercih etmenizi öneririm. Unutmayın ki herhangi bir şey cıva bazlı dolgudan daha iyi sonuç verecektir.

Ağır Metalden Arınmak

Ağır metallerden arınmanın en iyi yolu aşağıdaki 5 maddeyi her gün tüketmektir:

- **Arpa Suyu Ekstresi Tozu:** Dalak, bağırsak, pankreas ve üreme sisteminde bulunan ağır metalleri uzaklaştırır. Arpa suyu ekstresi tozu cıvanın spirulina yosunu tarafından emilmesini sağlar. Su veya meyve suyuna bir-iki çay kaşığı karıştırın.
- **Spirulina Yosunu/Mavi-Yeşil Alg (tercihen Hawaii'den):** Ağır metalleri beyninizden merkezi sinir sisteminizden ve karaciğerinizden uzaklaştırır ve arpa suyu ekstresi tozu tarafından ortaya çıkarılmış cıvayı emer. Su, hindistancevizi suyu veya meyve suyuna 2 çay kaşığı karıştırarak için.
- **Kişniş:** Derinlere, ulaşılması güç yerlere giderek geç-

mişten kalan metalleri çıkarır. Sıvı meyve püresi, meyve suyu, salata veya *guacamole* (avokado ve domates ile yapılan bir tür Meksika mezesi) içine bir bardak karıştırırın.

- **Yaban Mersini (sadece Maine'den):** Beyninizden ağır metalleri uzaklaştırır. Ayrıca beyin dokumuz için özellikle önemli olan, ağır metallerden geriye kalan boşlukları doldurur. Alzheimer'ı tersine çevirmek için en güçlü yiyecektir. Günde en az bir bardak tüketin.
- **Atlantik Kırmızı Deniz Otu:** Cıva, kurşun, alüminyum, bakır, kadmiyum ve nikele bağlanarak kan-beyin bariyerini geçer. Diğer deniz otlarının tersine Atlantik kırmızı deniz otunun tek başına cıvayı uzaklaştırabilecek gücü vardır. Vücudunuzun gizli, derin yerlerine girip cıvayı arar ona bağlanır ve cıva vücudunuzu terk edene kadar ondan asla ayrılmaz Her gün iki yemek kaşığı veya ona eş değer miktarda yapraklarını yiyebilirsiniz.

Bu 5 besinin her birini ayrı ayrı gün içerisinde tüketebilirsiniz. Hepsini bulamıyorsanız iki ya da üç tanesini günlük olarak tüketmeye özen gösterin. Bu beş besinin her biri de arkalarında ağır metalin vücudumuza verdiği zararı onaracak besinler bırakarak vücudunuzun yenilenmesine yardımcı olurlar. Eğer ekstra güç istiyorsanız dulavratotu kökünü de bunlara dâhil edebilirsiniz.

Ağır metalleri vücudunuzdan uzaklaştırmak için dünyada bundan daha iyi bir yol yoktur. Eğer bu ağır metallerden arınma programına sıkı sıkıya bağlı kalırsanız uzun dönemde çok radikal iyileşmeler göreceksiniz. Kuşaklar boyunca vücutlarında birikmiş olan cıvadan bu yolla kurtulan insanlar gördüm. Sağlığınız için yapabileceğiniz, ağır metalleri vücudunuzdan uzaklaştırmaktan daha iyi bir şey yoktur.

Ağır metalleri uzaklaştırmak için reklamı yapılan chlorella gibi diğer bitkiler de olduğunu unutmayın. Ancak dikkatli olmalısınız. Chlorella, destekleyici gıdalar dünyasında popüler olsa da yukarıda saydığım maddelerden daha az etkilidir. Konu cıvanın zararlarından korunmaya geldiğinde chlorella bunu yapamaz.

Su Kirliliği

Bu modern çağda çevremizi korumakla ilgili birçok şeyi öğrenmiş olmamıza rağmen su kaynaklarımız hâlâ kirlenmekte.

Hava ve toprak kirliliğinden kurtulmak için farklı, temiz bir yere taşınmaktan başka yapabileceğiniz bir şey yok. Ancak su kirliliğiyle ilgili yapabileceğimiz çok şey var.

Şişelenmiş su satın alarak yerel kirliliklerden kurtulabilirsiniz. Ancak kullanılan plastik şişelerin *bisfenol A* (BPA) içermediğinden emin olmalısınız; bu endüstriyel bir kimyasaldır ve zehirlidir. Plastiklerin de kötü yanları olmasına rağmen şişelenmiş su musluk suyundan daha iyidir.

Ayrıca musluktan akan sudaki zehirleri uzaklaştırmak için yüksek kaliteli filtreler de satın alabilirsiniz. Eğer böyle bir şey tercih edecekseniz ağır metaller, klor ve florürü ayrıştıran bir filtre satın alın. Birçok belediye sulara florür karıştırmakta, bunun sizin için iyi bir şey olduğunu sanıyorlar. Bu gerçeklerden çok uzak bir fikir, çünkü florür aslında alüminyumun bir yan ürünüdür ve bir nörotoksindir.

Ozmoz (su geçişimi) sürecini tersinden çalıştıran su

arıtma cihazları da var. Bu işlemler gerçekten etkili ancak zehirlerle birlikte sizin için iyi olan bakterileri de ayrıştırmaktalar. Eğer böyle bir sistem tercih edecekseniz ayrıca 'iyonik mineral damla' satın alarak tersine ozmoz sürecinin suyunuzdan ayrıştırdığı mineralleri tekrar suyunuza katabilirsiniz.

Herhangi bir suyu içmeden önce yapılacak en iyi şey içine birkaç damla limon sıkmaktır. Filtreleme ve maruz kaldığı diğer işlemler sonucunda suların çoğu barındırdıkları yaşayan faktörleri kaybederler. Ancak limonun içinde yaşamakta olan su vardır ve bunu içme suyunuza karıştırdığımızda tekrar aktive olur ve uyanır. Bu yolla su tekrar vücudumuzdaki zehirlere yapışarak onları dışarı atabilecek duruma gelir.

Anti-klor/Anti-florit Çayı

Organlarınız ve vücudunuzun geri kalan kısmını klor ve florürden arındırmak için eşit miktarda böğürtlen yaprağı, ahududu yaprağı, hatmi çiçeği ve kuşburnunu karıştırın. Bir bardak sıcak su veya çayla demleyerek için.

Zirai İlaçlar, Ot Öldürücüler ve Mantar Öldürücüler

Sık sık zirai ilaçlara, ot ve mantar öldürücülere maruz kalmaktayız.

Bunun bir yolu da geleneksel üretim. Örneğin; organik olmayan domateslerin üzerine normal seviyelerden daha fazla ve normal şartlardan daha ağır spreyler sıkılıyor. Geleneksel biçimde yetiştirilmiş bir domatesi yediğimizde yüksek dozda böcek ilacı almış oluyoruz; tıpkı diğer organik olmayan meyve ve sebzeler gibi. En azından bunların yüzeyindeki zehirlerden kurtulmak için iyice yıkamalısınız (meyve ve sebzelere karşı genel bir korku geliştirmeyin, onların içindeki besin değerleri sağlığımız için çok önemlidir.) Mümkün oldukça organik ürün satın almaya dikkat edin.

Eğer hayvan ürünleri tüketiyorsanız bunlar da en azından organik olmalı; serbest gezmiyor ve merada beslenmiyorsa. Ayrıca bu ürünler 2011 yılında Fukuşima'da meydana gelen nükleer sıkıntıdan dolayı radyasyon barındırmaktadırlar. En azından düşük düzeyde böcek ilacı, zirai ilaç ve mantar öldürücü olacaktır üstlerinde, çünkü organik olmayan hayvansal ürünler bu kimyasallar açısından oldukça zengindir.

Parklar ve bahçeler de zirai ilaç ve ot öldürücülerle sık sık spreylenmektedir. Eğer halka açık yeşil bir alanı ziyaret edip oturacaksınız, yanınızda daha sonra yıkayacağınız bir battaniye götürmek ve yere sermek gibi tedbirler almalısınız. Ayrıca kendi bahçenize zehirli kimyasallar sıkmaktan ve evinizin içinde böcek ilacı kullanmaktan uzak vazgeçmelisiniz.

Zirai İlaç/Ot Öldürücü/Mantar Öldürücüden Arınma Çayı

Vücudunuzda yer alan bu maddelerden arınmak için eşit miktarda dulavratotu kökü, kızıl yonca, limon otu ve zencefili karıştırın. Bir bardak sıcak su için bu bitki karışımından bir yemek kaşığı koyarak demleyin ve için.

Plastik

Dünyamızı plastikle kapladık. Plastik üreticilerine kalacak olsa, neredeyse dünyaya gelmeden önce plastik kaplı bir rahimdeydik.

Satın aldığımız yiyecek ve içecekleri eve getirirken plastik torbalar kullanıyoruz, evimizde yiyecek içeceklerimizi ve diğer malzemelerimizi organize etmek için plastik nesneler kullanmaktayız, yiyecek ve içeceklerinizi plastik kapaklarla kapatıyoruz ve çöplerimizi atmak için plastik torbalar kullanıyoruz. Artık ilaçlarda da çok fazla plastik kullanılmakta. Sonuçta, kaçınılmaz olarak, öyle ya da böyle, plastik bir şekilde hayatımıza giriyor.

Kimi plastikler görece daha iyiler; ancak diğerleri iltihaplanmayı arttırmak, beyin nöronlarını ve nörotransmitterleri altüst etmek, hormonları karıştırmak, kanser hücrelerini, virüsleri ve bakterileri beslemek gibi özelliklere sahipler.

Bu yüzden, örneğin yiyeceklerimizi taşımak için bez çantalar kullanmak iyi bir fikir. Ya da yiyeceklerimizi saklamak için plastik olanlar yerine cam kapları tercih etmek. Plastikten kaçınamadığımız durumlarda -örneğin; şişelenmiş suların birçoğunda ya da paketlenmiş besinlerde- üreticinin BPA içermeyen, insanla uyumlu plastik kullandığından emin olun.

Plastikten Arınma Çayı

Plastik ve yan ürünlerini vücudunuzdan atmak için eşit miktarda çemenotu, sığırkuyruğu yaprağı, zeytin yaprağı ve limon otunu karıştırın. Bir bardak çay demlemek için bir yemek kaşığı karışım yeterli olacaktır.

Temizleyiciler

Endüstriyel temizleyiciler onları soluyan insanlar üzerinde yarattıkları etki gözardı edilerek kir ve pisliklere zarar vermek üzere tasarlanmıştır. Örneğin; geleneksel halı temizleyicilerde perkloretilen, amonyum hidroksit, hidroklorik asit ve ntrilotriasetat gibi kimyasallar kullanmaktadır. Halıların birçoğu zaten bünyelerinde zehir barındırdıkları için, bu temizleyiciler o zehrin üstüne bir zehir daha eklemiş olurlar. Eğer kapalı alanda fazla vakit geçiriyorsanız bu zehirli gazları her gün soluyacaksınız; bağışıklık sisteminizi zayıflatacak ve muhtemel sağlık sorunlarına tetikleyici olacaklar.

Halılardan kurtulmanın bir yolu parke döşeli zeminde veya kilim kullanmak olabilir. (Ancak parke temizleyicilerinin de potansiyel zehirli gaz salıcılar olduğunu unutmayın.) Bunun yerine "yeşil" halı satın alabilir ve "yeşil" halı temizleme şirketleriyle çalışabilirsiniz. Ayrıca ana akım ev temizliği ürünlerinden de uzak durun. Bunların yerine kullanabileceğiniz çok fazla sayıda organik temizleyici bulunmakta.

Bir diğer zehir kaynağı ise giysiler. Ana akım kuru temizlemeciler öyle kimyasallar kullanırlar ki derinizden ve ciğerlerinizden her gün içeri girer bu zehir. Bundan kaçınmak için "yeşil" kuru temizlemecileri tercih edin.

Aynı mantıktan yola çıkarak yeni satın almış olduğunuz giysilerin de genellikle formaldehit veya diğer kansere sebep olacak kimyasallarla kaplı olduğunu unutmayın, çünkü buruşmaktan korunmak zorundalar. Ayrıca bunlarda mantar ve küf bulunabilir; yeni aldığınız giysileri giymeden önce yıkamanız gerekir.

Temizleyici Zehrinden Arınma Çayı

Temizleyicilerde bulunan zehirlerin etkisini en aza indirmek için ya da vücudumuzun biriktirmiş olduğu bu kimyasallardan arınmak için eşit miktarda aynısefa, papatya, bladderwrack (bir tür hava keseli su yosunu) ve hodanı karıştırın. Çay yapmak için bir bardak suya bir yemek kaşığı karışım kullanabilirsiniz.

Radyasyon

2011 yılında, Japonya'da meydana gelen deprem ve tsunaminin ardından Fukuşima Daiçi nükleer enerji santralinde olduğu gibi, herhangi bir nükleer enerji santrali radyasyon yaymaya başladığında, bu radyasyon dünyadaki yiyeceklerin, suyun ve havanın üzerine serpilir.

Bu tip bir radyasyon dalgasından kaçınmanın hiçbir yolu yoktur. Fukuşima Daiçi nükleer enerji santralinde meydana gelen patlamanın yarattığı radyasyonun etkisini aza indirmenin bir yolu besin zincirine olabildiğince dâhil olmamaktır. Bu noktada bütün et ürünleri, süt ürünleri ve kümes hayvanları yüksek miktarda radyasyon barındırmaktadırlar; bu hayvanlar fazla miktarda ot ve yem yemekte ve yedikleri şeyler nükleer patlamadan meydana gelen radyasyonu barındırmakta. Bu biyolojik birikim adı verilen bir şeyin sonucu ve besin zincirinde yukarıda bulunan varlıkları daha çok etkiliyor.

Bunu söyleyerek kimseyi korkutmaya çalışmıyorum. Eğer burada okuduklarınızı unutmak istiyorsanız bunu anlarım.

Ayrıca vücudumuzdan radyasyonu uzaklaştırabilir veya başka tür radyasyona maruz kalmamak için çaba gösterebilirsiniz. Örneğin; eğer diş hekiminiz x-ışınlarıyla bir tedavi uyguluyorsa, ağzınız dışında bütün vücudumuzun kurşun bir önlük veya başka bir koruma ile kaplı olması konusunda ısrar edin. Buna boğazınız da dâhildir. Çünkü tiroit kanseri radyasyona maruz kalmaktan meydana gelir. Diş hekiminiz dijital bir yöntem kullanıyorsa bile, yine de x-ışınlarına olabildiğince az maruz kalmaya çalışın. Ayrıca herhangi bir doktorun x-ışınları ile yapacağı tedaviye hemen "olur" demeyin. Eğer x-ışınlarının gerekli olduğuna dair şüpheniz varsa soru sormaktan kaçınmayın. Bazen de x-ışını gerekmez ama bazı tıbbi nedenlerden dolayı yine de bir seçenektir.

Aynı mantıkla radyasyon içeren bir tedavi için de bol bol soru sorun. Örneğin; eğer bir kadınsanız ve göğsünüze x-ışını uygulanacaksa, üreme sisteminizin kurşun önlük ile kaplı olmasını isteyin. Bu her zaman teklif edilmez, sizin sormanız gerekir.

Çoğu zaman daha az risk barındıran alternatif tedavi yöntemleri vardır. Örneğin; kadınlar meme kanserini teşhis etmek adına memografi yerine termografi isteyebilirler.

İnsan vücudu radyasyona karşı, doktorların farkına vardığından daha duyarlıdır. Diğer bütün zehirlerle birlikte, mümkünse bundan da kaçınmak için çaba sarf edin.

Deniz sebzeleri organlarınızı ve dokularınızı radyasyondan korunmak için çok iyidir. Denizdeki yosunların radyasyon veya ağır metal barındırdığına dair korku gereksizdir ve yanlış bir kanıdır. Deniz sebzeleri sadece zehri içeri alırlar - dışarı salmazlar. Yani, örneğin, okyanustan zehirleri biriktirmiş bir yosun parçası yerseniz bu yosun sisteminize dâhil olduğunda, bünyesindeki zehirleri salmaz; bunun yerine sizde bulunan radyasyon ve ağır metalleri de bünyesine alır ve sindirim yolunuzdan geçtikten sonra dışarı atılır. Pasifik Okyanusu'ndan değil de Atlantik Okyanusu'nda bulunan yosunları tercih edin. Sisteminizden zehirleri emme konusunda onlar daha büyük bir kapasiteye sahiptir.

Radyasyondan Arınma Çayı

Radyasyona maruz kaldıysanız bunun panzehiri için Atlantik Okyanusu'ndan gelen esmer su yosunu (lamineria), yine Atlantik Okyanusu'ndan gelen kırmızı deniz otu, karahindiba yaprağı ve ısırgan otu yaprağını eşit miktarda karıştırabilirsiniz. Bir bardak çay için bu karışımdan bir yemek kaşığı demlemeniz yeterlidir.

DAHA FAZLA ARINMA METODU

Limon Suyu

Vücudu zehirden arındırmanın diğer bir etkili yolu da her sabah uyandığınızda, aç karnına, içine yaklaşık yarım limon sıktığınız bir bardak (yaklaşık 300 ml) suyu içmektir. Limon suyu, suyu aktive eder ve vücudumuzdaki zehirlere tutunarak dışarı atmalarını kolaylaştırır.

Bu özellikle gece boyunca zehirleri toplayıp dışarı atmaya çalışan karaciğerinizi temizlemekte faydalıdır. Uyandığımızda ilk yapmamız gereken şey su almak ve vücudumuzun aktif suyla temizlenmesidir. Suyu içtikten sonra karaciğerinize yarım saat kendini temizlemesi için izin verin, daha sonra kahvaltı edin. Eğer bunu rutin haline getirirseniz sağlığınızda önemli gelişmeler olacak.

Daha fazla etki için bir çay kaşığı bal ve bir çay kaşığı taze rendelenmiş zencefili de limonlu suya ekleyebilirsiniz. Karaciğeriniz glikoz rezervini yenilemek ve derinlemesine bir zehir temizliği yapmak için balı kullanacaktır.

Aloe Vera Yaprağı Suyu

Karaciğerinizi ve bağırsaklarınızı zehirden arındırmanın bir diğer yolu da her gün bir yaprak aloe vera yemektir.

Bunu hazırlamak için 8-10 santimlik bir yaprağı kullanabilirsiniz. (Tabii eğer bu genişlikte ise; satılanlar genelde bu genişlikte olur. Eğer evde yetiştirdiğiniz bir aloe veranın yaprağını kullanıyorsanız o muhtemelen daha ince ve daha küçük yapraklara sahip olduğundan daha fazla sayıda yaprak kullanabilirsiniz.) Yaprağı tıpkı bir balık gibi fileto haline getirin, yeşil derisini ve dikenlerini yüzün, içindekileri -alt taraftaki acı kısmı almamaya özen göstererek- çıkarın. Bunu bir meyve püresi ile karıştırarak ya da olduğu gibi yiyebilirsiniz.

Meyve Suyu Kürü

Zehirden arınma programınızın bir en önemli parçası da bir gün boyunca yalnızca meyve ve sebze suları tüketmektir.

Bunlar kereviz, salatalık ve elma olmalı.

Eğer istiyorsanız farklılık olması adına bir tutam ıspanak veya kişniş ekleyebilirsiniz. Ancak ana malzemeler kereviz, salatalık ve elma olmalı. Bu karışım mineral tuzlarının, potasyumun ve şekerin dengede olabilmesi için idealdir. Böylelikle vücudunuzdaki glikoz seviyesi denge bulacak ve vücudunuz zehirlerden arınacaktır.

300-400 ml'lik bardaklar hazırlayın ve her iki saatte bir için. Bunların dışında her meyve suyu içişinizden yaklaşık bir saat sonra içeceğiniz 300 ml'lik bir bardak su hariç bir şey tüketmeyin. Gün boyu 6 kez bu karışımı ve 6 kez su içerek bu işlemi sonlandırabilirsiniz.

Eğer ilk kez deneyecekseniz, hafta sonu ya da evde olduğunuz bir günü seçin. Daha önce zehirden arınma programı uygulamadıysanız vücudunuzdan atılan zehirler biraz rahatsız hissetmenize sebep olabilir. Eğer öyle ise uzanın ve dinlenin. Bu arınma programını birkaç kez yaptıktan sonra kendinizi rahat hissetmeye başlarsanız, meyve suyu kürünü iki gün üst üste deneyebilirsiniz. Yine ikinci gün evde olacak şekilde plan yapın, çünkü enerjiniz düşebilir. Birçok insanın enerjisi aslında yükselmektedir.

Meyve suyu karışımınıza farklı şeyler ekleyebilirsiniz – örneğin; ıspanak yerine lahana ya da farklı bir tat için bir parça zencefil veya biraz daha kişniş. Ancak abartmayın. Kereviz, salatalık ve elma vücudumuzdaki bütün toksinlere yeter. Eğer bu üçünün haricinde çok fazla şey koyarsanız bunların yerini almış olursunuz.

Bu meyve suyu kürünü 2 haftada bir uygularsanız etkileyici bir arınma yapacak ve farkı hissedeceksiniz.

Su Kürü

Meyve ve sebze suyu kürünün daha sıradışı hali su kürüdür.

Bu arınma programı için sadece su tüketeceksiniz - sabah uyandıktan akşam uykuya dalana kadar her saat başı bir bardak.

Vücudunuzun hiçbir besin maddesini işlemesine gerek kalmadığı için sindirim sisteminiz bir günlük tatile çıkacaktır. O da bu arayı ev temizliği yaparak, normalde uğraşma fırsatı bulamadığı zehirleri dışarı atmakla geçirir.

Bunu evde yapın, çünkü sık sık tuvalete gitmek zorunda kalacaksınız ve işyerinde bu biraz tuhaf olabilir. Ayrıca enerji anlamında ve kimi duygularda dibe vurabilirsiniz, bu durumda uzanıp dinlenin veya uyuyun.

Eğer bu kürü beğendiyseniz ve faydalı bulduysanız ayda bir kere ve en az üç ay boyunca deneyin. Sonuç şaşırtıcı olacaktır.

Zıplamak

Zehirlerden arınmanın bir diğer yolu ise mini bir trambolinde hafifçe yukarı ve aşağı zıplamaktır. Bunu günde 10 dakika yapmak lenf sisteminizdeki dolaşımı artıracak ve tüm vücudunuzda, özellikle de karaciğerinizde bulunan zehirleri dışarı atacaktır.

Kızılötesi Sauna

Zehirlerden arınmanın bir diğer yolu ise vücudunuza kızılötesi ışık verilen kızılötesi saunadır. Işınlar vücudunuza girer ve kan akışının hızlanması, kandaki oksijen miktarının artması, derideki zehirlerin atılması, ağrı ve sızıları geçirilmesi ile güçlü bir bağışıklık sistemine kavuşulması gibi faydaları olur.

Kızılötesi saunayı yerel jimnastik salonlarında, masaj terapi merkezlerinde veya sauna merkezlerinde bulabilirsiniz. Haftada 2 kez, 15-20 dakikalık seanslar uygulayın. Eğer doğru yaparsanız her seanstan sonra farkı hissedeceksiniz.

Masaj

İnsanlığın başlangıcından beri birbirini seven insanlar destek olmak adına birbirlerine dokunurlar. Masaj en eski terapi biçimidir, günümüzde de en güçlü iyileştirme metodu olma özelliğini korumaktadır. Kaliteli bir 45 dakikalık tüm vücut masajı, vücudunuzdaki özellikle de karaciğerinizdeki dolaşımı arttırarak zehirleri dışarı atacaktır.

Masaj böbrek üstü bezlerinizi ve böbreklerinizi güçlendirecek, kalbinizi rahatlatacak, tansiyonunuzu düşürecektir.

İdeal olanı masajın hemen ardından taze sıkılmış limon eklenmiş 2 su bardağı su içmektir. Bu yolla zehirden en iyi şekilde arınmış olursunuz.

Hasta Dosyası:

Alzheimer Yakalandı

Whitney'in unutkanlığı uzun yıllardır aile arasında şaka konusu oluyordu. Yıllar boyunca cüzdanını, anahtarlarını sayısız kez unutmuştu. Eşi James'in iş telefonunu unutuyordu, hatta birkaç kez çocuklarının doğum günlerini bile unutmuştu. Futbol antrenmanına gitmeden önce, kızı Kendra her seferinde, "Anne evde bir şey unuttun mu?" diye soruyordu. Çocuklar bunun normal, hatta eğlenceli olduğunu düşünüyordu.

Ta ki Whitney'in 53 yaşında olduğu yılbaşına kadar. Herkes hediyeleri açmak için oturma odasında erkenden toplanmıştı ancak Whitney yoktu.

Sonunda kızı Miley, "Annem nerede?" diye sordu. Whitney genelde ilk gelen olurdu.

James yukarı çıktığında, Whitney normal bir güne hazırlanır gibi banyoda makyaj yapıyordu. Çocukların aşağıda beklediğini söyledi. Whitney, James'e çatılmış kaşlarla bakıyordu, fakat oturma odasına doğru onu takip etti. Sonunda ışıklı ağacı ve paketlere sarılı hediyeleri görünce şoke oldu. Yılbaşı olduğunu unutmuştu.

James Whitney ile birlikte aile doktoruna gitti; bunu bir nörolojist ve sayısız uzman takip etti. Sonunda Alzheimer teşhisi konuldu. Tüm aile mahvolmuştu. En iyi ihtimalle kaliteli hayat sürecek üç ya da beş yılı kalmıştı Whitney'in. Önlerinde akıllarına bile gelmeyecek bir tablo bulunmaktaydı. Whitney'in doktoru James'e, hâlâ aklı başındayken aile işlerini ondan devralmasını söyledi.

Timothy 17 yaşında, Miley 14 yaşında, Kendra ise 12 yaşındaydı; durumun ağırlığını anlayabilecek yaştalardı. Miley saatlerini internette Alzheimer konusunda araştırma yaparak ve bu felaketin sebepleri hakkında okuyarak geçiriyordu. Panik ataklar arasında Kendra, Whitney için günlük hatırlatma listeleri hazırlıyordu. Timothy okulu bıraktı ve elinden geldiğince annesine yardımcı olmaya çalıştı.

Whitney'in kız kardeşi Sharon onu sayısız alternatif doktora götürüyordu. Hepsi böyle bir hastalığın olmadığını öğrenmek içindi. Sharon bir bekleme odasında, yerel bir gazetede, benim insanların gizemli hastalıklardan kurtulmaları konusunda yardımcı olduğumu anlatan bir köşe yazısına rastladı.

Whitney ile ilk buluşmamızda Ruh, onun beyninin sol lobunda bulunan iki büyük cıva birikintisine dikkatimi çekti. Çocukluğundan beri oradaydılar. Cıva birikintileri hızla oksitleniyor, sıkıntıya sebep olarak beyin dokusuna zarar veriyor ve hastalığın ilerlemesine yol açıyordu.

Ruh, derhal ağır metallerden arınmak için, bu bölümde tarif edilen diyeti önerdi. Bir de bununla birlikte yağlardan uzak durması gerekiyordu. Çünkü yağ bakımından zengin bir diyet kandaki yağ oranını arttıracak, bu da oksitlenmeyi hızlandıracaktı. Antioksidan meyveler ve sebzeler açısından güçlü, yağ açısından ise düşük olan bu diyet oksitlenmeyi yavaşlatacak, hatta durduracak ve vücudunun cıvadan arınmasını sağlayacaktı.

Whitney yemeklerinden hayvansal yağı çıkardı; sadece avokado, ceviz-fındık gibi şeyler, tohumlar ve bitkisel kaynaklı sıvı yağlar kullandı. Neredeyse tüm meyveleri, özellikle yaban mersini, tüketti. Ispanak, lahana, kişniş gibi sebzeleri bol bol yedi. Whitney'in patates, tatlı patates gibi nişastalı sebzeleri yemesine izin vardı.

Zamanla Whitney'in uyguladığı sağlıklı, zehirden arındırıcı, glikoz sağlayan diyet oksitlenmeyi durdurdu. Alzheimer belirtileri tersine dönmekteydi.

Timothy okula tekrar kaydını yaptırdı ve hafta sonları organik pazarda çalışarak indirimli ürünlerden eve getirdi. Miley ise hünerini internette bitki temelli reçeteleri araştırarak gösteriyordu. Kendra sonunda nefes alabilmeye başladı ve kız kardeşiyle birlikte, mutfakta meyve püreleri denemelerine başladılar.

Bu şekilde geçen altı aydan sonra Whitney'in hafıza yeteneği yılbaşı gecesi yaşanan kâbustan daha da iyi bir hale gelmişti.

Bir yıl geçtikten sonra Whitney'in hafızası Timothy'nin doğumunda olduğundan daha iyiydi.

Günümüzün moda diyetleri Whitney'in gerçek başarı için ihtiyaç duyduğu meyve ve nişastalı sebze miktarına izin vermez. İçinde yağ bulunan diyetler protein seviyesini arttırır. Bu da, daha yüksek yağ seviyelerine dönüşür ve hastalığın hızla ilerlemesine yol açar - gerilemesine değil.

Whitney'in Alzheimer hastalığının yakalanmasıyla birlikte aile tekrar huzura kavuştu. Her ne kadar az sayıda olsa da Whitney anahtarlarını bir yerde unuttuğunda, artık o, James ve çocuklar buna gülüyorlar.

BÖLÜM 19

NE YEMEMELİYİZ?

Sağlığımız üzerinde tam kontrol sahibi olmak istiyoruz. Seçme özgürlüğümüzü istiyoruz.

Sabah hangi elbiseleri, hangi ayakkabıyı giyeceğimizi tercih edebilmek istiyoruz. Pasif içici olmamak için, elinde sigara tutan birinden uzaklaşabilme özgürlüğü istiyoruz. Yediklerimizi seçmek istiyoruz.

Vücudumuza ne girdiğini, vücudumuzda ne bulunduğunu bilmek istiyoruz.

Elbette bunların hiçbirini umursamayabilirsiniz. Yanlış bedende kıyafetleri giyebilir, sigara dumanı soluyabilir, neredeyse çöpe dönüşmüş şeyleri yiyebilir ve hiçbirini dert etmezsiniz. Ama ne yaptığınızı biliyorsunuz. Bilinçli bir şekilde tercihinizi yaptınız ve buna saygı duyulmasını bekliyorsunuz.

Ancak ya size zarar veren, sağlığınızı tehlikeye atan şeyler yaptığınızın farkında değilseniz? Bu bütün seçme hakkımızı elinizden alır.

Ve gerçekte olan tam da bu. İnsanlar kendi sağlıkları için zararlı olan yiyecekleri ve destekleyici gıdalarını tüketiyor ancak bu konu hakkında hiçbir fikirleri yok. Bu şuna benziyor; bir parça kek yersiniz ve biraz kilo alacağınızı bilirsiniz ama bu kekin içindeki şey sağlığınıza zarar veriyor ya da ömrümüzden bir yıl alıyorsa, bu tamamen başka bir konudur.

İnsanlar her gün sağlıklarını mahvedecek zehirler ve zararlı şeyler tüketmekteler. Bu konu hakkında söyleyecek hiçbir şeyleri yok, çünkü ne olup bittiğini bilmiyorlar. Seçim hakları, özgürlükleri, karar ve kontrolleri ellerinden alınmış.

Tabii ki "Küçük bir parçadan bir şey olmaz," ya da "Öldürmeyen şey seni güçlendirir," ya da "Herkes böyle yapıyor," ya da "O kadar kötü olamaz," gibi şeyler söyleyebilirsiniz. Eğer tam anlamıyla sağlıklıysanız ve sıfır şikâyetiniz varsa, eğer gençseniz ve kendinizi hiçbir şekilde zarar görmez gibi hissediyorsanız, o zaman zehirli içeriklerin bilginiz dışında vücudunuza girmesi sizin için o kadar da kötü olmayabilir.

Ancak eğer sağlığınızla tam anlamıyla ilgiliyseniz, biraz hassassanız ve bir sağlık durumu yaşıyorsanız ya da bir hastalık atlattıysanız veya sağlığınızı korumakla ilgiliyseniz, o zaman bu tetikleyici ve istilacılardan olabildiğince kaçınmak sizin için önemli olacaktır. Vücudunuz iyileşmek ve en uygun sağlık durumuna kavuşmak için tüm desteğe ihtiyaç duymaktadır.

Söz konusu sağlık olduğunda "Öldürmeyen şey seni güçlendirir," demek çok saçma. Bu çok popüler bir yanlış anlaşılma ve yıllardır sürmekte. Gerçek şudur; eğer bir zehir içinize girdiyse bu size ona karşı bağışıklık kazandırmaz; tam tersine vücudunuzda ne kadar fazla zehir varsa o kadar zayıfsınızdır ve hastalıklara o denli açık durumdasınızdır.

Şimdiye kadar hep koruyucu maddeler ya da yapay aromalardan bahsettik, bunlardan kaçınmamız gerektiğini zaten biliyoruz. Ancak problem yaratan başka içerikler de var. Ve siz bunlardan da kaçınmalısınız. Bu içerikler iltihaplanmaya sebep olabilecek viral, bakteriyel veya mantar yapabilen durumları oluşturabilirler ve ayrıca sindirim sisteminizi zayıflatır, bağışıklık sisteminizi zayıflatır ve kafasını karıştırır, salgı bezlerinizde ve organlarınızda bir gerginlik yaratır, vücudunuzda herhangi bir yerde hücrelerinize engel olur, beyin nöronlarınız ve nöron transmitterlerinize zarar verir, sizi gergin ve/veya depresif yapar, felç ve kalp krizlerine sebep olabilir.

Sağlık profesyonelleri sizi bu yiyecekler, katkı maddeleri ve destekleyici gıdalara karşı uyarmayabilirler. Çünkü bunların zaten var olan hastalıkları kötüleştirdiği veya yeni sağlık durumlarını tetiklediğine dair yaygın bir kanı bulunmamaktadır.

Ne tükettiğiniz ve bunun vücudumuzda ne gibi bir etkisi olduğu konusunda tamamen bilgilenmeyi hak ediyorsunuz. Bu bölümü okuyarak kendinizi korumaya başlayacaksınız. Korunmayı hak ediyorsunuz. İşte şimdi kontrolü ele almanın ve vücudunuza ne girdiğine karar vermenin zamanı; bu, sağlığınızı yenilemek adına atılmış güçlü bir adımdır.

Mısır

Mısır dünyadaki temel besin maddelerinden bir tanesiydi.

Ne yazık ki Genetiği Değiştirilmiş Organizma (GDO) teknolojisi bu yaşamsal gıdaya zarar verdi.

Mısır ürünleri ve yan ürünleri ciddi iltihaplanmaları

sebep olmakta. Mısır, virüsleri, bakterileri ve mantarları besleyen bir yiyecek. Eğer bir mısırın GDO'suz olduğuna dair bir reklam duyuyorsanız hâlâ bunun çeşitli sağlık durumlarını tetikleme riski bulunmaktadır ve belki de hâlâ GDO'lu olabilir.

Bütün mısır ve yan ürünlerini içeren yiyeceklerden uzak durmaya çalışın. Bunlara mısır cipsi, patlamış mısır, mısır gevreği ve mısır şurubu ya da mısır yağı içeren her şey dâhildir. Bu yiyecekler ayrıca daha az açık şeyler de içermektedir. Örneğin; soda gam (sakız), yüksek fruktozlu mısır şurubu, diş macunu, buğday yerine mısır kullanılan glütensiz gıdalar, koruyucu olarak alkolü kullanan bitkisel renklendiriciler gibi. (Daha çok mısır hububat alkolü kullanılır, bu yüzden bunun yerine alkolsüz renklendiricileri tercih edin.)

Satın aldığınız ürünlerin içindekiler listesini dikkatlice okuyun ve elinizden geleni yapın.

Mısır ve yan ürünlerinden uzak durmak sağlığınız için iyi bir iş olabilir. Yaz vakti, organik bir bahçeden koparılmış mısırı koçanından yemek elbette ki sakıncasızdır. Sağlığınız için de mısırı dalından koparmaya harcanan güce değer.

Soya

Soya da GDO konusunda mısır kadar ünlüdür.

Soya bir zamanlar sağlıklı bir gıdaydı. Ancak günümüzde rastladığımız herhangi bir soya ürünü GDO kirliliğina maruz kalmış ya da monosodyum glutamat (MSG) içeriyor olabilir. Soya fasulyesi, olgunlaşmamış soya fasulyesi, soya sütü, soya sosu, tekstürize bitki proteini, soya proteini tozu, soyadan yapılmış yapay et içeren gıdalar ve daha fazlasını tüketirken dikkatli olun.

Elinizden geldiğince soyadan uzak durmaya çalışın. Eğer gerçekten soyayı seviyor ve kendinizi ondan mahrum edemiyorsanız, o zaman en güvenli plana sarılmalısınız: sade ve organik tofu (Uzakdoğu'da soya fasulyesi suyunun fermantasyonundan elde edilen bir tür peynir) veya tempeh (Endonezya mutfağına ait soya fasulyesinden yapılan bir yemek çeşidi) ya da en kalitelisinden nama shoyu (pastörize edilmemiş soya sosu).

Kanola Yağı

Günümüzde kanola da genellikle GDO'ludur ve ne olursa olsun kanola yağı büyük iltihaplanmalara yol açar, sindirim sisteminize özellikle zararlıdır, ince ve kalın bağırsaklarınızın çeperlerinde yaralar açar, rahatsız bağırsak sendromunun ana sebebidir. Kanola yağı virüsleri, bakterileri, mantarları ve küfür besler.

Tüm bunların yanında kanola yağı arter damarlarınızın içindeki akü asidi gibidir. Belirgin damar zedelenmelerinde yol açar.

Kanola yağı düşük maliyeti dolayısıyla -zeytinyağına bir alternatif olarak- birçok restoranda, binlerce üründe kullanılmaktadır. Saygın restoran zincirleri bile maliyeti düşürmek için kanola yağı kullanırlar ve kimi zaman reklamlarında kanolanın sağlıklı bir yiyecek olduğunu söylerler. Ne yazık ki sağlıklı, organik ve tamamıyla doğal diğer ürünlerle birlikte, tabakta az bir miktar kanola yağı varsa bile o yemekten uzak durmalısınız. Çünkü kanola yağı çok zararlıdır.

Eğer gizemli bir hastalık veya bir sağlık durumuyla uğraşmaktaysanız her koşulda kanola yağından sakınmaya çalışın.

İşlenmiş Pancar Şekeri

GDO'lu pancarlar genellikle işlenmek için ayrıldıklarından dolayı kanser hücreleri, virüsler ve bakterileri besleyen işlenmiş pancar şekerinden uzak durmalısınız.

Bu, salatanın üzerine koyduğunuz veya suyunu sıktığınız organik taze pancardan farklıdır. Eğer organik pancar alabiliyorsanız bunu tüketmek güvenlidir.

Yumurta

İnsanoğlu binlerce yıldır yumurta yemekte. Bir zamanlar gezegenimiz üzerinde daha başka beslenme olanakları bulunmazken, yumurtalar bizim için harika birer hayat kurtarıcıydı. Ancak bu, 20. yüzyılda, bağışıklık sistemiyle, virüslerle, bakterilerle ve kanserle ilgili salgınların başlamasıyla değişti.

Normal bir insan yılda 350 yumurta yer bu yediği bütün yumurtalar ve içeriğinde gizli yumurta olan besinleri kapsamaktadır.

Lyme hastalığı, lupus (deri veremi), kronik yorgunluk sendromu, migren veya fibromiyalji gibi hastalıklarla boğuşmaktaysanız, vücudunuza ihtiyacı olan desteği sağlayabilmek için yumurtalardan uzak durun.

Yumurtalar hakkında en büyük sorun kistler, fibroitler, tümörler ve nodüller için çok iyi bir besin kaynağı olmasıdır. Polikistik over sendromu, meme kanseri veya diğer kist ve tümörlere sahip kadınların tümü yumurtadan kaçınmalıdır. Ayrıca eğer kanseri önlemek, var olan bir kanserle mücadele etmek veya kanserin tekrar etmesinden kaçınmak niyetindeyseniz yumurtadan uzak durmalısınız. Diyetinizden yumurtayı çıkarmak size hastalıkla mücadele etmek, onu yenmek ve iyileşmek için büyük bir güç verecektir.

Yumurtalar ayrıca iltihaplanmalara ve alerjilere sebep olur, virüsleri, bakterileri, küfleri, mantarları, *Candida*'yı besler ve lenf sistemindeki ödemleri tetikler.

Candida veya mikotoksinden muzdarip insanlar genellikle yumurtaların güvenilir protein kaynağı olduğunu ve *Candida* ile mikotoksinleri öldüreceğini duyarlar. Hiçbir şey gerçeklikten bu kadar uzak olamazdı.

Yumurtaların ne kadar popüler olduğunu biliyorum. Onların sağlıklı birer yiyecek olduklarına dair büyümekte olan bir akım var. Üstüne üstlük lezzetliler ve onları yemek de eğlenceli. Eğer bu çağda, günümüzde yumurtalar bizim için iyi olsaydı ben de burada onları yemenizi tavsiye ederdim.

Süt Ürünleri

Süt, peynir, tereyağı, krema, yoğurt ve diğer bu tip ürünler kayda değer miktarda yağ içerirler. Bu, sindirim sisteminiz ve özellikle karaciğerinizin işleyişi üzerinde bir baskı yaratır.

Süt ürünleri laktoz barındırırlar, ayrıca yağ ve şeker karışımı sağlığınız üzerinde olumsuz etkiye sahiptir, özellikle diyabet hastasıysanız. Daha da ötesi süt ürünlerinden gelen kan dolaşımınızdaki yağ virüsleri ve bakterileri besler.

Süt ürünleri mukus üretirler, bu da iltihaplanma ve alerjilerin ana sebepleridirler.

Bunlar *her zaman* için süt ürünleri hakkında bilinen sorunlar; organik veya serbest gezen hayvanlar olsalar bile. Şimdi geleneksel ana akım yöntem bu sorunlu besine bir zehir daha kattı; ineklerin, koyunların ve keçilerin yemlerine hormon, antibiyotik, genetiği değiştirilmiş mısır, soya ve buğday gibi ürünleri eklemeye başladı.

Eğer düzgün bir iyileşme süreci istiyorsanız en iyisi tüm süt ürünlerinden yememektir.

Domuz

İçinde domuz bulunan her çeşit gıdadan uzak durun. Buna but, tütsülenmiş domuz eti, işlenmiş domuz ürünleri, domuz yağı ve diğerleri de dâhil. Domuz ürünleri tüketirken herhangi bir kronik hastalığı iyileştirmek çok güçtür, çünkü çok fazla yağ içerirler.

Çiftlik Balığı

Çiftlik balıkları kapalı çok küçük bir alanda yetişirler. Bu da alglerin, parazitlerin ve diğer hastalıkların oluşmasına yol açar. Bu yüzden üreticiler genellikle balıklara antibiyotik verir ve suyu zehirli kimyasallarla temizlerler. Bu da çiftlik balığını yemeyi riskli bir hale getirir.

Yiyebileceğiniz en güvenli balıklar somon, pisi balığı ve mezgit gibi vahşi olanlardır. Hangisini seçtiğinizin bir önemi yok, cıvaya karşı dikkatli olun - özellikle kılıç balığı, ton balığı gibi iri balıklarda.

Glüten

Glüten birçok tahılda bulunan bir proteindir. İnsanların duyarlı oldukları glüten türleri genellikle bulgur, arpa, çavdar ve kavuzlu buğdayda bulunur. (Söz konusu yulaf olduğunda, yetiştirilirken ve işlenirken glüten içeren tahıllarla karıştırılmadığına dikkat edin. Yulaf glütene daha az duyarlı olan insanlar için iyi olabilir. Ancak glütensiz olanlarını tercih etmelisiniz.) Glüten içeren tahıllar ayrıca birçok alerjen ve protein içermektedirler. Bunlar herhangi bir sağlık sorununun tetikleyebilir, bağırsaklarınızda iltihaplanma ve yaralanmalara sebep olabilir. Ayrıca hastalıklara karşı en büyük direnciniz olan bağışıklık sisteminizi karıştırabilirler ve çölyak hastalığı, Crohn hastalığı, kolit gibi hastalıkları tetikleyebilirler.

Bu tahılları yemek vücudunuzun hastalıktan iyileşmesini güçleştirecektir. Eğer hastalıktan mümkün olduğunca çabuk kurtulmak istiyorsanız en az düzeyde tüketmeye bakın.

MSG

Monosodyum glutamat (MSG) on binlerce üründe ve restoranlarda yediğimiz yiyeceklerde bulunan bir katkı maddesidir. MSG, glutamik asitin içinde (gereksiz bir aminoasit) doğal olarak bulunan bir çeşit tuzdur. Ancak onun yol açabileceği büyük zarara karşı yapabileceğiniz doğal hiçbir şey yoktur.

MSG özellikle beyninizde birikir beyin dokunuzun derinliklerine kadar iner, iltihaplanmalara ve şişmelere sebep olur, binlerce beyin hücresini öldürür, elektrik iletimlerini engeller, nörotransmitterleri zayıflatır, nöronları yakar, kafanız karışık olur ve gergin hissedersiniz, hatta ufak inmelere bile yol açabilir. Merkezi sinir sisteminizi zayıflatır ve yaralar.

MSG özellikle beyniniz veya merkezi sinir sisteminizle ilgili bir hastalığınız varsa sizin için çok zararlıdır. Gerçi hiçbir koşul altında faydalı değildir. Sonuç olarak bu katkı maddesinden *her zaman* uzak durmalısınız.

Sayısız üründe MSG bulunduğu için ürünlerin etiketlerini dikkatlice okumak çok önemlidir. Ayrıca ne aradığınızı da bilmeniz gerekir. MSG hak ettiği kötü şöhretten dolayı genellikle etiketlerde saklanır. Aşağıdaki terimler MSG anlamına gelmektedir: *glutamat, hidrolize, otolize, protaz, karajenan, maltodekstrin, sodyum kazeinat, balzamik sirke, arpa maltı, malt özütü/arpa özü/malt ekstraktı, maya ekstraktı/özütü, bira mayası, mısır nişastası, buğday nişastası, işlenmiş gıda nişastası/işlenmiş nişasta, jelatin, tekstürize protein, peynir altı suyu proteini, soya proteini, soya sosu, et suyu, bulyon* ve *çeşni baharat.*

Doğal Aromalar

Doğal aroma adıyla geçen bütün içerikler gizli MSG'dir.

Doğal vişne aroması, doğal portakal aroması, doğal limon aroması, doğal meyve aroması... Bunlar yalnızca meyve özütü değildir; hiçbiri sizin dostunuz da değildir. Aynı şey *tütsü aroması, hindi aroması, biftek aroması, doğal nane aroması, doğal akçaağaç aroması, doğal çikolata aroması, doğal vanilya aroması* için de geçerlidir. Bütün "doğal" ve "aroma" olanlar birbirlerinin kuzenidir. (Ancak saf vanilya özütünü kullanmak güvenlidir.)

Bütün doğal aroma türleri potansiyel olarak kimyasal bileşenler ve birçok zararlı içermektedir. Doğal aroma radardan kaçtı ve binlerce sağlık ürününün içinde çocuklarınız ve sizin için iyi, güvenli ve sağlıklı bir şeymiş gibi reklamı yapılıyor.

Anneler önleminizi alın. Doğal aromalar MSG gizlemek için yapılan en yeni ve en sinsi 'Bir Varmış Bir Yokmuş' oyunudur. Ürünlerin etiketlerini okuma konusunda dikkatli olun. Böylelikle siz ve aileniz bu gizli içeriklerden korunmuş olursunuz.

Yapay Aromalar

Yapay aromalar laboratuvarda üretilen binlerce kimyasal içermektedir. Bunları tüketerek risk almayın. Mümkün olduğu kadar, elimizden geldiğince bu kimyasal katkı maddelerinden uzak durun.

Yapay Tatlandırıcılar

Birçok yapay tatlandırıcı aspartam içerdiği için nörotoksin gibi davranmaktadır. Bu, nöronlarınızı ve merkezi sinir sisteminizi rahatsız edebilir. Uzun vadede yapay tatlandırıcılar nörolojik çöküntülere ve beyninizde inmelere yol açabilir.

Eğer tatlı ihtiyacı duyuyorsanız yiyebildiğiniz kadar meyve yiyin. Meyve hastalıklarla savaşır ve güçlü bir iyileştirme özelliğine sahiptir.

Sitrik Asit (Limon Tuzu)

Bu bölümde yer alan diğer katkı maddeleri ile karşılaştırıldığında sitrik asit o kadar kötü değildir.

Bununla birlikte midenizin ve bağırsağınızın çeperleri için oldukça rahatsız edicidir. Ayrıca, eğer duyarlıysanız birçok iltihaplanma ve rahatsızlığa yol açabilir.

Sitrik asit (limon tuzu) narenciyenin içinde doğal olarak bulunan asitten farklıdır. İkisini birbirine karıştırmayın. Narenciye kendi başına iyileştirici bir yiyecektir ama sitrik asit genellikle mısırdan elde edilir.

Özellikle herhangi bir tür mide ağrısı çekiyorsanız, kullandığınız ürünlerin etiketlerinde sitrik asit olup olmadığına bakın ve eğer varsa bunlardan uzak durun.

Kaçınılması Gereken Destek Gıdalar

Reçetesiz satılan birçok destek gıda harikadır. Ancak durumunuza bağlı olarak size uygun olmayabilirler.

L-Karnitin

Eğer herhangi bir herpes virüsüne sahipseniz doktorunuz içinde *arginin* adlı amino asit bulunan yiyeceklere yönelmenizi söylemiş olabilir.

Bu doğru olduğu halde, *arginin*den kaynaklanan risk *karnitin* adı verilen başka bir amino asitle karşılaştırıldığında çok küçük kalır. Karnitin herpes virüslerinin ana besin kaynağıdır. Bu, herpes ailesine ait bütün virüsleri için geçerlidir. Ayrıca L-karnitin kanser için de iyi değildir.

L-karnitin hakkında uyanık olmalısınız, yoğunlaştırılmış destekleyici gıda şeklinde bulunan bu aminoasitten her zaman uzak durun.

Glandüler Destek Gıdaları

Hayvanlardan yapılan glandüler destek gıdaları konsantre hormonlarla beslenen virüsler, bakteriler ve kanser için ana besin kaynağıdır.

Konsantrasyon içeren gıdaların alırken dikkatli olun. Her ne kadar az miktarda büyükbaş ya da diğer hayvanların organları ve salgı bezlerini içerse de bu düşük dereceli steroid bileşikler genellikle doktorlar tarafından böbrek üstü ve diğer endokrin bezleri ile organlar için yazılır.

Peynir Altı Suyu Proteini

Peynir altı suyu proteini sizin için iltihaplanma yaratmaktan başka hiçbir işe yaramayan bir süt yan ürünüdür. Ayrıca genellikle MSG içermektedir.

Ancak yüksek kaliteli organik bitki protein tozu sizin için genellikle güvenlidir. Satın almadan önce ürünlerin etiketlerini kontrol edin ve bu bölümde bahsedilen maddeleri içermediğine dikkat edin.

Balık Yağı

Bu noktada balık yağı trendi durdurulamamaktadır. İnsanlar vücutlarına neyi aldıklarını anlamalılar. Vahşi balıkları yemek tamam ama balık yağı desteği başka bir konudur. Hepsinin aynı olduğunu düşüneceksiniz, fakat aslında çok farklıdırlar.

Bu ürünlerin yapımında kullanılan cıva ve dioksinler ilk sorundur. Bünyesinde cıva olan bir balığı yediğinizde cıva genelde bağırsağınızda, karaciğerinizde veya mide bölgenizde toplanma eğilimindedir. Ancak balık yağı tükettiğinizde durum bambaşka ve daha tehlikeli bir hal alır. Her ne kadar üreticiler cıvanın fiziksel olarak ürünlerinden ayrıldığını söyleseler de bu imkânsız ve gerçekçi olmayan bir yaklaşımdır.

Balıklarda cıva genellikle uçucu omega yağında toplanır ve milyonlarca balık, yağları için işlenirken hepsinin içindeki cıva seviyesi birbirinden farklıdır. Ayrıca üreticilerin balıklardaki cıvayı düşürmek için kullandıkları işlemler aslında zehirli ağır metalleri dengesiz bir hale getirir. Ve böylelikle yüksek oranda emilebilir homeopatik bir hal alır. (Homeopati ile ilgilenenler için: Ürün ne kadar sulandırılırsa, frekansı o kadar artar ve vücudumuz üzerinde daha fazla etkisi ve gücü olur.)

Balık ürünlerinde bulunan konsantre cıva kan-beyin bariyerini geçer ve kolaylıkla hassas organlara ulaşır, vücudun tüm sistemlerini geçerek onlara zarar verir. Ayrıca virüsleri ve bakterileri besler ve güçlendirir. Balık yağı ürünleri Alzheimer, erken bunama ve kronik beyin iltihaplanması hastalıklarına yol açabilir.

Ne yazık ki balık yağı modası yanlış bilgilendirmekten dolayı aldı başını gidiyor. Çok güçlü ve popüler - ve zararlı. Bundan uzak durmak için elinizden geleni yapın. Balık yağı destek gıdaları yerine bitki temelli, alglerden elde edilen omega desteklerini kullanın.

Balık yağı tartışmaları konusunda ikna olmaya başladığınızı hissettiğiniz zaman balık yağının günümüzün kandırmacası olduğunu hatırlayın. Ona temkinli yaklaşın, sözlerini yerine getirmeyecektir.

Ana akımın tersine bilgiler vererek ortalığı karıştırmaya çalışmıyorum. Yalnızca, sanki popüler olmaları onları doğru yapıyormuş gibi dışarıdaki yanlış bilgileri tekrar etmeye katlanamıyorum. Burada önemli olan gerçekleri bilerek iyileşmeniz.

Demir Desteği

Doğru miktarda demir sizin için iyi olsa bile virüsler bu metalle beslenmeye bayılırlar. Tüm anemi türleri düşük seviyeli viral enfeksiyonlardan kaynaklanır. Bu yüzden bitki temelli olmayan demir desteğinden uzak durmalısınız.

Demir seviyenizi doğal yollardan ıspanak, taşkesen otu/duvar arpası, pazı yaprağı, kabak, kabak çekirdeği, kuşkonmaz, sülfür eklenmeden kurutulmuş kayısı ve yüksek miktarda demir içeren diğer sebze ve meyveleri tüketerek artırabilirsiniz. Virüsler bu kaynaklardan gelen demirleri tüketemezler. Çünkü sebze ve meyveler doğal antiviral özelliklere sahiptir.

BÖLÜM 20

MEYVE KORKUSU

Her insan kendine hastır - bu şimdiye kadar iyice anlaşılmıştır. Sanırım herkesin ve her ruhun da farklı olduğunda hemfikiriz. Kimse Hitler'in ruhu ile Hz. İsa'nın ruhunun aynı olduğunu söyleyemez.

Mesela kayalar hakkında düşünelim, tortul kayalar, metamorfik kayalar ve püskürük kayalar gibi farklı türleri vardır. Farklı görünürler, farklı şekillenirler ve farklı davranırlar. Örneğin; parçalanma eğiliminde olan bir yamaçta kayayı tutamazsınız, kayıp düşme tehlikesi vardır.

Aynı şekilde sular da öyledir. Şişe su markaları kullandıkları suyun aynı olduğunu mu söylüyorlar? Hayır; kendilerine has olan suyun niteliklerini anlatmak için büyük paralar verip reklamlar yapıyorlar. Peki bir bardak içme suyuyla tuvaletteki su aynı mıdır? Veya New Jersey'de asfaltın üzerinde biriken su ve el değmemiş bir dağın tepesinde eriyen bir parça kar? Akvaryumdaki su, yüzme havuzunda veya küvette biriken su? Bunların hepsi H_2O. Peki, hepsi aynı mı? İmkânsız.

Şekerde de böyledir. Hepsini aynı kefeye koyup kötü olduklarını söyleyemezsiniz. "Şeker şekerdir," diyemezsiniz.

Ancak bizim kültürümüzde olan bu. Son yıllarda birçok yiyeceğe -özellikle de mısır şurubu şeklinde- eklenen işlenmiş şekerin virüslere, mantarlara, kansere ve daha onlarca hastalığa yol açtığına dair su yüzüne çıkan önemli gerçekler bulunmakta. Ancak birdenbire bütün şekerlere karşı bir savaş başlatıldı.

Masum şeker şehit edildi.

Hatta *şeker* kötü bir kelime oldu.

Ve öyle ki, benim bu bölümü yazmam bile riskli bir hal aldı. Çok aptalca geliyor ama böyle. Çünkü önümüzdeki sayfalarda şekerle ilgili ortaya çıkaracağım şeyler şu andaki düşünceyle zıt. Söyleyeceklerim şeker korkusu koşullandırmasına ters.

Meyve Sorun Değildir

Hızla gelişmekte olan bir trend var. Tüm ülkede milyonlarca insan hastalıklarla mücadele edip doktor doktor geziyor ve şunu duyuyorlar: "Derhal meyveyi niyetimizden çıkarın."

Doğu tıp anlayışına mensup doktorlar meyvenin vücutta rutubet yaptığını söylüyor. Batı Tıp anlayışına mensup olanlar ise meyvenin *Candida* ve kanseri beslediğini söylüyor. Diyetisyenler ve beslenme uzmanları meyvenin diyabet hastalığına katkıda bulunduğunu belirtirken, egzersiz ve vücut geliştirme antrenörleri meyvenin aşırı kilo, hatta obeziteye yol açacağını belirtiyorlar.

Çünkü sağlık profesyonelleri ve tıp camiası meyvedeki

şeker ile yüksek fruktozlu mısır şurubunu işlenmiş pancar şekeri, sakaroz, laktoz ve diğer tatlandırıcı ve şekerleri aynı kefeye koyuyorlar. İnsanlara meyvenin *Candida*, mantar, kilo, kanser diyabet, kardiyovasküler sistem ve hatta dişleri ile ilgili problemlere yol açabileceğini söylüyorlar.

Gerçekte kim bu kadar çok meyve yiyor ki? Ana akım diyetlerde bu daha yeni bir durum. Kimi insanlar öğle yemeği için yanlarında muz ve elma taşısalar da genellikle meyve başka şeylere eşlik etmekte. Örneğin; çilekli bir kekin üzerindeki çilekler ya da kremada yüzen yaban mersinleri veya koca bir dilim yaban mersinli pasta gibi.

Yani pek çok farklı hastalıkla uğraşan Amerikalılar yedikleri elma yüzünden mi bu durumdalar? Veya dişlerindeki çürüklerden dolayı kanal tedavisi için dişçi koltuğuna oturanlar, bir arkadaşlarının evindeki partide yedikleri mandalinadan dolayı mı bu durumdalar? Şeker tüketimi ile ilgili gerçek şudur: Normal bir insan yılda 50 kilodan fazla işlenmiş şeker tüketmektedir.

Bu hastalıklardan dolayı meyvedeki şeker suçlanamaz. O yüksek fruktozlu mısır şurubu ya da yemekteki şeker küpleriyle karıştırılamaz.

Meyve insanları hasta etmiyor.

Meyvesinden ayrılmış ve işlenmiş fruktozun ideal bir besin kaynağı olduğunu söylemiyorum. Ama meyvesinin içinde, su ve posası ile birlikteyken sağlığınız için gerçek bir kazanımdır.

Son yıllarda Amerika Birleşik Devletleri'nde meyve tüketimi ciddi biçimde azalmıştır. 2000 yılında ortalama bir Amerikalı yılda 143 kilo meyve tüketiyorken bu rakam 2012 yılında 123 kiloya düşmüştür. Yani neredeyse %15'lik bir azalma söz konusu.

Dikkat edin, 123 kilo meyve fazla değildir. Bu yaklaşık yılda 5 kasaya denk gelir.

1 kilo meyve ile 1 kilo şekeri birbirine karıştırmayın. Bir kilo şeker bir kilo şekerdir; ancak bir kilo meyvede hayat veren, hayat kurtaran, hayatı sürdüren bitkisel besinler ve hastalıkları durduran, uzun bir yaşam sunan bitkisel ilaçlar bulunmaktadır.

Meyve çok fazla şeker içermez. Meyveler su, mineral, vitamin, protein, yağ, diğer besleyiciler, posa, lif, antioksidan, pektin ve bir miktar şekerden oluşur. Eğer 50 kilo işlenmiş şekerle eşdeğer miktarda meyveyi karşılaştıracak olsaydık, o zaman binlerce kilo meyveden söz ediyor olurduk.

2012'den beri meyveden nefret eden trend hızla yayılmakta. 2000 yılı meyve tüketimi rakamları neredeyse kişi başına %40 azalmış durumda.

Ancak bunun trend olmasına gerek yok.

İşlenmiş şeker büyük bir endüstri haline gelmeden önce ve sofra şekeri, yüksek fruktozlu mısır şurubu gibi şeyler yiyeceklerimize dâhil olmadan önce önemli bir hayat kaynağına güveniyorduk. Bu kaynak meyve idi. İnsanlığın başından beri tüm çeşitleriyle meyvelere güvenmekteyiz, yaşama tutunmak için. Hayat Ağacı birbiriyle iletişim kurmanın, doğurganlığın ve sonsuz yaşamın bir sembolü - özellikle bu efsanevi ağacın meyvesi. Meyve, özümüzün bir parçası, kim olduğumuzun temel bir bileşeni. Bu gezegen üzerinde meyve olmadan yaşayamayız. O diğer tüm gıdalardan daha önemlidir.

Yine de düşük karbonhidrat diyetlerine doğru yönelen sağlık trendleri meyveyi tehlikeli yiyecekler listesine koydu ve onu soyunu tüketmek amacında.

Bu bir isyan mı? Cehalet mi? Aptallık mı? Burada bu

trendi sürdüren insanların eğitimsiz olduklarını söylemiyorum. Akıllı, tıp ve beslenme alanında yüksek eğitim düzeyine sahip profesyonellerden bahsediyoruz. Eğer hastalarına meyveden uzak durmalarını tavsiye ediyorlarsa bu mutlaka almış oldukları eğitimden veya orada aldıkları yanlış bilgiler veya kendi özel ilgilerinden kaynaklanıyordur.

Kitap yakmaktan bahsedildiğini duydunuz mu? Eğer şekere karşı sürdürülen savaş bu hızda devam ederse bir dahaki sefere alevlerin içinde kalacak olan meyve ağaçları olacak.

Meyve ve Doğurganlık

Tıp camiasının meyve şekeri ve diğer şekerler arasında bir ayrım yapması önemlidir. Aksi takdirde savaş kimsenin tahmin edemeyeceği kadar tehlikeli bir hal alacak ve diğer masum kurbanları da etkileyecek: kadınlar ve insanlığın geleceği.

Çünkü meyve olmadan doğurganlık riske giriyor. Kadınlar zaten doğurganlık ile ilgili yeterince sorun yaşıyorlar ve iyi niyetli doktorlar neden hastalarına meyveden uzak durmaları gerektiğini söylediklerini bilmiyorlar ve kadınların yaşadığa zorluğa katkıda bulunuyorlar. Bir kadının üreme sistemi, meyve vermek için kimi özel besinlere ihtiyaç duyan açmış bir çiçek gibidir ve bu besinler meyveden gelir.

Doğurganlık ve tüm sağlık özellikle meyvenin içinde doğal olarak bulunan fruktoz ve glikoza bağlıdır; aynı zamanda bu şekerlere bağlı olan bitkisel ilaçlara. Bir kadının üreme sistemi (bilimin henüz keşfetmediği) yalnızca meyvede bulunan antitümör, antikanser, antioksidanlara bağlıdır; tıpkı meyve özü, polifenoller, bioflavonoidler, hastalıkları durduran pektin, vitamin ve mineraller gibi. Bu maddeler polikistik over sendromu, pelvik inflamatuar hastalık ve diğer gizemli doğurganlık rahatsızlıklarını durdurmaya yardımcı olurlar.

Meyveli Dil

İncil haklı olarak meyveden 300 kezden fazla söz etmiştir, çünkü meyve bizim için yaşamsaldır. Türümüzün başlangıcından beri insanoğlu ağaçlardan kopardığımız meyvelerle yaşamakta. Bu durum gezegende üreyip çoğalmamızın yolunu açtı.

Meyve bilgeliğin kutsal kelimesidir. Binlerce yıldır dilimizde güçlü gerçekleri ifade etmek için meyveyi kullanmaktayız. Bu yüzden "emeklerinin meyvesi" veya "ağaç meyvesinden belli olur/ayinesi iştir kişinin" gibi deyimleri kullanmaktayız.

Meyveyi ferahlık anlamında kullanıyoruz. Ticarette ise "projelerin meyve vermesi" gibi terimler bulunmakta. Çocukları "aşkın meyvesi" diye çağırıyoruz. Ayrıca "yasak meyve"ye karşı uyarılarda bulunuyoruz. Günlük dilde kullandığımız tüm bu meyve kalıpları gösteriyor ki meyveye başka seviyelerde bağlıyız.

Gerçek zihin-vücut-ruh-can-kalp bilgeliği için yemeklerimize, her besini bünyesinde barındıran katkısız meyveyi eklemeliyiz. Meyve gerçekten kişiliğimizin bir parçası haline gelirse hayatlarımız tatlı bir hal alır.

Neden yemesi en anlamlı besinden kaçınalım ki? Bütün meyveleri yemek bizi tekrar bütün bir hale getirecektir.

Meyvenin Kökleri

İnsanlar binlerce yıldır tüm dünyada meyve üretmektedir. Asya'da şeftali ve narenciye tarihi bir öneme sahiptir. Rusya'da elma ve armut aynı şekilde. İngiltere'de taneli küçük meyveler (çilek, dut, böğürtlen...vb) ve üzüm, Ortadoğu'da incir, hurma ve mango önemli bir yere sahiptir. Hâlâ da öyle. Güney Amerika'da muz ve avokado sağlık ve kültürde yaşamsal bir role sahip her zaman için.

Cennet Bahçesi'ne kadar gidersek, meyvenin insanlık için başlıca dayanak noktası olduğunu görebiliriz. Tarım başladıktan, uygarlık ve ticaret yolları kurulduktan sonra kendilerine meyve taşınan şanslılar -imparatorlar, krallar, kraliçeler, dükler, kontlar, baronlar, şövalyeler ve firavunlar- en uzun yaşayanlar oldular.

Tüm yıl meyveye ulaşabildikleri için kraliyet ailesi hastalıklarla boğuşmuyordu, oysa daha alt sınıftaki insanlar bu durumdaydılar. Köylüler ve diğer insanlar tahıl, yulaf, neredeyse atılacak durumda kurumuş etler ve sebzelerle beslendiler; tüm yılı bir parça bile meyve yemeden geçirdiler. Sonuç olarak beslenme eksikliği ile ilgili hastalıklar baş göstermeye başladı.

Araştırmaların C vitamini eksikliğinden kaynaklandığını saptadığı (ancak bilimin henüz keşfedemediği meyvede bulunan diğer önemli besin öğelerinin eksikliğinden kaynaklanan) iskorbüt hastalığı alt sınıflar arasında yayılmaya başladı. Birçok insan kemiklerini ve kaslarını tüketen raşitizm hastalığından öldü. Tamamen meyveye ulaşamadıklarından ötürü basit enfeksiyonlar hayati tehlike haline geldi ve protein, yağ ve tahıldan beslenen, kanser olmayan tümörler birçok insan için şikâyet konusu haline geldi.

Bu arada gezegenin kralları daha uzun ve sağlıklı bir yaşam sürdüler, çünkü bu kurbanlar tüm dünyadan onlara meyve taşımaktaydı. Tıpkı bugün kapımıza sipariş ettiğimiz pizza gibi portakal ısmarladılar ve *hop!* portakal önlerindeydi.

(Bu arada pizzanın içinde bir meyveden alacağınızdan çok daha fazla şeker vardır.)

Bu yöneticiler mevsimleri dışında da meyveleri tüketiyorlar, diğer bölgelerin en tatlı meyvelerinin tadını çıkarıyorlardı ve yüzlerce önemli hayat kurtaran besin öğesini bünyelerine alıyorlardı.

Mevsiminde ve Mevsim Dışı Yemek

Konuşulacak bir başka konu da mevsiminde yeme trendi.

Olumlu tarafları var. Mevsiminde yemenin popüler oluşu insanları yaşadıkları yerlerdeki pazar ve marketleri gezmelerine sebep oluyor. Bu harika. Her mevsimin getirdiği güzelliklerin tadını çıkarmaktan daha eğlenceli bir şey olamaz.

Olumsuz tarafı ise mevsim dışı yemenin, yani dünyanın başka bir yerinden başka bir ülkeden taşınan meyvelerin kötü şöhrete sahip olması. Kimi insanlar manav tezgâhında kışın yaban mersini veya yazın portakal gördüklerinde geçip gidiyorlar. Çünkü bunlar yaşadıkları yerin mevsimine uygun meyveler değil. Ancak bu sağlıkları açısından bir suçtur. Bu, insanın kendisini hastalıklardan koruyan besleyici öğeleri çalmasıdır, çünkü onun yerine başka şeyler yiyorlar. Gerçek olan şu ki; bu meyveler mevsimindedirler... Tabii ki yetiştikleri yerde.

Bir sonbahar günü Michigan'dan Güney İspanya'ya tatile gidecek olsanız orada taze mango yemeyecek misiniz? Yaşadığınız yerde mevsimi olmasa da. Dünyanın farklı yerlerinde, farklı koşullarda, farklı türlerde meyvelerin yetiştiğini fark etmediniz mi? Bu lezzetin tadını çıkarın.

Sırf tatilde değilsiniz diye dışarıdan getirilen meyveleri gözardı etmeniz gerekmiyor. Bu, üst sınıfın binlerce yıldır nasıl hayatta kaldığı ve nasıl bir yaşam sürdüğünün sırrı ve şimdi bu sır kitlelere açık hale geldi.

Kimi insanlar bölgeler arası taşımacılığın çevreye olan etkileri ile mevsimlerden daha fazla ilgililer. Bu şöyle anlaşılabilir: Eğer Ekvator'dan gelen muz taşınırken kirlendiği için almaktan kaçınıyorsanız, o zaman, araba, bulaşık makinesi, bilgisayar, cep telefonu ya da günümüzde satılan giysileri, eve sipariş ettiklerinizi... Liste uzayıp gider. Bu alanlardan tasarruf ederek Yeni Zelanda'ya gidip incir satın alabilir ya da Meksika'ya gidip şamama yiyebilirsiniz. Meyvelerin sağlığınız için olan faydaları buna değer.

Şöyle diyeyim, yaşamınızdan tüm modern uygulamaları kaldırıp tıpkı 1850'lerdeki gibi yaşayacaksınız sizi durduracak değilim. Ancak meyveleri sınırlandırmak ya da diyetinizden çıkarmak hasta olma şansınızı artıracak ve ömrünüzü kısaltacaktır.

Olgunlaşma Gerçeği

Meyve ile ilgili bir diğer yanlış kanı ise taşıma sırasında dayansın ya da manav ve marketlerde raf ömrü uzun olsun diye erken koparıldıysa onun yenmeyeceğidir.

Gerçek şudur; eğer bir meyve gerçekten besin değerlerine ulaşamadan çok erkenden koparılsaydı zaten yenmeyecek durumda olurdu.

Meyve ağaçları ve bitkiler içlerinde göklere bağlı bir bilgi bankası bulundururlar. Mevsimi geldiğinde, büyüme koşulları gerçekleştiğinde yukarıdan onlara bir sinyal gelir ve meyve olgunlaşma safhasına başlar. Bu noktada herhangi bir zaman koparılabilir ve olgunlaşıp sizi besleyebilirler.

Taneli küçük meyveler (çilek, dut, böğürtlen...vb) gibi kimi meyvelerin olgunlaşmadan koparmanın doğru olmadığı bellidir. Ancak mango, domates, muz gibi diğer meyveler bir kez olgunlaşma eşiğini aştıktan sonra artık yenebilirler, ayrıca bu eşiği çiftçiler gayet iyi bilir.

Melezleme/Hibritleşme

Melez ürünler hakkında kafanız karışmasın ancak genetik değişiklikler ve GDO ile bunu birbirine karıştırmayın. Aşılama ve elle tozlaşma insanların binlerce yıldır yeni meyve türleri yaratmak için kullandıkları güvenli bir teknik. Bu, üretme sürecinin sağlıklı bir adaptasyonu ve iyi bir gelişim. Saf, melez olmayan meyvelerin daha besleyici olduğu doğrudur ama bunların melez kuzenlerinden kaçınmanıza gerek yoktur. Bu meyveler hâlâ bünyelerinde kanser ve diğer hastalıklardan koruyan besin öğelerini bulundurmaktadırlar.

Meyveyi Bir Alışkanlık Haline Getirmek

Meyvenin böbrek üstü bezlerini rahatlatmak, endokrin sisteminizi güçlendirmek, damarlarınızı onarmak, karaciğeri yenilemek ve beyninizi yeniden canlandırmak gibi özellikleri bulunmaktadır. Vücudunuzun işlevlerini meyve kadar geliştiren başka hiçbir yiyecek ya da ilaç yoktur.

Meyve vücudunuzu bilimin henüz daha keşfedememiş olduğu bir yöne götürür. Bu kesin bir gereklilik.

Yediklerinizin parçalandığı şey olan glikoz olmadan insani işlevlerinizi yerine getiremezsiniz. Glikoz beyninizi, sinir sisteminizi ve tüm hücrelerini besler.

Eğer bir atletseniz -veya hem işyerinde hem evde birçok şeyle uğraşan bir anneyseniz- o zaman hayvansal protein, kabuklu yemişler ve sebze size ihtiyaç duyduklarınızı sunmayacaktır. Siz içinde şeker olan yiyeceklere ayrıca gereksinim duyacaksınız ve en kaliteli şeker kaynağı meyvedir. Eğer tüm şekerleri diyetinizden çıkaracak olursanız önünde sonunda bir hile yaparsınız -çünkü vücudunuzdaki bütün kaslar glikozla çalışır- ve ihtiyaç duyduğunuz şekeri almak için bir şeyler yiyeceksiniz ve büyük bir ihtimalle bu, sizi besleyen bir şey değil, bir pasta ya da bir parça çikolata olacak.

Oysa meyveyi günlük bir alışkanlık haline getirirseniz bu sizin için daha iyi olur, şeker krizini sonlandırır ve sağlığınızda büyük bir değişiklik yaratır.

Meyve en iyi kendi başına veya yeşilliklerle birlikte yenir, çünkü mideniz meyve ve yeşillikleri çabuk ve kolaylıkla öğütür. Tam tersine protein, yağ ve kompleks karbonhidratlar ve pişmiş sebzeleri sindirmek için daha uzun bir süreye ihtiyaç duyar. Oysa siz bu karışıma bir de meyve eklerseniz o, midenizde rehin kalacak ve kendi sırasını bekleyecektir. Bunun bir zararı yoktur ancak gaz ya da sizi meyve yemekten alıkoyacak olan diğer rahatsızlıklara yol açabilir ve meyve yemekten kaçınırsanız bu korkunç olacaktır. Dolayısıyla meyveyi kendi başına ya da yapraklı taze yeşillikler ile birlikte yemeye özen gösterin ve diğer tür yiyecekleri meyvenin tadını çıkardıktan en az bir saat sonra yiyin.

Meyve Hastalıklara Karşıdır

Neredeyse bütün doktorlar hastalarına işlenmiş şekerden kaçınmaları gerektiğini söylüyorlar, çünkü kanser bununla beslenmektedir. Bu harika bir tavsiye.

Sorun olan şu ki bu sağlık profesyonelleri meyveye de şeker içerdiği için aynı şekilde davranıyorlar.

Meyve kanseri beslemez. O kanser karşıtıdır. Meyve, başka hiçbir yiyeceğin yapamadığı kadar etkili bir biçimde kanser ve diğer hastalıklarla savaşır. Diyetinden meyveyi çıkaran bir kanser hastası hastalığa karşı en güçlü silahını bırakıyor demektir.

Sebzeler de kanserle savaşır ancak dörtte bir oranında. Eğer doktor size diyetinizde meyveleri çıkarmanızı konusunda ısrar ediyorsa, o zaman tükettiğiniz sebzeyi dört katına çıkarmalısınız.

Doktorlar kanser hastalarına meyve karşıtı tavsiyeler verdiklerinde ironi şu oluyor: Kanser veya diğer hastalıklar meyve ve sebze dışında bütün yiyeceklerle beslenmektedirler.

60'larda kokain bağımlıları ile ilgili şöyle bir trend vardı: Bu yasadışı maddenin vücuda verdiği zararı önlemek için C vitamini almalarını söylüyorlardı. İnsanlar daha fazla C vitamini alırlarsa daha fazla kokain tüketebileceklerini düşünmeye başladı.

Demek istediğim şey daha fazla kek, soda, hayvansal protein, süt, peynir, kızarmış ve yağlı yiyecekler, meyve ve sebze olmayan yiyecekler tükettikçe bu açığı daha fazla elma, mango, papaya, üzüm, kavun, kivi, portakal, sebze, yeşillik tüketerek kendinizi korumaya çalışmalısınız.

Eğer meyve ve sebzenin dışında yiyecekler yiyorsanız hastalıklara dirençli olacağınızın bir garantisi yoktur. Fakat yeterli miktarda meyveyi diyetinize kattığınızda bu, kanserin etkilerine karşı atılacak olumlu ve aktif bir adım olur.

Kanser meyvedeki şekerden beslenemez. Meyveler polifenol, resveratrol ve diğer antioksidanlar gibi önemli bileşenler içerirler. Bu kanser savaşçıları meyvedeki şekerden ayrılamazlar; bir takım gibi beraber çalışırlar.

Kanser ve şeker arasındaki bağı kuran çalışma yüksek fruktozlu mısır şurubu ve sakaroz üzerinde yapılmıştır. Bu çalışmalar gerçek bir meyve parçası veya kanseri gerçekten besleyen yiyeceklerin birçoğuyla yapılmamıştır. Ancak söylenti çarkı hızla dönüyor ve meyve korkusu birçok insanı kanser ve diğer önemli sağlık sorunlarını durdurmaktan alıkoyuyor.

Kanser dehşet verici bir oranda artmakta. Meyve tüketiminin aniden düşüşünü de göz önünde bulundurarak bu konunun nereye gideceğini düşünmek istemiyorum. Bunun bedelini çocuklarımızın veya onların çocuklarının ödeyeceğini söylemek ise boş laf. Bu ulusun borçları gibi bu da kontrolden çıkmış durumda. Ancak yine de gelecek kuşakların sağlıklı kalacaklarını ve bu tip sağlık trendi tuzaklarına düşmeyeceklerini garanti edebilmek bizim kontrolümüzde.

Meyve sadece kanserle savaşmaz, bütün virüs ve bakterileri öldürür. Muz, yaban mersini, elma ve papaya gibi meyveler dünyada en güçlü virüs öldürücü değerdir.

Meyve ayrıca -sağlıklı bir bağışıklık sistemi için önemli olan- sindirim yolu için de yaşamsal değere sahiptir. Örneğin; elmadaki pektin, hurmanın kabuk ve posası *Candida*, solucanlar ve diğer parazitler gibi bağırsaklarımızda ve sindirim yolunda bulunan mantarlara karşı özel olarak etkilidir.

Eğer meyvedeki şekerin *Candida*'yı besleyeceği konusunda endişeliyseniz Bölüm 9'a tekrar dönün. Orada şunu bulacaksınız: Meyvedeki şeker mideniz tarafından dakikalar içinde, o kadar çabuk emilir ki doğrudan kan dolaşımınıza karışır. Yani bu şeker asla bağırsaklarınıza ulaşmaz ve *Candida*'yı besleyemez. İkinci olarak ise meyve *Candida* hücrelerini öldürür. *Candida* çok nadiren kendi başına gerçekleşen bir hastalıktır; genellikle vücutta yolunda gitmeyen başka şeylerin göstergesi olarak karşımıza çıkar.

Diğer bir yanlış algı ise şekerin karaciğeri bozduğudur. Bundan daha büyük bir yanlış anlaşılma olamazdı. Bu trend yalnızca tıp sistemimizde bir şeylerin ters gittiğinin göstergesi olabilir.

"Karaciğer yağlanması" terimi meyve şekerinden gelen bir şey gibi mi duyuluyor? Hayır. Amerikalıların yedikleri bir parça meyve, giderek artmakta olan bir oranda, boğuştukları karaciğer hastalıkları ile ilgili değildir.

İsminden de anlaşılacağı gibi karaciğer yağlanması yağ tüketiminden kaynaklanır. Neredeyse bütün karaciğer hastalıkları protein ve yağ ile ilgilidir. Çünkü virüsler protein ve yağ ile büyürler. Bu yüzden yağlı birçok gıda ayrıca kötü şeker de barındırmaktadır. Ve bunlar sadece kek, dondurma gibi belli yiyecekler değildirler. Örneğin; tam yağlı süt (yağ ve laktozu birleştirdiği için), hamburger (hayvansal yağ ve karbonhidratı birleştirdiği için) ve ketçaplı patates kızartması (yağda kızarıp tamamen eklenmiş şekerle yapıldığı için). Demek ki sağlık profesyonelleri bir yerde meyvenin doğal şeker içerdiği için karaciğere zarar vereceği gibi yanlış bir kanıya kapılmışlar.

Karaciğer hastalığı veya Hepatit C yaşayan bir insanı iyileştirmenin en iyi yolu onu yalnızca meyve ve sebze ile beslemektir. Bu onların dertlerine derman olacaktır.

Karaciğerden bahsetmişken hipoglisemi genellikle karaciğer bozukluğundan kaynaklanır, çünkü karaciğer glikoz deposunu yitirmiştir. Çünkü yağ ve protein ağırlıklı bir diyet yapılmaktadır. Burada suçlanması gereken şeker -özellikle de elma, taneli küçük meyveler (çilek, dut, böğürtlen...vb), portakal, kavun, muz, mango, papaya, kivi ve diğer tatlı ve lezzetli meyvelerden gelen şeker- değildir. Meyve karaciğeri korur. Bu organın glikoz rezervini sağlar ve hastalıklardan uzak tutar; kan şekerini dengeler.

Neden meyveyi destekliyorum? Sağlık profesyonellerinin hastalarına bundan kaçınmaları gerektiğini söylemeleri veya giderek meyve yeme alışkanlığını kaybetmemiz kimin umurunda?

Hepimizin umurumda olmalı ve hepimiz meyveyi desteklemeliyiz, çünkü herkesin sağlığı için çok önemli.

Bir kadının yorgunluk, kanser, tümör, virüs ve diğer hastalıklardan kaçınmak için meyve yemesi zorunludur. Meyve yememeleri telkiniyle büyümekte olan çocuklarımızın geleceği için de bu önemlidir.

Eğer karaciğerinizin, pankreasınızın, böbreklerinizin iflas etmesini istiyorsanız, o zaman, bu doktorların tavsiyelerine uyun ve yüksek protein ve bu yüzden de yüksek yağ içeren diyetlere uyarak meyve yemeyi bırakın. Ben hiçbir beslenme programı, diyet ya da beslenme inanışı taraftarı değilim. Ben hayvansal gıda yemeye karşıyım. Eğer hayvansal gıdalar diyetinizde meyvenin yerine geçecekse, kendinizi korumak ve uzun süre yaşamak için yeterli besini alamazsınız.

Meyve hastalıkların nasıl üstesinden geldiğinizi önemli bir parçasıdır. Bunu 25 yıl boyunca hastalarımda gözlemledim.

Rahat olun. Meyve sizin arkadaşınızdır. Hastalığa sebep olmaz. Aksine hastalıkları önleyen, patojenleri öldüren ve vücudunuzu onaran başka hiçbir yiyecek yoktur.

Gençliğin Meyve Çeşmesi

Bunu dikkate alın: Toplum olarak her zamankinden daha az meyve ve daha fazla protein ile yağ tüketiyoruz. Yaşam süresi ve meyve tüketimi aynı anda düşüşte ve bu bir tesadüf değil.

Bugünlerde uzun yaşamak popüler bir terim. Herkes bu işin sırrını bilmek istiyor ancak birçok insan şeker karşıtı zihniyet yüzünden gerçeklere karşı kör olmuş durumda. Elimizde kalan tüm yiyecekler içinde bize daha uzun yaşama garantisi verebilen yalnızca bir grup vardır. Muhtemelen şimdiden ne olduğunu bildiniz: meyve.

Alzheimer hastalığı, erken bunama, hafıza kaybı ve Parkinson ve ALS gibi nörolojik hastalıklar hepsi meyveyle önlenebilir.

Çünkü meyve sadece bu hastalıkları önlemez, oksitlenmeyi de önler. Oksitlenmek bizi yaşlandıran süreçtir. Tıpkı bir parça eti oksijene maruz bıraktığınızda başına gelenler gibi, bizim kaslarımız da yaşlanır ve oksitlenir. Aslında her gün yavaş yavaş oksitlenmekteyiz - buna karşı harekete geçmeliyiz. Bunu yapmanın en iyi yolu antioksidan açısından zengin yiyecekler tüketmektir. Ve meyveler bunun için bulunmaz genişlikte bir yelpaze sunar. Meyvelerdeki antioksidan yaşlanmayı tersine *bile* çevirebilir.

Yeryüzündeki en güçlü meyve yaban mersinidir. Bilim henüz yaban mersininin bize sunmuş olduğu iyileştirici ve adaptojenik özellikleri bir araya getirememiştir. Yaban mersini antioksidan açısından en güçlü yiyecektir, hastalıkları önleyip ilerleyişini tersine çevirebilir, var olan en güçlü beyin besleyicidir.

Yaban mersinini yaşadığınız yerde bulunan marketlerde ya da pazaryerlerinde bulabilirsiniz. Ancak bunu işlenmiş kuzenleriyle karıştırmamalısınız. İşlenmiş (highbush) yaban mersini de besleyicidir fakat yabani (lowbush) yaban mersini gibi süper bir gıda değildir. Her bir işlenmemiş yaban mersini binlerce yıllık yaşamsal bilgi barındırır. Her biri vücudunuza bilgeliğin girmesine izin verir ve bugünün değişen zamanlarına uyum sağlamanıza yardımcı olur.

Yani daha genç görünmek, hissetmek ve aynı zamanda daha uzun yaşamak istiyorsanız işlenmemiş yaban mersini, üzüm, erik, portakal ve bunun gibi meyveleri diyetinize almalısınız.

Hayatımız boyunca birçok öğün tüketmekteyiz. Ortalama bir insan, ortalama bir yaşam süresince -o da eskisinden olduğundan daha kısa- yaklaşık 80.000 öğün tüketir. Meyve daha az tercih edilir olduğundan bu yana tüketilen meyve öğünü 10.000 veya şanslıysanız 15.000'i bulur. Sebzeler bu açığı telafi etmezse beslenme konusunda pek çok fırsat kaçırmışsınız demektir.

Eğer uzun yaşamak ve sağlıklı olmak peşindeyseniz, her öğünde iyi şeyler yemelisiniz. Bunu yapmanın en iyi yolu da daha fazla meyve yemektir ve şekere karşı oynanan bu oyuna kapılmamaktır.

Meyve gerçek gençlik çeşmesidir.

Meyve ile Arkadaş Olun

Eğer ıssız bir adaya düşseniz ve yiyebileceğiniz yemekler sadece tavuk, yumurta veya biftek olsaydı iki yıl sonra kurtarıldığınızda hayatınız tam bir felakete dönüşürdü. Vücudunuzdaki bütün sistemler aşırı asitlenmeden zarar görürdü - tabii eğer hâlâ hayattaysanız.

Yine ıssız bir adaya düşseydiniz ve avokado, papaya, muz gibi meyvelerden başka yiyecek bir şey olmasaydı kurtarılmayı beklediğiniz iki yıllık süre sonunda hayatınız iyi değil, harika olurdu. Eğer bana inanmıyorsanız bunu denemek için birini görevlendirin!

Eski bir atasözü vardır: "Günde bir elma doktoru uzak tutar." Bu söz "Günde bir yumurta doktoru uzak tutar," ya da "Günde bir parça biftek doktoru uzak tutar" veya "Günde bir tavukgöğsü doktoru uzak tutar," değildir.

Buradan birinin tavuk ya da biftek yememesi gerektiği anlaşılmamalı. Sadece meyve gençliğin çeşmesidir ve bunu uzun zamandır biliyoruz.

Kimi insanlar için bu ayda bir elma oluyor - ve sağlıklı oluşlarının tek dayanağı yemiş oldukları bu bir elma.

Birçoğumuz yıl boyu taze meyveye ulaşabileceğimiz bir dünyada yaşamaktayız. Bu meyvelerin hastalıkları iyileştirme, önleme, günümüze tat katma, bize enerji verme, hayatımızı geri kazandırma gibi özellikleri vardır. Daha önce söylediğim gibi sağlık trendleri popüler oldukları için işe yaramazlar. Tüm şekerlerin aynı olduğu çok güçlü bir trend ve gittikçe büyümekte. Bu birçok sağlık profesyonelini meyveye karşı hale getirdi.

Eğer bu durum böyle giderse gelecekte meyve yasaklanacak ve balkonumuza ektiğimiz birkaç meyve fidanını saklamamız ya da elimizdeki erikleri tuvalette atmamız gerekebilir.

Bir arkadaşınızdan ya da doktorunuzdan meyveden uzak durmanız gerektiğini duyarsanız bu okuduklarınızı hatırlayın. Söyledikleri şey onların hatası değil, yalnızca yanlış bilgilerini yaymaktalar. Paniğe kapılmayın ve bu trenin sizi alıp götürmesine izin vermeyin. Gerçeği biliyorsunuz.

BÖLÜM 21

28 GÜNLÜK TEDAVİ EDİCİ ARINMA

Vücudumuz bizi koşulsuz sever. Bizi yargılamaz, suçlamaz veya bize darılmaz. Vücudumuzdaki bütün sistemler, her gün -lenf sistemi, iç salgı bezi sistemi ve merkezi sinir sistemimiz- şikâyet etmeden bizim için çalışırlar. Bağışıklık sistemimiz her an savaşa hazırdır vücudun her tarafını istilacı var mı diye kontrol eder.

Bunu kanıksamışızdır. Sistemlerimizin sevmediği şeyler yeriz, vücudumuzu ve ruhumuzu beslemekten ziyade duygularımızı rahatlatmak için tüketiriz. Atıştırmalıklarımız, yediğimiz yemekler, içeceklerimiz ve tükettiğimiz tatlılar hepsi duygularımız içindir ve vücutlarımız bu ruhsal zararın kurbanı olur. Kafamız karışır ve yediğimiz şeyle vücudumuzun ihtiyacı olan şey arasındaki sınırı aşarız.

Sonuçta vücudumuz yıpranmaya başlar. İlk önce ufak tefek, daha sonra büyük yıkımlar baş gösterir. Yağı tükenmekte olan bir araba düşünün. Bir müddet dumanlar çıkararak ilerler ancak bir noktada yağ çok azalacaktır, orada arabayı çalıştırdığınızda motor ısınır, sürtünmeye sebep olur ve *bom!* Bir subap patlar.

İnsan vücudu sonsuz bağışlayıcıdır. Vücudunuz iyileşmek ister ve *iyileşebilir*. Yıllarca göz ardı edilip, hatalı davranılıp yanlış anlaşılsa bile vücudunuz, başka hiçbir şeyin ve hiç kimsenin yapamayacağı kadar sizin için savaşır. Onu doğru yola yönlendirdiğinizde vücudunuzun sıradışı durumlar ve hastalıklardan arınma, yenilenme kabiliyeti vardır.

Vücudunuzu, ihtiyaç içerisinde bulunan eski bir arkadaş gibi düşünün. Dar bir geçitten geçerken ona yardım elimizi uzattığınızı düşünün. Bu özgür iradeniz ve vücudunuzun sizden istediği desteği vermek için niyetinizin gücünü gösterir.

Vücudumuzla bağlanıp gerçekten onu dinler ve ona hasretini çektiği şeyi verirsek her şey değişir. O zaman gerçek mucizeler olur.

Çoğumuz ne istersek yiyebileceğimiz bir dünyada büyüdük. Bu, değiştirilmesi zor bir anlayış. Yemek yeme rutinimiz kişiliğimizin bir parçası gibidir; gizli alışkanlıklarımız ve faydasız tercihlerimiz bunlara dâhildir.

Hepimizin nefsi vardır. Ancak nefsimizle sezgilerimizi birbirine karıştırmamak gerekir. Kimi yiyecekleri yemek için çok güçlü bir arzu duyabiliriz ve vücudumuzun o çizburger ya da o omleti yeme arzusu yanlış bir şeye yol açabilir.

Yine de insanlar karaciğerlerini, pankreaslarını, safra keselerini ve kalplerini daha yağlı, daha tehlikeli, işlenmiş, kızartılmış, gastronomik karışımlara maruz bırakmakta. Çünkü ruh ve vücut hizadan çıkmış durumda. Dünyada karşılaştığımız zorluklar ruhumuza zarar verebilecekleri için bu gerçekleşiyor. Boşluğu yiyecekle doldurmanın, bizi rahatsız eden duyguları bastırmanın yollarını arıyoruz ama bir işe yaramıyor. Faydasız yemekler yemek bizi daha çok hasta eder. Ruhlarımız şifa bulmaz, daha çok acı çeker.

Bir şekilde sağlık problemi yaşamaktaysanız bu oyun değişmeli. Sağlık veren, güçlendiren yiyecekler yemek ve sorunlara yol açan yiyeceklerden uzak durmak bir hastalığı veya sağlık durumunu iyileştirmenin en önemli yönüdür.

Anlattığım sağlıklı yemek planı sağlık dağlarını yerinden oynatacak. Vücudunuz için bir sıfırlama düğmesi gibi olacak. Burada söylenenleri dört hafta boyunca takip etmek iltihaplanmalarınızın azalmasını sağlayacak -sadece bu kitapta bahsettiğim hastalıkların değil burada yer olmadığı için anlatamadığım diğer hastalıkları da azaltacaktır- ve zihinsel sağlığınız açısından da büyük değişiklikler gerçekleşecek. Ayrıca bu program sağlığınız yerinde ve sadece kilo vermek istiyorsanız veya potansiyel gücünüzü yeniden kazanmak ve en üst düzeye çıkarmak istiyorsanız da size yardımcı olacaktır.

İnsanların yanlış yiyecekler tercih etmesinin tek sebebi arzuları değil. Makaleler, çeşitli yazılar, reklamlar, toplum baskısı ve sağlık endüstrisinin tavsiyeleri de buna sebep olmakta. Her zaman haberlerde süper bir yiyecekten bahsederler, yeni bir diyet söz konusudur veya aslında sağlıklı gibi görünen ama gizliden gizliye sizin için zararlı olan bir yiyecekle ilgili bir söylenti vardır.

Şimdi siz bu gürültüyü duymazdan gelmelisiniz. Burada anlatılan 28 günlük programa odaklandığınız zaman enerjinizi, dünyanın geri kalan kısmından gelen bilgilere harcamaktan kurtulursunuz. Bu bir yoksunluk değil, bolluk ve berekettir. Bu lezzetli ve sağlıklı program sayısız hastaya pek çok fayda sağladı. İnsanların hayatları değişti. Sizinki de değişebilir.

Buradaki tavsiyeleri harfiyen uygularsanız vücudunuzun daha önce hiç duymadığınız bir biçimde cevap verdiğini göreceksiniz. Bu bilgi keşfetmeniz için sabırla beklemekteydi ve artık sizinle birlikte çalışmaya hazır.

Program

Şöyle yapacağız dört hafta boyunca sadece meyve ve sebze yiyeceksiniz.

En iyi sonucu almak için 28 gün boyunca bu programı takip edin. En iyi süre 28 gün olsa da bir hafta bile bu programa uymak belirgin sonuçlara yol açacaktır. Bir diğer alternatif ise haftada bir gün bu programı uygulamaktır. Eğer programı denemek için kendinizi doğru zamanda hissetmiyorsanız, daha sonraki bölümlerde anlatılacak olan iyileşme teknikleri ilginizi çekebilir. Diğer taraftan, eğer sağlığınız bir darboğazdaysa veya vermeniz gereken fazla kilolarınız varsa bu programı bir ayın ötesine taşıyabilirsiniz.

Bu programın bu kadar etkili olmasının bir sebebi ise, her öğünde çok fazla besin öğesi almanızdır. Taze durumdaki meyve ve sebzeler en yüksek düzeyde besleyici öğelere sahip yiyeceklerdir ve vücudumuzun en iyi faydalanabileceği şekildedirler. Bunları fazla miktarda tükettiğinizde vücudunuzun ihtiyaç duyduklarını vereceksiniz. Vitaminler, mineraller, mikroorganizmalar ve diğer besleyici öğeler vücudumuzdaki bütün sistemlerin temizlenmesine ve güçlenmesine yardımcı olacaklar.

Sindirim sistemi de bundan faydalananlardan bir tanesi. Sindirim sağlığınızın bağışıklığınız ve tüm sağlığımız üzerinde büyük bir etkisi vardır. Normalde sindirim süreci, vücudunuzun enerjisinin büyük bir kısmını alır.

Vücudumuzun her gün yapması *gereken* şeyler vardır. Kalbimizin atması, akciğerlerimizin şişmesi ve yediklerimizin sindirim yolundan geçerek dışarı atılması gibi şeylerle her gün ilgilenmek *zorundadır* - ayrıca eğer vakit ve destek bulabilirse toksinleri temizlemek, önemli bezeleri onarmak ve daha fazlası gibi yapmayı *umduğu* şeyler vardır.

Evinizde sallanıp duran bir kapı tokmağı düşünün; günün birinde düşecektir ve bir problemle baş başa kalacaksınızdır. Her gün onu tamir etmek için niyet edersiniz, ancak faturaları ödemek, ailenize yemek hazırlamak, dışarıdaki karı küremek gibi işler vardır; bir de bunların üstüne tornavidanız kaybolmuştur. Aynısı vücudumuz için de geçerli. Hazmetmesi zor yiyeceklerle yüklendiğinde ve önemli besleyici öğeleri alamadığında yapılması gerekenler listesi ertelenip durur.

Vücut pişirilmemiş meyve ve sebzeleri çabuk ve kolay bir şekilde işler. Ayrıca bu yiyecekler sindirmeyi daha da rahat bir hale getiren canlı enzimler barındırırlar. Vücudunuz ağır yağları ve proteinleri, katkı maddelerini ve alerjenleri işlemekle meşgul olmadığında kendini hücresel seviyede yenilemek için saatler ayırabilir. Bu tıpkı, kapınızın önünde belirip araba yolu ve kaldırımdaki karları bedavadan küreyen ve aynı zamanda size yepyeni bir alet takımı getiren birine benzer. Birdenbire bozulmuş kapı tokmağını ya da yerinden çıkmış çivileri veya damlatan musluğu onarmak için hiçbir eksiğiniz kalmamış olur.

Et, balık, tavuk ve nişastalı gıdalar yardımcı besleyici öğeler barındırabilirler ama bunları parçalarına ayırmak vücudumuz için zordur. Vücudumuz bir hastalık ya da zehirlenmeyle uğraşıyorsa veya sadece tembelleştiğinde yiyecekleri en uygun biçimde işleme yeteneğimizi kaybederiz. Aşağıdaki program bize sindirim canlılığımızı geri kazanmanın yolunu açar.

Bu program ayrıca ruhunuzu da temizler ve yeniler. Vücudunuz mineralize oldukça, alkalileştikçe, zehirlerinden arındıkça ve onarıldıkça ruhunuz da meyve gibi yiyeceklerin sizi huzura kavuşturacak gerçek destekler olduğunu öğrenir. Bu 28 günlük programın diğer tarafına geçtiğinizde, artık sağlığınız için zararlı olduğunu bildiğiniz yiyecekler bir zamanlar olduğu gibi size hakim olamazlar.

Ruhunuz ve vücudunuz yeni bir frekansta çalışıyor olacak. Yediğiniz her parça meyve, her taze ıspanak yaprağı canlı titreşimler taşır. Onları tükettiğinizde özümsersiniz. Yaşayan yiyecekler sizi hayata geri döndürür.

Bu iyileşme sürecini harekete geçirmeye hazır mısınız? O zaman önünüzdeki 4 hafta boyunca yeryüzündeki en iyileştirici şeyleri yemeye başlayın ve başka hiçbir şey yemeyin.

Başka bir deyişle taze, tercihen organik meyveler ve sebzeler yiyin; daha az yağ tüketin. Ayrıca tuz kullanımınıza da bir sınır getirin -ihtiyacınız olduğunda sadece bir parça Himalaya tuzu kullanın- bol bol su, hindistancevizi suyu, bitkisel çay veya taze sıkılmış meyve suyu tüketin. (Çaydaki sıcak su bitkilerdeki besleyici öğelere zarar vermez. Onların tıbbi özelliklerini ortaya çıkarır.) Eğer bu kitapta bahsi geçen ve şifalı bitkilerle destekleyicilerden yemenizi gerektiren bir sağlık durumu yaşamaktaysanız, o zaman programa bu yiyecekleri de ekleyin.

İşte bu kadar. İyileşme başlıyor hazır olun.

Sabah Erken

Güne arındırıcı içeceklerle başlayın. Kereviz suyu, salatalık suyu, limon suyu, Hawaii'den gelen spirulina yosunu ile birlikte hindistancevizi suyu, bitki çayı, suyla yeniden yapılandırılmış arpa suyu özü tozu gibi. Tüm gece boyunca vücudunuzun sürdürdüğü zehirden arınma işine harika bir katkıda bulunacak ve önünüzdeki gün için su ihtiyacınızı karşılayacaktır.

Eğer sabahları çok aceleniz oluyorsa, bu aşamayı geçerek güne sade su içerek başlayabilirsiniz.

Kahvaltı

Kahvaltı için meyve püresi hazırlayın. İyi bir karışım 3 adet muz, 2 adet hurma ve bir bardak taneli küçük meyvelerden (çilek, dut, böğürtlen...vb) oluşur. Eğer bu sizi doyurmuyorsa daha fazla muz veya taneli küçük meyve eklemekten çekinmeyin. Bir şeyden mahrum kalmayın, bu aç kalmak gibi bir durum değildir. Papaya, armut, mango gibi şeylerle lezzetli katkılarda bulunabilirsiniz.

Bir diğer sağlıklı karışım ise içinde bir avuç lahana, ıspanak veya kişniş, 2 sap kereviz veya bir kaşık arpa suyu özü tozu olandır. Sadece meyvenin ana unsur olduğundan emin olun.

Öğlene Doğru

Yukarıdaki karışımın aynısını hazırlayın. (Ya da ilk seferinde iki porsiyon hazırlayıp ikinci porsiyonu şimdi tüketebilirsiniz.)

Öğlen

Öğle yemeği için ıspanak, marul ve salatalığın temel malzemelerini oluşturduğu bir salata hazırlayın ve istediğiniz meyveleri ekleyin. Bunlar taneli küçük meyveler (çilek, dut, böğürtlen...vb), mango, papaya, üzüm, portakal veya greyfurt olabilir. Sos için yarım avokadoyu bir avuç kişniş ve 2 portakalın suyuyla karıştırabilirsiniz. (Eğer isterseniz biraz sarımsak ve/veya taze zencefil ekleyebilirsiniz.) Bu büyük bir salata olmalı, doyduğunuzdan emin olun.

Ek seçenekler olarak doğranmış lahana, kereviz, karnabahar, roka, bebek lahana, yeşillik filizleri ve taze soğan düşünülebilir.

Öğleden Sonra

Akşama doğru acıktığınızda istediğiniz meyveyi yiyebilirsiniz. İyi örnekler arasında elma veya armut dilimleri, hurma, portakal ve üzüm sayılabilir. Her meyve porsiyonunun yanında kereviz sapı da tüketebilirsiniz. Ayrıca bir kaşık ham bal büyük enerji verir.

Akşam Yemeği

Akşam yemeği vaktinde kremsi bir ıspanak çorbası için 2 demet ıspanak, 3 adet orta-büyük boy domates (veya eşdeğerde *cherry* ya da salkım domates), portakal suyu, bir sap kereviz, biraz kişniş ve (isteğe bağlı olarak) bir diş sarımsağı karıştırıcıdan geçirin. Karışımı reyhan gibi başka bitkiler ekleyerek geliştirebilirsiniz. Bu size kalmış. En iyi sonuç için önce portakal suyu ve domatesleri karıştırın, daha sonra diğerlerini ekleyin. Eğer istiyorsanız yeşillik filizleri, doğranmış taze soğan, doğranmış domates, Atlantik kırmızı deniz otu ve/veya başka bitkiler eklenebilir.

Ayrıca mutfakta halka kesici ya da jülyen doğrayıcı bir alet yardımıyla kestiğiniz salatalık erişteleri üzerinde, bu porsiyonu yemek de eğlenceli olabilir. Bu mutfak aletleri, sebzeleri uzun, ince, tırtıklı şeritlere ayırma yarıyor. Unutmayın kabak şehriyesi çok popüler oldu (ve buğday eriştesinden daha sağlıklı) ancak taze ham kabak bir parça zor sindirilebilir. Eğer en üst düzey şifa ve zehirden arınmanın peşindeyseniz, bu program bitene kadar kabak, havuç ve balkabağı şeritlerinden uzak durun.

Gece

Akşam yemeğinden sonra eğer acıktıysanız bir elma ya da hurma yiyebilirsiniz.

Değişiklikler

Her gün bu sırayla anlatılanları yemek zorunda değilsiniz. Eğer isterseniz öğlen ve akşam yemeğinin yerlerini değiştirebilirsiniz; veya iki salata yiyebilirsiniz ya da öğlen veya akşam yemeği için meyve püresi hazırlayabilirsiniz. Eğer hoşunuza gidiyorsa dönüşümlü olarak değişik salata ve yeşillik çorbaları deneyebilirsiniz.

Belli bir yeşilliği ham ve tazeyken çok fazla yemenin ya da ıspanak yapraklarının size zarar vereceği konusundaki trende aldırış etmeyin. Bu yanlış bir bilgidir. Eğer bir ay boyunca her gün taze ıspanak çorbası içerseniz bu kendiniz için yaptığınız, yapacağınız en güzel şey olacaktır. Canınızın istediği kadar yeşillik yemekten çekinmeyin.

Bir öğünü sadece bir meyveye ayırmak da mümkün. Örneğin; tüm sabahı mango yiyerek geçirebilirsiniz. Bunu, eğer sizi iyi hissettiriyorsa, birkaç sap kerevizle dengeleyebilirsiniz. Eğer belli bir ürünü özellikle fazla tüketiyorsanız birçok manav, kooperatif veya çiftçi size bu ürünü kasalarla, düşük fiyattan verecektir.

Mangodan söz etmişken, bir lezzetli yemek alternatifi de mango salsasıdır. Bunu hazırlamak için mangoları, domatesleri, salatalıkları, kerevizi, kişnişi ve (isteğe bağlı olarak) sarımsağı mutfak robotuna koyun. Yemeği salatalıktan hazırladığınız minik sandalların içinde ya da marul yapraklarına sarılmış bir biçimde veya yeşillikler üzerinde servis edebilirsiniz.

Ve avokadolu-portakal sulu sosun yerine salatanın üzerine *guacamole* (soğan, baharat, avokado ve domates ile yapılan bir tür Meksika mezesi) ekleyip, daha sonra tüm salataya limon sıkabilirsiniz.

Bir diğer büyük zehirden arındırıcı tabak ise mutfak robotunda elma ve karnabahar veya elma ve lahana hazırlamaktır.

Yani temelde seçenekleriniz var. Yalnızca şunu unutmayın: pişmemiş meyve ve sebzeler.

İşte size birkaç seçenek daha:

Eğer sindirim yolunuzun şifa bulmaya ihtiyacı varsa güne, aç karna içeceğiniz bir bardak kereviz suyu ile başlayın. (Daha fazla bilgi için Bölüm 17: Sindirim Yolu Sağlığı'na bakınız.)

Eğer ilginizi kan şekeri veya enerji seviyesine yönelttiyseniz, Bölüm 8: Adrenal Yorgunluk'ta bahsettiğim yeşillik tekniğini kullanabilirsiniz.

Gerçekten güçlü bir temizlenme için bir hafta veya daha fazla avokado ve belirgin yağlardan uzak durun. Ayrıca tuzu bırakın. Yediğiniz meyve ve sebzelerden bol bol doğal sodyum alacaksınız.

Diğer taraftan yüksek hızlı bir iyileşmeye ihtiyacınız yoksa, akşam yemeklerinize yarım avokado ekleyebilirsiniz. Daha ileriki zamanlarda ham hindistancevizi yağı, ceviz, fındık ve diğer kabuklu yemişleri salatanın veya yemeğinizin bazını oluşturan püreye ekleyebilirsiniz.

Ayrıca bu diyetin dizginlerini, akşam yemeğindeki ıspanak çorbası ile hafifçe pişmiş sebzeleri değiştirerek gevşetebilirsiniz. Bu sebzeleri buharda ya da fırında (bir miktar hindistancevizi yağıyla) pişirebilirsiniz veya kabak, patates, tatlı patates, brokoli, karnabahar ya da kuşkonmazla çorba yapabilirsiniz. Maksimum sindirilebilirlik için bunları bir miktar pişmemiş yeşillik filizi, yeşillik veya kereviz ile birlikte yiyin. Bu, daha düşük yoğunlukta bir arınma olacaktır ancak tam bir arınmaya geçiş yapmak için harika bir yol olabilir.

Arınma Programı

	Örnek Menü 1	Örnek Menü 2	Örnek Menü 3
Sabah Erken	**Kereviz suyu**	**Limon-zencefil suyu**	**Arpa suyu özü tozu** suyla karıştırılmış
Kahvaltı	**Sıvı meyve püresi** Muz Hurma Donmuş işlenmemiş yaban mersini	**Sıvı meyve püresi** Muz Hurma Donmuş kiraz/vişne Arpa suyu özü tozu	**Kış kavunu**
Öğlene Doğru	**Sıvı meyve püresi** Muz Hurma Donmuş işlenmemiş yaban mersini	**Sıvı meyve püresi** Muz Papaya Çilek Taze aloe vera yaprağı jeli Kişniş	**Sap kerevizlerle birlikte muz**

Öğlen	**Salata** Bebek ıspanak Marul Salatalık Yeşillik filizleri Portakal dilim-leri **Sos için karı-şım** Taze portakal suyu Avokado Sarımsak	**Doğranmış salata** Ispanak Bebek lahana Salatalık Domates Kırmızı soğan **Sos için karı-şım** Limon suyu Avokado Kişniş Sarımsak	**Salata** Bebek ıspanak Marul göbeği Salatalık Domates Papaya Kişniş **Sos için karı-şım** Domates Papaya Taze soğan Atlantik kırmızı deniz otu
Öğleden Sonra	**Kereviz sapla-rıyla birlikte armut dilimi (çok sayıda)**	**Ahududu ve çilekle birlikte şeftali dilimleri**	**Spirulina Yo-sunu ile Hin-distancevizi suyu;** **Kereviz sapla-rı ile üzüm**
Akşam	**Ispanak çor-bası** Ispanak Domates Kereviz Kişniş Taze portakal suyu Taze soğan *-salatalık eriş-teleri üzerinde servis edin-*	**Mango salsa** Mango Domates Kereviz Salatalık Kişniş Sarımsak *-kırmızı yap-raklı marul üzerinde servis edin-*	**Mango par-çaları (çok sayıda)** *-yanında marul yapraklarıyla servis edin-*
Gece	**Hurma ile birlikte elma dilimleri**	**Bitkisel çay**	**Hurma ile birlikte elma dilimleri**

Geçiş Süreci ve Dönüşüm

Bu programa uygun yemek yerken bazı yiyecekleri özleyebilirsiniz. Onların yokluğunda iyi olan yön şudur; bu durum gelip geçicidir. Bu arınma diyeti bir ay sürecek. Eğer 40 yaşınızdaysanız bunu daha önce 480 kez yaşadınız. Bir ay göz açıp kapayıncaya kadar geçebilir.

Ayrıca bu zehirden arınmanın kimi duygusal ve fiziksel kötü yanları olabilir. Tüm bu temizlik işinden sonra -bu arada kan dolaşımınız kendini yenilemiş olacak- karaciğeriniz işini yapmaya başlayacaktır. Ve uzun zamandır -kimi durumlarda yıllarca veya on yıllarca- biriktirdiği zehirleri dışarı atmaya başlayacaktır. Bu süre zarfında fazladan dinlenme ihtiyacı hissedebilirsiniz veya sevdiğiniz kişilerin size karşı daha hassas ve sevgi dolu olması gerekebilir. (Manevi destek için Bölüm 22: Ruhsal İyileşme Meditasyonu ve Teknikleri ile Bölüm 23: Önemli Melekler'e bakınız.)

Hücreleriniz geçmişte yemiş olduğunuz faydasız yiyeceklerin zehirlerini dışarı atarken nefsiniz sizi tahrik edecek ve kimi anılar bilincinizde yüzeye çıkacaktır. Bütün bu zihinsel sancıları birer hediye gibi görün. Bu, bir parça zehir sizi terk ediyor demektir. Eğer nefsinize kapılırsanız, muhtemelen, geçici bir süre için tatmin olacaksınız ancak zehirden arınma sürecini aksatmış ve karaciğerinizde kalan zehirlere mühür vurmuş olursunuz.

Bu arınma programı ayrıca sizi çok mutlu da edebilir. Sadece olumsuz duyguları değil neşeyi de baskı altında tutuyoruz. Kimi zaman dünyanın endişeleri altında ezilir gideriz ve mutlu olmaya hakkımız olmadığını hissederiz. Bu arınma programı bu düşünceye bir son vermenize yardımcı olacak. Vücudunuz zehirleri dışarı attıkça zihniniz berraklaşacak. Kendinizi gerçekte kim olduğunuza dair farkındalıkları deneyimlerken bulabilirsiniz. Ya da hayatınızın gitmesini istediğiniz yöne doğru ilerlediğini görebilirsiniz. Buna sarılın. Onu dinleyin. Mutluluğunuz insanlığın iyiliği için önemlidir.

Öte taraftan bu arınma programını bitirdiğiniz gün soluğu bir et lokantasında ya da pizzacıda almayın. Çikolatalı dondurmalı kek sipariş etmeyin. Eğer anında, büyük miktarda yağ yüklerseniz karaciğeriniz ve sindirim sisteminiz zorlanacaktır. Süreç sırasında sabırlı olun. Azar azar, yavaş yavaş yiyin. Örneğin; diyetinize pişmiş sebzeler, bakliyat, yağsız protein ya da çok az yağ veya kinoa gibi, esmer pirinç gibi kimi nişastalı gıdaları ekleyebilirsiniz. Eğer sağlığınız için en iyisini istiyorsanız, Bölüm 19: Ne Yememeliyiz?'de diyetinizden uzak tutmanız gereken yiyeceklere asla yaklaşmayın.

Ve eğer kendinizi bu beslenme planıyla çok iyi hissediyor ve küçük değişiklikler ya da bir miktar avokado, fındık, ceviz, kabuklu yiyecekler, hindistancevizi ya da soğuk sıkım zeytinyağı veya pişmiş yiyecek gibi şeyler eklemek istiyorsanız, o zaman sizi durduracak değilim. Eğer az yağlı ve bitki temelli yaşamak istiyorsanız buna devam edin.

Herkes farklıdır. Herkesin değişik besin ihtiyaçları vardır. Farklı hayatları, farklı ekonomik koşulları, farklı sağlık geçmişi ve farklı vücutları vardır. Kimi insanlar hayvansal proteine ihtiyaç duyarlar; dünya onlar için bununla tamamlanır. Kimi, bir parça esmer pirinçle somon balığını öğlen yemek isteyebilir. Bu, onları hayata bağlayan bir şey gibidir. Diğerleri için ise böyle olmayabilir.

Kendinizi rahat hissedin. Günden güne iyileşin. Sizin için doğru olanı yapın.

BÖLÜM 22

RUHSAL İYİLEŞME MEDİTASYONU VE TEKNİKLERİ

Herkes vicdan muhasebesi yapar. Bunu bilmeseler de, adını böyle koymasalar da yaptıkları şey budur.

Vicdan muhasebesi yaparız, çünkü bir parçamızın eksik olduğunu hissederiz ya da tam değilizdir, ruhumuzu tüm potansiyeliyle yaşayamadığımızı hissederiz.

Kimi zaman olumsuz bir deneyim ya da deneyimler dizisi bir insanın kırılmış ya da tükenmiş hissetmesine ve yeniden tamamlanmak ister hale gelmesine sebep olabilir. Bu vicdan muhasebesidir. İnsan içine kapanabilir, içsel konuşmalar duyabilir, sevdiklerinden tavsiyeler almak isteyebilir ya da bir terapi veya bir dizi aktiviteye kendini verebilir. Ruhlarımızı arındırmak ve şifa bulmak istediğimizde ve hayatımızın amacını güçlendirmek istediğimizde yaptığımız şey budur.

Bazen vicdan muhasebesi insanları kendilerine daha yakın bir hale getirir. Çoğu zaman her an olduğumuzdan daha fazla kayıp hissedebiliriz. Bir hastalığın sadece dikkat çekmek için olduğuna dair yanlış teoriyi duymuşsunuzdur. Kötü şeyler başımıza geldiğinde bunun sebebinin yanlış düşünceler olduğuna dair düşünce akımlarına da rastlamışsınızdır.

Daha önce söyledim ve tekrar ediyorum: Eğer hastaysanız veya bir boşanma ya da sevdiğiniz birini kaybettiyseniz bunu dışa vurmamışsınızdır. Bunu içinize atmışsınızdır. Bu bir ceza ya da geri ödeme değil; hasta ya da mutsuz olmayı hak etmiyorsunuz. Bu sizin hatanız değil. İyileşmeyi hak ediyorsunuz. Mutlu olmayı hak ediyorsunuz. Kendinizi bir bütün olarak hissetmeyi hak ediyorsunuz.

Bu bölüm kendinizi bir güçlük içerisinde bulduğunuzda ruhunuza neler olduğunu anlamanıza yardımcı olacak ve kendi ruhunuz için nasıl şifa bulacağınızı size öğretecek. Burada anlattığım egzersizler vicdan muhasebesi yapanlar için gerçek cevaplardır. Ruhunuzu yeniden canlandırmak, huzur bulmak ve kendinizi tam hissedebilmek için sırları öğrenmeye hazır olun.

Duygusal Arınma

Bir yaralanma ya da -özellikle gizemli- bir hastalıktan arınmanın önemli bir duygusal boyutu vardır. Vücudunuz yüksek virüs yoğunluğundan ve zehirlerden arındıkça duygusal arınmanın da gerçekleştiğini göreceksiniz.

Örneğin; lise yıllarından beri kronik yorgunluk sendromu yaşıyorsanız bu kitapla birlikte, bu durumun arkasında bir virüsün bulunduğunu öğrenecek ve bu kitabın rehberliği sayesinde vücudunuzun kendini yenilediğini görecek, bir rahatlama hatta bir gurur ve mutluluk hissedeceksiniz.

Hücreleriniz kendilerini fiziksel zehirlerden arındırırken duygusal zehirler aniden ortaya çıkabilir. Hastalığınızın psikosomatik olduğunu söyleyen insanlara karşı sinirli hissedebilir ya da rahatsızlıklarla geçen yıllarınız için üzüntü duyabilirsiniz. Vücudunuzdaki iltihaplanmaya sebep olan ya da patojenleri besleyen yiyeceklere karşı aşırı bir tutku hissedebilirsiniz.

Bu duygusal taraf iyileşmenin doğal bir parçasıdır. Bunun geçici bir durum olduğunu bilin ve rahatlayın. Ortaya çıkan her şeyle uğraşmak zorunda değilsiniz. Yüzeye çıkan her sorunla bilinçli bir şekilde boğuşmaya çalıştıkça kendinize eziyet edecek ve geçmiş yıllara saplanıp kalma riskine göğüs gereceksiniz. Yani şunu söylemek istiyorum; kabullenmek iyileşmeniz için çok kıymetlidir. Bütün bu kitabı hastalığınızın gerçek olduğunu kabullenmek, bu hastalığı sizin ortaya çıkarmadığınızı ve sağlıklı bir hayat yaşamayı hak ettiğinizi düşünmek için tasarlanmış olarak algılayan.

Duygusal arınma sırasında amacınız olumsuz duygular ve acı dolu anılardan (mümkün olduğunca bilinçaltı seviyesinde) kurtulmak olmalı ve onları yeni, olumlu referans noktalarıyla değiştirmek amacını gütmelisiniz. Ne kadar huzura kavuşursanız bağışıklık sisteminize işini yapabilmesi için o kadar iyi bir ortam sağlamış olursunuz. Bu bölüm bunu gerçekleştirmeniz için yardımcı olacaktır.

Eğer henüz bir hastalıkla karşılaşmadıysanız, bu bölüm böyle bir şey gerçekleştiğinde iyileşebilmeniz için size önemli bir güç kaynağı olacaktır.

Bu meditasyon ve diğer teknikleri kullanarak geçmişi bir kenara bırakabilir ve Tanrı'nın, Işık'ın ya da Kutsal Ruhu'n sizin için istediği hayata sahip çıkabilirsiniz.

Meditasyon Biçimleri

Meditasyon bilinçaltınızı daha fazla huzurla yapılandığı bir durumdur ve bu ruhunuza şifa verir.

Bunu daha önce hiç denememiş olsanız bile, muhtemelen popüler veya geleneksel meditasyon metotlarını duymuşsunuzdur. Sessiz bir odada oturmak, tek bir şeye odaklanmak (örneğin; tekrar edilen bir kelime ya da yanan bir mum gibi) ve daha huzurlu bir bilinç haline girmek gibi.

Bu türden meditasyon harikadır ve *eğer* sizde işe yarıyorsa tavsiye edilir.

Ancak yine de tek yol değildir. Sizi rahatlatan, öz benliğinizi yeniden doğrulayan ve kendinizi yenilemenize yardımcı olan herhangi bir aktivite, meditatif nitelik barındırıyor olabilir. Bu aktiviteler arasında bisiklete binmek, (özellikle okyanus veya göl gibi yaşayan sularda) yüzmek, (dans etmek, bir trambolinde zıplamak gibi) eğlenceli yollarla egzersiz yapmak, müzik dinlemek, okumak, dua etmek, fazladan dinlenmek, bir hayvanla ilgilenmek, yeni insanlar tanımak, sevdiklerinizle vakit geçirmek, masaj yaptırmak ya da Epsom tuzları ve esanslı yağlarla banyo yapmak gibi şeyler sayılabilir.

Burada küçük bir seçki yaptık. Sizi rahatlatan ve dünyamızı düzene sokan, kendinize has bir aktivite bulabilirsiniz. Örneğin; çamaşır makinesinin filtresini temizlemek ya da uzun süreli aritmetik işlemler yapmak gibi. Sizi her ne huzura kavuşturuyorsa ve dünya hakkında daha olumlu ve umutlu hissettiriyorsa, eğer ona meditatif bir farkındalık getirirseniz vücudunuz ve ruhumuz için size şifa sunacaktır. Kendinizi ayakları yere basan ve en uygun durumda hissettiğinizde etrafınızda sizi seven harika insanlarla karşılaşacaksınız.

Kendinize özel hobileri denemek ile birlikte Ruh'un bana olağanüstü güçleri olduğunu gösterdiği bu meditasyon biçimlerini de deneyebilirsiniz. Bu egzersizler dışardan basit gibi görünebilir ancak derinliklerine indiğinizde hastalıkların ilerleyişini geri çevirme, ruhunuzu iyileştirme ve sürebileceğiniz en iyi hayata yer açmak için olumsuz enerjiyi temizleme gibi özellikleri bulunmaktadır.

Kıyıdaki Dalgalar

Eğer onlarla ne yapacağımızı biliyorsanız sahildeki dalgaları izlemek meditatif duruma ulaşmak için harika bir yardımcı olabilir. Travma sonrası stres bozukluğu, acı ve şikâyetlerinden bu teknikle kurtulan sayısız hasta gördüm.

Sahilde oturun, ayakta durun ya da yürüyün. Ve her yaklaşan dalgayı, ruhunuzu temizleyecek birer enerji kaynağı olarak görün. Dalga size doğru geldiğinde, onun, eski yaralarınızı, sizi üzen kayıpları ve herhangi bir olumsuz duygu ve düşünceyi yıkadığını düşünün. Sonra dalga geri giderken bütün bu kötülükleri sizden alıp götürdüğünü hayal edin. Her yeni dalga ile birlikte anılarınızdaki zehri, geçmişteki yaralarınızı ve ruhunuzun yaşadığı zorlukları uzaklaştırın. Hepsinin denize karışıp gittiğini görün. Kendinizi arınmış, temiz hissettiğinizde gelen her yeni dalganın size güç getirdiğini, ruhunuz için bir yenilenme olduğunu düşünün.

Daha fazla yarar sağlamak için Okyanus Meleği'ni çağırın. O sizi en iyi meditasyon haline sokacak ve en büyük etkiyi hissetmenizi sağlayacaktır. (Meleklerin desteklerini nasıl alabileceğinizi sonraki bölümde daha iyi öğreneceksiniz.)

Elbette yapay bir havuz ya da su birikintisinden de

faydalanabilirsiniz. Ancak -göl olsun, nehir olsun, dere olsun, okyanus olsun- herhangi bir doğal su kaynağının canlı olduğunu bilin. Onun nefesi ve bir ruhu vardır. Ne zaman canlı bir suya ayak bassanız hayatınızda gerçekleşmesini istediğiniz şeyleri hayal edin.

Ağaçlarla Çevrili

Doğadan alabileceğinizin en iyisini elde etmek için basit bir yürüyüş yeterli değildir. Daha etkili bir şifa için işte yapmanız gereken şey: Ağaçlarla sarılı bir alana ilk girdiğinizde -burası şehirde bir park ya da kendi bahçeniz olabilir- Ağaçlar Meleği'ni çağırın. Huzurlu çevreyi tanımak için kendinize süre verin. Özellikle de etrafınızda yükselen ağaçları.

Onların kök sistemlerini düşünün. Toprağın derinliklerinden gelen mineralleri ve suyu çekip gövdelerinden dallarına taşıdıklarını düşünün. Kendinizi bu derin toprak enerjisi ile sarılmış hissedin ve ayaklarınızdan toprak ananın kalbine köklerinizi saldığınızı hayal edin.

Bu güzel hayali sonlandırmanın zamanı geldiğini hissettiğinizde, köklerinizi toprakta korunur bir vaziyette bırakıp yürüyüp uzaklaşın. Bu kökler sizin bir parçanızdır. Nereye giderseniz gidin hangi zaman, hangi mekânda olursanız olun toprakta bıraktığınız bu noktalardan iyileştirici enerjiyi alacaksınız.

Bu mümkün olan en güçlü tedavi biçimidir. Varlığınızın bütün yönlerini güçlendirecektir. Yaşama tutunmanız için, ruhunuzun olumlu yönleri alıp olumsuzları bırakması için ve vücudunuz ve ruhunuz için güçlendirici frekans yaratmak adına sizi zorlayacaktır. Sizi korkularınızdan kurtulmaya hazırlayacak ve hayatınızı en iyi düzeyde yaşamanızı sağlayacaktır.

Kuş Gibi Özgür

Kuşları izlemek iyileştirici bir aktivitedir, çünkü sizi doğaya taşır. Gerçekten kuşlara odaklanıp, onları görüp, onları duyduğunuzda gerçekleştirebileceğiniz en aydınlatıcı meditasyona kavuşursunuz.

Kuşların ötüşü müziğin en kutsal halidir. Kuşlar meleklerin ve cennetin şarkılarını söylerler. Kuş sesi hastalıkların ilerleyişini geri çevirebilir, kırılmış bir ruhu onarabilir, çünkü bu melodiler içinizde, derinlerde bulunan DNA ile titreşir. Eğer kuşları saygıyla dinlerseniz şüphesiz ki hayatınız değişmeye başlayacaktır.

Kuşları gözlemlemek de çok güçlüdür. Dünyada ruhlarımız kafesteymiş gibi, baskı altında hissedebilirler. Kuşlara uçarken tanıklık etmek ruhumuzu hafifletir ve ruhumuzun kafeslerini kırar. Daha da ötesi, bir kuş sadece kendisi için güvenli olduğunu düşündüğü bir alana alçalır - ve bu nokta işe yaramıyorsa tekrar kanat çırpma yeteneğine sahiptir. Bir kuşun toprağa ya da bir ağacın dalına konmasını izlediğimizde bu bizim şifa bulmanıza sebep olur ve ruhlarımızda bir güven duygusu yaratır.

Eğer aradığınız şey aydınlanma, Tanrı'ya yakın olma, maneviyat, bilgelik, merhamet ve daha büyük amaçlarınızı anlamaksa, o zaman baykuşu aramanıza gerek yok. Sinek kuşunu arayın. Baykuşun kutsanmış ve güzel bir yaratık olduğunu bilin ama yine de tercihinizi gündüzleri uçan, çiçeklerin nektarlarını içen ve onların polenlerini birbirine taşıyan sinek kuşuna yöneltin. Çünkü bu yemek yemenin en ruhsal halidir ve en büyük bilgeliği gösterir.

Şifa bulmak için baykuş gibi gündüz uyumamak gerekir. Bunun yerine sinek kuşunun öğretisini dinleyin ve geceleri uyuyun. (Eğer ihtiyaç duyuyorsanız gündüzleri de birkaç saat kestirebilirsiniz.)

Sinek kuşları ışık işçileridir. Ne zaman bir sinek kuşuna baksanız onu ışığın, kutsal ve doğru sembolü olarak görün. Onu meleklerin ışığını yayan bir elçi olarak kabul edin. Düşüncelerinizi ve niyetlerinizi saflaştırmasına izin verdikten sonra onu bir dua ya da dilekle uğurlayın. Mesajınızı gitmesi gereken yere iletecektir.

Arıları İzlemek

Arıları izlemek gizli mucizevi bir meditasyondur. Arılar çiçekten çiçeğe dans edip, güneş ışıklarını bünyelerine alıp, çiçeklerin polenlerini ortalığa saçarken hastalıkların ilerleyişini tersine çeviren, duygularınızı onaran, ruhunuzu şifalandıran bir frekans yayarlar. Bu, mantıkla anlayabileceğimiz bir şey değildir fakat hücrelerimiz bunu anlarlar. Arıların farkına vardığınızda ve vücudunuzu onlarla aynı frekansa uyumladığınızda vücudunuzdaki bütün hücreler bu iyileştirici titreşimle salınmaya başlayacaktır.

Taş Toplamak

Kendinizi olumsuz duygulardan arındırmak istediğinizde doğada bir yürüyüş yapın ve sizi çağıran küçük taşları bulmaya çalışın. Yol üzerinde, elinizde tutmaktan hoşlanacağınız üç tane taş seçin. Her birini sizden uzaklaşmasını istediğiniz duygularla isimlendirin. Örneğin; biri suçluluk, biri korku, biri öfke olabilir.

Onları başucunuzda saklayın. Onlarla iletişim kurun, arkadaş olun. Bu taşlardaki minerallerin frekansı duygusal da olsa, ruhsal da olsa, fiziksel de olsa -sizi rahatsız eden her neyse- onun için bir antikor olacaktır.

Taşların görevlerini tamamladıklarını hissettiğinizde ve onlardan ayrılmaya hazır olduğunuzda onları doğaya götürüp okyanus, göl, dere ya da nehir gibi bir su kaynağına bırakın. Canlı su onları temizleyecektir. Ve siz de oradan saflaşmış bir biçimde ayrılacaksınız.

Güneş Banyosu

Güneşin bize sunmuş olduğu şifa kaynaklarını keşfetmek bilimin yüz yıllarını alacak gibi. Rahatlatıp ısıtmasının yanısıra güneş ışınları gizemli elementler barındırır ve vücudumuzda D vitamini üretiminden daha fazla biyokimyasal tepkimelere sebep olur.

Evcil hayvanlarımızın nasıl da güneşli ve sıcak bir yer bulup oraya uzandıklarını gözlemleyin. Tüm hayvanlar güneş banyosu yapmaya bayılırlar ve onda güçlendirici bir şifa kaynağı olduğunu bilirler.

Güneşten faydalanmak için her gün, teninizin güneş ışıklarını emmesine izin verin. Bir seferde 15 dakika güneşin altında kalabilirsiniz. (Güneş yanığı olmamaya dikkat edin.) Eğer yılın soğuk bir zamanındaysanız, evin içinde pencereden gelen güneşin altında da durabilirsiniz. Meditasyonunuzu en faydalı hale getirmek için güneş ışınlarının varlığınıza ulaşmasını, ruhunuzu rahatlatması ve vücudunuza şifa getirmesini sağlayacak olan Güneş Meleği'ni çağırın.

Meyve Toplamak

Meyve toplamak var olan en güçlü meditasyondur. Besin mucizesi için toprak anaya sunulan kutsal bir saygıdır. Bunu hayatınızda bir kez bile yapsanız, bu sizin için, sadece düşünerek bile, tekrar tekrar ruhunuzu iyileştirmeyi ateşleyecek olan bir deneyimdir.

Hâlâ ağaçta olan her meyve parçası, bitkinin kökleriyle, toprağın derinliklerinde bulunan canlı su ile ilintili, yaşayan bir yiyecektir. Eğer 'kendi elmanızı kendinizi toplayın' bahçelerinden bir tanesini ziyaret edecek olursanız ve ağaçtaki elmalardan birine dokunacak olursanız hücreleriniz elmanın doğasıyla titreşecek ve huzur tüm vücudunuza yayılacaktır.

Tüm bunların üstüne elma toplamak için uzanacak, gerinecek veya eğilip kalkacaksınız. Bu doğal gerilme hareketleri insanlar tarafından geliştirilmiş egzersizlere benzerler. Doğal olarak, meyve toplamak için aldığınız her bir pozisyon, size has bir biçimde, size şifa verecektir. Yoga gibi egzersizler güzeldirler ama insan yapımı oldukları için aynı iyileştirici etkiyi göstermezler.

Yaban mersini, böğürtlen gibi meyveler veya çiçek toplamak da aynı etkiye sahiptir. İnsanoğlu yeryüzünde var olduğundan bu yana meyveleri toplamak bir bolluk bereket kutlaması şeklinde gerçekleşmiştir. Bu bin yıllık geleneği takip ettiğimizde, ruhlarımız bu eski kutlamanın ateşiyle yeniden canlanır ve şifalanır.

Çilek, böğürtlen, elma, armut, şeftali gibi meyveleri toplarken o zamana kadar geçirmiş olduğu aylar üzerine düşünün. Bitki ilk başta bir tohumdu veya kök nakliyle şimdi bulunduğu yere geldi. Sonra meyve verecek kadar büyüdü. Ancak yılın her ayı meyve vermedi. Bunun yerine mevsimleri takip etti. Ağacı, dallarını ya da salkımları uyku halindeyken düşünün. Sanki hiçbir şey olmuyormuş gibi durduğu zamanları. Daha sonra yaprakların, tomurcukların çıktığını, çiftçinin onunla ilgilendiğini, çiçek açtığını ve polen taşıyıcıların onu ziyaret ettiğini gözünüzde canlandırın. Bizim yaşantımız da aynı döngü içindedir. Bir kez doğanın ritmine odaklandığımızda, ruhumuzda bereketli ve güzel bir hayat yaşamak için güven ve inanç gelişir.

Büyümekte Olan Bahçenizi İzlemek

Aynı şekilde bahçenizle ilgilenmek de harika bir meditasyon biçimidir. Ellerinizi zeminden çıkacak olan yeni yaşamlar için toprağa daldırmak ruhunuzu güçlendirir ve sizi yeniden canlandırır. Bunun da ötesinde, toprak, toprak ananın ruhunu taşımaktadır. Gerçek anlamda ona dokunmak sizi kutsal doğal ritimle senkronize eder. Eğer sebze veya meyve yetiştiriyorsanız, onların zehirden arındırıcı ve taze olma özelliklerinden de faydalanacaksınız. Eğer çiçek yetiştiriyorsanız, sonunda onları bir vazoya ya da sepete koyacaksınız; bu da sizin için kendi başına büyük bir meditasyondur.

Bahçeyle uğraştıkça şifa veren doğanın sesi ile meşgul olacaksınız. Bir yandan çim biçme makinesi veya arabaların sesini duysanız bile doğanın sesinin etkisi asla azalmayacak. Kuşların ötüşü, sineklerin vızıltısı, rüzgârın ağaçlar arasından geçerken çıkardığı ses, tüm bunlar zihninizi onlarla uyumlu bir hale getirdikten sonra ruhunuza ve vücudunuza huzur verecektir.

Ot yolmanın da hayatınız üzerinde muhteşem bir etkisi vardır. Eğer topraktan ayırdığınız her bir kökü olumsuz bir duygu, dünyevi bir savaşın yarası, bir ihanet, acı bir anı olarak görür ve aynı zamanda bunları ruhunuzdan ve zihninizden atarsanız, hayatınızda bolluk ve bereket için yer açılacaktır. Tıpkı bu yabani otların bahçenizde diğer bitkilere -onların sularını ve besinlerini almak ve onlara gölge yapmak gibi- zararları olduğu gibi, bu ot yolma işlemini bilinçli bir şekilde gerçekleştirmek de size hayata tekrar parlak gözlerle ve olumlu bir biçimde bakmak için fırsat sunacaktır. Bu egzersiz hayatımızda yeni girecek olan ihtimalleri yaratacaktır. Muhtemelen nereden geldiklerini bilemeyeceksiniz.

Eğer bir apartman dairesinde yaşıyorsanız ve ekebileceğiniz biraz toprak parçanız yoksa, o zaman balkonda ya da pencere kenarında bir şeyler yetiştirin. Ayrıca parkları düzenli olarak ziyaret ederek doğanın zenginliğine, bereketine, güzelliğine ve döngüsüne kendinizi uydurun. Dairenizi temizlemek de otları yolmanın eşdeğeri olabilir. Eğer bunu bir meditasyona çevirmek istiyorsanız, elbiseleri katlayın, ortalığı süpürün ya da kullanmadığınız malzemeleri birilerine bağışlayarak döküntüleri zihninizden ve ruhunuzdan da temizleyin.

Yaratıcılık Çalışmaları

Sanat temsil anlamı ve yarattığı temizleyici etki sayesinde meditatif durum için fazlasıyla yararlı olabilir. Tüm bu yaratıcılık özelliğinin en üst sınırda iyileşme etkisi vardır, bununla birlikte sanat yaptığınızda etrafınızda melekler düzeyinde bir izleyici-dinleyici topluluğu birikir.

Resim yaptığınızda her fırça darbesini melekler takip eder, yazdığınızda her kelimeyi okurlar, şarkı söylediğinizde ya da bir enstrüman çaldığınızda melekler tüm notaları dinlerler. Melekler ne yolla olursa olsun yaratıcı olduğunuz zamanlarda size şahitlik ederler. Sizi hiçbir insan görmesi ya da duymasa bile yaptıklarınız kaybolup gitmez. Yaratıcılık ölemez, evrende yazılacak ve bizim dışımızda kendi başına var olacak bir gücü vardır. Yaratıcılık Meleği'nin ya da dans ederken, heykel yaparken, dikiş dikerken sizi izleyen diğer Cennet varlıklarının farkına vardığınız zaman bu başka bir anlam kazanır.

Bir dahaki sefere iyi bir çizim yaptığınızda ya da çocuğunuzun öğle yemeği çantasını kendinize has, yaratıcı bir şekilde tasarladığınızda veya iş arkadaşlarınızın saatler harcadığı bir işi, yaratıcı bir yolla, çok daha kısa sürede yaptığınızda meleklerin size gülümsediğini bilin. Bir şeyi güzel, yararlı ya da iyileştirici (veya her üçü birden) kılmak cennette iz bırakan kutsal bir eylemdir.

Günbatımları ile Güven Tazelemek

Hepimiz güvenimizi sarsan deneyimler yaşamışızdır. Bir noktaya kadar bunun yaşamsal bir değeri vardır. Çünkü aşırı masumiyet ihanet için bir temel oluşturabilir ve bu kitabın da anlattığı gibi, iyi niyetli bile olsa, sorgulamadan bir doktora güvenmek, sağlığınız için tehlikeli olabilir.

Bununla birlikte eğer yaşadığınız şey travmatik bir ihanetse (örneğin; ortağınız tarafından aldatılmanız ve paranızın çalınması gibi) bu daha sonra *herkese* karşı olan güveninizi sarsacaktır. Veya daha kötüsü, kendinize olan inancınızı ve yargılarınızı tehlikeye atabilir.

Aynı şekilde eğer size bağışıklık sisteminizin çıldırdığı ve size saldırdığı söyleniyorsa, kendi vücudunuza olan güveninizi bile yitireceksiniz. Daha da kötüsü, bu kitapta birçok hikâyede rastladığımız gibi, gerçek suçlu bir virüs ya da bakteri olduğu halde size yanlış bilgi verildiyse iç sezilerinize olan güveninizi de kaybedebilirsiniz.

Bu tip duygusal patlamalar ruhunuzda zarara yol açar. Ayrıca hastalıkların üstesinden gelip tekrar sağlığınıza kavuşabileceğinize dair olan inancınızı da baskılayabilirler. Böyle bir zararı iyileştirmenin basit, derinden etkili bir yolu da günbatımının farkına varmaktır. Günün sonuna doğru birkaç dakikanızı ayırın ve güneşi batarken izleyin. (Gözlerinize zarar vereceği için doğrudan güneşe bakmamalısınız.) Eğer güneşi göremeyecek bir biçimde, bir binanın içindeyseniz o zaman günbatımı sırasında güneşin alçaldığını hayal edin. Eğer günün bu zamanını bilgisayar ekranına yapışık geçiriyorsanız, o zaman zihinsel odağınızı cezbedecek bir hatırlatıcı kurun.

Güneş batarken sanki bir arkadaşınızdan ayrılıyormuşsunuz gibi hissedebilirsiniz ama yarın geri dönecektir. Bu tekniğin bu kadar derin bir titreşim yaratmasını sağlayan şey budur. Mutlak karanlıkla karşı karşıyasınız ve güneşin geri geleceğini biliyorsunuz. Bu egzersizi en az haftada 3 kez uygulamak hayatı nasıl deneyimlediğinizi iyi yönde değiştirecektir. En üst düzey şifa için Güven Meleği'ni çağırın.

Ertesi sabah güneş ufukta tekrar yükseldiğinde, siz bu gerçekleşirken uyuyor olsanız bile, vücudunuz dünyanın ritmi ile uyumlu olacaktır. Sonunda, söz verildiği gibi, arkadaşınızın geri döndüğünü fark edeceksiniz. Güneş hayatınız boyunca her gün yeniden doğdu. Siz bu dünyadaki son gününüzü yaşayana kadar da böyle olmaya devam edecek. Güneşin sizi hiçbir zaman bırakmayacağının bilgisiyle ruhunuz iyileştirici enerjiyi aktif hale getirmek için önemli olan güveni yeniden öğrenecek.

Yıldızların Ötesini Seyretmek

Bir stres ya da terslik sonucunda bir insanın ruhunun zarar görmesi alışılmadık bir şey değildir. Hele bir de bu insan yıllardır gizemli bir hastalıkla uğraşmaktaysa. Bu yüzden Tanrı, ruhlarımıza bir güvenlik mekanizması dâhil etmiştir.

Ruhunuzun çoğunluğu sizinle dünyadadır; ancak yıldızların ötesinde, gökyüzünün çok yukarılarında, Tanrı ruhunuzun özünü saklamıştır. Melekler onu orada, Cennet'te saklarlar ki aşağıda her ne olursa olsun ruhumuz güvende kalsın. Bu, evinizin anahtarlarını kaybettiğinizde içeri girebilmek için yedek anahtarları evin garajında kilitli bir kasada saklamaya benzer. Veya dizüstü bilgisayarınıza güvenlik açısından bir şifre koymuşsunuzdur ve giriş bilgilerinizi unutma ihtimaline karşı bu şifreyi yedeklemişsinizdir. Tıpkı bunun gibi, bizim kendimizi kaybetme ihtimalimize karşı Tanrı yıldızların ötesinde ruhumuzun özünü saklamaktadır.

Ve burada, dünyada insanların kendini kaybedebilecekleri çok fazla şey var. İnsanlar ömürleri boyunca birçok kırgınlık hatta kayıp yaşıyorlar, geçmiş hayatlarından işyerlerinden veya çocukluklarından kalma fiziksel ya da duygusal yaralanmalar insanları vicdan muhasebesi yapmaya itiyor. Ayrıca bağımlılık her şekilde ve boyutta insanların ruhlarını onlardan çalabilir. Alkol ve madde bağımlılığı var. Yemek bağımlılığı var. Kumar bağımlılığı var ve hatta bir insanın sürekli olumsuz yanlarını görme bağımlılığı var. Ve daha fazlası... Bağımlılık insanları kendilerinden uzaklaştırıp neredeyse ruhlarını kaybetmelerine sebep olan bir zindandır.

Ancak yine de kendinizi tamamen kaybedemezsiniz. Ruh'un, benden, burada açıklamamı istediği şekilde, Tanrı'nın himayesindeki metot sayesinde her zaman ruhunuza geri dönebilme yeteneğine sahipsiniz. Artık bir bütünlük duygusu aramanıza gerek yok.

Ruhunuzu geri kazanmak için her gece gökyüzüne bakın. İlk başta yıldızlarla tanışın, ruhumuzun onlarla telepatik bir bağlantısı vardır; onların ışıklarının ve harika varlıklarının bir müddet tınlamasına izin verin.

Daha sonra yıldızların ötesine odaklanın. Gerçek yuvanızın orada, şikâyetlerden uzak bir yerde olduğunu gözünüzde canlandırın. Burası Cennet, Tanrı, Işık ya da

Sonsuzluk diye adlandırılan yerdir. Bu gibi terimleri kullanırken kendinizi rahat hissetmiyor olabilirsiniz ve burayı isimlendirmek istemiyor da olabilirsiniz. Ne olursa olsun bir parçanızın orada, zarar görmeden saklandığını bilin. Sonunda bu dünyadan göçüp gittiğinizde varacağınız yer orasıdır. Kendinize şöyle söyleyin: *İşte orada bana ait bir yuva ve bir gün sevgiyle döneceğim oraya.*

Bu egzersize istediğiniz kadar vakit ayırabilirsiniz. Amaç tekrar etmek ve pekiştirmektedir. Sadece üç dakika yıldızların ötesine seyrederek ruhunuzun baş döndürücü bir biçimde yenilendiğini göreceksiniz.

Kim İçin Çalışıyorsunuz?

Ne iş yaparsanız yapın -hemşire, terapist, bankacı, kamyon şoförü, avukat, öğretmen, sanatçı, ev hanımı, yönetici, işçi, garson, editör ya da uzay gemisi personeli- yaptığınız işi yapmak için mutlaka bir sebebiniz vardır. Para için, çıkarlarınız için, ailenize bakmak için, müşterilerinize hizmet etmek için, patronunuzu mutlu etmek için çalışıyorsunuzdur. İşin bu yönü herkesçe bilinen bir şey.

Eğer işiniz sırtınıza yük oluyorsa, sizi aşağılayan bir patronunuz ya da ağır çalışma koşullarınız varsa, yaptığınız işin hiçbir anlamı olmadığını ya da kimsenin sizi takdir etmediğini düşünüyorsanız, o zaman anlayışınızı değiştirmenin zamanı gelmiştir. Ne yaparsanız yapın, bunu nerede yaparsanız yapın, Tanrı için çalışıyorsunuz; bunu istediğiniz terimi kullanarak, her gün sesli bir biçimde tekrar edip ona bağlanın ve her şey değişecek göreceksiniz.

Sabah uyandığınızda yeni güne kapınızı açın ve şöyle söyleyin: "Tanrı için çalışıyorum." (Ya da "Yaradan için çalışıyorum," "Işık için çalışıyorum," "Kutsal Ruh için çalışıyorum.")

Belki bir markette kasiyersiniz, mesainize gittiğinizde bezgin bir yönetici ve bezgin müşterilerle karşılaşıyorsunuz. Dahası mola verene kadar bağırmadan, ağlamadan bu işi sürdürmek zorundasınız, çünkü kafanızda kurduğunuz hayat böyle bir şey değil. Dünyayı değiştirmeyi planlıyordunuz.

Eğer güne Tanrı için çalıştığınızı kabul ederek başlarsanız, markete vardığınızda belki de farklı bir perspektife sahip olacaksınız; belki yöneticiniz yine bezgin olacak ama bu sizin için sorun olmaktan çıkacak. Çünkü o sizin *gerçek* yöneticiniz değil. Daha sonra müşteriler mağazadan aldıklarını kasanın bandına koyduklarında, siz etiketleri geçirip kredi kartlarından para çektiğinizde şunu anlayacaksınız ki insanların kendilerini besleyebilmelerine olanak sağlıyorsunuz. Belki sıradaki bir kişi sizdeki bu parıltıyı fark edecek ve size akıl danışacak; bunun farkında olarak bir hayatı değiştirebilirsiniz. Bir haftanın sonunda yöneticiniz sizi tamamen başka bir gözle görecek ve mağazanın sosyal sorumluluk takımında yer almanızı isteyecek.

Dünyada kutsal bir rolünüz olduğunu anladığınızda bu amacın ışığıyla parlayacaksınız; yolunuza size has özellikleri gerektiren seçenekler çıkacak. Ve eğer bu dünyaya yardım etme işi size fazla gelecek olursa, her gün Tanrı için çalıştığınızı kabul etmek, bu işe yeni yaklaşım yolları geliştirmenize ve diğerleriyle bu yükü paylaşmak için bağlantı kurmanıza yardımcı olacak. Ne yapıyor olursanız olun, eğer kendinize bu işin kime ait olduğunu hatırlatırsanız hayatınız kelimelerle ifade edilemeyecek biçimde değişecek.

BÖLÜM 23

ÖNEMLİ MELEKLER

Tanrı size doğuştan vermiş olduğu bir hakla, istediğiniz zaman meleklere ulaşabilirsiniz. Eğer fiziksel ya da duygusal bir sağlık sorunu yaşıyorsanız melekler buna şahit olurlar; melekler zihninizi huzura kavuşturmak, ruhunuzu yeniden inşa etmek ve vücudunuzu iyileştirmek için yardım etmek istiyorlar.

En anlamlı yolumuzda bizlere rehberlik etmek istiyorlar. İnsanlığın başlangıcından beri melekler dünyada hayatta kalmamız, yaşama uyum sağlamamız gibi konularda bize yardımcı olmak için var.

Bir eş aradığınızda, iş bulamadığınızda ya da yeni seçenekleriniz olmadığını düşündüğünüzde, bu *kuraklıktır*. Melekler bu duruma uyum sağlamamız ve onlar bize doğru bir eş, maddi destek ya da heyecan verici bir değişiklik gibi serin yağmurları getirene kadar hayatta kalmamız için yardım etmek üzere varlıklarını sürdürürler.

Kabımız dolup taşmaya başladığında, çok fazla işiniz,

çok fazla seçeneğiniz ve yetişemeyeceğiniz kadar ilişkiniz olduğunda bir *sel* içindesinizdir. Melekler sizi yüzdürmek, suyun üstünde kalmanızı sağlamak ve ilişkilerinizi, verdiğiniz taahhütler anlamında dengelemenizde size yardımcı olup tekrar projelere odaklanmanız için oradadırlar.

Çok fazla baskı altında kaldığınızda ya da bir anda fazla sayıda taleple karşılaştığınızda veya birtakım karışıklıklar yaşadığınızda, sorumluluklarınız olduğunda veya sevdiklerinizle sorunlar yaşadığınızda bir *sıcaklık dalgası* yayılır. Bu durumda melekler bu sorunları çözmeniz, bu baskıdan kurtulmanız, taleplerinizi azaltmanız ve elinizdeki olanaklar dâhilinde güçlü adımlar atmanız için size yardımcı olmak adına oradadırlar.

Son olarak beklenmedik bir problem ya da aksaklıklar yaşadığınızda -kaza, hastalık, işten atılma, sevdiğiniz birini kaybetme gibi- bir *deprem* meydana gelir. Melekler sevdiklerinizin doğru tarafa geçmesi, kayıplarının önlenmesi, kazalardan -duygusal ve fiziksel olarak- iyileşmeniz, bir iş bulmanız ve hastalıklardan kurtulmanız için oradadırlar.

Tıpkı hava durumu haritasının, ülkenin farklı yerlerindeki farklı hava durumlarını göstermesi gibi siz de yukarıdaki kategorilerin belli bileşenlerini yaşıyor olabilirsiniz. Ya da dördünü birden aynı anda deneyimleyebilirsiniz. Örneğin; destek anlamında kuraklık, iş anlamında bir sel, herhangi bir sorumluluğun getirdiği sıcaklık dalgası veya bir kaybın yarattığı deprem gibi.

Ancak yalnız değilsiniz.

Hayatınız ve yolunuz bir taşa kazınmış durumda değil, yeni bir yön seçebilirsiniz.

Başka bir deyişle, ruhlarımız buraya dünyaya geldiğinde belli bir rolü oynamaya karar verip bundan asla ayrılmamayı tercih edebiliriz... Ya da kendi rolümüzü, özgür irademizle kendimiz yazarız. Her şey henüz yazılmamıştır. Henüz her şey olmamıştır.

Hepimizin ezberi bozma seçeneği var. Kaderimizde söz sahibiyiz.

Melekler karar verirken bize rehberlik etmek ve özgür irademizi en iyi biçimde kullanmamıza yardımcı olmak için bizimleler. Aksaklıkları önlemek ve seçenekleri sunmak için buradalar. Büyümemizde, değişmemizde ve hayatın bize getirdikleriyle başa çıkabilmede bize yardım etmek için buradalar. Işığı görmemiz için buradalar. Bize rehberlik edip karanlıktan çıkarmak için. Yine de melekleri bir ışık hüzmesi, bir hayvan ya da iç dünyamıza özgü herhangi bir tür yaratık olarak görme ihtiyacı içindeyizdir. Onlar size yardımcı olabilmek için bu formu alırlar. Melekler bütün istek ve arzularımızı yerine getirmek için var olmamışlardır. Bize Tanrı'nın yolunda yardımcı olmak için buradalar. Bu bir hastalıktan iyileşmek, ruhumuzu yeniden kazanmak ya da ihtiyaç içerisinde olan başkalarına yardım etmek olabilir.

Bunu bin yıllardır yapmaktalar.

İşte size işin sırrı: Doğru meleği bilmelisiniz, *ondan bir şey istemenin yolunu bilmelisiniz,* inanmalısınız, açık olmalısınız. Onlarla çalışmalısınız. İşte bu bölümde anlatacaklarım bunlar.

Melekler Hakkındaki Gerçek

Melekler kimi zaman en iyi kişisel isimleriyle tanınırlar. Örneğin; başmelek Mikail veya başmelek Cebrail gibi. Onlar, Tanrı adına karanlıkla bin yıllardır savaşan güçlü meleklerdir.

Bu meleklerle ilgili anlamamız gereken şey şu: Çok popülerler ve işlerini niteliklerine göre seçiyorlar. Çok meşgul ve saygıdeğer olduklarından kendilerine en uygun işi seçmek istiyorlar.

Meleklerin üç temel özelliği vardır. Tanrı için çalışırlar, güçleri büyüktür ancak sonsuz değildir ve özgür iradeleri vardır.

Bu son özellikten dolayı ego konusunda hassastırlar. (Özgür iradesi olan herhangi bir varlık - bu insan ya da melek olabilir- bu konuda hassastır. Düşen Melekler'i bilirsiniz, egoları o kadar büyüktür ki kendilerini Tanrı'dan daha büyük sanırlar ve onu yenmeye çalışırlar – ki bu yüzden düşmüşlerdir.)

Başmelekler Mikail ve Cebrail, herkes bildiği için tüm dünyadan kendilerine doğru akan bir istek seliyle karşı karşıyalar ve herkesin talebini karşılayamayabilirler. Burada sizi onları çağırmaktan caydırmaya çalışmıyorum. Tanrı tarafından adlandırılmış ve sevilen, olağanüstü güçleri olan meleklerdir onlar. Sadece günümüzde Tanrı'nın meleklerine olan çağrı gittikçe artıyor, her zamankinden daha fazla. Mikail ve Cebrail isimli meleklerin telefonları durmadan çalıyor.

Çağırabileceğimiz daha güçlü melekler de var. Bizim dualarımızı duyabilir ve hayatımız için daha kolaylaştırıcı olabilirler. Bu melekler dişidirler ve nadiren başvurulurlar. Her biri, özünü sundukları gücün adıyla çağırırlar.

21 Önemli Melek

İşte ihtiyaç duyduğunuz zaman sizin için önemli olacak olan 21 meleğin listesi. 21 sayısı yeniden doğuşu, yeni yolları, ıslah etmeyi, küllerinden doğmayı ve taze başlangıçları temsil eder. Başka birçok melek olsa bile bu melekler günümüzde en yararlı ve güçlü olanlarıdır.

Tıpkı temel yağlar gibi melekler de etkilidirler. Her birinin farklı özellikleri vardır. Temel yağları kendi başlarına veya diğerleriyle birlikte kullanabilirsiniz; melekleri de kendi başlarına veya bir takım halinde çağırabilirsiniz.

- **Merhamet Meleği**: En karanlık zamanlarınızda çağırabileceğiniz açık ara en güçlü melektir. Başmeleklerden bile daha güçlüdür. Tanrı'nın melekler âlemindeki en güçlü meleklerden biridir. Birçok kez Tanrı için karanlıklarla savaşmıştır.
- **İnanç Meleği**: Hangi yolla isterseniz çağırabilirsiniz. Eğer bunu her gün düzenli hale getirirseniz, bu ritim alışkanlığınızı güçlü bir inanç olma yolunda geliştirecektir. İnanç Meleği'ne sonunda hazır olduğunuzu söyleyin.
- **Güven Meleği**: Bir ihanetin sizde açmış olduğu yarayı iyileştirmeye yardım etmek için vardır.
- **Şifa Meleği:** Geçici bir rahatlama ve/veya sevilen birinin iyileşmesini sağlar. (Uzun süreli şifa için -kendinizi geliştirebileceğiniz noktaya gelene kadar- diğer melekleri de çağırmalısınız.)
- **Onarıcı Melek:** Bir ruhun nasıl incindiğini, bir canın nasıl yandığını anlar ve duygusal travmadan kurtulmanız için size yardımcı olabilir. Köklü, kemikleşmiş sorunların çözümüne yardımcı olur.
- **Kurtarıcı Melek:** Dünyevi bir yargılanmaya maruz kalan kişileri rahatlatmak için vardır. Örneğin; birisinin eşi ona boşanma davası açmış olabilir veya bir öğretmen işinden atılmıştır. Ayrıca ruhumuzu öfke ve sinir zindanından kurtarır ve aldatılmanın yaralarını iyileştirir.

- **Güneş Meleği:** Güneşin altındayken hücreleriniz vücudunuza gelen iyileştirici ışınların gücünü alabilsin diye onu çağırın.
- **Işık Meleği:** Tanrı tarafından ona verilmiş olan yenileyici ışığın altında yıkanmak için onu çağırın. Işık meleği dünyadaki bütün ışıklardan daha güçlüdür. Hatta güneşten bile.
- **Su Meleği:** Banyo yaptığınız suyun frekansını daha temizleyici ve besleyici yapmasını isteyebilirsiniz. Eğer bir yarayı iyileştiriyorsanız bu sürecin çabuk olması için onu çağırabilirsiniz.
- **Hava Meleği:** Bir tartışmanın ardından, karşınızdaki insandan size geçmiş olan olumsuz titreşimi temizlemesi için Hava Meleği'ni çağırın. Onun özel, saf enerjisi etrafınızdaki havanın frekansını değiştirecek ve uyum getirecektir. Bu ruhsal durumunuzu değiştirmek için güçlü bir tekniktir.
- **Saflık Meleği:** Bir bağımlılıktan kurtulmak istediğinizde bu melek sizi zehirli alışkanlıklar zincirinden koparacaktır.
- **Doğurganlık Meleği:** Hamile kalmayı düşündüğünüzde ya da bir bebek taşıyorken size yardımlarını sunabilir.
- **Doğum Meleği:** Doğum sırasında anne ve bebeğin sağlığı için vardır.
- **Huzur Meleği:** Zihinsel baskıdan kurtulmanız ve olumlu umut tohumları taşımak için vardır.
- **Güzellik Meleği**: Eğer doğanın etrafınızı saran güzelliklerine kapalı olduğunuzu düşünüyorsanız -güneş, ağaçlar, tepeler ve nehirler gibi- o zaman Güzellik Meleği'ni çağırın. Çevrenizi daha önce aklınıza hiç gelmeyen bir biçimde görmenizi sağlayacaktır. Bu me-

lek ayrıca bir sevgili insanların fiziksel özelliklerine takılmaya başladığında ya da bir iş arkadaşınızın hoş görünüşü kibre dönüştüğünde veya bir kardeş fiziksel özelliği sayesinde tüm ilgi ve hayranlığı üzerine toplaması gibi durumlarda yardımcı olabilir. Güzellik Meleği'ni insanların güzellik anlayışlarını, gerçek güzellik doğrultusunda yeniden düzenlemeleri için çağırın; parıldayan ruhun güzelliği için.

- **Kararlılık Meleği:** Bu dünyadaki amacınızın ne olduğunu bilmediğiniz zamanlarda onu çağırın. Eğer duygusuz hissediyorsanız, kafanız karışıksa veya başkalarına hatta kendinize bile faydasız hissediyorsanız onu çağırın. Eğer bir şeye ya da her şeye olan güveninizi yitirdiyseniz Kararlılık Meleği sizin yanınızda olacaktır.
- **İrfan Meleği:** Sevdiğiniz birinin tavsiyeye ihtiyacı olduğunda ya da kendinizi kayıp hissettiğinizde veya şöyle sırta vurulan bir-iki pat pattan daha fazlasını istediğinizde bu meleği çağırırsanız, ağzınızdan çıkan iyi ve yumuşak kelimeler size bile şaşırtacaktır. Ayrıca kendiniz için de tavsiye arıyor fakat onu nerede ve nasıl bulacağınızı bilmiyorsanız yine İrfan Meleği'ni çağırabilirsiniz.
- **Bilgelik Meleği:** Önemli bir karar almak üzere olduğunuzda rehberlik etmesi için çağırın.
- **Farkındalık Meleği:** İnsanlar her zaman daha fazla bilinmek, daha çok dikkat edilmek isterler. Bu niyeti tamamlamak için Farkındalık Meleği'ni çağırmak önemlidir - ancak o zaman tamamen anın içinde olursunuz. Ayrıca etrafınızdaki insanların daha az yargılayan ve daha iyi iletişim kurulabilir insanlar olmasını istiyorsanız onların zihinlerini açması için bu meleği çağırabilirsiniz.

- **İlişki meleği:** Eğer eşinizle ya da sevdiğiniz insanla problem yaşıyorsanız veya bekârsanız ve iyi bir eş arıyorsanız onu çağırabilirsiniz.
- **Rüyalar Meleği:** Rüyalarınızda duygusal karışıklıkları çözmek ve onlardan kurtulmak için bu meleğe dua edebilirsiniz. Birçok insan rüyalar meleğini gençken tanımıştır - uykularındayken onları uçuran odur. Uyanıkken geçen hayatınız sorunlu olsa bile, ruhunuzun rüyalarınızda özgürlüğü yeniden deneyimlemesi için onu çağırın.

Bilinmeyen Melekler

Kimse başka bir melekler kategorisi olduğunu bilmez. Onların isimleri yoktur. *Bilinmeyen melekler* olarak tanınırlar.

Tam olarak 144.000 tane bilinmeyen melek vardır. Bu, Tanrı'nın kutsadığı bir sayıdır.

İsimsiz oldukları için bir şöhretleri yoktur ya da övülmezler; bundan dolayı da egoyla ilgili çok az sorunları vardır. En güçlü melekler arasında kimi bilinmeyen melekler de vardır ve çok az şey isterler. Eğer onlara inanırsanız mucizeler gerçekleştirebilirler. Siz uyurken veya ruhunuzu ve bedeninizi dinlendirirken onlar sizin üzerinizde çalışırlar.

Bu gruptaki melekler çok güçlü olabilirler, çünkü hayat bilinmeyene karşı bize bir korku aşılamıştır. Dünyada her şeyin ve herkesin bir ismi vardır. Bilinmeyen bir şeyin değerini görmek ve bu melekler için derin bir inanç beslemek bizi sarıp sarmalayabilir. Güven konusunda bu en yüksek noktaya ulaştığınızda hayatınıza radikal etkileri olabilir.

Uyanıkken ruhunuzu yenilemesi için Işık Meleği'ni

çağırabilirsiniz fakat yatağa yattığınızda, siz uyukluyorken bilinmeyen melekler şifa bulmanız ve yenilenmeniz için çalışacaklardır. Kronik bir hastalıkla mücadele ederken bilinmeyen melekleri çağırmak hayatınızı değiştirebilir. Sadece bir bilinmeyen melek ya da üç dört tanesini bir arada çağırabilirsiniz.

Bilinmeyen melekler sizin üzerinizde çalışmak için daha isteklidirler. Eğer bilinmeyen melekleri çağırırsınız kendinizi mutlak gücün, vücudunuzu, zihninizi, kalbinizi, ruhunuzu ve canınızı iyileştirici özelliklerinden faydalanırken bulacaksınız.

Meleklerin Yardımına Nasıl Ulaşılır?

İşte size meleklerle ilgili söyleyeceğim en önemli şey: *Onları yüksek sesle yardıma çağırmalısınız*. Sadece düşünemezsiniz. (Tabii eğer konuşma engeliniz yoksa bu gibi bir durumda aşağıya bakınız.)

Bu büyük bir şeydir. Melekler yeryüzünde şiddet, salgın, hastalıklar, yozlaşma gibi bir sürü olumsuzlukla uğraşıyorlar ve biz onların dikkatini çekerek bu konuda aktif (veya mümkünse proaktif) olmak istiyoruz. Zihnimiz düşüncelerin ve duyguların örümcek ağı gibidir; takıntılar, korku, sinir, güvensizlik, suçluluk, endişe, ağrı, televizyon cıngılları ya da diğer müzikler, sinir olduğumuz insanlarla yaptığımız zihinsel konuşmalar ve hatta mutlu düşünceler... Melekler tüm bunlara saplanıp kalmak istemiyorlar. Gerçek ihtiyaç sahiplerini ayırmak çok zor.

Meleklerin de özgür iradesi olduğunu unutmayın. Samimi, dürüst ve bağlı olduğumuzu belirtmeliyiz. Melekler onlara bir oyuncak gibi davranılmasından veya sınanmaktan hoşlanmazlar. Onları ciddiye almamızı isterler.

Bir melekten yanıt alabilmek için zihninizi tamamen

ona vermeli ve onun adını sesli bir biçimde söylemelisiniz. Çığlık atmanıza ya da bağırmanıza gerek yok. Bir fısıltı bile işe yarar ve onun adı ağzınızdan çıktıktan sonra, o isim bilincinizde diğer her şeyden ayrılacak, net bir mesaj taşıyacak ve başka hiçbir şeye takılmayacaktır.

Eğer konuşma engeli yaşıyorsanız veya konuşamayacak kadar güçsüzseniz o zaman işaret diliyle Kurtuluş Meleği'ni çağırın; o ruhumuzun dileklerini diğer meleklere anlatacaktır.

Bu, meleklerle kuracağınız ilişkinin gerçek sırrıdır. İnsanlar meleklere olan inançlarını kaybettiler; ettikleri duaların sonucunu alamıyorlar. Bu melek meselesinin önemsiz bir şey olduğunu düşünüyorlar, ancak önce bunu öğrenmeleri lazım.

Meleklerle iletişim kurmak tıpkı bir telefon görüşmesi yapmaya benzer. Sessizce telefonunuza bakıp, kapınıza bir kamyon gübre gelmesini bekleyemezsiniz. İlk başta numarayı çevirirsiniz, telefonu açan kişi ile sesli bir biçimde konuşur ve saygılı bir biçimde bahçenize bir kamyon gübre getirmelerini istersiniz. Kamyon geldiğinde onu karşılamalısınız, aracınızı yoldan çekip ona yer açmalısınız ve daha sonra gübre döküldüğünde onu küreklerle alıp bitkilerinizin dibine atmalısınız. Bu süreç irade ve niyet gerektirir.

Eğer Şifa Meleği ile iletişim kurmak istiyorsanız dikkatinizi ona verecek ve şöyle diyeceksiniz: "Lütfen Şifa Meleği. Senin yardımına ihtiyacım var." Eğer bunu niyetinize odaklanarak ve onu çağırmayı isteyerek yaparsanız yeterli olacaktır. Eğer başkalarına yardım etmekle çok meşgul değilse -meleklerin güçleri çok muazzamdır ancak sonsuz değildir- Şifa Meleği birkaç saniye ya da birkaç dakika içerisinde size yardım etmek ve sizi rahatlatmak için olduğunuz yere gelecektir. Bu mucize bir defalığına gerçekleşmeyecektir. Eğer onu çağırmaya devam ederseniz istediğiniz yere gelene kadar size desteğini sürdürecektir.

Ne zaman, nerede olursanız olun, gerçekten onları arıyorsanız ve yardımlarına kapınızı gerçekten açarsanız ve onlara inanıyorsanız melekler âlemi size kavuşacaktır. (Ve yeterince inanmıyorsanız o zaman ilk başta İnanç Meleğini çağırabilirsiniz.)

Meleklerle hayatınızda ihtiyaç duyduğunuz her konuda açık açık konuşabilirsiniz. Belki gelen melek sizin beklediğiniz cevabı vermeyebilir. Eğer İlişki Meleği'ni eşinizi sizden uzaklaştırması için çağırdıysanız ve melek size bir sürpriz yapıp bunun yerine eşinizin sizden özür dilemesini ve yaptığı yanlışlığı affetmenizi istemesini sağlarsa buna şaşırmayın.

Ya da bir başka senaryo da Doğurganlık Meleği'ni çağırıp küçük kızınıza bir kardeş getirmesini isterseniz ve hâlâ hamile kalamıyorsanız bu meleğin sizin çağrınızı duymadığı anlamına gelmez. Yalnızca sizin buna hazır olmadığınızı biliyordur. Belki yeni bir bebek size maddi anlamda büyük bir yük getirecektir veya kız kardeşinizin doğuracağı oğlan çocuk tıpkı kızınızın erkek kardeşi gibi olacaktır.

Meleklere hayatınızdaki problemlerden bahsetmekten korkmayın. Yardıma ihtiyaç duymak zayıflık değildir. "Vücudum o kadar zayıf ki yataktan kalkıp perdeleri bile açamıyorum. Lütfen Işık Meleği umutsuz ve çaresiz bir durumdayım," deseniz bile hayatınızdaki olumsuzlukları tekrar edip duymuyorsunuzdur, sadece gerçekleri açıklıyorsunuz ve hayatınızın gerçeğini kabul ederek büyük bir güç ve dürüstlük örneği gösteriyorsunuzdur. Aynı zamanda bu durumdan kurtulup ilerlemek niyetindesinizdir.

Hayatınızda ileri gitmeniz *gerekiyor*. İyileşmenin ve hayatınızda iyi şeylerin olması gerekiyor. Eğer meleklerin gücünden yukarıda anlattığım gibi faydalanırsınız hayatınız değişecektir.

Hasta dosyası:

Merhamet Meleği'nden Bir Mucize

Bir gece, kocası şehir dışındayken, Edith dört yaşındaki kızı Emma ile ilgileniyordu. Ancak Emma'nın ateşi çok yüksekti. Edith hemen acil servise gitti. Ancak uygun bir doktor bulunamadan önce Emma bilincini kaybetti. Hastane Emma'yı yoğun bakım ünitesine aldı. Komaya girmişti.

Doktorlar yaptıkları kan testi sonucunda Emma'nın çok kötü ve nadir görülen bir tür menenjiti olduğunu söylediler. Uzun zamandır gördükleri en kötü hastaydı. MR sonuçlarına göre beyninde hasar oluşmuştu ve doktorlar Emma'nın ölmese bile en azından felç kalabileceğini söylediler. Ve Edith'i uyardılar: Eğer Emma komadan çıkar ve hayata tutunursa, özel bakım gerekecekti.

Edith, benim hastam olan, kız kardeşi Valerie'yi aradı. Valerie beni araması için ona yalvardı. Asistanım acil durumlar için kullandığımız hattan bana ulaştı ve telefonda Edith ile konuştum. Ruh, bana, bunun Merhamet Meleği ile ilgili olduğunu söyledi. Ben de Edith'e ne yapılması gerektiğini anlattım.

Daha sonraki bir saat boyunca Edith hastanede Emma'nın yatağının yanında oturdu ve Merhamet Meleği'ne gelmesi ve kızının hayatını kurtarması için sesli bir biçimde yalvardı. Hemşireler onu sakinleştirmeye çalıştılar ama Edith devam etti. "Merhamet Meleği, Merhamet

Meleği. Lütfen yardım et, lütfen yardım et." Edith'in kocası tam bu durumun ortasında içeri girdi. Ancak o yine durmadı.

Saat bir olduğunda Edith kızının yatağına kapanmış durumdaydı ve hâlâ meleği çağırıyordu. Birdenbire ne olduğu belli olmayan bir ışık parladı. Edith'in elleri gözlerini kapatmaktaydı ve Emma'nın battaniyesi üzerinde örtülüydü. Ancak ışık onu bile neredeyse kör edecek kadar parlaktı - burada böyle bir ışıktan söz ediyoruz. Edith hemen pencereye koştu ve aşağıdaki loş otoparka baktı. Bu arada camdaki yansımadan odada birinin daha bulunduğunu gördü. Hemen geriye döndü, beklediği gibi odada bir hemşire yoktu. Ancak daha küçük, daha farklı bir ışık fark etti. Figür parlamaktaydı. O an Emma öksürdü. Edith bir hemşire çağırdı ve kocasını birilerini bulup getirmesi için aşağıya gönderdi. Onunla birlikte bir hemşire geldiğinde ikisi de Emma'nın gözlerini kırparak kendilerine bakması karşısında şaşkına döndüler. Komadan çıkmıştı.

İki gün sonra Emma hastaneden taburcu edildi. Tamamen iyileşmişti ve doktorlar bunu açıklayamıyorlardı.

İşte bu Merhamet Meleği'nin gücüdür.

Hasta Dosyası:

İnanç Meleği'nden Yeni Bir Düşünce Yapısı

Jill uzun zaman önce Tanrı'ya olan inancını yitirmiş, yalnız başına yaşayan bir anneydi. Çocukken inanırdı fakat kolejdeki erkek arkadaşı onun Tanrı'ya olan inancını sorguladı ve bunun Santa Claus'a olan inanç kadar naif olduğunu söyledi. Onu böylesine iyi niyetli ulu bir güce inanmaya iten şey neydi? Haberleri izlemiyor muydu?

Jill bir gün yurttaki odasında oturup amcasının ona

vermiş olduğu dua kitaplarını parçaladığında henüz 12 yaşındaydı.

Jill yıllar sonra bana geldiğinde hayatının en inançsız dönemindeydi. Tazminat almadan işinden atılmıştı ve yeni bir iş aramaktaydı. Bir aşevinde pazarlama müdürü pozisyonu açıktı ama başvuran 100 kişi vardı. İşsizlik canına tak etmek üzereydi. Eğer bir iş bulamazsa evindeki ipoteği kaldıramayacak, çocuklarının okuldaki kaydını silecek ve büyük oğlunu maddi anlamda desteklemekte olan amcasının yanına taşınacaktı.

İşlerin tersine döneceğine inanması gerektiğini söyledim. Jill karşı çıktı. Bu tıpkı eski erkek arkadaşının ona söylemiş olduğu gibi dar kafalı bir bakış açısıydı. Eğer hayattaki her şey bu kadar berbat olabiliyorsa onu bu kadar özel yapan şey neydi? İşi ne kadar istese ve o işe ne kadar ihtiyaç duysa da onu hak ettiğini düşünmüyordu. Belki de beklentilerini düşürmeliydi.

Ruh ilk başta Jill'in bu iş için en iyi aday olduğunu söyledi bana. Daha sonra da onun bunu görebilmesi için yalnızca İnanç Meleği'nin ona yardımcı olabileceğini. Meleği yüksek sesle çağırırken Jill'e yardımcı oldum. İnanç Meleği'ne onu görmesi için sesleniyordu, o Tanrı için çalışmaktaydı, Tanrı vardı, fakat biz kendimizi ona kapatmıştık. Bu tıpkı güneşe karşı bir gölge çizmeye benziyordu. Güneşin var olmadığını göstermezdi - bizim onun ışığından faydalanmadığımızı gösterirdi.

Daha sonra, o günkü telefon konuşmamızdan sonra tüm görüşmeyi silip atmayı düşündüğünü söyledi. Ancak aşevindeki işle ilgili iyi şeyler düşünmeye başlamıştı. Pazarlama konusunda iyi bir derecesi vardı ve şehrin her yanında bağlantıları mevcuttu. Muhtemelen hayırseverlerin mesajlarını en iyi yayabilecek olan aday kendisiydi ve bu da daha fazla aç insanın doyurulması demekti. Tüm bunların üstüne Jill artık kendi oğlu ve kızına bakabilecek ve onların sorumluluğunun yükünü amcasının üzerinden alabilecekti.

O akşam küçük bir kızken yaptığı gibi yatağının yanına diz çöktü ve dua etti. "İnanç Meleği eğer bu işi alabilirsem elimden gelenin en iyisini yapacağım. Tanrı için çalışacağım. Lütfen beni buna inandır. Bu işi hak ettiğime beni inandır."

Jill ertesi gün ikinci bir görüşme için çağırıldı. Toplantı odasına girmeden önce İnanç Meleği'ne bir kez daha dua etti ve odaya girdiğinde herkes altüst oldu. Daha o odadan çıkmadan işi aldığını söylediler.

Öğleden sonra telefonda konuştuğumuzda memnun geliyordu sesi. Ancak kafası biraz karışmıştı. Sanki diğerlerinin önüne geçmiş ya da evrenin düzenini bozmuş gibi hissediyordu kendini. Durumun böyle olmadığını anlattım ona. Eğer en iyi aday kendisi olmasaydı duaları onu diğerlerinin önüne geçiremezdi. İnanç Meleği gerçekten ihtiyacı olan insanlara yemek ulaştıracak en iyi kişinin o olduğunu biliyordu. Eğer bu iş onun için uygun olmasaydı duaları başka bir planın işe yarayacağına dair inancını güçlendirecekti.

Jill bunu bir dakika kadar düşündü. "Sanırım şimdi mızmızlanmayı-bırakıp-teşekkür-etme meleğine dua etmenin zamanı geldi," dedi

Kimsenin, en azından hiçbir meleğin, onun mızmızlandığını düşünmediğini anlattım. İnanç bütünsel bir şeydi ve biz kafamızı bu tip sorularla meşgul ettikçe bu Tanrı'nın hoşuna gidiyordu. Şükran Meleği'nin onun çağrısını duymaya bayılacağını söyledim kendisine.

Hasta Dosyası:

İlişki Meleği'nden Yenilenmiş Bir Bağ

Nicole ikinci sınıftayken anne ve babasının boşanması üzerine arkadaş edinmekte güçlük çekmeye başladı. Ne zaman biriyle bir ilişki kuracak olsa tıpkı bir zamanlar babasını kaybetmiş olduğu gibi onu da kaybedeceğini düşünüyordu. Dolayısıyla arkadaşlarının ona vereceği zarardansa Nicole havalı biriymiş gibi davranmayı tercih etti. Eğer birileri okuldan sonra takılmayı teklif edecek olursa ona bir "belki" cevabını veriyor ve bu insanların yarısını ekiyordu. Davetlerin arkasının kesilmesi uzun sürmedi.

Nicole büyüyüp erkeklerle çıkmaya başladığında da aynı sorunun farkına vardı. Bir oğlanı gerçekten sevse bile saç tıraşının çok aptalca olduğunu söyleyip iş çıkışı onu aramayı *unutuyordu.*

30 yaşına geldiğinde bir dizi ilişki yaşamıştı. Fakat her biri de birkaç kez buluşmaktan ibaretti. Çekimser tavrı sayesinde bütün ilişkilerinde mesafesini korumayı başarmıştı.

Sonunda Ethan ile buluştuğunda, bunun için gerçek bir ilişki olmasını istediğini fark etti; bu ilk olacaktı. Kendisine, birilerine güvenmeyi denemesi gerektiğini söylüyordu. Ve iki yıl boyunca işler yolunda gitti. Daha sonra bozuldu. Bir pazar günü kahvaltıdan sonra Ethan Nicole'ün ona çok fazla bağlandığını ve kendisinin bağlanılacak bir insan olmadığını söyledi. "Sanırım kendi hayatını kurmanın zamanı geldi," diye de ekledi.

Nicole artık birisi onu çekici bulsa bile hiçbir ilişkide kendini güvende hissedemeyeceğine inanmıştı. Kendini kırgın ve sevimsiz hissediyordu. Bir süre sonra yine birileriyle çıkmaya başladı fakat kendini rahat hissetmiyordu. Ne zaman bir erkek ona ikinci kez dışarı çıkmayı teklif etse, bu onun hoşuna gitse bile, reddetti. Yeniden bağlanıp sonunda kırık bir kalple yalnız kalmaktan korkuyordu.

Nicole bu noktada anne ve babasının boşanmasından beri çekiyor olduğu ve geçen sene de iyice kötüleşen kronik mide ağrısı sebebiyle bana gelmişti. Konu sonunda dönüp dolaşıp ilişkilere geldi. Nicole bağlılığın onun için sorun yarattığını ve bir adamla birlikteyken kendini nasıl güvende hissedeceğini bilmediğini anlattı.

Ruh, Nicole'ün İlişki Meleği'ni öğrenme vaktinin geldiğini söyledi. Ona bu meleği çağırmasında yardımcı oldum. Birkaç ay içerisinde Nicole, İlişki Meleği ile araba sürerken ya da ev işleri yaparken sanki yan koltukta oturan bir ahbabaymış gibi sohbet etmeye başladı. "İyi de bana uyan birini nasıl bulacağım?" diye soruyordu her zaman.

Bir gün Nicole ruhun mide ağrıları için Ruh'un tavsiye ettiği aloe vera yaprağını ve papayayı satın almak için doğal yiyecekler dükkânında durdu. Arabasını park ederken İlişki Meleği'ne seslendi. "Ya gerçekten dışarıda bir yerde benim için uygun bir erkek varsa? Lütfen, lütfen onu bulmama yardım et."

Nicole alacaklarını almış, ödeme yapmak için sırada bekliyordu. Bir dergide çiftlerin birbirlerini yoga salonunda bulduğuna dair bir yazı dikkatini çekti. Belki İlişki Meleği benimle iletişim kurmaya çalışıyordur diye düşündü. Hemen dergiyi eline aldı ve okumaya başladı. Bir dakika sonra birisi omzuna dokundu. Arkasına döndüğünde ona bakan adamı tanımıyordu.

"Nicole!" dedi adam.

Kendini tanıttı, ismi Tyler'dı. Eskiden lisedeyken aynı sınıftalardı. Ve bir gün bir yerlerde kahve içmek için buluşmayı teklif etti. Nicole tereddütteydi. Karşısındaki kişi ona tanıdık gelmiyordu ve bunun bir oyun olup olmadığını anlamaya çalışıyordu. Ancak adam onu gördüğü için çok mutlu olmuş gibiydi. Sonunda halka açık bir yerde bir sürü çıkışı olan bir kafede buluşmayı kabul etti. Hem ayrıca burada midesine zarar veren kahve yerine güzel bitkisel çaylar bulunmaktaydı.

Eve geldiğinde Nicole yıllıkları karıştırdı ve kuş gözlem topluluğunda Tyler'ın bir fotoğrafını buldu. Sonunda onu hatırladı. Mezun olmadan bir yıl önce elinde dürbünle geziyordu, ergenliğe ise daha yeni girmişti. Dükkânda karşılaştığı Tyler ise oldukça büyümüştü. Bir mesaj atarak bunu kendisine söyledi.

İki gün sonra sözleştikleri kafeye giderken Nicole İlişki Meleği'ni çağırıyordu. Belki de bu sefer işler iyi gidecekti.

Daha çaylarını ısmarlamak için tezgâha yanaşmadan Tyler lisedeyken ona vurulmuş olduğunu anlattı Nicole'e. Bu, ona, kendisi olabilmesi için gerekli güveni sağlamıştı. Tyler evlenmelerine bir hafta kala onu terk eden nişanlısını anlattı. Nicole de daha önceki ilişki deneyimlerini paylaştı. Konuştukça rahatlıyordu. Diğer ilişkilerinde olduğu gibi kendini güvensiz hissetmiyordu. O gün birbirlerinden ayrıldıklarında, daha sonraki üç buluşmanın planı yapılmıştı bile.

Tyler ve Nicole evlenmeden bir gece önce, Nicole, son yalnız gecesini geçirdiği otel odasında, İlişki Meleği'ne sesli biçimde dua etti. Son birkaç yıldır Tyler ile birliktelerken, birkaç küçük yanlış anlaşılmadan dolayı Nicole İlişki Meleği ile iletişime geçmişti. Ancak bu kez onu çağırmasının sebebi teşekkür etmekti. "Şunu bilmeni istiyorum ki; bu sefer bağlanmaktan korkmuyorum. Benim için her şeyi değiştirdin."

SONSÖZ

İNANCINIZI KORUYUN

İnanç dünyada gittikçe azalmakta. İnsanlar Tanrı'ya, yüce bir güce inansalar bile, birçoğu hastalıklardan kurtulabileceklerine ve hayata devam edebileceklerine dair inançlarını yitirmiş durumda.

Bu anlaşılabilir bir şey. Dünyada kötü şeyler gerçekleşiyor. İnsanların birbirini aldatmasından, hastalıklara, savaşlara kadar. Bu kolay kabul edilecek bir şey değil. Yeryüzündeki üç buçuk milyar insan inanç sahibi değil.

Yine de işlerin böyle kötü gitmesinin sebebi inanç eksikliği değil. İnsan dünyanın iyi bir yer olduğuna inanmadığında, düşüncesizce ve herkes için kötü sonuçlara yol açabilecek şekilde davranabilir. Böyle bir eylem, sayısız insanda, insanlığın iyiliğini sorgulamaya ve inançlarından şüphe etmelerine sebep olacaktır.

Kimi zaman bu aldırmazlık bir şiddet halinde gerçekleşiyor. Kimi zaman ise gizleniyor. Tıpkı 19. yüzyılda, zehirli kimyasal ve ağır metalleri çevreye salarak insanların hasta olmalarına, guatr, kanser ve birtakım beyin rahatsızlıklarına sahip olmalarına sebep olanlar gibi. Bu, dünyanın doğal olarak kötü bir yer olduğundan kaynaklanmadı. Sadece gücü elinde bulunduran insanlar inançlarını yitirmişlerdi ve bir kumar oynadılar ve fabrika çalışanlarını ve kasabadakileri hiçbir teste tabi tutmadıkları kimyasallara maruz bıraktılar; sırf para uğruna.

Bugün birçok insan sağlık sorunlarıyla uğraşıyor. Hasta olduğunuzda veya sevdiğiniz biri hastalandığında daha fazla yürek burkucu hikâyeye rastlıyorsunuz. Elbette ki delirmemek işten bile değil. Kendini güvensiz, korunmasız ve hayal kırıklığına saplanmış, korku içinde hissetmek çok kolay.

Ancak yine de her zaman şu gerçeğe geri dönmelisiniz: İyi bir hayat yaşamanıza izin verildi. İyi bir hayatı hak ediyorsunuz. *Sizin için iyi bir hayat var.* Ve iyi bir hayatın temeli iyi bir sağlık ile atılır. İyileşmeyi, vücudunuzun kendini yenileyici mekanizmalarından faydalanmayı hak ediyorsunuz. Mutlu ve esenlik dolu olmayı hak ediyorsunuz.

İşleri karıştıran bozan şey hayat değildir. Kendi özleriyle ve inançları ile olan bağlarını koparmış insanlardır; ki onlar aldırış etmeden tercihte bulunurlar.

Buna karşı yapabileceğiniz en iyi şey inanmaktır.

İnanmayan insanların gözleri teknik olarak açıktır. Ancak Tanrı'nın onlara yardım eden eline karşı kördürler ve evrenin onlara ulaşmak isteyen elini geri çevirirler. Birçok sebep ileri sürerek, ne için inanmadıklarını anlatırlar, başkalarını da bu doğrultuda ikna edebilirler – aslında körlük körlüğe kılavuzluk eder.

Haber başlıklarının ya da fiziksel deneyimlerimizin bizi inanmaktan alıkoymalarına izin veremeyiz. İnancımızı beslemeliyiz ki ruhumuzun bir parçası haline gelsin. Bu uygulama ile olur. Sabırla olur. Birazcık da İnanç Meleği'nden yardım alabilirsiniz.

Eğer inanmak size imkânsız geliyorsa gözünüzde şunu canlandırın: Gökyüzünden aşağı doğru salınan, altından bir ip var. Siz bu ipe sarılıyor ve sanki göklerde, cennette var olan bir zili çalıyorsunuz.

Zamanla siz inanmaya başladıkça, bu inanç kalbinize, ruhunuza, canınıza ve vücudunuza girecektir. Ve sonunda bir kıvılcım hissedeceksiniz. Ve onun daha çok görünür olan güzelliği ve fazileti içerisinde yaşamaya başlayacaksınız. İnancınız yolunuzu aydınlatacak. Ve sonunda umutsuzluktan nasıl kurtulacağınızı göreceksiniz. Kendinizi tekrar sağlıklı bir hale getirebilirsiniz.

Eğer bu kitaptaki bilgileri ciddiye alırsanız hayatınızın değiştiğini görecek ve Tanrı'nın, Ruh'un ve melekler âleminin, gerçekten sizin başarılı olmanızı istediğini göreceksiniz. Daha sonra, nasıl bir mum diğerlerini de tutuşturursa, siz de sayısız insana inanç yolunu aydınlatacaksınız.

Yolculuğunuzda her şey dilediğiniz gibi olsun.

YAZAR HAKKINDA

Anthony William kendisine zamanının çok ötesinde, kesin ve sıra dışı bir sağlık bilgisi sunan, yüksek düzey bir Ruh ile iletişim kurabilme yetisiyle doğmuştur. Dört yaşından itibaren, hiçbir belirti göstermeyen büyükannesinin akciğer kanseri olduğunu açıklamasıyla ailesini şok etmesinden bu yana (ki bu bilgi daha sonra tıbbî testler sonucu doğrulanmıştır) Anthony, bu yeteneğini insanların sağlık durumlarını okumak ve onlara nasıl iyileşeceklerini anlatmak için kullanmıştır. Ruh'un ona sağlamış olduğu bu içgörü sayesinde eriştiği eşi benzeri olmayan bu kesinlik ve başarı, kendisine dünya çapında Medikal Medyum ismini kazandırmanın ötesinde, pek çok farklı kesimden, yakalandığı hastalıktan nasıl kurtulacağını bilmeyen binlerce sinema yıldızı, rock yıldızı, milyarder, profesyonel atlet, yazar ve sayısız birçok insanın güvenini ve sevgisini kazandırmıştır. Anthony ayrıca içinden çıkamadıkları, çözülmesi zor vakalarda, doktorlar için de paha biçilmez bir kaynak haline gelmiştir.

www.medicalmedium.com